Eine Luxusyacht treibt führerlos in den Hafen von Reykjavík. Sie wurde in Lissabon gechartert. Doch wo sind die sieben Menschen, die eigentlich auf dem Schiff hätten sein sollen? Der Kapitän, zwei Besatzungsmitglieder und eine vierköpfige Familie. Gerieten sie in Seenot und treiben jetzt in einem Rettungsboot draußen auf dem Atlantik? Doch dann wird eine Leiche an Land gespült. Dieser Mensch ist eindeutig nicht im Wasser umgekommen, gehörte aber zur Besatzung. Rechtsanwältin Dóra versucht die Hintergründe zu erforschen und kommt einer furchtbaren Wahrheit auf die Spur.

Der neue spannungsgeladene Roman der internationalen Bestseller-Autorin Yrsa Sigurðardóttir ist der sechste Band in der Serie mit Rechtsanwältin Dóra Guðmundsdóttir.

Yrsa Sigurðardóttir studierte Bauingenieurwesen in Reykjavík und Montreal. Seit 1998 schreibt sie Kinderbücher, und im Jahre 2005 erschien ihr erster Kriminalroman »Das letzte Ritual«. Ihre Bücher sind mittlerweile in 30 Sprachen übersetzt. Neben dem Schreiben arbeitet sie als Ingenieurin in Reykjavík.

Weitere Informationen, auch zu E-Book-Ausgaben, finden Sie bei www.fischerverlage.de

Yrsa Sigurðardóttir

TODESSCHIFF

Ein Island-Krimi

Aus dem Isländischen von Tina Flecken

Fischer Taschenbuch Verlag

Dóra Guðmundsdóttir-Romane:

Das letzte Ritual
Das gefrorene Licht
Das glühende Grad
Die eisblaue Spur
Feuernacht

Stand-alone-Thriller:

Geisterfjord

3. Auflage: Februar 2013

Deutsche Erstausgabe
Veröffentlicht im Fischer Taschenbuch Verlag,
einem Unternehmen der S. Fischer Verlag GmbH,
Frankfurt am Main, Dezember 2012

Die isländische Originalausgabe erschien 2011
unter dem Titel ›Brakið‹
Published by agreement with Veröld Publishing,
Reykjavík, Island
© 2011 by Yrsa Sigurðardóttir
Für die deutsche Ausgabe:
© S. Fischer Verlag GmbH, Frankfurt am Main 2012
Satz: pagina GmbH, Tübingen
Druck und Bindung: CPI – Clausen & Bosse, Leck
Printed in Germany
ISBN 978-3-596-19493-3

TODESSCHIFF

Dieses Buch widme ich meinem Großvater Þorsteinn Eyjólfsson, Kapitän (1906–2007).

Besonderer Dank an Michael Sheehan, der mir einiges über Yachten und die Seefahrt erklärte, Örn Haukur Ævarsson, Steuermann, für Erläuterungen zur Kommunikation auf See, zu Steuerinstrumenten und anderen Bereichen der Navigation und schließlich Kristján B. Thorlacius, Anwalt beim Obersten Gericht, für Informationen über die juristische Seite bei Vermisstenfällen. Gleichwohl trage ich die Verantwortung für mögliche Fehler bei diesen Themen.

Yrsa

PERSONEN DER HANDLUNG

Dóra Guðmundsdóttir: Reykjavíker Anwältin und
alleinerziehende Mutter
Matthias Reich: Dóras Freund aus Deutschland
Sóley und Gylfi: Dóras Kinder
Sigga: Gylfis Freundin
Orri: Dóras kleiner Enkel

Bragi: Dóras Partner in der Kanzlei
Bella: ihre Sekretärin

auf der Yacht

Ægir: Vertreter des Auflösungsausschusses der Bank
Lára: seine Frau
Arna: seine Tochter
Bylgja: ihre Zwillingsschwester
Þráinn: Kapitän
Halldór (Halli): Schiffsmechaniker
Loftur: Steuermann

weitere Personen

Sigríður & Margeir: Ægirs Eltern
Sigga Dögg: ihre kleine Enkelin
Snævar: verunglückter Seemann
Fannar: Ægirs Kollege
Karítas: Vorbesitzerin der Yacht
Begga: ihre Mutter
Aldís: ihre Assistentin

PROLOG

Brynjar zog in der abendlichen Kälte seine Jacke fester zu. Er freute sich darauf, wieder ins Wächterhäuschen zu kommen, und überlegte, warum er eigentlich rausgegangen war. Vielleicht zeigte das ja nur, wie langweilig sein Job war – er nutzte jede Gelegenheit zur Abwechslung, selbst wenn er sich dem beißenden Wind aussetzte. Der Hafen, den er bewachen sollte, war wie ausgestorben, wie meistens spät abends und nachts, und plötzlich fiel ihm auf, dass er ihn gar nicht anders kannte. Er mied den Ort tagsüber, wenn er voller Leben war, und wollte ihn genau so haben: die schwarze Wasseroberfläche, die verlassenen Schiffe. Am liebsten wollte er gar nicht sehen, wie der Hafen in seiner Abwesenheit zum Leben erwachte, um nicht feststellen zu müssen, wie unwichtig er letztendlich war.

Brynjar beobachtete ein altes Ehepaar, das mit einem kleinen Mädchen an der Hand an der Hafenmole entlangspazierte. Kurz hinter ihnen humpelte ein junger Mann auf Krücken, der ihm ebenfalls merkwürdig vorkam. Er schaute auf die Uhr. Kurz vor Mitternacht. Obwohl er keine Kinder hatte, wusste er, dass das für ein höchstens zweijähriges Kind eine ungewöhnliche Zeit war, um draußen zu sein. Vielleicht hatten diese Leute dieselbe Absicht wie er: Sie trotzten der Kälte, um die berühmt-berüchtigte Yacht zu sehen, die jeden Moment erwartet wurde. Je länger er darüber nachdachte, desto sicherer war er sich, dass die Leute die Besatzung in Empfang nehmen wollten. Brynjar ging lieber nicht zu ihnen, falls er mit seiner Vermutung richtig lag. Sie hatten nämlich einen Anlass, während er von purer Neugier getrieben wurde. Natürlich konnte er ihnen vorflunkern, er hätte etwas zu erledigen, aber er war ein schlechter Lügner und fürchtete, sich dabei nur noch tiefer zu verstricken.

Um nicht tatenlos herumzustehen, ging er zu dem kleinen Lieferwagen mit dem Logo vom Zoll. Das Fahrzeug war vor einer halben Stunde aufs Hafengelände gefahren und parkte an einer Stelle, von der man den Hafen gut überblicken konnte. Vielleicht würden ihn die Zöllner in den Wagen lassen, dann müsste er nicht mehr frieren. Er klopfte auf der Fahrerseite an die Scheibe und wunderte sich, dass drei Zöllner in dem Auto saßen. Normalerweise kam nur einer, höchstens zwei. Die Scheibe glitt quietschend nach unten, wahrscheinlich war Sand im Fensterschlitz.

»Guten Abend«, sagte Brynjar.

»N' Abend.« Der Mann am Steuer übernahm das Reden. Die anderen beobachteten aufmerksam den Hafen.

»Sind Sie wegen der Motoryacht hier?«, fragte Brynjar. Er bereute es bereits, zu ihnen gegangen zu sein, und seine Hoffnung, eingelassen zu werden, schwand.

»Ja.« Der Fahrer wandte seinen Blick von Brynjar ab und glotzte ebenfalls auf den Hafen. »Wir sind nicht wegen der Aussicht hier.«

»Warum sind Sie denn zu dritt?« Brynjars Worte wurden von kleinen Atemwölkchen begleitet, aber die Männer schenkten ihnen keine Beachtung.

»Da stimmt was nicht. Hoffentlich nichts Schlimmes, aber es war Anlass genug, uns loszuschicken.« Der Fahrer zog den Reißverschluss seines Anoraks hoch. »Sie haben nicht auf den Funkruf reagiert, vielleicht ist ihre Anlage kaputt, aber man kann ja nie wissen.«

Brynjar zeigte auf die Leute, die an der Hafenmole standen

und warteten. Der ältere Herr hatte das Kind auf den Arm genommen, und der Typ mit den Krücken hatte sich auf einen Poller gesetzt.

»Ich glaube, die wollen die Mannschaft begrüßen. Soll ich mal rübergehen und nachfragen?«, sagte er.

»Wenn Sie wollen.« Dem Mann war offensichtlich egal, was Brynjar machte, solange er nicht weiter bei ihnen herumstand. »Die sind bestimmt nicht hier, um Schmuggelware in Empfang zu nehmen. Wir haben sie kommen sehen, die würde man doch sogar im Rollstuhl einholen. Das sind irgendwelche Verwandte der Besatzung oder so.«

Brynjar nahm seinen Arm aus der Fensteröffnung und richtete sich auf.

»Ich gehe mal rüber. Kann ja nicht schaden.«

Zum Abschied hörte er nur das Quietschen der Fensterscheibe, die wieder hochfuhr. Brynjar stellte seinen Kragen auf. Die Leute da hinten waren bestimmt freundlicher als die Zöllner, auch wenn sie ihn nicht in ein warmes Auto einladen konnten. Eine einzelne Möwe machte mit einem Kreischen auf sich aufmerksam und erhob sich von einer erloschenen Laterne zum Flug. Brynjar beschleunigte seine Schritte, während er der Möwe nachsah, die auf die schwarze Konzerthalle Harpa zuflog und dann verschwand.

»Hallo«, sagte er. Die Leute erwiderten seinen Gruß nur zögerlich. »Ich bin der Hafenwärter. Warten Sie auf jemanden?«

Trotz der Dunkelheit war die Erleichterung in den Gesichtern der beiden älteren Herrschaften nicht zu übersehen.

»Ja, unser Sohn und seine Familie müssten jeden Moment eintreffen. Und das hier ist ihre jüngste Tochter. Sie ist schon ganz aufgeregt, weil ihre Mama und ihr Papa wieder nach Hause kommen, deshalb haben wir beschlossen, sie als Überraschung abzuholen.« Der alte Mann lächelte verlegen. »Das ist doch in Ordnung, oder?«

»Ja, klar.« Brynjar lächelte der Kleinen zu, die schüchtern unter dem Schirm einer bunten Wollmütze hervorlugte und sich an ihren Opa kuschelte. »Ist Ihr Sohn auf der Motoryacht?«

»Ja«, antwortete die Frau verwundert. »Woher wissen Sie das?«

»Weil es das einzige Schiff ist, das erwartet wird.« Brynjar wandte sich dem jungen Mann zu. »Warten Sie auch auf jemanden von der Yacht?«

Der Mann nickte und rappelte sich hoch. Er schien sich darüber zu freuen, miteinbezogen zu werden, und humpelte zu ihnen herüber.

»Mein Freund ist Schiffsmechaniker an Bord. Ich bringe ihn nach Hause. Aber wenn ich gewusst hätte, wie schweinekalt es ist, hätte er sich ein Taxi nehmen können«, knurrte er und zog sich seine schwarze Mütze über die Ohren.

»Dann ist er Ihnen jedenfalls was schuldig.« Brynjar sah die Autotür der Zöllner aufgehen und blickte hinaus aufs Meer. »So, jetzt müssen Sie nicht mehr lange warten.«

Er bewunderte den schön geschwungenen, weißen Steven, der an der Hafenmündung auftauchte. Die Geschichten, die er beim Schichtwechsel über die Yacht gehört hatte, waren nicht übertrieben. Jetzt kam sie ganz ins Blickfeld. Man musste wirklich keine große Ahnung von Yachten haben, um zu erkennen, dass es sich um ein außergewöhnliches Schiff handelte, zumindest für isländische Verhältnisse.

»Wow«, rutschte es ihm heraus, und er war froh, nicht mehr in der Nähe der Zöllner zu sein. Fast drei komplette Stockwerke lagen oberhalb des Wasserspiegels, und das Boot schien mindestens vier Decks zu haben. Brynjar hatte zwar schon größere Yachten gesehen, aber nicht viele. Und diese war wesentlich schnittiger als alle anderen, die es schon mal nach Island verschlug. Sie war eindeutig nicht dafür gebaut worden, im Hafen von Reykjavík zu liegen oder überhaupt nördliche Regionen zu befahren, sondern eignete sich perfekt für wärmere Temperaturen und tiefblaues Meer.

»Nicht schlecht.«

Brynjar klappte den Mund zu und hob die Augenbrauen. War der Steuermann etwa betrunken? Die Yacht steuerte gefährlich nah am Hafendamm vorbei, fuhr ungewöhnlich schnell, und bevor Brynjar etwas sagen konnte, ertönte ein ohrenbetäubendes Quietschen. Es hielt lange an und verklang dann fast ganz.

»Was zum Teufel …« Der junge Mann mit den Krücken glotzte die Yacht verdutzt an. Sie neigte sich zum Hafendamm, kam dann wieder in die Waagerechte und fuhr im selben Stil weiter. Die Zöllner liefen los, und das alte Ehepaar verfolgte die Ereignisse mit offenem Mund. So etwas hatte Brynjar in all den Jahren, in denen er den Hafen beaufsichtigt hatte, noch nicht erlebt.

Am merkwürdigsten war jedoch, dass an Bord niemand zu sehen war. Hinter den großen Fenstern der Kommandobrücke war kein Mensch, und auf den Decks stand auch niemand. Brynjar sagte den Leuten hastig, sie sollten warten, er käme gleich wieder zu ihnen. Als er losrannte, fiel sein Blick auf das kleine Mädchen, das noch größere Augen machte als vorher, doch anstatt schüchtern zu wirken, sah es jetzt nur noch traurig aus. Unsagbar traurig.

Als Brynjar endlich das andere Ende der Hafenmündung erreicht hatte, kam die Yacht an einer Landungsbrücke zum Halt. Er sah schon eine lange Nacht mit Berichteschreiben vor sich, als der massive Stahl gegen die Brücke krachte und der Lärm in den Ohren hallte. Trotzdem hörte er den Aufschrei aus der Richtung, aus der er gekommen war. Die Leute, die Zeugen dieses Vorfalls wurden, wohl wissend, dass sich ihre Freunde und Verwandten an Bord befanden, taten ihm leid. Was zum Teufel war da eigentlich los? Der Zöllner hatte von einem technischen Problem gesprochen, aber es musste doch möglich sein, eine defekte Yacht besser zu manövrieren, und wenn nicht – wie war der Kapitän dann auf die Idee gekommen, ein Anlegemanöver zu starten? Er hätte das Schiff doch genauso gut vor der Hafeneinfahrt treiben lassen und auf Hilfe warten können.

Die drei Zöllner waren genauso irritiert wie Brynjar und gingen misstrauisch über die Landungsbrücke auf die Yacht zu.

»Was ist los?«

Brynjar tippte dem hintersten Zöllner auf die Schulter.

»Verdammt nochmal, wie soll ich das denn wissen?« Seine Stimme klang unsicher und passte nicht zu seinen barschen Worten. »Der Kapitän muss besoffen sein. Oder bekifft.«

Schließlich erreichten sie das Ende der Landungsbrücke, gegen die die Yacht geprallt war. Ihr Bug war nicht mehr geschwungen und glänzend, sondern eingedellt und zerkratzt. Auf die Rufe der Zöllner hatte immer noch niemand geantwortet. Einer von ihnen telefonierte jetzt mit schroffer Stimme mit der Polizei. Dann starrte er auf den mächtigen Bug, der über ihnen aufragte.

»Wir gehen an Bord. Die Polizei ist unterwegs, aber wir sollten nicht auf sie warten. Die Sache gefällt mir nicht. Hol die Leiter, Stebbi«, befahl er.

Besagter Stebbi wirkte nicht gerade begeistert, drehte sich aber kommentarlos um und rannte zurück zum Wagen. Unterdessen sagte niemand etwas. Immer wieder riefen sie nach der Besatzung – ohne Erfolg. Brynjar fand es immer unheimlicher, dass ihre Rufe in der Stille verhallten, und war froh, als der Zöllner mit der Leiter zurückkam. Der älteste Zöllner, der vorausgegangen war, kletterte hinauf. Brynjar sollte die Leiter festhalten, und da stand er immer noch, als die drei Männer an Bord verschwunden waren und die Polizei eintraf. Er erklärte den kopfschüttelnden Polizisten, wer er war. Plötzlich lehnte sich ein Zöllner über die Reling und rief aufgeregt:

»Hier ist kein Mensch an Bord!«

»Was meinen Sie?«, entgegnete ein Polizist und machte Anstalten, die Leiter hinaufzuklettern. »Das ist doch völlig unmöglich.«

»Ich sage es doch. Hier ist niemand, keine Menschenseele!«

Der Polizist blieb auf der vierten Sprosse der Leiter stehen. Er lehnte seinen Oberkörper zurück und schaute dem Zöllner direkt ins Gesicht.

»Wie kann das sein?«

»Ich weiß es nicht. Aber hier ist niemand. Die Yacht ist verlassen.«

Niemand sagte etwas. Brynjar blickte zum Hafen und sah das ältere Ehepaar, das kleine Mädchen und den Mann mit den Krücken am Ende der Landungsbrücke stehen. Verständlicherweise wollten sie nicht auf der anderen Hafenseite warten. Die Polizisten hatten die Leute gar nicht bemerkt und beachteten sie nicht. Brynjar wollte sich um sie kümmern und beschleunigte seinen Schritt, als er sah, dass sie ihm entgegenkamen. Sie hatten nichts bei der Yacht verloren, obwohl ausgerechnet sie von allen Anwesenden am meisten betroffen waren. Aber die Polizei musste in Ruhe ihre Arbeit machen.

»Nicht näherkommen! Die Brücke könnte einstürzen!«, rief er ihnen zu, obwohl das ziemlich unwahrscheinlich war, aber ihm fiel nichts anderes ein, um sie zurückzuhalten.

»Was ist passiert? Warum hat der Mann gesagt, es wäre niemand an Bord?« Die Stimme der Frau zitterte. »Natürlich sind sie an Bord! Ægir, Lára und die Zwillinge sind auf dem Schiff. Die müssen nur richtig suchen!«

»Kommen Sie.« Brynjar wusste nicht, wohin er mit den Leuten gehen sollte, hier konnten sie jedenfalls nicht bleiben. »Das ist bestimmt nur ein Missverständnis, beruhigen Sie sich.« Er überlegte, ob sie alle ins Wächterhäuschen passen würden. Es war eng, aber immerhin hatte er Kaffee. »Sie sind bestimmt alle gesund und munter.«

Der junge Mann mit den Krücken starrte Brynjar in die Augen. Als er sprach, zitterte seine Stimme nicht weniger als die der alten Frau:

»Ich hätte an Bord sein sollen.«

Er schien weitersprechen zu wollen, verstummte aber, als er sah, dass das kleine Mädchen jedes Wort mitverfolgte.

»Mein Gott«, stöhnte er nur.

»Kommen Sie.« Brynjar musste dem alten Mann den Arm um

die Schultern legen und ihn wegführen. Mit gebrochenen Augen starrte er auf den beschädigten Bug der Yacht, der spöttisch auf die kleine Gruppe hinuntergaffte. »Denken Sie an die Kleine.« Brynjar nickte in Richtung des Enkelkindes. »Es ist nicht gut, wenn sie hier ist, wir sollten sie wegbringen. Das klärt sich hoffentlich alles schnell.«

Aber es war zu spät, der Schaden war geschehen.

»Mama tot!« Die helle Kinderstimme war unangenehm klar. Das war das Letzte, was Brynjar und die anderen in diesem Moment hören wollten. »Papa tot!« Und es wurde noch schlimmer. »Adda tot, Bygga tot!« Das Kind seufzte und umschlang das Bein seiner Großmutter. »Alle tot!«

Dann weinte es leise schluchzend.

1. KAPITEL

Der Monteur kratzte sich am Hinterkopf, mit einem gleichermaßen missbilligenden wie verwunderten Gesichtsausdruck.

»Sagen Sie mir doch bitte noch mal, was eigentlich passiert ist.« Er klopfte mit einem kleinen Schraubenschlüssel auf die Abdeckung des Kopierers. »Ich habe mich schon mit unzähligen Geräten rumgeschlagen, aber das hier ist wirklich was Neues.«

Dóra lächelte dumpf.

»Ich weiß. Das sagten Sie bereits. Können Sie es nun reparieren oder nicht?«

Trotz des Gestanks, der von dem Kopierer ausging, widerstand sie der Versuchung, sich die Nase zuzuhalten. Es war zwar ziemlich waghalsig gewesen, in der Kanzlei eine Mitarbeiterparty abzuhalten, aber sie wäre trotzdem nie auf die Idee gekommen, dass jemand auf die Glasplatte des Kopierers kotzen und ihn anschließend ordentlich wieder zumachen würde.

»Vielleicht nehmen Sie das Gerät besser mit in die Werkstatt und reparieren es da«, schlug sie vor.

»Sie hätten Schlimmeres vermeiden können, wenn Sie mich direkt geholt hätten, anstatt den Kopierer übers Wochenende stehenzulassen«, entgegnete der Monteur.

Dóra wurde langsam sauer. Es reichte ihr schon, diesen ekelhaften Geruch in der Nase zu haben, da brauchte sie nicht auch noch Ermahnungen von irgendeinem dahergelaufenen Monteur.

»Das war keine Absicht, glauben Sie mir«, sagte sie und bereute es sofort, darauf eingegangen zu sein – unnötige Diskussionen hielten den Mann nur davon ab, sich sofort um die Sache zu kümmern. »Können Sie den Kopierer nicht einfach mitnehmen und woanders reparieren? Bei dem Gestank kann man ja kaum arbeiten.«

Ein widerwärtiger Geruch war ihnen an diesem trübgrauen Montagmorgen entgegengeschlagen. Eigentlich unfassbar, dass das bei der Party am Freitagabend niemand gerochen hatte, aber vielleicht sagte es nur etwas über den Zustand der Kollegen aus – Dóra inbegriffen.

»Das wäre wirklich am besten für uns. Wir können gut ein, zwei Tage auf das Gerät verzichten«, fügte sie hinzu. Das stimmte zwar nicht ganz, da es der einzige Kopierer und außerdem der Hauptdrucker in der Kanzlei war, aber in diesem Moment war Dóra bereit, einige Opfer zu bringen, um das Gerät mitsamt seinem Gestank loszuwerden. Ebenso wie den Monteur.

»Sie sind ja optimistisch. Das dauert länger als ein paar Tage. Kann gut sein, dass ich Ersatzteile bestellen muss, und dann sprechen wir von Wochen.«

»Ersatzteile?« Dóra hätte am liebsten laut aufgeschrien. »Wozu Ersatzteile? Der ist nicht kaputt. Er muss nur saubergemacht werden.«

»Das sagen Sie.« Der Mann warf einen Blick auf den Kopierer und piekste mit dem Schraubenschlüssel in das eingetrocknete Erbrochene. »Man kann nicht wissen, welchen Schaden die Magensäure angerichtet hat. Das Zeug ist in das Gerät gelaufen, und da ist empfindliche Technik drin, meine Liebe.«

In Gedanken überflog Dóra die neuesten Umsatzzahlen der Kanzlei und überlegte, ob sie nicht einfach in einen neuen Kopierer investieren sollten. Im letzten halben Jahr war es gut gelaufen, und sie hatten mit den Mitarbeitern – inzwischen fünf, neben Dóra und ihrem Kompagnon Bragi – auf den Erfolg angestoßen.

»Was kostet ein neues Gerät?«

Der Monteur nannte eine Summe, die für Dóra ebenso gut der Kaufpreis für die Firma, in der er arbeitete, hätte sein können. Es lief zwar gut, aber sie war nicht bereit, so viel zu bezahlen, um sich von diesem Ärger freizukaufen.

Der Monteur las ihr die Gedanken vom Gesicht ab und kam ihr zu Hilfe:

»Es wäre dumm, wegen dieses Ungeschicks ein neues Gerät zu kaufen.« Er steckte den Schraubenschlüssel wieder in seinen Werkzeugkasten. »Wenn Sie eine Haftpflichtversicherung haben, kommt die vielleicht für die Reparatur auf.«

»Wie denn?« Dóra verstand nicht ganz, worauf er hinauswollte. »Der Kopierer gehört der Kanzlei.«

»Nein, so meinte ich das nicht.« Lachfältchen umspielten seine Lippen. »Das Erbrochene, Sie wissen schon. Ihre Haftpflichtversicherung übernimmt vielleicht den Schaden, den Sie verursacht haben, als Sie … Sie wissen schon …«

Dóra wurde feuerrot.

»Ich?« Sie verschränkte die Arme vor der Brust. »Wie kommen Sie denn auf die Idee, dass ich das war? Ich hab das Ding nicht angefasst!«

Dóra war völlig schleierhaft, wie der Mann darauf kam. Nichts, was sie gesagt hatte, ließ darauf schließen, dass sie irgendetwas mit der Sache zu tun hatte. Von den Kollegen hatte sich bisher noch niemand für schuldig erklärt, und es würde wahrscheinlich auch niemand tun.

Der Monteur wirkte erstaunt.

»Nein? Dann muss ich wohl was missverstanden haben. Die Dame am Empfang nannte in diesem Zusammenhang Ihren Namen. Vielleicht habe ich mich ja auch verhört.«

Dóra war fassungslos – zumal sie das eigentlich hätte wissen müssen. Bella! Natürlich.

»Ach ja?« Mehr fiel ihr dazu nicht ein, und sie wollte sich nicht mit dem Monteur streiten, der sich von dieser gehässigen Tippse beeinflussen ließ. Sie setzte ein freundliches Lächeln auf und unterdrückte das Verlangen, zum Empfang zu stürmen und Bella zu erwürgen.

»Ach, die darf man nicht so ernst nehmen, sie ist ein bisschen zurückgeblieben, wissen Sie, und es ist nicht das erste Mal, dass sie was durcheinanderbringt, die Arme.«

Dem Gesichtsausdruck des Monteurs nach zu urteilen, hielt er sie beide für ziemlich durchgeknallt.

»Ich glaube, ich gehe jetzt lieber und lasse das Gerät nachher abholen. Das ist wahrscheinlich die beste Lösung«, sagte er, nahm die Werkzeugkiste und schien es plötzlich eilig zu haben, sich um andere, traditionellere Aufgaben zu kümmern. Dóra konnte es ihm nicht verdenken.

Sie begleitete den Mann zum Ausgang, wo Bella am Empfangstresen saß und grinste. Dóra warf ihr einen bösen Blick zu und hoffte, dass Bella ihn richtig interpretierte, sah aber kein Zeichen von Angst oder Reue.

»Ach, Bella, ich hab ganz vergessen dir was auszurichten. Die Apotheke hat eben angerufen. Der Stomabeutel, den du bestellt hast, ist da. In XXL.«

Der Monteur stolperte hektisch über die Türschwelle und rannte dabei fast ein älteres Ehepaar um, das vor der Tür stand. Sie wirkten nervös, nahmen sofort die Schuld auf sich und baten den Mann einstimmig um Verzeihung. Dann blieben sie zögernd in der Türöffnung stehen, entweder, weil sie damit rechneten, dass ihnen noch jemand in die Arme lief, oder weil sie zu verschüchtert waren. Wenn Dóra sich nicht sofort lang und breit für den Zusammenstoß entschuldigt hätte, hätten sie den Vorfall wahrscheinlich zum Anlass genommen, sich wieder zu verdrücken. Dóra kannte diesen Gesichtsausdruck, den viele Klienten hatten, wenn sie zum ersten Mal in die Kanzlei kamen. Eine Mischung aus Verwunderung darüber, überhaupt einen Anwalt zu brauchen, und Angst, die Kanzlei mit einem verschämten Gefühl wieder verlassen zu müssen, wenn man auf die Kosten zu sprechen kam. Ganz gewöhnliche Leute in ungewöhnlichen Umständen.

Als die Verwirrung über den Abgang des Monteurs nachließ, fragte Dóra, ob sie behilflich sein könne, trat aber erst ein Stück beiseite, damit die beiden den Empfangstresen nicht sehen konnten. Dort saß Bella in einem schwarzen T-Shirt mit Satansmotiv und einem ordinären englischen Schimpfwort.

»Wir wollten fragen, ob wir mit einem Anwalt sprechen können«, sagte der Mann. Seine Stimme war genauso unaufdringlich wie sein gesamtes Auftreten, und falls er den üblen Geruch wahrnahm, ließ er sich nichts anmerken. Die beiden waren im Rentenalter. Die Frau klammerte sich an ihre kunstlederne Handtasche, die bereits Risse hatte. Durch die rotbraune Farbe leuchtete weißer Stoff. Auch die Hemdsärmel des Mannes, die aus seiner Jacke ragten, sahen abgetragen aus.

»Ich habe versucht, anzurufen, aber es geht nie jemand ran. Haben Sie denn überhaupt geöffnet?«

Anscheinend ging Bella davon aus, dass das Telefon am Empfang nicht dazu da war, um es zu beantworten, sondern um damit stundenlang mit Freunden zu schwatzen, die sich der Telefonrechnung nach häufig im Ausland aufhielten. Zwischendurch ließ sie es meistens klingeln, damit sie in aller Ruhe im Internet surfen konnte.

»Doch, doch, wir haben geöffnet. Unsere Telefonistin ist leider krank, deshalb antwortet niemand«, sagte Dóra. Das war höchstens eine Notlüge. Niemand konnte behaupten, dass Bella noch ganz dicht war, wobei es sich bei ihr um einen Dauerzustand handelte. »Gut, dass Sie vorbeigekommen sind. Ich heiße Dóra Guðmundsdóttir und bin Anwältin. Wir können gerne direkt miteinander reden.«

Sie reichte dem Ehepaar die Hand und erntete zwei schlaffe Händedrücke. Die beiden stellten sich als Margeir Karelsson und Sigríður Veturliðadóttir vor. Dóra sagten die Namen nichts. Als sie in ihr Büro gingen, fiel ihr auf, wie angeschlagen die beiden aussahen, und obwohl sie keine Fahne roch, ließ ihr Äußeres auf ein Alkoholproblem schließen. Wobei Dóra das natürlich nichts anging – jedenfalls noch nicht.

Die beiden wollten keinen Kaffee und kamen sofort zum Thema.

»Wir wissen auch nicht genau, warum wir hier sind«, übernahm Margeir das Gespräch.

»Das ist nicht ungewöhnlich«, log Dóra, damit die Leute sich ein wenig entspannten. Meistens wussten die Klienten genau, was sie von ihr wollten, wobei ihre Erwartungen häufig in keinem Zusammenhang mit der Realität standen. »Sind wir Ihnen empfohlen worden?«

»Eigentlich schon. Ein Freund von uns liefert Kaffee an Firmen aus und hat Sie empfohlen. Wir wollten nicht zu einer dieser großen, schicken Kanzleien. Die sind bestimmt viel zu teuer. Er meinte, Sie wären wohl etwas günstiger.«

Dóra presste ein höfliches Lächeln hervor. Die Ausstattung der Kanzlei hatte den Kaffeelieferanten offenbar nicht sehr beeindruckt, und sie hätte darauf gewettet, dass Bella ihren Teil dazu beigetragen hatte.

»Das ist richtig, wir sind günstiger als die großen Kanzleien. Aber möchten Sie mir nicht zuerst erzählen, was Ihr Problem ist? Dann kann ich Ihnen anschließend sagen, was wir tun können, und wie viel es kosten würde.«

Das Ehepaar starrte sie schweigend an. Schließlich ergriff die Frau die Initiative, nachdem sie ihre Handtasche auf ihrem Schoß zurechtgerückt hatte:

»Unser Sohn ist verschwunden. Seine Frau und seine beiden Zwillingstöchter auch. Wir brauchen Hilfe bei Formalitäten, mit denen wir einfach nicht zurande kommen. Wir haben schon genug damit zu tun, den Tag durchzustehen und das Allernötigste zu erledigen. Sie haben noch eine zweijährige Tochter, die bei uns ist ...«

Sie waren keine Alkoholiker. Für die roten Flecken und aufgedunsenen Gesichter gab es einen anderen, traurigeren Grund.

»Ich verstehe.«

Dóra meinte zu wissen, worum es ging, obwohl sie nicht regelmäßig die Nachrichten verfolgte. In den letzten beiden Tagen war in den Medien über das mysteriöse Verschwinden der Mannschaft und der Passagiere einer Motoryacht berichtet worden, die in den Hafen von Reykjavík getrieben war. An Bord hatte sich auch eine Familie befunden, ein Ehepaar mit zwei Töchtern. Die ganze Nation hatte die Meldungen über den Fall verfolgt, da er höchst merkwürdig war. Trotzdem wusste Dóra nicht allzu viel darüber, nur, dass die Sache mit dem Auflösungsausschuss einer der alten Banken zusammenhing. Die hatte die Luxusyacht konfisziert, weil der Besitzer seinen Kredit nicht mehr bedienen konnte. Die Yacht sollte vom europäischen Festland nach Island überführt und anschließend auf dem internationalen Markt zum Kauf angeboten werden, was sich nun verzögerte. Sie musste repariert werden, denn sie war ohne Besatzung gegen eine Landungsbrücke im Reykjavíker Hafen geprallt. Es gab keine Hinweise, was mit den Leuten an Bord geschehen war. Das Verschwinden der sieben Personen hatte die Nation beunruhigt und zusätzlich Aufmerksamkeit erregt, weil der insolvente Eigentümer der Yacht mit einer jungen Isländerin verheiratet war, die regelmäßig auf den Klatschseiten der Zeitungen auftauchte. Die Journalisten hatten offenbar nicht viele Infos, ließen sich aber nicht daran hindern, Theorien über den Vorfall zu verbreiten. Bisher gab es vor allem Spekulationen darüber, dass die Leute bei einem Unwetter über Bord gegangen wären.

»Ist Ihr Sohn der Mitarbeiter des Auflösungsausschusses, der an Bord der Yacht war?«, fragte Dóra.

»Ja«, antwortete die Frau und schluckte. Sie schien ausweichen zu wollen, riss sich dann aber zusammen und fuhr fort. »Bitte glauben Sie nicht, wir hätten alle Hoffnung, sie lebendig zu finden, aufgegeben, aber unsere Hoffnung schwindet, und das Wenige, was wir über die Untersuchung des Falls hören, gibt uns keinen Anlass zum Optimismus.«

»Nein, natürlich nicht.«

Dóra wusste nicht, ob es angemessen war, ihnen ihr Beileid auszusprechen, solange sie noch Hoffnung hatten, dass ihre Familie gesund gefunden würde. »Wir sind hier in der Kanzlei nicht auf Seerecht spezialisiert und haben keinen Schadensregulierer für Seeschäden. Ich weiß nicht, ob ich viel für Sie tun kann, falls es darum geht.«

Der Mann schüttelte den Kopf und sagte:

»Nein. Ich habe keine Ahnung von Schadensregulierung oder Seerecht, darum geht es nicht. Wir brauchen allgemeine Unterstützung, unter anderem dabei, einen Brief auf Englisch zu schreiben. Wir sind nicht gut in Fremdsprachen, und es ist besser, wenn das jemand übernimmt, der sich mit der Sprache und den Formalitäten auskennt. Wir bräuchten auch Hilfe beim Umgang mit den Behörden wegen unserer Enkeltochter. In unserer jetzigen Situation kommen wir einfach nicht gegen die an.«

»Wollen sie Ihnen das Kind wegnehmen?«

»Ja, sieht ganz so aus. Noch hält die große Unsicherheit sie davon ab. Wir passen erst mal einfach weiter auf sie auf, wie es mit ihren Eltern vor der Abfahrt vereinbart war. Aber die Behörden rüsten sich, und man hat Angst, dass sie jeden Moment mit irgendwelchen Papieren bei einem anklopfen.« Der Mann verstummte. »Ægir war unser einziger Sohn. Sigga Dögg ist das Einzige, was wir noch haben.«

Dóra kreuzte unter dem Schreibtisch die Finger. Es war nicht leicht, dem Ehepaar zu sagen, dass sie das Kind wahrscheinlich nicht behalten könnten. Dafür waren sie zu alt und wahrscheinlich finanziell zu schlecht gestellt.

»Ich möchte Sie nicht noch mehr verletzen, aber Sie sollten sich keine allzu großen Hoffnungen machen, Ihr Enkelkind behalten zu können, falls sich herausstellt, dass Ihr Sohn und Ihre

Schwiegertochter tot sind. Es ist sehr unwahrscheinlich, dass Sie die Vormundschaft bekommen.« Als Dóra sah, dass die beiden protestieren wollten, fügte sie schnell hinzu: »Aber es ist noch zu früh, um darüber zu spekulieren. Wohnen Sie in Reykjavík?«

»Ja, nicht weit von hier. Wir sind zu Fuß gekommen.«

Es war wirklich bemerkenswert, worüber die Leute plötzlich redeten, wenn ihnen das eigentliche Thema unangenehm war. Als wollten sie Zeit schinden und sich eine kleine Verschnaufpause gönnen.

»Es ist ja immer noch recht kalt, obwohl die Sonne scheint«, sagte die Frau.

Dóra ließ sich nicht darauf ein, übers Wetter zu reden, und fragte:

»Und das Kind? Hatten Ihr Sohn und seine Frau ihren Wohnsitz auch in Reykjavík?« Diesmal begnügten sich die beiden damit, zu nicken. »Das ist wichtig für die Entscheidung des Jugendamts. Wenn Sie möchten, kann ich Ihnen helfen, ein Umgangsrecht oder – wenn das für das Kind wirklich das Beste ist – Ihre volle Vormundschaft zu erwirken. Aber ich wiederhole, dass Letzteres sehr, sehr schwierig ist.«

Margeir und Sigríður saßen wie erstarrt da.

»Wenn ich Ihnen einen Rat geben darf, unabhängig von aller Juristerei, dann würde ich an Ihrer Stelle versuchen, das erst einmal hinten anzustellen. Es gibt so vieles, worüber Sie sich Gedanken machen müssen, und für die Kleine ist es im Moment wichtig, dass Sie nicht die Nerven verlieren. Gehen Sie die Probleme von Tag zu Tag an.«

»Ja.« Der Mann schaute auf. »Natürlich, das wissen wir.«

»Sie sprachen von einem Brief auf Englisch. Worum geht es dabei?«, fragte Dóra und hoffte, dass es sich dabei um ein weniger sensibles Thema handelte.

»Mein Sohn und seine Frau hatten eine Lebensversicherung bei einer ausländischen Versicherung. Er hat uns die Papiere vor der Abreise gegeben und erklärt, was wir machen müssen, falls etwas passiert. Wir verstehen nicht viel davon, aber wir müssen die Versicherung im Todesfall sofort informieren. Wir würden Sie gerne bitten, den Brief zu schreiben und die ganze Sache zu erklären.«

Dóra überlegte. Warum diese Eile?

»Ich nehme an, dass man eine solche Mitteilung erst schicken muss, wenn die Untersuchung des Falls abgeschlossen ist. Ihr Sohn und seine Frau werden ja noch vermisst.«

»Ich weiß. Und ich weiß auch, dass Sie glauben, dass die Geldgier uns verblendet, weil wir als Erstes an die Versicherungsprämie denken«, sagte Margeir und schaute Dóra fest in die Augen. Sie konnte nur hoffen, dass sie sich nicht verriet, denn genau das hatte sie gedacht. »Aber so ist es nicht. Wir haben nur eine Chance, Sigga Dögg zu behalten, wenn wir finanzielle Sicherheiten nachweisen können, und die hätten wir durch die Versicherungsprämie. Ich bekomme nur meine Rente, und Sigríður arbeitet halbtags in einer Kantine. Es wäre nicht leicht für uns, das Kind aufzuziehen. Das Geld würde unsere Verhandlungsposition verbessern.«

»Haben Sie die Versicherungsunterlagen dabei?«

Die Frau wühlte in ihrer Handtasche, zog eine mit Papieren vollgestopfte Klarsichthülle heraus und reichte sie Dóra.

»Die brauchen wir wieder zurück. Das sind die Originale. Oder möchten Sie vielleicht eine Kopie machen?«, sagte sie.

»Äh, nein, im Moment nicht, unser Kopierer ist kaputt. Vielleicht später.«

Dóra errötete leicht und vertiefte sich schnell in die Unterlagen. Es waren zwei Verträge: eine Lebensversicherung des Sohnes, Ægir, und eine weitere der Schwiegertochter, Lára. In Ægirs Fall war der Nutznießer Lára und umgekehrt. Ægirs Eltern waren als Ersatz eingetragen, falls der erste Nutznießer bereits verstorben war. Beide Policen wiesen dieselben Beträge aus, und Dóra machte große Augen, als sie die Zahlen sah. Zusammen war das Ehepaar mit zwei Millionen Euro versichert. Mit diesem

Geld war es durchaus möglich, das Kind großzuziehen. Sie räusperte sich.

»Darf ich Sie etwas fragen?« Ohne eine Antwort abzuwarten, sprach sie weiter: »Wie kommt es, dass Ihr Sohn und Ihre Schwiegertochter so hoch versichert waren? Hatten sie Schulden?«

»Haben das nicht alle?« Sigríður warf ihrem Mann einen Blick zu. »Weißt du was darüber?«

»Nein. Sie haben ein Reihenhaus, das sie noch abbezahlen müssen. Ich habe keine Ahnung, wie viel das noch ist, aber ich bezweifle, dass es über Wert belastet ist. Mein Sohn ist kein Angeber. Aber man kann nie wissen, vielleicht würde die ganze Versicherungssumme für den Verlust draufgehen, wenn das Haus verkauft wird. Wir leben in seltsamen Zeiten.«

»Ist Ihnen klar, dass zwei Millionen Euro ungefähr dreihundert Millionen Kronen sind? Es ist sehr unwahrscheinlich, dass sie so viel für ein Reihenhaus schulden.«

»Was?«, sagten beide gleichzeitig. Margeir starrte Dóra verständnislos an und legte den Kopf schief. »Haben Sie dreihundert Millionen gesagt? Ich hatte was mit dreißig oder so ausgerechnet.«

»Da haben Sie aber eine Null vergessen.«

Dóra reckte sich nach dem klobigen Taschenrechner und tippte die Zahlen ein. Dann drehte sie den Rechner um, damit die beiden die vielen Nullen sehen konnten. Vielleicht würden sie jetzt aufstehen und sich an eine der großen Kanzleien wenden. Aber erst einmal waren das nur Zahlen auf einem Display.

»Das ist eine hohe Summe.«

Nachdem diese Bombe geplatzt war, kam nicht mehr viel Wichtiges zutage. Das Ehepaar stand geradezu unter Schock. Sie erledigten die Formalitäten bezüglich Dóras Auftrag, und trotz des großen Vermögens, das ihnen womöglich in den Schoß fallen würde, bot Dóra ihnen den günstigsten Tarif an. Das Geld wäre für die Ausbildung des kleinen Mädchens besser angelegt. Außerdem klang der Auftrag ziemlich interessant, und Dóra wäre den Kotzegestank für ein paar Tage los. Bevor sie aufstanden, stellte sie noch eine Frage, von der sie nicht wusste, ob die beiden sie überhaupt beantworten konnten:

»Sie wissen nicht zufällig, warum Ihr Sohn und seine Frau Sie als Ersatz in die Versicherungsverträge mitaufgenommen haben? Es hätte doch nahe gelegen, die Töchter einzutragen.«

Die beiden tauschten einen Blick, und Margeir antwortete:

»Das ist eigentlich kein Geheimnis, nur ein bisschen unangenehm, um mit Fremden darüber zu reden.«

»Es bleibt unter uns.«

»Láras jüngerer Bruder trinkt und braucht ständig Geld, um seinen ausschweifenden Lebensstil zu finanzieren. Ægir hat geglaubt, dass er die Mädchen unter Druck setzen oder versuchen könnte, ihnen das Geld abspenstig zu machen, wenn es ihnen zufällt. Oder dass er sich sogar als ihr Finanzvormund aufspielen würde. Das klingt vielleicht absurd, aber Láras Bruder ist zu allem fähig. Ægir wusste, dass er uns trauen kann, und dass wir das Geld für die Mädchen aufbewahren würden. Wir lassen uns von diesem Säufer nicht blenden, aber bei Láras Eltern ist das anders. Sie haben sich von ihrem Sohn bis aufs letzte Hemd ausnehmen lassen. Sie wären also nie als Ersatz in Frage gekommen.«

»Ich verstehe. Das scheint eine vernünftige Entscheidung gewesen zu sein.«

Dóra begleitete die beiden zum Ausgang und bat sie, sofort Kontakt aufzunehmen, falls etwas passierte. In der Zwischenzeit wollte sie die Sachlage bezüglich der Lebensversicherung überprüfen.

Als sie in der Tür standen, kamen zwei Männer mit einem Rollwagen, auf dem der Kopierer stand, und versuchten, ihn um die Ecke zu schieben. Der Kotzegeruch war stärker als je zuvor.

»Wären Sie so nett, in einen Copy-Shop zu gehen und die Versicherungspolicen zu kopieren? Wie Sie sehen, muss unser Gerät in Reparatur. Ich kann die Kopien morgen früh bei Ihnen abholen, wenn Ihnen das recht ist«, bat Dóra.

»Ja, selbstverständlich. Sie haben ja unsere Adresse und Telefonnummer. Rufen Sie besser vorher an, aber wir sind eigentlich fast immer zu Hause.«

Das Ehepaar verabschiedete sich und ging eilig hinaus, bevor der Kopierer ihm den Ausgang versperren konnte. Dóra blieb nachdenklich stehen, wurde aber abrupt zurück in die Realität gerissen, als ihr der eine Monteur auf die Schulter tippte.

»Das würden Sie vielleicht gerne behalten.« Er hielt ihr ein A-4-Blatt hin. »War im Kopierer.«

Er grinste und blinzelte ihr zu, bevor er sich wieder umdrehte, um seinem Kollegen zu helfen. Dóra musterte das Blatt. Obwohl das Bild fast schwarz war, konnte man eindeutig erkennen, was der Kopierer abgelichtet hatte. Die Person, die sich übergeben hatte, hatte sich auf dem Gerät abgestützt und war genau im richtigen Moment an den Startknopf gekommen. Dóra inspizierte das unscharfe, dunkle Bild. Bella! Natürlich, wer sonst? Sie marschierte los und wollte sich auf die Sekretärin stürzen, aber die war spurlos verschwunden. Offenbar konnte sie sich doch schnell bewegen, wenn es nötig war.

Triumphierend stürmte Dóra mit dem Beweisstück in der Hand in ihr Büro. Eins war klar – wenn Bella zurückkam, konnte sie was erleben. Bis dahin musste Dóra versuchen, ein wenig zu arbeiten. Es war schwierig, sich auf die tägliche Arbeit zu konzentrieren. Die Geschichte mit der Yacht war äußerst merkwürdig, und die hohe Lebensversicherung machte das Ganze noch merkwürdiger. Schwere Regentropfen schlugen gegen das Bürofenster, und Dóra versuchte sich vorzustellen, was für ein Gefühl es wäre, bei Unwetter auf einem Schiff eingesperrt zu sein. Sie spürte, wie sich die Haare auf ihren Unterarmen aufrichteten. Man sprang von Bord und kämpfte mit dem Ertrinken, obwohl man wusste, dass keine Hilfe in Sicht war. Sie hoffte, dass die Leute irgendwo da draußen auf dem Meer lebend in einem Rettungsboot gefunden würden. Wenn nicht, waren sie zweifellos auf schreckliche Weise gestorben.

Dóra drehte sich zum Bildschirm. Ihre anderen Fälle konnten eine halbe Stunde warten. Sie wollte sich noch einmal die Meldungen über die Yacht anschauen. Während sie das Internet durchforstete, fiel ihr ein, dass sie vergessen hatte, dem Ehepaar eine wichtige Frage zu stellen: Warum hatte ihr Sohn diese Fahrt überhaupt gemacht und dazu noch seine Familie mitgenommen? Es war noch Winter, und Motorboot-Touren waren nicht besonders spannend, selbst wenn es sich um eine Luxusyacht handelte. Und warum ließ der Untersuchungsausschuss einen Mitarbeiter auf Kosten der Bank mit seiner Familie Urlaub machen? Da stimmte doch was nicht.

2. KAPITEL

Es war nicht das erste Mal auf der Reise, dass Ægir das Gefühl hatte, am falschen Ort geboren zu sein – es musste ein Fehler sein, dass er sich die meiste Zeit seines Lebens gegen die isländische Kälte einmummeln musste. Obwohl es in Lissabon kühl war, ließ sich das nicht mit dem winterlichen Island vergleichen, und er genoss es, in dünner Kleidung durch die Straßen zu wandern. Unter seinen Füßen waren weiße Pflastersteine, wie auf allen Bürgersteigen der Stadt, und es war komischerweise angenehm, über den ungleichmäßigen Boden zu gehen. Seine Frau Lára würde ihm da wohl nicht zustimmen, denn sie stolperte auf hohen Absätzen neben ihm her und war vollauf damit beschäftigt, nicht das Gleichgewicht zu verlieren. Sie spazierten durch die engen, steilen Gassen der Altstadt, die lange vor der Zeit des Automobils entstanden war. Fast hätten sie sich verlaufen, aber sie wussten, dass sich der Platz, den sie suchten, unten am Fluss befand. Sie mussten nur hangabwärts gehen.

»Beeilt euch, Mädchen! Wir kommen zu spät. Ich bin in zehn Minuten mit dem Mann verabredet.«

Die beiden legten einen Schritt zu, aber für achtjährige Mädchen sind zehn Minuten eine Ewigkeit und kein Grund, in Hektik zu verfallen. Arna gab wie üblich den Ton an – sie war als Erste zur Welt gekommen. Obwohl es natürlich Zufall war, in welcher Reihenfolge Zwillinge geboren wurden, hatte Ægir oft den Eindruck, dass die beiden schon im Bauch ihrer Mutter eine Vereinbarung getroffen hatten. Arna ging meist forsch und neugierig voran, während Bylgja verschlossen und in sich gekehrt war. Sie hielt oft inne und begutachtete eine Situation ausgiebig, um nicht Gefahr zu laufen, in dieselben Schwierigkeiten zu geraten wie ihre Zwillingsschwester. Äußerlich waren sich die beiden jedoch zum Verwechseln ähnlich, und wenn Bylgja keine Brille getragen hätte, wäre es für Fremde nahezu unmöglich gewesen, sie auseinanderzuhalten.

»Wie viele Steine sind in diesem Bürgersteig, Papa?«, fragte Bylgja und schaute auf den Boden, während sie hinter ihrer Schwester herlief.

»Das weiß ich nicht, Schatz. Eine Million und sieben. So was in der Richtung.«

Ægir hätte die vielen Steine besser nicht erwähnt, als sie im Hotel losgegangen waren. Er hätte wissen müssen, dass seine Tochter sich darauf versteifen würde. Aber dass sie wirklich versuchen würde, die kleinen Pflastersteine zu zählen, hatte er nicht gedacht.

»He, da ist er!« Lára zeigte in eine Seitenstraße. »Es kann nicht so viele große Plätze in dieser Stadt geben.«

Die Mädchen trotteten los, als hätten sie nur auf diesen Moment gewartet. Sie waren ihrer Mutter unglaublich ähnlich. Dunkles, lockiges Haar, grünliche Augen, große Schneidezähne. Ihr Körperbau und sogar ihre Hände waren wie kleinere, zierlichere Ausgaben von Lára.

Plötzlich überkam Ægir Trauer – Trauer über etwas, das er nicht festmachen konnte, etwas, das hinter der nächsten Ecke lauerte, vielleicht auf dem imposanten Platz am Ende der Straße. Vielleicht war es auch nur die Gewissheit, dass das Leben in diesem Moment vollkommen war, dass es nicht mehr besser werden konnte und von nun an abwärts gehen würde. Er wollte diesen Augenblick nicht loslassen.

»Sollen wir es nicht einfach lassen?«, fragte er.

»Was?«, entgegnete Lára mit verwundertem Gesicht. »Was meinst du?«

Ægir bereute seine Frage bereits. Und zugleich auch nicht.

»Ich meine, ob wir unseren Urlaub hier nicht einfach verlängern und uns nicht um diese Schiffstour kümmern sollen. Die brauchen mich im Grunde gar nicht. Das mit der Besatzung lässt sich auch anders regeln.«

Seine Stimme klang merkwürdig, und er wusste nicht, woher dieser Ton kam. Vor ein paar Minuten hatte er sich noch auf die Fahrt gefreut und sie für ein Geschenk des Himmels gehalten, doch jetzt sehnte er sich danach, weiter festen Boden unter den Füßen zu haben. Auch wenn die Yacht luxuriös war, gab es an Bord nur begrenzten Platz. Hier fühlten sie sich wohl, an jeder Ecke gab es kleine Restaurants und Cafés und zahllose Unterhaltungsmöglichkeiten. Was sollten sie auf der Yacht? Karten spielen? Er wollte diese helle Stadt, die von innen zu leuchten schien, nicht verlassen. Wohin man auch schaute, überall sah man helle, fröhliche Farben, die gute Laune machten. Geflieste Hauswände in Pastellfarben, die er sonst noch nirgendwo gesehen hatte. Hier konnte es einem doch eigentlich nur gutgehen. Draußen auf dem Meer würden sie vielleicht die ganze Zeit seekrank über der Reling hängen. Was hatte er sich nur dabei gedacht, sich zur Verfügung zu stellen, nachdem sich herausgestellt hatte, dass ein Mannschaftsmitglied ausfiel? Warum hatte er nicht einfach nein gesagt und war nach Hause geflogen, wie ursprünglich geplant?

Seine Frau und seine Töchter starrten ihn an. Er meinte, einen Hauch von Verständnis in Bylgjas Augen zu sehen, aber ihre Brille war wie üblich verschmiert, und er durfte diesen Glanz, den er zu sehen meinte, nicht so ernst nehmen. Sie wandte ihren Blick von ihm ab, schaute wieder auf den Boden und zählte weiter Steine.

»Willst du nicht mit dem Schiff fahren, Papa?«, fragte Arna und rümpfte die Nase. »Ich hab schon auf Facebook gepostet, dass wir mit dem Schiff nach Hause fahren.«

Als ob das ein Grund wäre, ihre Pläne nicht zu ändern.

»Ach, ich meine ja nur«, murmelte er.

Vielleicht fürchtete er sich davor, den Kapitän zu treffen. Ihr gestriges Telefonat war nicht gut verlaufen, da Ægir hellhörig geworden war, als er erfahren hatte, dass die Kosten für die Überführung der Yacht nach Island wesentlich höher ausfallen würden als geplant. Er trug die Verantwortung dafür und wollte seinem Chef nicht mitteilen müssen, dass man jetzt auch noch einen wesentlich teureren einheimischen Ersatzmann einstellen musste, weil ein Mannschaftsmitglied ausgefallen war. Er hatte sich aufgeregt, als er von den Gehaltsvorstellungen potentieller Ersatzleute gehört hatte, aber der Kapitän hatte ihm unmissverständlich zu verstehen gegeben, dass die Leute in Portugal nicht Schlange stünden, um mal eben eine Tour in den Norden an den Arsch der Welt zu machen. Er konnte sich nicht mehr erinnern, zu welchem Zeitpunkt des Telefonats er vorgeschlagen hatte, selbst einzuspringen. Jedenfalls hatte er überhaupt nicht damit gerechnet, beim Wort genommen zu werden, obwohl er es halbwegs gehofft hatte. Der Kapitän war auf den Sportbootführerschein angesprungen, den Ægir besaß, und hatte dessen Versuche, sich doch wieder herauszureden, in den Wind geschlagen. Er hielt es für nebensächlich, dass Ægir bisher nur in der Nauthólsvík-Bucht vor den Toren von Reykjavík gefahren war, man brauche lediglich jemanden, um die Vorschriften über die Mannschaftsgröße zu erfüllen, der Schein habe sowieso nichts zu sagen und die fehlende Erfahrung auch nicht. Ægir sei ja schließlich nicht als Kapitän, Steuermann oder Schiffsmechaniker an Bord.

Als Ægir sich durch den Sportbootführerschein gequält hatte, hatte er sich wirklich nicht vorgestellt, einmal Ersatzmann an Bord einer Motoryacht zu sein. Er träumte hingegen schon lange davon, sich an einem kleinen Segelboot zu beteiligen. Aber das musste warten, da ihre Gehälter immer nur bis zum Monatswechsel reichten. Sie hatten zwar ein bisschen gespart, aber das war für den spontanen gemeinsamen Winterurlaub in Lissabon draufgegangen. Und da war von einer Schiffstour noch keine Rede gewesen.

Dem Kapitän waren dann gewisse Zweifel gekommen, als er gehört hatte, dass Ægirs Familie dabei war. Doch zu dem Zeitpunkt war Ægir schon ganz begeistert von der Sache gewesen, da er kaum noch einmal die Gelegenheit bekommen würde, auf einer Luxusyacht über die Weltmeere zu schippern. Zudem löste die Fahrt gewisse Probleme, vor denen er sich gefürchtet hatte. Deshalb hatte er dem Kapitän als Bevollmächtigter des neuen Besitzers der Yacht verkündet, so würde es gemacht und damit basta.

In der Zwischenzeit hatte Ægir seinen Chef darüber informiert, dass er selbst dabei helfen würde, den Kahn nach Hause zu bringen. Der Mann war zwar ziemlich unkonzentriert gewesen, als er ihm grünes Licht gegeben hatte, und auf die finanzielle Seite der Sache gar nicht eingegangen, aber er war ja auch höhere Beträge gewohnt als diesen. Sie hatten nur ein paar Minuten miteinander telefoniert, offensichtlich warteten andere, dringendere Aufgaben auf seinen Chef, und er war überhaupt nur ans Telefon gegangen, weil er wissen wollte, wie es mit der Ummeldung der Yacht gelaufen sei. Er hatte Ægir mitten im Satz abgewürgt und gemurmelt, sie würden sich dann sehen, wenn er aus Spanien zurück sei. Er wusste also noch nicht mal, wo Ægir die Yacht abholte. Geschweige denn, dass er seine Frau und seine Töchter mitgenommen hatte.

Als Ægir an die Ignoranz seines Chefs dachte, verstärkte sich die merkwürdige Angst vor der Fahrt. Eigentlich sollte er sich darauf freuen, wie Arna. Gestern Abend waren sie beide ganz aufgeregt gewesen, während Lára und Bylgja die Neuigkeit gelassener aufgenommen hatten. Lára machte sich Sorgen darüber, dass sie nicht richtig schwimmen konnte, und Bylgja wollte nicht sagen, was sie von der Sache hielt. Doch am Ende hatte Lára sich mitreißen lassen und war jetzt die treibende Kraft für die Organisation der Tour. Sie wäre sehr enttäuscht, wenn nichts daraus werden würde. Ægir musste diese Angst überwinden, vor allem jetzt, wo er dem Kapitän persönlich gegenübertreten sollte. Er gab sich einen Ruck.

»Also dann, beeilen wir uns. Der Kapitän wartet bestimmt schon«, sagte er und erntete einen weiteren verwunderten Blick von seiner Frau und seinen Kindern wegen der schnellen Meinungsänderung. Aber sie sagten nichts und gingen los.

Als sie sich dem schönen Platz näherten, von dem Ægir gelesen hatte, er sei der größte in Europa, begrüßte sie ein warmer Windhauch. Er erinnerte an den Frühling, der in diesen Breitengraden kurz bevorstand, und Ægirs Zweifel verpufften. Vor ihm glänzte das unschuldige, glatte Meer und schien ihm zu versichern, dass alles in Ordnung sei. Was sollte schon passieren? Er musste lächeln – woran hatte er nur gedacht? Es würde ein Abenteuer werden, und er war schon mit cholerischeren Männern als diesem Kapitän klargekommen. Bei der Bank galt er als guter Vermittler, weshalb er auch hergeschickt worden war, um die Sache mit der Yacht abzuwickeln. Die letzten beiden Tage hatte er in verschiedenen portugiesischen Büros verbracht, um ausstehende Hafengebühren zu bezahlen, Genehmigungen zu beschaffen und Unterlagen zu übergeben, die den Besitzerwechsel bestätigten.

Jenseits des Flusses breitete Jesus Christus über der Stadt die Arme aus. Es handelte sich um eine Kopie der Statue in Rio, und obwohl sie kleinere Proportionen hatte, war sie durch ihren hohen Sockel ziemlich beeindruckend.

»Sieh mal, Papa! Da ist wieder Jesus«, rief Arna und zeigte auf die Statue.

Bylgja schirmte ihre Augen mit der Hand ab und betrachtete schweigend das Kunstwerk. Sie war ganz fasziniert gewesen, als ihre Mutter erzählt hatte, Jesus passe auf die Menschen und Tiere in der Stadt auf. Ægir war sich nicht sicher, ob seine Töchter an Gott glaubten. Lára und er waren nicht besonders gläubig und sprachen zu Hause nie über Religion. Seine Eltern waren hingegen sehr fromm, und er vertraute einfach darauf, dass sie mit den Mädchen über dieses Thema sprachen.

»Warum haben wir keinen Jesus, der auf Reykjavík aufpasst?« Arna zupfte ihren Vater am Ärmel und drängte auf eine Antwort. »Ist das nicht dumm?«

»Ja, zweifellos«, antwortete Ægir gedankenlos und hielt Ausschau nach dem Café, das der Kapitän als Treffpunkt vorgeschlagen hatte.

In dem kleinen Lokal war es dunkel, und er brauchte einen Moment, um sich an das Licht zu gewöhnen. Der Kapitän saß alleine an einem Tisch und stand auf, als sie hereinkamen. Er stellte sich als Þráinn vor. Seine Handfläche war rau, und er schüttelte Ægir nur so lange die Hand, dass es nicht unhöflich wirkte.

Als Lára zur Theke gegangen war, um für die Mädchen Limonade zu bestellen, fragte Þráinn:

»Sind die Papiere jetzt in Ordnung?« Seine Stimme passte zu seinem Handschlag: rau und ziemlich schroff. »Ich will möglichst noch heute Abend auslaufen. Je früher wir den Hafen verlassen, desto eher sind wir zu Hause.«

»Es gibt nichts, worauf wir noch warten müssten. Ich habe alles Notwendige erledigt. Wenn doch noch was fehlt, müssen wir es eben darauf ankommen lassen.«

Ægir zog einen Stuhl zum Tisch. Eines der Stahlbeine, bei dem der Plastikaufsatz fehlte, quietschte auf dem gefliesten Boden.

»Könnt ihr um sechs Uhr an Bord sein?« Der Kapitän hatte Ægir immer noch nicht in die Augen geschaut. »Das ist eine gute Zeit, ich möchte am liebsten im Hellen losfahren. Zwischen sieben und acht wird es dunkel.«

»Ja, gut«, antwortete Ægir und versuchte, den Mann anzulächeln. Die Sache war einfacher, als er gedacht hatte. Falls der Kapitän vorgehabt hatte, sich weiter mit ihm zu streiten, so hatte er sich offenbar wieder eingekriegt. Vielleicht wollte er ihnen die Fahrt ja auch nicht vermiesen, weil die Mädchen dabei waren.

»Wir müssen nur noch Proviant kaufen. Sonst ist alles bereit.«
Da Þráinn nichts dazu sagte, sprach Ægir einfach weiter. Lára
wurde gerade bedient und würde gleich mit den Mädchen an
den Tisch kommen. »Du hast also nichts dagegen, dass meine
Frau und meine Töchter mitkommen?«

Der Kapitän verzog keine Miene, schaute nur geradeaus auf
etwas hinter Ægir.

»Ich habe dir gesagt, was ich davon halte. Es gefällt mir gar
nicht, auf dieser Strecke Kinder dabei zu haben. Man weiß nie,
auf was für Ideen die kommen. Ich hätte lieber einen Einheimischen eingestellt.«

Lára und die Mädchen kamen heran. Die Zwillinge lächelten
und achteten darauf, ihre Limonade nicht zu verschütten.

»Das weiß ich, aber wir passen auf sie auf. Die Mädchen stehen unter unserer Aufsicht. Es ist also in Ordnung?«, sagte Ægir.

Der Mann schnaubte.

»Habe ich was falsch verstanden? Gibt es etwa eine andere
Möglichkeit?«, entgegnete er.

»Nein. Eigentlich nicht.«

Ægir nahm Bylgja die Limonade ab und stellte sie auf den
Tisch. Arna stellte ihr Glas unvorsichtig ab, und auf dem Tisch
bildete sich eine kleine, orangefarbene Pfütze. Lára wischte sie
zum Glück sofort weg, wie um zu demonstrieren, dass sie sich
auf der Yacht anständig benehmen würden.

»Ist denn auf dem Schiff genug Platz für uns, Þráinn?«, fragte
sie den Kapitän freundlich lächelnd. Ægir hatte sich nicht dazu
durchringen können, ihr von dem Streit zwischen ihnen zu erzählen. »Ich habe es noch nicht gesehen, aber Ægir sagt, es sei ein
irres Teil.«

»Ja, ja, es gibt genug freie Kabinen, falls man das Kabinen
nennen kann. Eigentlich sind es Suiten. Die Jungs und ich haben
aus alter Gewohnheit die Kabinen genommen, die für die Mannschaft bestimmt sind, ihr könnt also zwischen mehreren Räumen
wählen. Es wird euch an nichts fehlen.«

»Sind Jungs an Bord?«, fragte Arna und verzog das Gesicht, während sie den Strohhalm aus dem Mund gleiten ließ. Es würde noch lange dauern, bis die Mädchen ganz verrückt auf das andere Geschlecht wären.

»Für mich sind das Jungs. Für dich sind es wahrscheinlich Männer«, sagte der Kapitän und blinzelte Arna zu. Ægir fiel ein Stein vom Herzen. Die kleinen Anfangsschwierigkeiten waren bestimmt schnell vergessen, sobald sie auf dem Wasser wären.

»Sie sind knapp über zwanzig.« Er blinzelte Arna wieder zu. »Ziemliche Dummköpfe eigentlich.«

»Oh.« Arna kicherte. »Wie heißen sie?«

»Der eine wird Halli genannt, das kommt wohl von Halldór, und der andere heißt Loftur. Wahrscheinlich von Löffel.«

Arna verstand den Witz nicht und runzelte die Stirn.

»Er macht einen Spaß, Schatz«, sagte Ægir und legte seiner Tochter den Arm um die Schultern. »Loftur heißt einfach nur Loftur, und weder er noch Halli sind wirklich Dummköpfe.«

Dabei hatte er keine Ahnung, ob der Kapitän scherzte. Vielleicht waren diese Jungs tatsächlich Idioten, obwohl er bezweifelte, dass die Bank sie dann engagiert hätte. Jedenfalls hatte Þráinn angeblich ausgezeichnete Referenzen. Ægir hatte sie nicht persönlich gesehen, weil er nichts mit Personalangelegenheiten zu tun hatte, aber für eine Fahrt mit so einer teuren Yacht wurden natürlich keine Laien eingestellt.

»Wie geht es dem Verletzten?«, fragte er.

Der Kapitän machte wieder ein ernstes Gesicht und sagte:

»Dem geht es wahrscheinlich dreckig, dem verdammten Mistkerl. Er hat sich das Bein gebrochen. Das ist bestimmt im Suff passiert, auch wenn sein Freund Halli es vehement bestreitet. Sobald diese Kerle im Ausland sind, lassen sie sich volllaufen. Soweit ich weiß, ist er auf dem Weg nach Hause, und du bist sein Ersatz.« Er lächelte ironisch. »Mit einer geschlossenen Front hinter dir.«

»Ja, da hast du Glück gehabt.« Ægir beherrschte sich, nicht

noch mehr zu sagen. Er wollte nicht, dass die Mädchen Zeugen eines Streits wurden, auch wenn er nur mit Anspielungen ausgetragen wurde.

Bylgja saß still da und starrte den Kapitän an. Das Einzige, was man von ihr hörte, war ein dumpfes Schlürfen, wenn sie an ihrer Limo saugte. Ægir hätte gerne gewusst, was sie dachte. Sie hatte einen guten Blick für Menschen. Aber das musste warten.

Ægir und Lára waren zwar davon ausgegangen, dass sie genug Zeit für ihre Besorgungen hätten, aber das stellte sich als falsch heraus, und sie trafen erst eine halbe Stunde nach der vereinbarten Zeit am Hafen ein. Es war zu spät, die weiße Yacht von Land aus zu bewundern – Lára meinte nur, sie sei viel größer, als sie sie sich vorgestellt hätte. Halb laufend trugen sie den Proviant an Bord, wobei Lára wegen der Mädchen, die auf dem Steg herumturnten, so nervös war, dass sie nicht viel mithelfen konnte. Weder Þráinn noch die beiden jüngeren Männer machten Anstalten, auch nur einen Finger zu rühren. Sie lehnten träge am Steuerhaus und beobachteten grinsend das Geschehen. Als die letzte Kiste an Bord war, war Ægir völlig durchgeschwitzt und hätte am liebsten ihre Vorräte nach einem Bier durchwühlt. Doch angesichts der Miene des Kapitäns, als er Ægir eine Kiste Rotwein an Bord hatte tragen sehen, war das wohl nicht ratsam. Fürs Erste.

»Also dann.« Þráinn kam zu Ægir, der keuchend neben den Vorräten stand. Er fixierte die Kiste Wein, die zufällig vorne lag und unangenehm auffiel. »Es ist schon was anderes, Passagiere dabei zu haben, die sich eine schöne Zeit machen wollen. Ich hoffe, ihr geht nicht davon aus, dass wir euch hier bedienen.« Er nickte in Richtung Halli und Loftur, die keine Reaktion zeigten. »Außerdem könnte es sein, dass du mal die eine oder andere Wache übernehmen musst. Dann kommt es nicht in Frage, unter Alkoholeinfluss zu stehen.«

»Keine Sorge«, entgegnete Ægir. Er wollte sich nicht schon wieder über den Mann aufregen. »Das habe ich nicht vor, und wir kochen für uns selbst. Für euch natürlich auch, wenn ihr wollt.«

Hoffentlich würde der Kapitän etwas freundlicher werden. Sie hatten eine lange Überfahrt nach Island vor sich, und auch wenn die Yacht groß war, würde es in einer vergifteten Atmosphäre eng werden. Ægir beobachtete, wie sich Lára und die Zwillinge ins Boot tasteten. Als Arna auf das glänzende Deck sprang, erklang ein hohles Geräusch, als bestehe die Yacht nur aus einer Schale. Eine schöne Verpackung um einen riesigen Hohlkörper. Ægir wusste sehr gut, dass das nicht der Fall war, doch das Geräusch echote in seinem Kopf, und er konnte den Gedanken nicht verdrängen, dass die Yacht trotz all ihrer Pracht einer Nussschale glich. Wobei sich seine Erfahrungen mit Schiffstouren auf das kleine, abgenutzte Boot beschränkten, auf dem er seinen Führerschein gemacht hatte, und auf den kleinen Kahn seines Cousins.

Er half seiner Familie an Bord und war überrascht, wie feucht Láras Hand war, denn es war am Abend abgekühlt. Bylgjas Hände waren hingegen kalt und trocken.

»Das ist sie also«, sagte Lára und schaute sich breit lächelnd um. Sie gab Ægir die Aktentasche, auf die die Mädchen aufgepasst hatten, und küsste ihn auf die Wange. »Wow!«

Das Schiff wirkte von Bord aus noch größer und schicker als vom Steg. Ein Großteil der Möbel an Deck war mit weißem Segeltuch abgedeckt, doch die Formen zeichneten sich unter dem Tuch ab, und man konnte sich leicht vorstellen, wie es unter normalen Umständen hier aussah.

»Das ist ja unglaublich.«

Lára ging nach vorne zum Bug und hob eine Plane an. Darunter befanden sich ein Tisch und Bänke entlang der Seiten des Schiffs.

»Seht mal. Hier können wir essen«, sagte sie zu den Mädchen, die sich mit großen Augen umschauten. Arna war genauso aufgeregt wie ihre Mutter, während Bylgjas Gesichtsausdruck wegen der Brille schwer zu deuten war. Ægir hatte sich längst daran gewöhnt, dass er nie herausfinden konnte, was in ihrem Kopf vorging. Im Augenblick schien sie neugierig auf die Umgebung zu sein, was ein gutes Zeichen war. Oft war ihr Gesicht wie versteinert. Lára hatte es auch bemerkt und begann gutgelaunt, die Abdeckung wegzuziehen.

»Das wird toll!«, sagte sie.

»Ich weiß nicht, ob das vernünftig ist. Unterwegs wird es kalt, und man kann bestimmt nicht oft draußen sitzen oder essen«, sagte Þráinn, der jetzt in der Tür zum Steuerhaus stand. Bewundernswert, wie gut er die Gereiztheit in seiner Stimme verbergen konnte. »Es ist ziemlich schwierig, diese Abdeckungen richtig zu befestigen, also lasst das lieber.«

Lára schaute auf und lächelte ihn freundlich an.

»Keine Sorge, wir sind abgehärtet. Es ist bestimmt großartig, hier zu essen, auch wenn es ein bisschen kühl wird.« Sie zerrte weiter an der Plane und zog sie von dem großen, ovalen Tisch in der Bugmitte.

Ægir beobachtete Þráinn und hatte den Eindruck, es sei besser, seine Aufmerksamkeit auf etwas anderes zu lenken, bevor ihm etwas Unvorsichtiges herausrutschte. Lára konnte sehr nachtragend sein und wäre womöglich die ganze Fahrt über eingeschnappt.

»Ich befestige das nachher wieder. Die Mädchen helfen mir«, warf er ein, doch das Gesicht des Kapitäns wurde nicht freundlicher. Ægir blickte übers Meer und die tiefblaue Wasseroberfläche. »Sind wir dann so weit?«

»Wo sind Halli und Loftur?«, fragte Arna den Kapitän.

»Halli ist unten im Maschinenraum und bereitet die Abfahrt vor, und Loftur hilft ihm.« Þráinns Blick wanderte von Arna zu Ægir. »Die Yacht ist seit dem Ärger mit dem Vorbesitzer nicht

richtig bewegt worden, deshalb habe ich den Motor noch sorg-
fältiger warten lassen als sonst. Wir wollen ja nicht mitten auf
dem Meer einen Motorschaden haben, oder?«

Die Frage klang völlig ernst.

»Nein, lieber nicht.«

Ægir schaute über die Reling. Eine Möwe erhob sich von der
glatten Wasseroberfläche neben dem Schiff zum Flug. Sie breitete
ihre Flügel aus und stieg gemächlich auf ihrem Weg durch den
Hafen immer weiter auf. Ægir merkte, dass er immer noch die
Aktentasche in der Hand hielt. Auf einmal fühlte er sich, als
müsse er schnell ins Büro und hätte auf dem Schiff mit diesen
harten Seebären nichts verloren. Er wollte die Tasche nicht aufs
Deck stellen. Es war glatt, und man konnte nie wissen, ob sie
nicht ins Meer rutschte.

»Das Internet und das Satellitentelefon funktionieren nicht.
Wolltest du dich nicht darum kümmern? Mir wurde zumindest
gesagt, dass du deswegen hier wärst«, sagte der Kapitän ver-
drossen. Er fixierte die Aktentasche, als sei sie daran schuld.
»Wir brauchen es zwar nicht unbedingt, aber besser wäre es
schon.«

Ægir löste seinen Blick von der Möwe und ärgerte sich darüber, dass er sich fast schämte. Es war, als sei Þráinn ein strenger
Lehrer und er wieder ein kleiner Junge, der seine Hausaufgaben
nicht gemacht hatte.

»Das habe ich leider nicht hingekriegt. Der Vorbesitzer der
Yacht hatte hohe Schulden bei der Telefonfirma, und die wollte
einen neuen Account für uns nur öffnen, wenn diese Schulden
bezahlt sind. Das ist natürlich idiotisch. Um das vor der Abfahrt
noch in die Wege zu leiten, hätte ich eine andere Firma beauftragen müssen, und ich kenne mich hier nicht gut genug aus.«

»Du hättest mich anrufen können. Ich hätte das schon für dich
rausgefunden.« Þráinn starrte Ægir wütend an und schaute dann
auf die Uhr. »Aber dafür ist es jetzt zu spät. Alles ist vorbereitet,
und wir fahren gleich los. Am besten haltet ihr euch irgendwo

fest. Ihr werdet euch schnell an den Wellengang gewöhnen, aber man muss ja nicht direkt am Anfang hinfallen.«

Mit diesen Worten verschwand er im Steuerhaus.

Ægir stellte die Aktentasche an eine sichere Stelle auf den Stapel mit den Vorräten, froh, sie aus der Hand zu haben. Er rieb sich über die Arme. Es wurde kühler, und der dünne Pullover nützte nicht viel. Dann schaute er zu seiner Frau und seinen Töchtern, die sich auf eine der abgedeckten Bänke im Bug gesetzt hatten. Lára strich Bylgja vorsichtig durchs Haar. Die Kleine kuschelte sich in ihre Arme und schien die anderen Yachten zu betrachten, die in einer endlosen Reihe im Hafen lagen. Doch Ægir konnte ihr Gesicht nicht sehen, vielleicht waren ihre Augen hinter den verschmierten Brillengläsern auch geschlossen. Er ging zu ihnen und gab Lára einen Kuss auf die Stirn.

»Na, was sagt ihr, Mädels? Gefällt es euch?« Er ließ seinen Blick über die Boote schweifen und fragte sich, warum das viele Geld auf der Welt so ungerecht verteilt war. »Es wird nicht die ganze Fahrt über so friedlich sein. Wir fahren nach Norden und haben vielleicht hohen Seegang.«

»Es ist wunderschön.«

Lára schob Bylgjas Kopf an ihrer Brust zurecht. Als sie lächelte, bildeten sich kleine Fältchen um ihre Augen. Lára mochte sie nicht, aber Ægir fand sie charmant. Sie legte ihre Lippen an Bylgjas Kopf und flüsterte in ihr Haar:

»Wenn wir ganz weit draußen auf dem Meer sind, sind wir so tüchtige Seeleute, dass wir das Schaukeln toll finden.« Dann drückte sie einen schmatzenden Kuss auf das kleine Köpfchen.

Ægir nahm Arna in den Arm, und so saßen sie still da und beobachteten das Treiben im Hafen. Halli kam an Deck und schwang sich auf den Steg, löste die Vertäuung und sprang wieder zu ihnen aufs Schiff. Wieder erklang das hohle Geräusch und hallte durch den Schiffsrumpf. Dann verschwand er im Inneren der Yacht, und kurz darauf legten sie ab.

Langsam glitt das Schiff über den Fluss zum Meer. Die Stadt wirkte in der Abendsonne ganz friedlich, und die pastellfarbenen Häuser kamen noch besser zur Geltung.

»Bist du aufgeregt, kleine Brillenschlange?«, fragte Ægir und umfasste Bylgjas weiches Kinn. Er drehte ihren Kopf zu sich, und sie sah ihn trübselig an.

»Wer passt jetzt auf uns auf, Papa?«, fragte sie und zeigte auf die große Jesus-Statue, von der sie sich rasch entfernten.

»Na, Jesus natürlich. Er passt auf alle auf, egal, wo sie sind.«

»Auf dem Meer nicht. Er passt nur auf die Stadt auf.«

Ægir lächelte Bylgja an. »Nein, nein, er wacht über alle. Egal, wo sie sind.« Er löste den Blick von seiner Tochter und starrte auf das vor ihnen liegende Meer. Es wirkte unheimlich groß, rau und unbarmherzig. Zum ersten Mal in seinem Leben wünschte er sich, gläubig zu sein. Wer würde draußen auf dem Meer auf sie aufpassen?

»He, alles okay?« Lára hatte sich zu ihm gebeugt und ihn an der Schulter berührt. »Du siehst so traurig aus.«

Ægir schüttelte das ungute Gefühl ab und lächelte sie an.

»Was? Nee, alles bestens.«

Sie wirkte skeptisch, schwieg aber und wandte sich wieder der Aussicht zu. Ægir versuchte, auf andere Gedanken zu kommen – es wäre dumm, diesen Moment nicht zu genießen. Die Fahrt würde schön werden, und alles würde gutgehen. Der Kapitän hatte gesagt, die Strecke betrage ungefähr sechzehnhundert Seemeilen, und wenn alles nach Plan verliefe, seien sie in fünf bis sechs Tagen in Island. Die Wettervorhersage war gut, und es gab keinen Grund, zu glauben, dass das kein tolles Erlebnis werden würde. Eine knappe Woche ging schnell vorbei. Und was sollte schon passieren?

3. KAPITEL

Der Winter weigerte sich, seinen Griff zu lockern, manchmal erschien der Frühling für einen kurzen Moment und verschwand dann ebenso schnell wieder. Die warmen Abschnitte weckten nur falsche Hoffnungen und erinnerten die Leute daran, was ihnen fehlte. Dóra stand bibbernd am Hafen und wartete auf den Vertreter des Auflösungsausschusses der Bank, bei der Ægir Margeirsson gearbeitet hatte. Ihr dünner Sommermantel schützte sie nicht vor dem Nordwind, der es immer wieder mit bewundernswerter Beharrlichkeit schaffte, ein paar Tropfen Meerwasser aufzupeitschen, so dass ein unangenehm salziger Geschmack auf den Lippen haften blieb.

»Warum war ich immer noch nicht beim Friseur?«

Dóras Haare waren ungewöhnlich lang und wehten ihr ständig ins Gesicht. Sie blieben an ihrem Lippenstift kleben, und Dóra bereute es bereits, ihn aufgetragen zu haben, bevor sie aus dem Auto gestiegen war.

»Woher soll ich das wissen?«, pampte Bella zurück. Sie stand neben Dóra und schien auf unerklärliche Weise weniger dem Wind ausgesetzt zu sein als sie. Wahrscheinlich war ihre moosgrüne Militärjacke aus einem dickeren Stoff als Dóras Mantel, und die ausgebeulten Taschen dienten als Ballast. Außerdem hatte Bella so kurze Haare, dass es selbst mit der Hand unmöglich gewesen wäre, sie in Bewegung zu versetzen. Nur der über-

48

dimensionierte Flitterkram, der an ihren Ohren hing, wehte im Wind.

»Wann kommt der Typ denn endlich?«

»Bald«, antwortete Dóra.

Das war ja schlimmer, als mit Sóley und dem kleinen Orri zu verreisen. Sie hätte Bellas Drängen mitzukommen, niemals nachgeben dürfen. Dóra war immer noch sauer wegen des Kopierers und wurde noch saurer, weil Bella das völlig ignorierte. Eigentlich war Dóra gar nicht auf Bellas Quengeln eingegangen, aber ihr Kompagnon Bragi hatte gesagt, Bella solle unbedingt mitfahren und die Yacht inspizieren. Er wollte sich natürlich nur dafür rächen, dass sie Bella vor gut einem Monat mit ihm zum Bezirksgericht geschickt hatte. Dóra musste Bella damals unbedingt am Empfang loswerden, weil sie einen wichtigen Mandanten erwartete, und ihr war nichts Besseres eingefallen, als sie zu bitten, Bragi bei der Verhandlung unter die Arme zu greifen. Laut Bragi hatte sie keinen Finger gerührt, sondern sich damit begnügt, neben ihm zu sitzen und den Richter und den Staatsanwalt drohend anzuglotzen. Bragi hatte den Fall gewonnen und war in aller Bescheidenheit davon ausgegangen, dass Bellas Anwesenheit der Grund dafür gewesen war. Er meinte, er wolle sie in Zukunft immer mitnehmen, wenn es im Gerichtssaal um etwas ging. Aber nur, wenn es etwas wirklich Wichtiges war.

»Mit dem Kahn stimmt was nicht, wusstest du das?« Bella spuckte in Richtung der Yacht, so dass Dóra sich ekelte, traf aber nicht, und der Sabber landete im Wasser. Dort trieb er eine Weile, bis er sich auflöste.

»Was meinst du?«

»Das Boot ist irgendwie seltsam. Hab ich im Internet gelesen. Man sollte lieber nicht an Bord gehen.«

Bella meinte zweifellos einen Artikel, den Dóra nur überflogen hatte. Er beschrieb in reißerischem Boulevardstil die Geschichte der Yacht. Es wurde behauptet, auf dem Schiff laste ein Fluch. Der sei deswegen gekommen, weil ein Schiffbauer bei der Arbeit verunglückt und auf dem Stahlrumpf verblutet sei. Danach hatte es noch weitere Unfälle beim Bau des Schiffes gegeben: Ein Schweißer hatte eine Hand verloren, ein Vorarbeiter starke Verbrennungen erlitten und ähnliche Vorfälle. Und der Besitzer der Werft hatte sich umgebracht, kurz bevor die Yacht zu Wasser gelassen worden war. Doch damit nicht genug: Auf der Jungfernfahrt war einer der Gäste von Bord gefallen und ertrunken. In dem Artikel wurden keine Quellen genannt, und Dóra vermutete, dass es sich um recht zweifelhafte Aussagen handelte. Wahrscheinlich gab es einen wahren Kern, der sich verselbständigt hatte.

Nichtsdestotrotz hatten diese Gerüchte Einfluss auf den Kaufpreis der Yacht gehabt. Als der letzte Besitzer sie gekauft hatte, war ihr Preis nur noch halb so hoch gewesen wie zehn Jahre zuvor beim Stapellauf. Zu diesem Zeitpunkt hatte die Yacht bereits vier Vorbesitzer gehabt, und ihr Name war ebenso oft geändert worden. Auch der letzte Besitzer hatte es sich nicht nehmen lassen, die Yacht umzutaufen. Dóra hoffte, dass diese Tradition beibehalten und der Name, *Lady K*, wieder geändert würde. Sie fand ihn ziemlich albern, auch wenn die Ehefrau dieses ehemaligen Finanzmagnaten Karítas hieß. Sie kannte die Frau nicht persönlich, nur von den Klatschseiten der Zeitungen, auf denen sie ständig in Rubriken über Promipartys und teure Klamotten auftauchte. Aber es war interessant, dass niemand den angeblichen Fluch erwähnt hatte, solange noch alles in Butter gewesen war – damals hatte man nur großspurig damit geprahlt, wie luxuriös und teuer die Yacht sei.

»Die Hälfte von dem, was im Netz steht, kannst du vergessen, Bella. Der Redakteur, der das zusammengestellt hat, brauchte nur einen Lückenfüller, weil die Ermittlungen in dem Vermisstenfall nicht vorankommen. Er hat im Internet recherchiert und irgendeinen Quatsch gefunden, der von vorne bis hinten erfunden sein kann. Warum bist du eigentlich mitgekommen, wenn du an so einen Mist glaubst?«

»Eben darum.« Bella musterte die Yacht mit undurchdringlichem Gesicht. Dóra schüttelte nur den Kopf – die Schrullen ihrer Sekretärin wurden immer schlimmer.

In dem Moment fuhr ein kleiner PKW auf die Mole. Er war dreckig und hatte nur noch drei Radkappen. Dóra glaubte nicht, dass es sich um den Vertreter des Auflösungsausschusses handelte, beobachtete den Wagen aber trotzdem genau. Als die Fahrertür aufgestoßen wurde, fiel eine Coladose heraus und wurde sofort vom Wind weggefegt. Sie rasselte über den Asphalt, als der Fahrer ausstieg: ein junger Mann im Anzug, der einen krassen Gegensatz zu dem schäbigen Auto bildete. Er knallte die Tür hinter sich zu und kam auf sie zu.

»Bitte entschuldigen Sie, dass ich zu spät bin. Haben Sie lange gewartet?«, entschuldigte er sich und schaute sie dabei gar nicht an, sondern zog sofort einen Schlüsselbund aus seiner Manteltasche.

»Nein, nein, kein Problem«, entgegnete Dóra mit automatischer Höflichkeit, die ihr von Kindesbeinen an eingeimpft worden war. Natürlich hätte sie sagen sollen, dass sie in den zwanzig Minuten, die sie schon auf der Mole herumstanden, fast erfroren wären. Aber es war besser, den Mann nicht gegen sich aufzubringen.

»Sie sind also Fannar?«, fragte sie.

Der junge Mann nickte.

»Wow, das ist echt ein geiles Schiff. Ich wundere mich jedes Mal wieder, wie krass schick es ist.« Er umfasste das Geländer der Treppe, die seitlich auf die Yacht führte, schwang sich darauf und bedeutete ihnen, ihm zu folgen. »Kommen Sie! Das muss man mit eigenen Augen gesehen haben.« Sein schwarzer Mantel wehte wie ein Umhang im Wind.

Bella verzog auf ihre unnachahmliche Art das Gesicht – natürlich missfielen ihr diese gymnastischen Übungen. Dóra ließ sich hingegen nichts anmerken und folgte dem Mann. Sie tastete sich die Stufen hinauf und auf der anderen Seite hinunter aufs

Deck. Das Wummern auf der Treppe gab zu erkennen, dass Bella ebenfalls an Bord kam. Das Deck war größer, als Dóra sich vorgestellt hatte. Es ging über zwei Ebenen mit dem Steuerhaus in der Mitte. Das obere Deck befand sich auf der Bugseite und das untere auf der Heckseite. Am Ende des Hecks war eine Luke, durch die man anscheinend direkt ins Wasser gelangen konnte. Darüber hinaus gab es noch zwei kleinere Decks weiter oben, von denen eines gerade groß genug für einen Whirlpool war. Die Fotos in den Zeitungen wurden der Luxuriösität des Schiffes kaum gerecht, und Dóra war völlig verblüfft, als sie es in Augenschein nahm. Es war wirklich ein phantastisches Gefährt, aber etwas an der glänzenden Oberfläche missfiel ihr. Wobei sie sich mit Yachten natürlich nicht auskannte, ebenso wenig wie ihre Bekannten, und nicht wusste, wie das Leben an Bord normalerweise ablief. Automatisch wanderten ihre Gedanken zu den Verschollenen. Vielleicht konnte sie sich deshalb nicht so für die Yacht begeistern wie Fannar – in diesem Leben gab es genug andere Dinge, die Dóra als geil und krass bezeichnen würde. Sie fand die Umgebung eher unheimlich: eine glänzendweiße Verpackung um Schmerz und Trauer. Wie in einem Operationssaal.

»Die Polizei hat hier bestimmt schon alles durchgekämmt«, sagte sie, während sie sich umsah. Auf den ersten Blick waren keine Anzeichen einer Durchsuchung zu erkennen.

»Ja, die Polizei, das Seeamt und einer unserer Mitarbeiter. Ich durfte ihn begleiten, daher weiß ich einigermaßen Bescheid.«

Fannar versuchte, eine Tür aufzuschließen, die ins Steuerhaus und in den Passagierbereich führte.

»Jedenfalls hat keiner einen blassen Schimmer, was zum Teufel hier passiert ist, und ich bezweifle, dass das jemals ans Licht kommen wird. Es sei denn, Sie finden etwas, das die anderen übersehen haben.«

Er grinste, so als glaube er das nicht wirklich.

»Kannten Sie Ægir?«, fragte Dóra, die sich dessen keineswegs sicher war. Der junge Mann gab sich so cool, dass sich die beiden bestimmt nicht nahegestanden hatten.

»Ja, ja, wir haben natürlich zusammen gearbeitet, aber an unterschiedlichen Projekten. Ich kann eigentlich nicht sagen, dass ich ihn gut kannte. Aber gut genug, um die ganze Geschichte total seltsam zu finden. Er war nicht der Typ, von dem man so was gedacht hätte.« Fannar zog eine Grimasse. »Er war ein Familienmensch, Sie wissen schon. Ist selten mit uns einen trinken gegangen, sondern immer direkt nach Hause.«

Dóra verkniff es sich, ihn darauf hinzuweisen, dass die Tatsache, ein verantwortungsbewusster Familienvater zu sein, wenig damit zu tun hatte, ob man in ein Seeunglück verwickelt war, für das es keine Erklärung gab. Zudem fand sie es unangemessen, dass er von seinem Kollegen in der Vergangenheit sprach, obwohl es vielleicht nahelag.

»Es besteht natürlich immer noch Hoffnung, dass Ægir und die anderen, die an Bord waren, noch leben. Das ist zwar unwahrscheinlich, aber nicht ausgeschlossen«, sagte sie.

»Ja, aber die Chancen sind leider wirklich nicht sehr groß«, entgegnete Fannar.

Dóra konnte gut auf sein ironisches Lächeln verzichten – sie wusste selbst, dass die Lage ziemlich hoffnungslos war. Wo sollte sie anfangen? Und wonach suchte sie eigentlich? Ihre Aufgabe war es, der ausländischen Versicherung klarzumachen, dass Ægir und seine Frau Lára tot waren, obwohl es keine Leichen gab. Es war schwer vorstellbar, dass sie an Bord der Yacht Beweise dafür finden würde. Abgesehen davon, dass sie wichtige Hinweise leicht übersehen konnte. Sie wusste nichts über die Seefahrt, und aller Wahrscheinlichkeit nach hatte der Unfall mit den Verhältnissen auf dem Wasser zu tun: ein Unwetter, ein Leck oder etwas Derartiges.

»Falls es Ihnen hilft: Die Leute vom Seeamt finden es gut, dass Sie sich des Falls annehmen.« Fannar lächelte ihr aufmunternd zu und wirkte schon viel sympathischer. »Ich war dort, um die Schlüssel zu holen, und der Mann, mit dem ich gesprochen habe, meinte, er hoffe, dass Sie andere Aspekte sähen als die Leute, die tagtäglich mit Seeunfällen zu tun haben. Er glaubt nämlich, dass es sich nicht um ein normales Unglück handelt und dass die Fachleute den Fehler machen, es in den üblichen Rahmen pressen zu wollen. Er hat mir auch erzählt, dass solche Vorfälle nicht selten sind. So was geschieht wohl öfter, und man ist sich nie einig über die Ursachen. Die Leute bringen immer alle möglichen Theorien ins Spiel, aber es lässt sich selten eine beweisen.«

Dóra wurde etwas optimistischer, als sie das hörte. Sie schaute auf und sah Bella vorsichtig über das Deck auf sie zukommen.

»Hat er gesagt, welche Theorien es über diesen Unfall gibt?«

Der Schlüssel steckte fest, und Fannar ruckelte daran, bis er sich endlich im Schloss drehte.

»Nein, und ich wollte nicht fragen. Im Büro kursiert das Gerücht, die Leute seien durchgedreht und hätten geglaubt, das Boot geht unter. Sie seien von Bord gesprungen, weil sie das für ihre einzige Hoffnung gehalten hätten. Aber warum sie durchgedreht sind, weiß niemand, vielleicht hatten sie einen Sonnenstich oder so was.«

»Ist das denn glaubwürdig?« Dóra hielt Ausschau nach den Rettungsbooten, die sich laut Fannars Bericht noch an Bord befinden mussten. »Ich kann mir nicht vorstellen, dass man einfach von Bord springt, wenn man auch in ein Rettungsboot steigen kann.« Sie konnte die Boote nirgendwo entdecken. »Sind die vielleicht weggebracht worden?«

»Nein, nein. Sehen Sie den Buckel dahinten, der aussieht wie eine auf der Seite liegende Tonne?«

Dóra folgte seinem Finger mit den Augen und nickte.

»Das Rettungsboot liegt darunter. Es gibt vier Stück an Bord. Eines auf jeder Seite, dieses und dann noch eins im Bug. Soweit ich weiß, sind die nicht angerührt worden.« Er zuckte mit den Schultern. »Vielleicht waren die Leute in Panik und haben die

Befestigungen nicht aufgekriegt. Wer weiß? Ist jedenfalls ziemlich seltsam, dass die Yacht so konstruiert wurde, dass die Rettungsausrüstung halb versteckt ist. Die war wohl nicht schick genug. Vielleicht haben die Leute sich auch vor der Abfahrt nicht mit den Sicherheitsvorkehrungen vertraut gemacht.«

»Fotografier mal die Tonne da hinten, Bella. Es gibt noch drei andere, die findest du, wenn du einmal im Kreis gehst. Und fotografier auch die Anleitungen, die müssen da irgendwo sein. Und die Rettungsringe, falls du welche siehst.«

Die Tatsache, dass die Rettungsboote noch an Bord waren, war der deutlichste Hinweis darauf, dass etwas Ungewöhnliches passiert sein musste. Dóra versuchte, sich vorzustellen, unter welchen Umständen sie zusammen mit ihren Kindern einfach von einem Schiff springen würde, wohl wissend, dass ein weiteres Kind zu Hause auf sie wartete. Ihre Tochter Sóley war im selben Alter wie die Zwillinge, die allem Anschein nach zusammen mit ihren Eltern umgekommen waren. Ihr Sohn Gylfi war zwar fast zwanzig, aber in ihren Augen immer noch ein Kind, auch wenn er selbst schon Vater war.

Sie kniff die Augen zusammen und versuchte, sich vorzustellen, wie sie die beiden Mädchen an den Schultern packte, über die Reling scheuchte und dazu zwang, zusammen mit ihr in das eiskalte Meer zu springen, weil das ihr letzter Strohhalm war. Nein, das ergab keinen Sinn. Man musste kein Seefahrtexperte sein, um zu wissen, dass es unter solchen Umständen kaum Hoffnung auf Rettung gab. Und Dóra bezweifelte, dass ein Sonnenstich daran etwas änderte.

»Kommen Sie rein. Hier fängt der Prunk erst richtig an, sage ich Ihnen.« Fannar wirkte fast so, als wolle er ihr die Yacht verkaufen. »Sehen Sie sich das an! Schicker als jedes Hotel, finden Sie nicht?«

Dóra nickte gedankenverloren. Sie war nicht besonders angetan, eher vor den Kopf geschlagen von der abgestandenen Luft. Ein vager Parfümgeruch stieg ihr in die Nase.

»Was ist das für ein komischer Geruch?«

Fannar schnupperte.

»Ja, stimmt, wie Seife oder so. Vielleicht wurde hier geputzt, wobei ich nicht wüsste, wer das ohne mein Wissen hätte anordnen sollen.« Er blähte die Nasenlöcher und atmete tief ein. »Jetzt rieche ich nichts mehr. Aber das hat nicht viel zu bedeuten, ich habe einen ziemlich schlechten Geruchssinn.«

Aber er hatte recht – der Geruch war weg.

Auch wenn Dóra den Luxus registrierte und sah, dass alles äußerst elegant war, fielen ihr vor allem die Gegenstände ins Auge, die von menschlicher Anwesenheit zeugten. Ein aufgeschlagenes, umgedrehtes Taschenbuch auf einem Tisch neben dem schwarzen Ledersessel. Eine DVD-Hülle und ein paar Zeitschriften auf dem Couchtisch weiter hinten. Daneben ein Weinglas und eine geöffnete Rotweinflasche, die umgefallen war. Die eingetrocknete Rotweinpfütze verlieh der Glasplatte einen rosafarbenen Anstrich. Auf einem Stuhl lag ein Haufen Kleidungsstücke, und Dóra vermutete, dass die Polizisten sie bei der Durchsuchung eingesammelt hatten.

»Darf ich etwas anfassen? Oder will die Polizei hier noch was untersuchen?«, fragte sie. Im selben Moment sah sie überall weißes Fingerabdruckpulver.

»Die kommen nicht mehr, die waren fast einen ganzen Tag lang hier. Sie können ruhig anfassen, was Sie wollen. Mir wurde jedenfalls nichts Gegenteiliges gesagt. Es handelt sich schließlich nicht um einen Mordschauplatz. Jedenfalls wurde die Sache meines Wissens als Unfall untersucht. Oder als eine Art Vermisstenfall.«

Das Boot schaukelte leicht, und Dóra sah, dass sich die Rotweinflasche bewegte, aber nicht wegrollte. Bei dem heftigen Aufprall hätte sie eigentlich vom Tisch rollen und auf den Boden fallen müssen. Wahrscheinlich hatten die Polizisten sie dort hingelegt.

»Hier ist doch bestimmt alles durch die Gegend geflogen, als die Yacht gegen den Kai geknallt ist, oder?«, fragte sie. Zwei Gemälde hingen schief an der Wand. Das eine war vermutlich von Karítas, der Ehefrau des Mannes, der sein Schiff an den Auflösungsausschuss verloren hatte.

»Allerdings, hier war alles durcheinander. Ich habe die Fotos von der Durchsuchung gesehen, sah ziemlich chaotisch aus.« Fannar schaute sich um und fügte hinzu: »Wobei die Einrichtung so konstruiert ist, dass schon einiges passieren muss, bevor etwas umkippt oder von der Wand fällt. Das gilt natürlich nicht für die Sachen, die die Leute dabeihatten.«

Dóra musterte die Wände genauer.

»Und was ist mit den Bildern passiert, die da gehangen haben?«

An zwei dunklen, holzvertäfelten Wänden konnte man Umrisse von Bildern erkennen.

»Sind die runtergefallen und nicht wieder aufgehängt worden?«

»Nein, der Vorbesitzer hat sie abgehängt und zu Geld gemacht, als er in Finanzschwierigkeiten geriet. Die Yacht stand zwar komplett zum Verkauf, aber das war genau auf dem Höhepunkt der Krise. Wer sich damals noch so teure Spielzeuge leisten konnte, war nicht gerade in Kauflaune. Außerdem wurde die Yacht für einen Topwert verpfändet. Der Typ konnte die Bilder verkaufen, weil sie in der Bürgschaft nicht enthalten waren, und soweit ich weiß, hat er ziemlich viel dafür bekommen. Großartige Kunstwerke, heißt es. Aber das hat nicht gereicht, und er hat garantiert noch weitere Gemälde und andere Wertgegenstände aus seinem Haus auf den letzten Drücker verkauft. Unglaublich, wie schnell so ein Vermögen verpuffen kann. Muss schrecklich sein, in eine solche Lage zu geraten.«

»Zweifellos.«

Dóras Phantasie reichte zwar nicht, um sich in das Leben dieser wohlhabenden Menschen hineinzuversetzen, aber sie konnte sich gut vorstellen, wie es war, ein Vermögen zu verlieren. Man gewöhnte sich immer schnell an Annehmlichkeiten, so dass es einem schwerfiel, seinen Lebensstandard herunterzuschrauben.

»Ich hab alles fotografiert«, sagte Bella, die mit geröteten Wangen erschien und sich wenig begeistert umschaute. »Mann, ist das geschmacklos! Und ich dachte, der Kahn wäre so toll.« Dann entdeckte sie das Bild von Karítas. »Oh Gott, diese Schnepfe! Die war mit mir in der Schule, die ist total hirnlos.«

Dóra konnte sich ein Grinsen nicht verkneifen, als sie Fannars pikiertes Gesicht sah. Aber sie wusste aus Erfahrung, dass es besser war, Bella nicht die Gelegenheit für weitere Bemerkungen zu geben – sie konnte ein richtiges Schandmaul sein, besonders, wenn es am wenigsten angebracht war. Fannar war bestimmt nicht der Typ, der damit umgehen konnte.

»Wo sind die Kabinen? Sollen wir uns die als Nächstes anschauen?«, fragte sie und wandte sich dann an Bella: »Mach hier drinnen ein paar Fotos von den Sachen, die die Leute zurückgelassen haben.«

Sie gingen unter Deck, wo sich die Schlafkabinen befanden. Fannar hatte recht: Sie waren schicker als in einem Hotel. Zumindest schicker als in den Hotels, in denen Dóra bisher abgestiegen war. Insgesamt gab es vier geräumige Passagierkabinen, vier Kabinen für die Besatzung und das Dienstpersonal und eine weitere hinter dem Maschinenraum für den Schiffsmechaniker. Diesmal war kein Dienstpersonal an Bord gewesen, da es sich nicht um eine normale Vergnügungsfahrt gehandelt hatte. Zwei Mannschaftskabinen sahen benutzt aus, und Fannar erzählte, dass in der Kabine des Schiffsmechanikers auch jemand geschlafen habe. Zudem waren zwei Passagierkabinen eindeutig benutzt worden. Die Eltern mussten in dem größten Raum geschlafen haben, denn die Kleidung, die aus dem Koffer auf dem Fußboden quoll, konnte nur Lára, Ægirs Frau, gehören.

Auf dem ungemachten Bett lagen zwei Malbücher und zahlreiche Wachsstifte. Dóra hob die Malbücher auf und blätterte darin. Die Mädchen hatten ziemlich viele Seiten ausgemalt – war das ein Zeichen dafür, dass sie einen Großteil der Fahrt an Bord gewesen waren, oder hatten sie einfach nur schnell gemalt? Die Bücher waren jeweils auf der ersten Seite in Schönschrift mit den Namen Arna und Bylgja gekennzeichnet. Beide Mädchen hatten zwölf Bilder ausgemalt und mit dem dreizehnten begonnen. Wenn man die Seiten verglich, sah man, dass alle Bilder in denselben Farben und fast genau gleich ausgemalt waren. Das dreizehnte Bild fiel ins Auge, da die Mädchen es nicht mehr beendet hatten. Ein fröhlicher Elefant balancierte einen großen Ball auf dem Rüssel, und sein niedliches Äußeres bildete einen krassen Gegensatz zu dem ungewissen Schicksal der Mädchen, die versucht hatten, ihm mit bunten Farben Leben einzuhauchen. Sie waren nur bis zu dem Ball und der Hälfte der Decke auf dem Rücken des Elefanten gekommen.

An einer Stelle hatte Bylgja etwas neben ein fertiges Bild gemalt, vielleicht während sie darauf gewartet hatte, dass ihre Schwester fertig wurde. Dóra konnte das Motiv nur schwer erkennen: eine Frau mit langen Haaren, offenem Mund und ausgestreckten Armen und Beinen in einem Kreis. Die Umrisse waren schwarz, nur das Kleid der Frau war grün ausgemalt, und um sie herum war alles blau. Dóra ließ ihre Phantasie spielen und stellte sich vor, dass die Frau in freiem Fall war und durch einen Rettungsring gesehen wurde. Aber wahrscheinlich hätte sie etwas ganz anderes in das Bild hineininterpretiert, wenn sie das Buch an einem anderen Ort gefunden hätte. Sie klappte es zu und legte es zurück aufs Bett.

Einer der Schränke stand offen und gab den Blick auf eine dichte Reihe Kleider frei. Dóra konnte der Versuchung nicht widerstehen, sie genauer anzuschauen, obwohl sie bestimmt nicht Lára gehörten. Es waren sehr exklusive Kleider, von denen jedes einzelne wahrscheinlich mehr als der Inhalt von Dóras gesamtem Kleiderschrank gekostet hatte. Sie dachte an das ganze Theater, das um solche Klamotten gemacht wurde: endlose Gänge in die Reinigung und ständige Angst, den teuren Stoff zu versauen. Eines der Kleider hatte unten am Saum Flecken – sauteure Kleider bewahrten einen also auch nicht vor kleinen Missgeschicken. Dóra war froh, dass sie keine solchen Kleider besaß, auch wenn es ihr Spaß machte, sie anzuschauen.

Plötzlich blitzte auf dem Boden des dunklen Schranks zwischen den Fransen eines langen schwarzen Kleides etwas auf. Dóra nahm das Kleid vom Bügel und sah, dass sich ein Brillengestell in den Fransen verheddert hatte und jetzt wie abstrakter Schmuck daranhing. Die Brille war unversehrt, aber ziemlich klein für die ehemalige Besitzerin der Yacht.

»Wissen Sie, wem die gehört?«

Fannar schüttelte den Kopf.

»Keine Ahnung. Vielleicht hatte Karítas eine Lesebrille.«

»Ist aber nicht gerade ihr Stil.«

Dóra musterte die kleinen roten Bügel. Sie hängte das Kleid zurück an seinen Platz und ließ die Brille einfach daran hängen. Das konnte nicht wirklich wichtig sein. Menschen stürzten sich nicht massenweise über Bord, nur weil jemand seine Brille verloren hatte. Die hatte sich bestimmt schon lange, bevor die Familie an Bord gekommen war, dort verhakt. Dóra schloss den Schrank und sah sich weiter um.

Wieder stieß sie auf eine leere Rotweinflasche, diesmal auf dem Boden neben dem Bett. Während der Fahrt war offenbar einiges getrunken worden. Ansonsten war alles völlig normal, zumindest die Dinge, die dem Ehepaar gehörten. Die Einrichtung war genauso protzig und teuer wie auf dem gesamten Schiff. Dasselbe dunkle, lackierte Holz, das im Schein der eingebauten Deckenlampen glänzte.

Im angrenzenden Bad herrschte großes Chaos: Kosmetikartikel, Handtücher, Bademäntel und Seifen lagen durcheinander. Der Zusammenprall mit dem Kai war offenbar ziemlich heftig gewesen. Dóra warf nur einen kurzen Blick hinein und hielt es für unnötig, durch den Krempel zu waten, nur um die Badezimmereinrichtung und die Armaturen zu sehen. Die Kabine zeigte im Grunde nur, dass es dem Ehepaar an Bord gut ergangen war, zumindest am Anfang. Dóra hätte sich allerdings nicht für die Kabine einer Frau entschieden, die sie kannte, wenn auch nur vom Hörensagen. Das war irgendwie unangenehm, vor allem, weil die Kleiderschränke mit ihren Sachen vollhingen und auf dem hübschen Kosmetiktisch ein Kästchen stand, das nur ihr gehören konnte. Normale Leute wie Ægir und Lára reisen nicht mit einem unhandlichen, empfindlichen Schmuckkästchen. Als Dóra hineinschaute, entpuppte es sich jedoch als etwas anderes: Karítas hatte Bilder, Postkarten und andere Erinnerungsstücke von ihren Reisen darin gesammelt. Dóra schloss das Kästchen wieder. Die junge Ehefrau des Vorbesitzers hatte bestimmt nichts mit dem Fall zu tun, und auch wenn sie der Liebling der Klatschblätter war, hatte Dóra kein Interesse daran, in ihrem Privatleben herumzuschnüffeln. Dennoch starrte sie auf dem Weg aus der Kabine in den riesigen Spiegel, der einen Großteil der Wand bedeckte, und stellte sich vor, wie Karítas sich selbst darin bewundert hatte. Aber das war ungerecht. Dóra wusste nicht, was für ein Mensch sie war, und wollte ihr unvoreingenommen gegenübertreten, falls sie ihr mal über den Weg lief.

Die Mädchen hatten in der kleinsten Kabine geschlafen, direkt neben ihren Eltern. Als Fannar die Tür öffnete, schlug ihnen ein starker Erdbeergeruch entgegen, so süß und klebrig, dass Dóra zurückwich.

»Hier ist eine Shampooflasche ausgelaufen. Ich weiß ja nicht, wer so einen Geruch in den Haaren haben will, aber wahrscheinlich riecht es nicht mehr so intensiv, wenn man das Shampoo ausgespült hat«, sagte er.

Die Mädchen hatten gemeinsam in einem kleineren Doppelbett geschlafen. Zwischen dem zerknäulten Bettzeug lagen zwei einsame Stoffkaninchen. Der Anblick machte Dóra traurig, denn die Stofftiere waren eine symbolische Mahnung an die beiden Mädchen. Das Ganze wirkte noch trauriger, da die Zwillinge offenbar ein Foto ihrer jüngeren Schwester an den Bettkopf geklebt hatten – ein Kind, das später einmal dankbar dafür wäre, dass es noch zu klein gewesen war, um mitzufahren. Dóra zog an einer Ecke des Fotos und sah, dass es mit Haftklebern befestigt war, was ihre Vermutung bestätigte. Der Vorbesitzer der Yacht war bestimmt nicht der Typ, der Haftkleber benutzte. Sie hob eine rosafarbene Socke mit Hello-Kitty-Motiv vom Boden auf und legte sie aufs Bett.

»Mann, ist das deprimierend.«

»Allerdings.« Fannar klang so, als meine er es ehrlich. »Hoffentlich werden sie lebend gefunden. Vielleicht treiben sie ja doch in einem Rettungsboot auf hoher See oder haben sich in ein anderes Land abgesetzt.«

»Abgesetzt?« An die Möglichkeit hatte Dóra noch gar nicht gedacht. »Behauptet das jemand?«

Fannar errötete leicht und schien zu bedauern, dass ihm das rausgerutscht war.

»Nein, nicht direkt. Ich habe auf der Arbeit Gerüchte darüber gehört, aber das ist Quatsch. Jemand hat davon gefaselt, Ægir hätte Geld aus dem Auflösungsausschuss unterschlagen, um sich damit abzusetzen. Und jetzt würde er so tun, als sei er tot, während er irgendwo im Ausland ein Leben in Saus und Braus führt.«

»Ist das denn realistisch? Man sollte doch meinen, dass das Geld, das der Auflösungsausschuss beschlagnahmt oder verwaltet, in sicherer Hand ist.«

»Das ist es natürlich. Das sind nur Klatschgeschichten. Ægir hat kein Geld geklaut. Die Direktion hat das bestimmt genau überprüft, und wenn dabei Unstimmigkeiten herausgekommen wären, hätten es alle im Büro gewusst. So was könnte man nicht geheim halten, das hätte sich längst rumgesprochen.«

Dóra betrachtete das Foto des Mädchens am Bettkopf.

»Ich würde fast darauf wetten, dass sie sich nicht abgesetzt haben. Man lässt doch nicht ein einzelnes Kind zurück, entweder alle oder keins. Glaube ich zumindest. Und was ist mit der

Mannschaft? Soll sich Ægir etwa mit der ganzen Mannschaft ins Ausland abgesetzt haben?«

»Wie gesagt, das war nur eine dumme Theorie. Erstens hat Ægir nichts geklaut, und außerdem ergibt das, wie Sie schon sagen, überhaupt keinen Sinn.«

Dóra spähte unter das Bett und entdeckte dort die zweite Socke. Sie hatte den starken Drang, die beiden Socken zu vereinigen. Während sie sich bückte, wechselte sie das Thema. Sie wollte mit Fannar nicht über das traurige Schicksal der Familie diskutieren, dafür schien er ihr zu geschwätzig zu sein.

»Was wollen Sie denn jetzt mit der Yacht machen? Ist es nicht sauteuer, sie reparieren zu lassen?«, fragte sie. Die Socke war außer Reichweite, so dass Dóra sich strecken musste, um an sie heranzukommen.

»Doch.«

Von ihrer hockenden Position aus sah Dóra, dass Fannar zwei Schritte auf sie zu machte.

»Im Nachhinein betrachtet wäre es besser gewesen, sie einfach in Portugal zu lassen. Auch wenn man derzeit in Amerika mehr Geld dafür bekommt, ist der Preisunterschied nicht annähernd hoch genug, um die Kosten für die Reparatur und die Renovierung wieder reinzuholen.«

»Warum glauben Sie, dass Sie in Amerika mehr dafür bekommen als in Europa?« Dóra spähte in alle Richtungen und suchte nach einem Stift oder einem anderen Gegenstand, mit dem sie die Socke heranziehen konnte.

»Da wird das Schiff nicht von seiner Vergangenheit eingeholt. Die meisten, die in Europa mit Yachten handeln, kennen es, und danach richtet sich der Preis. In den Augen der Händler kann der bereits geschehene Schaden nicht wiedergutgemacht werden. In den USA, Mittel- oder Südamerika bekäme die Yacht einen neuen Start.«

»Der jüngste Vorfall macht das bestimmt auch nicht besser.« Dóra hatte nichts gesehen, womit sie die Socke heranziehen konnte, und renkte sich fast die Schulter aus. Sie berührte die Socke schon mit den Spitzen von Zeige- und Mittelfinger. Jetzt musste sie sie nur noch dazwischenklemmen.

»Nein, allerdings nicht. Und jetzt habe ich die Verantwortung für dieses Prachtstück, da Ægir ja nicht mehr zur Verfügung steht. Ich sollte mich wohl darüber freuen, das ist für mich fast wie eine Beförderung.«

Dóra klemmte ihre Finger zusammen, bekam die Socke aber nicht zu fassen.

»Haben Sie die Sache von ihm übernommen?«

Sie setzte jetzt alles daran, die Socke zu kriegen, egal, was Fannar davon hielt, dass sie vor ihm auf dem Fußboden lag. Sie hatte sich in den Kopf gesetzt, den Raum nicht zu verlassen, bevor sie das Sockenpaar vereinigt hatte.

»Ja. Ich bin gerade mit einem Projekt fertig, so dass es gut passt. Es wird zumindest interessant. Dieser Fluch mag in unseren Ohren vielleicht albern klingen, aber Seeleute sind furchtbar abergläubisch, und wenn der Ruf der Yacht über den Atlantik dringt, habe ich ein Problem, das können Sie mir glauben.«

Endlich bekam Dóra die Socke zu packen. In ihrer Achselhöhle zog es bereits schmerzlich, und da sie keine weiteren Versuche unternehmen wollte, spähte sie unters Bett, um sich zu vergewissern, dass sie die Socke auch wirklich im Griff hatte.

Das, was sie sah, ließ sie so schnell zurückzucken, dass sie mit dem Kopf gegen die Bettkante stieß. Der Schmerz war heftig, wurde aber von dem schnellen Herzschlag, der ihre Herzkammern zu zerreißen schien, gedämpft.

»Himmel!«, rief sie und rieb sich den schmerzenden Hinterkopf.

»Haben Sie sich gestoßen?«, fragte Fannar besorgt. »Darf ich mal sehen? Blutet es?«

Dóra drehte ihm ihren Hinterkopf zu und spürte, wie er ihr Haar durchkämmte und nach einer Wunde suchte.

»Was ist denn passiert?«

»Ich habe mich verguckt.«

Sie würde dem Mann niemals erzählen, was sie glaubte, gesehen zu haben. Zumal jetzt auch noch Bella im Türrahmen auftauchte. Fannars Bemerkungen über Flüche und Tod und Bellas Gerede mussten diese Sinnestäuschung hervorgerufen haben. Das war alles. Wobei es sich nicht leugnen ließ, dass die Atmosphäre an Bord ziemlich unheimlich war. Kein Wunder, bei dem, was hier vor kurzem passiert war. Ungelöste Rätsel waren wie Wasser auf die Mühlen der Phantasie. Das wusste sie nur zu gut. Es war einfach nur Einbildung gewesen. Wie sonst war es möglich, dass sie auf der anderen Seite des Bettes Kinderfüße gesehen hatte? In Kätzchensocken.

4. KAPITEL

»Ich will das Bild von Sigga Dögg hierhinkleben. Dann sehen wir sie immer, wenn wir schlafen gehen, und können ihr einen Gutenachtkuss geben.« Arna hielt das Foto ihrer kleinen Schwester an den Bettkopf. »Ist es in der Mitte?«

Lára stellte sich ans Fußende und visierte die Stelle an.

»Ja, genau in der Mitte.« Sie setzte sich zu ihren Töchtern aufs Bett. »Halt mal die Ecken weg, damit ich es festmachen kann.« Sie klebte kleine graue Gummistückchen unter die Ecken und drückte dann fest dagegen. »So.« Anschließend steckte sie die Haftkleber wieder in Bylgjas Schulranzen und machte ihn zu. »Morgen müsst ihr ein bisschen lernen. Ich habe eurer Lehrerin versprochen, dass ihr den Stoff auf der Reise nachholt, und diese Extrabootsfahrt ändert nichts daran.«

Sie lehnte sich ein wenig zurück und betrachtete das Foto. Ihre zweijährige Tochter schaute sie lächelnd an, sorglos und glücklich, von der Schaukel, die Ægir im Garten aufgestellt hatte. Wie hypnotisiert starrte Lára in das runde Gesicht ihrer kleinen Tochter und wurde traurig. Bestimmt wegen des missglückten Telefongesprächs mit ihren Schwiegereltern, die auf die Kleine aufpassten. Sie hatte sie von Deck aus angerufen, als die Yacht gerade losgefahren war, um sich von Sigga Dögg zu verabschieden, bevor sie keinen Empfang mehr hätten. Aber ihre kleine Tochter hatte nicht richtig verstanden, worum es ging, was vielleicht auch nicht anders zu erwarten gewesen war. Doch als Lára jetzt in ihr Gesicht schaute, fand sie, dass sie es der Kleinen besser verständlich hätte machen sollen. Ihr deutlich sagen sollen, wie lieb alle sie hatten und dass sie ein braves Mädchen sein sollte. Ein guter Mensch.

Lára schüttelte sich, um wieder auf den Boden der Tatsachen zu kommen. Das war viel zu melodramatisch und außerdem zu spät, sich jetzt noch Gedanken darüber zu machen – sie hatten nach Aussage des Kapitäns erst ein paar Seemeilen vor Island wieder Empfang. Auf dieser Fahrt würde es keine weiteren Telefonate mit Sigga Dögg mehr geben, da Ægir es nicht geschafft hatte, sich um die Telefonverbindung an Bord zu kümmern.

»Mama, mir ist schlecht«, jammerte Bylgja, die neben ihrer Schwester lag. Ihre Brille saß schief auf ihrer kleinen Nase, und sie war viel blasser als sonst. Lára musste sie nur mit ihrer Schwester vergleichen, um zu sehen, dass das nicht an der Beleuchtung lag.

»Du bist seekrank«, sagte Arna und schaute ihre Schwester vorwurfsvoll an. »Du wirst kotzen und kotzen und kotzen.«

Lára strich Bylgja über die feuchte Stirn. Sie hatte keine Ahnung, was man gegen Seekrankheit machen konnte. Natürlich hätten sie sich vor der Abfahrt informieren sollen, aber es war alles so überstürzt gewesen. Wahrscheinlich kamen noch mehr solche Dinge auf sie zu, aber das ließ sich jetzt nicht mehr ändern. Der Kapitän kam bestimmt mit allen möglichen und unmöglichen Umständen zurecht, darunter auch Seekrankheit.

»Man muss sich nicht ständig übergeben, wenn man seekrank ist, Schatz«, sagte sie. Bylgja war über diese erdichtete Information ihrer Mutter sichtlich erleichtert. »Leg dich einfach hin, ich hole einen nassen Waschlappen für deine Stirn. Vielleicht solltest du auch ein bisschen Cola trinken. Das hilft manchmal gegen Übelkeit.«

»Nein, danke.« Bylgja verzog das Gesicht und wollte überhaupt nichts zu sich nehmen. »Mein Bauch ist so komisch.« Sie schaute ihre Mutter flehend an. »Ich will nicht kotzen und kotzen und kotzen.«

»Niemand will das, Schatz. Wenn du dich hinlegst, passiert das bestimmt nicht.«

Lára holte im Bad einen Waschlappen und nahm zur Sicherheit einen kleinen Mülleimer mit. Sie fühlte sich selbst nicht besonders gut – das Schaukeln und Wogen verursachte ein Gefühl, wie wenn man von zu vielen Zigaretten einen Kater hatte.

»Bylgja glaubt, dass wir untergehen«, sagte Arna in jenem klagenden Tonfall, den die Mädchen anschlugen, wenn sie sich bei ihren Eltern über die jeweils andere beschwerten – was Arna allerdings eher selten und Bylgja fast nie machte.

Lára lächelte halbherzig. Sie hatte selbst ein ungutes Gefühl bei dieser Überfahrt. Was im Grunde nicht unnormal war, denn es war ihre erste Seereise, abgesehen von ein paar Fahrten mit der Fähre Herjólfur auf die Westmännerinseln. Die Umgebung war ungewohnt, und an Bord fehlte ihr die Sicherheit, festen Boden unter den Füßen zu haben. Hier gab es kein Krankenhaus, an das man sich wenden konnte, wenn einer von ihnen krank wurde. Es gab keinen Zahnarzt, wenn sie Zahnschmerzen bekamen. Es gab auch kein Geschäft, in das sie mal kurz gehen konnten, wenn sie etwas vergessen hatten. Aber das Schlimmste war, dass das Meer um sie herum so unendlich groß war. Lára hatte natürlich schon oft Karten gesehen, die die Ausmaße der Weltmeere im Vergleich zur Landfläche zeigten, aber solche Darstellungen bildeten einfach nicht die unendliche Weite ab, die ihnen nun aus allen Richtungen entgegenkam. Wasser, Wasser, endlos Wasser.

»Natürlich gehen wir nicht unter. So einem Boot kann nichts passieren«, sagte sie. Die Mädchen wirkten nicht überzeugt, weshalb sie hinzufügte: »Ich habe den Kapitän gefragt, und er hat gesagt, dass das Boot nicht untergehen kann. Ihr müsst euch keine Sorgen machen. Überhaupt keine.«

Das schien zu wirken. Lára hätte sich gewünscht, von ihren eigenen Worten überzeugt zu sein.

Bylgja schloss hinter ihrem schiefen Brillengestell die Augen und sank aufs Kissen. Arna schaute sie fast beleidigt an und hantierte mit dem Brettspiel herum, das sie gerne vorm Einschlafen gespielt hätte.

»Lies lieber in deinem Buch, Schatz. Bylgja muss sich ausruhen, morgen früh geht es ihr wieder besser.«

Vorsichtig setzte Lára Bylgja die Brille ab und legte sie auf den Nachttisch.

»Und du? Willst du spielen?«, fragte Arna, obwohl sie die Antwort wusste. Lára war als Mutter zu vielem bereit, aber mit ihren Töchtern zu spielen, gehörte nicht dazu.

»Nein, Schatz. Ich gehe kurz zu Papa, und dann kommen wir noch mal zu euch. Dann bist du bestimmt noch nicht eingeschlafen.« Sie gab jedem Mädchen einen Kuss auf die Wange und sagte dann leise zu Arna: »Komm sofort zu uns, wenn Bylgja sich übergeben muss. Wir sind draußen an Deck.«

In der Türöffnung drehte sie sich noch einmal um, gab den Zwillingen jeweils einen Fingerkuss und warf dann noch einen dritten für Sigga Dögg hinterher. Die Kleine starrte sie von dem glänzenden Fotopapier mit leblosen Augen an, die dicken Fingerchen fest um die Seile der Schaukel gekrallt.

»Kennst du dich mit Seekrankheit aus?« Lára ließ sich neben Ægir auf die Bank im Bug fallen. Er hatte eine Flasche Rotwein aufgemacht und zwei Gläser geholt. »Ich glaube, Bylgja ist seekrank. Oder jedenfalls kurz davor.« Sie strich sich mit den Händen durchs Haar und seufzte. »Du kannst mir gerne ein bisschen Rotwein geben. Oder ein bisschen mehr. Mir ist zwar selbst nicht ganz wohl, aber das kann nur gut tun.«

Ægir schenkte ein – nur ein wenig, wie sie es bei dem Weinseminar gelernt hatten, das Lára ihm letzten Herbst zum Geburtstag geschenkt hatte.

»Ich weiß nur, dass man nicht viel dagegen machen kann. Fri-

sche Luft soll guttun, und man soll draußen an Deck bleiben.«
Bei Ægirs Sportbootkurs war das kein Thema gewesen. Er nippte
an seinem Rotwein. »Der ist wirklich lecker. Gute Wahl.«

Er freute sich darauf, sich öfter so etwas genehmigen zu können. Die größten Geldsorgen lagen hinter ihnen und eine angenehme Zukunft vor ihnen. Eigentlich war es gar nicht so
schlecht, älter zu werden.

Lára tat es ihm nach, trank allerdings einen wesentlich größeren Schluck.

»Sollen wir Bylgja holen? Sie könnte sich hier auf die Bank zu
uns legen. Sie war allerdings gerade am Einschlafen, ist vielleicht
keine so gute Idee.«

Sie stellte das Glas auf den Tisch. Es war bauchig und hatte
einen ungewöhnlich langen Stiel. Es war bestimmt teuer gewesen. Furchtbar teuer.

»Vielleicht sollte ich Þráinn um Rat fragen.«

»Ach, nee.« Ægir nahm sie in den Arm. »Den lassen wir erst
mal in Ruhe. Sonst setzt er sich noch zu uns, und ich habe im
Augenblick echt keine Lust auf ihn. Genießen wir es doch einfach, alleine zu sein.«

Jenseits der Reling war es stockdunkel. In der schwarzen Fins-
ternis hätte sich alles Mögliche verbergen können, und sie hätten
ebenso gut an Land sein können, wenn das Rauschen der Wellen
und das beruhigende Schaukeln der Yacht nicht gewesen wären.
Lára wandte ihren Blick von der dunklen Fläche ab und richtete
ihn auf Ægirs matt leuchtendes Gesicht.

»Bylgja hat Angst, dass das Boot untergeht«, sagte sie und
versuchte zu lächeln, so als fände sie das witzig, schaffte es aber
wieder einmal nicht, überzeugend zu wirken. »Ich habe ihr gesagt, dass das unmöglich ist. Stimmt doch, oder?«

»Ja, klar.« Ægir strich mit dem Finger am Stiel des Glases entlang, bis es quietschte. »Natürlich kann es Umstände geben, denen die Yacht nicht standhält, aber dann sprechen wir von heftigen Unwettern oder Zusammenstößen mit anderen Schiffen oder

so was.« Er merkte, dass das nicht die Antwort war, die Lára hören wollte. »Aber das ist auf dieser Fahrt nicht vorgesehen. Nichts davon.«

Als ob so etwas jemals auf dem Programm stünde.

Lára wollte nicht weiter darüber reden. Sie wollte auch nicht in die Dunkelheit schauen und daran erinnert werden, wie einsam und verlassen sie waren. Wenn sie die Hoffnung gehabt hätte, in dieser Gegend Lichter von anderen Schiffen zu sehen oder Sterne, die zwischen den Wolken aufblitzten, wäre es etwas anderes. Sie hatten jede Menge große Schiffe und kleinere Boote gesehen, als sie von der portugiesischen Küste losgefahren waren, doch je weiter sie sich vom Festland entfernt hatten, desto weniger waren es geworden, und am Ende waren sie ganz allein auf der Welt.

»Ich würde lieber hinten im Heck sitzen«, sagte Lára und blickte hinauf zu den großen Fenstern des Steuerhauses. »Ich finde es irgendwie unangenehm, zu wissen, dass die drei da oben sind und auf uns runterstarren.«

»Das tun sie nicht.« Ægir schaute zum Steuerhaus, das fast eine ganze Etage über dem Deck lag. »Guck doch mal hin. Da ist niemand. Ich glaube, Þráinn ist schlafen gegangen. Loftur sitzt im Wohnzimmer und liest, also ist Halli alleine auf der Brücke, und man muss nicht die ganze Zeit am Steuer stehen und das Boot überblicken. Das läuft alles mehr oder weniger automatisch.«

Im selben Moment, als Ægir vom Fenster wegschaute, erschien dort Hallis gefärbter Haarschopf. Obwohl Lára sein Gesicht kaum erkennen konnte, wusste sie, dass der Mann sie anstarrte.

»Er schaut uns an«, murmelte sie, aus Angst, er könnte ihr die Worte von den Lippen ablesen. »Was ist eigentlich mit ihm los?«

»Stell dich nicht so an. Er sieht uns noch nicht mal. Er steht im beleuchteten Steuerhaus, und wir sitzen hier draußen im Stockdunkeln. Wenn wir ihn sehen können, heißt das noch lange nicht, dass er uns sehen kann.«

Trotz allem blies Ægir die Spirituskerze in dem kleinen Ständer aus, den er in der Küche gefunden hatte.

»So, jetzt sieht er uns ganz bestimmt nicht mehr. Ich kann dich kaum noch erkennen, obwohl du direkt neben mir sitzt.«

Auch wenn Ægirs Worte vernünftig klangen, hätte Lára schwören können, dass Halli sie anglotzte.

»Er ist mir irgendwie unheimlich. Eben habe ich ihn angesprochen, und er hat so getan, als würde er es nicht merken, hat noch nicht mal aufgeschaut. Hat so getan, als würde er mich nicht hören. Außerdem sagt er nie was und starrt einen nur an, wenn er meint, man würde es nicht sehen. Das macht er auch bei den Mädchen, da bekomme ich echt eine Gänsehaut. Er hat so einen fiesen Gesichtsausdruck. Als wollte er sie am liebsten über Bord schmeißen.«

»Hör auf damit. Das ist ein ganz normaler Typ, der mit Kindern nicht viel anfangen kann. Ich bin noch keinem kinderlosen jungen Mann begegnet, der ein großer Kinderfreund ist. Du solltest dir lieber Sorgen machen, wenn er sich übermäßig für sie interessiert.«

Lára sagte nichts mehr, konnte die Augen aber nicht von Hallis hellblondem Haarschopf lösen. Erst als er vom Fenster wegtrat, entspannte sie sich wieder. Sie schenkte sich Rotwein nach und lehnte sich an Ægir.

»Wie es wohl ist, steinreich zu sein und so zu leben?«, fragte sie.

»Bestimmt schön. Könnte aber auch stressig sein. Stell dir vor, wie sich der Besitzer der Yacht gefühlt hat, als sein Kapital eingebrochen ist. Das muss doch furchtbar sein. Niemand schafft es zweimal, so ein Vermögen anzuhäufen, das muss ihm klar gewesen sein.«

»Hat er denn alles verloren?«

»Nein, bestimmt nicht. Es ist unglaublich, was für einen Hokuspokus man um Geld veranstalten kann. Es hier und da investieren, alle möglichen Firmen und Mittelsmänner dafür nutzen, so dass sich die Zusammenhänge nicht mehr entwirren lassen. Das, was sich bei der Insolvenz pfänden ließ, deutet jedenfalls darauf hin, dass er noch irgendwo Gelder versteckt hat. Bestimmt an so vielen verschiedenen Orten, dass er sie selbst nicht mehr zählen kann.«

Plötzlich kippte die Yacht langsam nach unten und schwang sich dann wieder hinauf in denselben trägen Rhythmus. Ægir musste sich an der Rücklehne der Bank festhalten, um nicht das Gleichgewicht zu verlieren.

»Wobei seine Frau Karítas einiges wusste. Sie wollte es sogar preisgeben, falls sie im Gegenzug dafür das Geld hätte behalten dürfen, das auf ihren Namen lief. Aber sie hat ihre Meinung geändert und ist bestimmt gut dafür bezahlt worden. Oder sie hat festgestellt, dass das meiste ohnehin auf den Namen ihres Mannes lief und sie nicht viel davon gehabt hätte, das Spiel mitzuspielen.«

»Sie hat ihre Meinung geändert?« Lára ließ die Reling wieder los. »Muss ja ziemlich günstig für sie gewesen sein.«

»Du sagst es.« Ægir nippte wieder an seinem Wein, und ein zufriedener Ausdruck legte sich auf sein Gesicht, der selbst in der Dunkelheit deutlich zu erkennen war. »Trotzdem ist es gelungen, einen Großteil seines Vermögens zu pfänden. Die Yacht zum Beispiel. Wenigstens kann er nicht mehr mit einem Haufen Dienstboten über die Weltmeere schippern. Aber ich zweifle nicht daran, dass es ihm trotz allem gutgeht. Im Vergleich dazu ist unser Leben ein einziger Kampf.«

»Ihre Kleider hängen noch in unserer Kabine im Kleiderschrank. Ich wollte die Koffer auspacken, aber das ging nicht, weil alle Regale voll sind. Ob es ihr egal war, die Kleider zu verlieren? Ich hätte sie ja mitgenommen.«

Ægir hörte auf, seiner Frau durchs Haar zu streichen, und reckte sich nach seinem Weinglas. Er trank einen großen Schluck, bis nur noch ein Rest auf dem Boden des Glases übrig war.

»Die Yacht wurde ohne Vorankündigung versiegelt. Die beiden hatten keine Gelegenheit mehr, etwas von Bord zu holen. Außerdem hat sie bestimmt so viele Klamotten, dass sie es gar nicht merkt, wenn etwas fehlt. Þráinn hat mir zwar erzählt, die Versiegelung sei aufgebrochen gewesen, als er an Bord kam, aber es schien nichts gestohlen worden zu sein. Das Schloss war unbeschädigt, also hat der Einbrecher wahrscheinlich einen Rückzieher gemacht. Vielleicht wurde er gestört oder hat Skrupel bekommen.«

»Vielleicht war es Karítas oder ihr Mann. Jemand, der einen Schlüssel hatte.« Lára trank von ihrem Wein und spähte zum Steuerhaus. Halli war nicht zu sehen. »Karítas wahrscheinlich eher nicht, die hätte bestimmt die Kleider mitgenommen.«

»Ich glaube nicht, dass Karítas diese Kleider braucht. Die wird finanziell ziemlich gut gestellt sein.«

»Auch wenn man reich ist, kann man Sachen haben, die einem gut stehen und die man immer wieder anziehen will. Vor allem so festliche Kleider, wie die da unten.« Lára nahm die Flasche und schenkte Ægir nach. Sie war bei dem Weinseminar nicht so aufmerksam gewesen wie er und goss ziemlich viel ein. »Ob sie mir passen? Ich könnte sie ja zum Zeitvertreib mal anprobieren, wenn mir langweilig ist.«

»Lass sie lieber in Ruhe.« Ægir nahm sein Glas und war ein bisschen verstimmt, als er sah, wie voll sie es gegossen hatte. »Ich möchte nicht mehr Sachen benutzen, als die, die wir unbedingt brauchen.«

Er lächelte.

»Notwendige Dinge wie diese Gläser zum Beispiel. Wir wollen doch den guten Wein nicht aus Kaffeebechern trinken.«

Über ihnen klopfte es laut, und Lára erschrak so sehr, dass sie zusammenzuckte. Fast hätte sie alles vom Tisch gefegt.

»Was war das denn?« Sie schaute hoch und sah, dass Halli am Fenster stand und gegen die Scheibe klopfte. Dann winkte er und bedeutete ihnen, raufzukommen.

Ægir hob die Augenbrauen und blickte zu Lára.

»Was der wohl will?«

»Es gibt nur einen Weg, das herauszufinden.« Lára stand auf und nahm ihr Glas. »Nimm die Flasche mit, es wird sowieso zu kühl hier draußen. Setzen wir uns lieber rein, wenn wir mit ihm gesprochen haben. Im Wohnzimmer ist es bestimmt gemütlicher.«

Sie spähte zu den großen Fenstern im Steuerhaus.

»Dann kann uns dieser Typ auch nicht mehr so anstarren.«

»Hast du vergessen, dass Loftur auf dem Sofa liegt?«

»Den vertreiben wir einfach, indem wir ein bisschen schmusen«, sagte Lára grinsend und gab Ægir einen dicken, langen Kuss auf sein unrasiertes Kinn, bis sie einen Schritt zur Seite machen musste, weil das Schiff heftig schaukelte. Dem Meer schienen ihre Liebkosungen zu missfallen.

»Ich hab dir doch gesagt, dass wir an Deck sind, Schatz. Warum bist du nicht zu uns gekommen?«, fragte Lára. Sie deckte Arna zu und hob ihr Buch vom Boden auf, wo es hingerutscht sein musste, als die Kleine eingeschlafen war.

»Ich wusste nicht mehr, was du gesagt hast, ob ihr vorne oder hinten auf dem Boot seid, und ich hab mich nicht getraut, rauszugehen und in die falsche Richtung zu laufen. Da bin ich lieber zum Kapitän gegangen. Ich wollte ihn um Hilfe bitten, aber er war nicht da. Nur Halli.«

»Das war eine gute Idee.« Ægir strich Bylgja die Haare aus der Stirn und legte seine Hand darauf. »Sie hat kein Fieber, ist nur ein bisschen feucht. Vielleicht ist es schon vorbei. Sie hat sich doch nicht übergeben, Arna, oder?«

Arna schüttelte den Kopf.

»Sie hat nur geschlafen. Ich wollte sie wecken, aber ich hatte solche Angst, dass sie auf mich kotzt, deshalb habe ich es gelassen. Deshalb bin ich gerannt, ich wollte nicht, dass sie alleine hier ist. Nicht mit der Frau.«

»Mit der Frau?« Lára legte die Hand auf Arnas Stirn, um zu überprüfen, ob sie auch Fieber hatte. Womöglich hatten sich die Mädchen auf der Reise mit Grippe angesteckt. »Welche Frau?«

»Die Frau in meinem Traum. Sie wollte mir wehtun. Und Bylgja auch.«

»Das war nur ein Traum. Hier ist nur eine Frau an Bord, und das bin ich. Glaubst du etwa, ich würde euch wehtun?« Sie stupste ihre Tochter auf die Nasenspitze. »Niemals.«

Doch ihre Worte hatten keinen Einfluss auf ihre Tochter.

»Sie will uns nicht hier haben. Vielleicht ist das ihr Bett«, sagte Arna und setzte sich auf. »Dürfen wir bei euch schlafen?«

»He, du hast nur geträumt, kleine Maus. Das Bett gehört niemandem, außer vielleicht Papas Kollegen auf der Arbeit. Und denen ist es völlig egal, ob ihr hier schlaft. Darüber hat keine geheimnisvolle Frau zu bestimmten. Ich bleibe bei dir sitzen, bis du eingeschlafen bist, wenn du versprichst, die Augen zuzumachen. Wenn du sie aufmachst, gehe ich, okay?«

Arna ließ sich darauf ein, und Lára setzte sich zu ihr, nachdem sie das Licht ausgeschaltet hatte. Ægir tastete sich zur Tür und stützte sich bei dem immer stärker werdenden Wellengang an der Wand ab. Vorsichtig zog er die Tür hinter sich zu, nachdem er sich von Mutter und Tochter verabschiedet hatte. Im selben Moment, als die Tür zufiel, öffnete Lára den Mund, weil sie ihn bitten wollte, sie einen Spaltbreit offen stehen zu lassen, änderte ihre Meinung aber wieder, da die Tür dann nicht ruhig stehen würde. Sie legte die Hand auf den Körper ihrer Tochter, und es dauerte nicht lange, bis ihre Atemzüge tiefer und regelmäßiger wurden. Lára brachte es nicht über sich, sofort aufzustehen, sondern genoss es, auf ihre schlafenden Töchter zu horchen. Als sie sich endlich auf die Beine zwang, wälzte Arna sich umher und verzog das Gesicht, als hätte sie wieder einen Albtraum. Lára wollte sich gerade erneut hinsetzen, als Arna wieder ruhig wurde. Lára wusste, dass Ægir auf sie wartete. In der Türöffnung blieb sie stehen, drehte sich zu den schlafenden Zwillingen um und schnupperte. Ein intensiver, schwerer Parfümgeruch lag in der Luft. Er schien aus dem Flur zu kommen. Aber das konnte nicht sein, und als sie einen Schritt aus dem Zimmer machte, um noch einmal zu schnuppern, hatte der Geruch nachgelassen. Als sie wieder schnupperte, war er verschwunden.

Lára zuckte die Achseln, schloss die Tür zur Kabine der Mädchen und ging in den schmalen, trübe beleuchteten Gang.

5. KAPITEL

Für Dóra gab es kaum etwas Langweiligeres als Kochen. Bei den meisten ihrer Freundinnen war das genau umgekehrt, und sie und ihre Ehemänner entwickelten im Lauf der Jahre ein immer größeres Interesse daran. Eine hatte Dóra und ihrem Lebensgefährten Matthias sogar einen Kochkurs zu Weihnachten geschenkt und war ganz begeistert von der Idee gewesen. Der Kurs hieß »Zaubereien aus dem Orient«. Sie waren zwar pflichtbewusst hingegangen, aber dem Seminarleiter war es nicht gelungen, sie mit seiner Leidenschaft anzustecken. Am Ende des Kurses waren sie immer noch genauso unfähig wie am Anfang, hatten aber immerhin gelernt, ein tadelloses Couscous zuzubereiten. Es gab allerdings ein paar Probleme, als die Freundin sich bei ihnen zum Essen einlud, um sich vom Erfolg des Weihnachtsgeschenks zu überzeugen. Da die einzigen orientalischen Restaurants in Reykjavík Dönerbuden waren, mussten sie indisches Essen kaufen, es aufwärmen und Couscous dazu machen. Dann suchten sie im Internet eine arabische Bezeichnung heraus und benannten das Gericht danach. Das befreundete Pärchen war selig und überaus angetan vom Al-Jazeera-Hühnchen. Dóras größte Angst war, dass sie zu gut gewesen wären und beim nächsten Weihnachtsfest einen weiteren Kochkurs geschenkt bekämen.

Der Kurs hatte an der Haushaltsführung also wenig geändert,

und dasselbe galt für die Anzahl der Kochbücher und -zeitschriften, die sich über die Jahre hinweg bei ihnen angesammelt hatten. Dóra war einfach eine schlechte Köchin und interessierte sich nicht fürs Kochen. Deshalb hatten die anderen Familienmitglieder – bis auf ihren Enkel Orri – sich dieser Aufgabe angenommen. Leider entpuppten sich deren Versuche auch nicht als erfolgreicher als Dóras Geköchel. Am talentiertesten war Sóley, aber der Kleinen fehlte es noch an Ausdauer für richtige Mahlzeiten. Sie backte am liebsten Muffins, und obwohl die Kochkultur in der Familie alles andere als vorbildlich war, waren sie noch nicht so tief gesunken, die zum Abendessen zu essen. Zudem sah die Küche aus wie nach einem Bombeneinschlag, wenn Sóley gekocht hatte. Dóras Sohn Gylfi und seine Freundin Sigga waren in dem Alter, in dem sie bald ausziehen würden, weshalb sie eigentlich das größte Interesse am Kochen hätten aufbringen sollen, was aber nicht der Fall war. Für sie etwas zuzubereiten, war am schwierigsten. Entweder waren sie gerade Vegetarier, aßen nur Rohkost oder beides, und niemand versuchte mehr, sich daran zu erinnern, welche Überzeugung gerade aktuell war. Die beiden vergaßen es sogar selbst. An diesem Abend waren sie zusammen mit Orri bei Siggas Eltern zum Essen, so dass es eigentlich kein Problem gewesen wäre, etwas auf den Tisch zu zaubern. Aber der Kühlschrank war leer.

»Was haltet ihr von chinesisch?«, fragte Dóra und machte den Kühlschrank zu. »Entweder wir bestellen was, oder es gibt Nudelsuppe.«

»Bestellen.« Matthias begann, das Besteck wieder von den Tellern zu räumen, das er gerade hingelegt hatte. Sie waren inzwischen ziemlich geschickt mit Stäbchen. »Ich kann keine Nudelsuppe mehr sehen. Jedenfalls nicht mehr in diesem Jahr.«

»Ich könnte auch was backen«, schlug Sóley vor und schaute von ihren Hausaufgaben auf, die sie am Abend unbedingt noch fertigmachen musste. Sie sollte in Sozialkunde etwas über die Arbeitszweige Indiens schreiben, aber auf ihrem Blatt waren bisher nur Zeichnungen von Elefanten, Tigern und Schlangen, die nur am Rande etwas mit dem Thema zu tun hatten.

»Nein, nein, das ist nicht nötig«, antwortete Matthias hastig, bereute es aber sofort, denn Sóley wirkte verletzt. »Ich meine nur, du musst ja noch deine Hausaufgaben machen, und die sind wichtiger als das Abendessen. Du kannst doch am Wochenende was backen, wenn du dann noch Lust dazu hast. Lakritzspitzen vielleicht?«

Er wusste, dass sie darauf am stolzesten war, was jedoch in keinem Zusammenhang mit dem Gelingen stand.

»Oder willst du vielleicht eine kleine Pause machen und mit mir das Essen holen?«

Sóley legte ihren Aufsatz über die Gesellschaftsstruktur Indiens mit tierkundlichem Einschlag sofort beiseite. Dóra freute sich jedes Mal darüber, wie prima sich die beiden verstanden. Gylfi und Matthias kamen zwar auch gut miteinander aus, standen sich aber nicht besonders nahe. Wenn ihre Kinder Matthias abgelehnt hätten, wäre das das Ende ihrer Beziehung gewesen. Dass Sóley, Gylfi und Orri glücklich waren, stand für Dóra an erster Stelle. So war es nun mal, und bisher hatte niemand einen Grund gehabt, sich zu beklagen, am allerwenigsten Matthias, der diese Reihenfolge voll und ganz akzeptierte. Natürlich versuchte Dóra trotzdem, darauf zu achten, dass sich ihr Leben nicht nur um die jüngere Generation drehte, und es gelang ihnen ganz gut, Zeit füreinander zu finden. Das war allerdings etwas schwieriger geworden, seit ihr Ex-Mann jeden zweiten Monat in Norwegen arbeitete, aber sie hatte volles Verständnis dafür, denn nach der Scheidung hatte er ein neues Leben anfangen müssen und sich durch einen Hauskauf mitten in der Immobilienkrise in Schulden gestürzt. Durch die Arbeit im Ausland konnte er diesen Schuldenberg langsam abbauen. Die Kinder verbrachten zwar nur noch halb so viele Wochenenden bei ihrem Vater, aber dafür waren Dóras Eltern ausgezogen. Ihre finanzielle Lage hatte sich gebessert, nachdem sie ihr ohnehin selten genutztes Haus in Spanien endlich verkauft hatten. Mit Dóras Mutter verschwand jedoch die Köchin, die die Familie so dringend brauchte.

Als Sóley und Matthias gegangen waren, holte Dóra die Unterlagen über den Yachtfall heraus, die sie mit nach Hause genommen hatte. Das unbekannte Schicksal der Leute an Bord weckte in ihr das tiefe Bedürfnis, der Sache auf den Grund zu gehen, auch wenn das schwierig war. Die Yacht selbst hatte ebenfalls einen intensiven Eindruck hinterlassen. Dóra war eigentlich ziemlich rational, aber es fiel ihr trotzdem schwer, das Bild von den blassen Beinen hinter dem Bett aus dem Kopf zu kriegen. Wobei sie keineswegs glaubte, dass es eine übernatürliche Vision gewesen war, sondern dass ihr Gehirn dieses Bild produziert hatte. Die Leute waren verschwunden, aber überall an Bord gab es Hinweise auf ihre Existenz, und Dóra hatte einfach die Lücken aufgefüllt.

Bevor sich Fannar auf der Hafenmole von ihnen verabschiedet hatte, hatte er ihr versichert, sein Chef werde alles tun, was in seiner Macht stehe, um bei der Lösung des Falls zu helfen. Er fühle sich ein bisschen verantwortlich für das, was passiert sei, weil er Ægir auf diese tragische Fahrt geschickt habe. Daraufhin hatte Dóra Fannar gebeten, nachzuschauen, ob er noch irgendwelche Unterlagen hätte – neben dem Bericht, den der Auflösungsausschuss nach dem Unfall über den Zustand der Yacht angefertigt und Dóra bereits ausgehändigt hatte. Fannar hatte versprochen, es zu überprüfen, aber sie hatte eigentlich nicht damit gerechnet, noch mal von ihm zu hören. Doch kaum saß sie auf ihrem Stuhl in der Kanzlei im Skólavörðustígur, klingelte ihr Handy, und Fannar teilte ihr mit, man würde etwas für sie zusammenstellen. Auf dem Nachhauseweg hatte sie dann in seinem Büro den Umschlag abgeholt.

Der Papierstapel, den sie aus dem Umschlag zog, war nicht besonders dick. Zuoberst lagen ein paar Blätter mit Listen von Personen, die früher einmal als Besatzung auf der Yacht gearbeitet hatten. Die Yacht war in Monaco registriert gewesen, bis die

Bank sie in Portugal übergenommen hatte. Die Namen waren international, kaum französische. An einem, der besonders markiert war, blieb Dóra hängen: *Halldor Þorsteinsson*. Mit diesem Mann musste sie unbedingt sprechen.

Dieser Halldór war allerdings nur drei Monate an Bord gewesen, was im Vergleich zu den anderen auf der Liste recht kurz war, aber er musste sich dennoch gut auskennen. Vielleicht hatte er im Streit aufgehört oder war entlassen worden, was ungünstig wäre, weil er dann womöglich einen Groll gegen den Voreigentümer oder andere Mannschaftsmitglieder hegte und nicht objektiv wäre. Aber er konnte sie bestimmt genau über die Sicherheitsvorkehrungen und andere Dinge an Bord aufklären, die sie für die Vorlage bei der Versicherung brauchte. Jegliche Lücken in ihrem Bericht würden die Sache nur verzögern – Versicherungsleute verfolgten immer die Taktik, jeden Brief mit einer Frage zu einem bestimmten Detail zu beantworten, und wenn die geklärt war, die nächste Frage zu stellen, und so weiter. Auf diese Weise konnte die Versicherung die Sache um Monate verzögern.

Nach der Besatzungsliste folgte die Registrierungsurkunde der Yacht, die bestätigte, was Dóra bereits wusste: Karítas und ihr Mann waren nicht die ersten Besitzer und hatten das Schiff auf den Namen *Lady K* getauft. Dóra fand den Namen immer noch ziemlich albern und konnte sich nicht daran gewöhnen. Sie blätterte weiter im Mannschaftsregister und sah, dass Halldór zu der Zeit, als das Boot im Besitz von Karítas und ihrem Mann gewesen war, darauf gearbeitet hatte.

Als Nächstes fiel ihr eine Liste über die Inneneinrichtung der Yacht ins Auge. Das Dokument trug den Briefkopf einer ausländischen Firma, die sich auf den Verkauf von Schiffen spezialisiert hatte, und auf einer Vielzahl von Seiten waren sämtliche Gegenstände und deren Wert aufgelistet. Die Liste war vor ungefähr vier Jahren erstellt worden, so dass sie nicht unbedingt die heutige Einrichtung der Yacht widerspiegeln musste. Dóras Augen wurden immer größer. Sie hätte nie gedacht, dass ganz normale

Dinge so teuer sein konnten. Ein Sofa, das mehr kostete als ihr Auto. Küchenmesser, die teurer waren als ihre gesamte Kücheneinrichtung, inklusive Tisch und Stühle. Auf der Liste waren auch Geräte und Ausrüstungen für die Seefahrt aufgeführt, wie zum Beispiel Aqua-Scooter, Tauchanzüge und Angelzubehör. Die Aqua-Scooter hatte sie auf der Yacht in einem Abstellraum gesehen, aus dem man direkt losfahren konnte, aber die Tauchanzüge und Angeln hatte sie nicht bemerkt. Was nichts zu bedeuten hatte, denn sie waren sehr schnell durch die vielen Kabinen und Räume an Bord gegangen. Vielleicht hatte ja jemand etwas mitgehen lassen, der Wert dieser Gegenstände war jedenfalls hoch genug, um Diebe anzulocken. Wobei es Dóra nicht überraschte, dass die Angelausrüstung teuer war. Matthias interessierte sich nämlich neuerdings fürs Lachsfischen, und die Preise der Sachen, die ihm gefielen, gaben ihr eine gewisse Vorstellung von den Kosten, die so ein Hobby mit sich führte. Jetzt hoffte sie nur, dass er sich von der Seefahrt fernhielt.

Die nächste Seite war eine Überraschung. Darauf stand nur eine Zeile mit dem Namen Karítas Karlsdóttir, einer Telefonnummer und einer E-Mail-Adresse. Dóra wunderte sich, dass diese Seite überhaupt mit dabei war. Ein Zufall? Sie langte nach dem Telefon und wählte die Nummer, aber sie war nicht angeschlossen. Auch die E-Mail, die sie an die genannte Adresse schickte, kam sofort wieder zurück. Das Blatt musste versehentlich mitgeschickt worden sein.

Dóra saß immer noch nachdenklich über den Unterlagen, als Matthias und Sóley mit dem Essen vom Chinesen zurückkamen. Sie konnte sich nur schwer auf die Gespräche am Abendbrottisch konzentrieren. Ihre Gedanken schweiften immer wieder zu der Yacht und den Papieren, aber sie konnte es vor Sóley verbergen und antwortete stets an den richtigen Stellen, obwohl das Gesprächsthema komplett an ihr vorbeiging.

Nach dem Essen konnte sich Dóra endlich weiter mit dem Fall beschäftigen. Sie wollte ihn unbedingt mit Matthias besprechen, aber nicht vor Sóley, weshalb sie gewartet hatte, bis sie vom Tisch aufstanden und ihre Tochter sich wieder in ihre Hausaufgaben vertiefte. Man konnte nie wissen, ob die Kleine nicht eine Abneigung gegen Boote entwickelte, wenn ihr die Geschichte von der Yacht zu Ohren kam. Seit sie eine kurze Meldung über eine Stewardess gesehen hatte, die ein Kind, das ein Bonbon verschluckt hatte, vor dem Ersticken gerettet hatte, weigerte sie sich, Bonbons zu essen. Seitdem waren drei Jahre vergangen.

»Was weißt du über Schiffe, Matthias?«

»So gut wie nichts. Sie werden benutzt, um Fische zu fangen, Güter zu transportieren und auf dem Meer oder anderen Gewässern von einem Ort zum anderen zu kommen.« Er grinste sie an. »Hilft dir das?«

»Nein, nicht direkt.«

»Worüber denkst du nach?«

»Ich habe einen Fall, der mit dieser Yacht zusammenhängt, die letztens in den Hafen getrieben ist. Ich war heute Morgen an Bord und fand das alles ein bisschen merkwürdig. Aber vielleicht nur, weil ich so wenig über Schiffe weiß, und noch weniger über Motoryachten. Wobei das nicht die Hauptsache ist. Es geht um eine Lebensversicherung, die man wahrscheinlich nicht so leicht ausbezahlt bekommt wie bei einem normalen Todesfall.«

»Man muss nicht viel über Schiffe wissen, um diese Geschichte merkwürdig zu finden.«

»Vielleicht.« Dóra holte ihren Laptop. »Glaubst du, dass es oft vorkommt, dass Leute einfach so von einem Schiff verschwinden und nie gefunden werden?«

Matthias zuckte mit den Schultern.

»Das gibt es schon mal, aber ich weiß nicht, ob es häufig vorkommt. Als ich klein war, gab es so eine Geschichte, die ich total spannend fand. Ein Geisterschiff fährt über die Weltmeere, nachdem die Mannschaft verschollen ist, und niemand kann es aufhalten. Ich weiß leider nicht mehr, wie das Schiff hieß. Aber ob dir das hilft?«

»Ach, ich bin nur neugierig. An Bord war eine so komische Atmosphäre, das geht mir nicht mehr aus dem Kopf.« Sie schwieg einen Moment und sprach dann weiter: »Ich kann es nicht richtig beschreiben, es war, als wären die Leute noch da. Als hätten sie noch nicht gemerkt, dass sie verschwunden sind. Bescheuert, ich weiß.«

»Jein«, entgegnete Matthias und ließ nicht erkennen, dass er das lächerlich fand. »Wenn man an einem Ort ist, wo kürzlich jemand gestorben ist, hinterlässt das ein seltsames Gefühl. Man hat wirre Gedanken, so ist es jedenfalls bei mir. Als ich noch bei der Polizei war und an meinen ersten Mordschauplatz kam, hörte ich Geräusche, die gar nicht da waren, meinte, jemand würde mich berühren und so. Alles wegen dieser Beklemmung, die mir fremd war.«

Dóra fühlte sich ein wenig besser. Das klang vernünftig. Ihr Gehirn hatte einfach keine Erfahrung darin, ein solches Erlebnis auf rationale Weise zu verarbeiten. Sie wurde also nicht verrückt. Jedenfalls aller Wahrscheinlichkeit nach nicht. Schade, dass sie Bella nicht fragen konnte, ob sie ein ähnliches Gefühl gehabt hatte. Aber das war ausgeschlossen, dadurch würde sie sich vor der Sekretärin bloßstellen.

Dóra suchte im Internet nach Infos über Gulam, Karítas' ausländischen Ehemann und Vorbesitzer der Yacht. Sie wollte unbedingt mehr über die Vorgeschichte wissen. Die Zeitungen hatten damals wegen der Verbindung zu den isländischen Banken über die Pleite des Mannes berichtet, aber Dóra interessierte sich nicht besonders für Wirtschaftsnachrichten und hatte nur die Überschriften gelesen. Als sie seinen Namen eintippte, kamen nur wenige Seiten. Er schien möglichst unauffällig bleiben zu wollen, was vielleicht verständlich war. Er war Finanzinvestor, machte seine Geschäfte aber größtenteils unter Ausschluss der Öffentlichkeit.

Die Beiträge ließen sich in drei Gruppen aufteilen: vernichtende isländische Berichte über Gulams Pleite, ausländische Wirtschaftsnachrichten, in denen nur am Rande über seine Investitionen berichtet wurde, und Klatschgeschichten aus der Schickimickiwelt, in denen er eher als Nebenfigur fungierte. Letztere tauchten auch häufig auf isländischen Nachrichtenseiten auf, wo dem Ehepaar wesentlich mehr Beachtung geschenkt wurde. Die Isländer interessierten sich natürlich immer sehr für ihre Landsleute, die es in die große, weite Welt verschlagen hatte, besonders, wenn sie ihre Schäfchen ins Trockene gebracht hatten. Und das traf ganz eindeutig auf diese junge Frau zu, die es genoss, sich im Scheinwerferlicht zu baden.

In dieser letzten Gruppe von Beiträgen ging es nicht um Aktienwerte oder Preisindexe, sondern um Partys, Galaabende und die Kleidung der Gäste. Karítas' Ehemann war jedoch nicht so berühmt, dass er und seine Frau in den ausländischen Artikeln eine große Rolle gespielt hätten. Wenn sie auf einem Foto auftauchten, war es fast ausnahmslos ein Lückenfüller am Ende einer Fotostrecke. Und der Mann war nie alleine auf einem Bild – er hatte immer Karítas am Arm, und Dóra vermutete, dass die Fotos ohne sie gar nicht erschienen wären. Seine isländische Ehefrau war nämlich außerordentlich elegant und hätte gut Model sein können, während ihr Mann im Vergleich zu ihr eindeutig den Kürzeren zog. Er war klein, untersetzt und aufgedunsen und kämmte sich seine Resthaare über die Glatze, die Karítas jedes Mal sah, wenn sie auf ihn herunterschaute. Wobei man hätte meinen können, er sei ein echter Traumprinz, so fest schmiegte sie sich auf sämtlichen Fotos an ihn. Ihr schlanker Arm in immer neuen Kleidern krallte sich um sein kräftiges Handgelenk im dunklen Anzug. Er war blass wie ein Leichenbestatter, sie farbenfroh und braungebrannt. Er fast glatzköpfig und sie mit langem, dickem, blondem Haar, immer frisch frisiert. Sein Gesicht aufgeschwemmt, ihres mit markanten Wangenknochen. Er unauffällig, sie überall mit Schmuck behängt. Seine Zähne ziemlich schlecht gepflegt, ihre schneeweiß und gerade. Er eher klein, sie groß. Vielleicht kein Wunder, dass sie den Fotografen herzlich anlächelte, während er ein missmutiges Gesicht machte. Ihre Ehe war wie die Verschmelzung zweier gegensätzlicher Pole.

Als Dóra klarwurde, dass das zu nichts führte, suchte sie nach Informationen über Karítas selbst. Auf einer isländischen Seite fand sie eine Notiz, aus der hervorging, dass Karítas fünfundzwanzig Jahre jünger war als ihr Mann und ihn bei ihrer Arbeit in einem Reykjavíker Hotel kennengelernt hatte, in dem er Gast gewesen war. Es war unklar, welchen Job sie dort ausgeübt hatte, aber drei Monate später waren sie verheiratet – er zum dritten und sie zum ersten Mal. Sie hatten keine Kinder. In einem anderen Artikel stand, Karítas habe vor der drohenden Pleite ihres Mannes die Scheidung eingereicht. Dóra erinnerte sich dunkel daran, die Geschichte damals auf dem Cover einer Zeitschrift im Supermarkt gelesen zu haben. Die Trennung war wohl kaum aus heiterem Himmel gekommen, denn es war peinlich offensichtlich, was Karítas an ihrem Mann interessiert hatte. Es war die übliche Geschichte, und sämtliches Gefasel von der großen Liebe auf den ersten Blick wirkte in solchen Fällen ziemlich lächerlich, zumindest hatte Dóra noch nie etwas von Ehen zwischen hübschen jungen Frauen und bettelarmen älteren Männern gehört. Wobei es völlig in Ordnung war, wenn beide damit glücklich wurden. Aber in diesem Fall war das Glück nur von kurzer Dauer gewesen. Karítas hatte nach vier Jahren Ehe die Scheidung eingereicht.

Die Streitigkeiten hatten sich dann wieder gelegt, nachdem das Ehepaar auseinandergezogen war. Dóra vermutete, dass das geschrumpfte Vermögen maßgeblich dazu beigetragen hatte, denn es war einfach nichts mehr übrig, um Karítas auch nur einen Cent zu bezahlen. Gleichzeitig kursierten Gerüchte, Gulam habe beträchtliche Gelder vor den Gläubigern, unter anderem vor dem Auflösungsausschuss der isländischen Bank, verschwinden lassen. Karítas fand es vermutlich weniger schlimm, weiter mit ihm verheiratet zu sein, als wieder im Hotel zu arbeiten. Der Vorteil daran, dass Island so klein war, war zugleich auch der größte Nachteil: Es war bestimmt keine verlockende Vorstellung für Karítas, mit eingezogenem Schwanz nach Hause zurückzukehren, nachdem sie ein Star auf den Gesellschafsseiten der Illustrierten gewesen war. Die ursprüngliche Aussage der damaligen Untersuchungskommission, Karítas sei zur Kooperation bereit gewesen, entpuppte sich als unhaltbar, und als die Medien später nachhakten, bekamen sie kaum Antworten. Karítas war nach der Geschichte mit der Yacht nicht mehr zu erreichen und wie vom Erdboden verschwunden. Ein Sprecher ihres Mannes sagte, sie sei in Brasilien, um Ruhe vor den Medien zu haben, wobei ihre in Island ansässige Mutter das nicht bestätigt hatte.

»Matthias?«, sagte Dóra und schaute auf. Er war in seinen Laptop vertieft. »Wurde in deiner Bank zufällig mal über das Ehepaar, dem die Yacht gehörte, geredet? Ich weiß, dass dieser Gulam keine Geschäfte mit euch gemacht hat, aber vielleicht hast du ja irgendwas über ihn gehört.«

Matthias brauchte eine Weile, bis ihm klarwurde, worauf Dóra hinauswollte. Er machte zwar unglaubliche Fortschritte in Isländisch, brauchte aber immer einen Moment, um von seinen deutschen Gedanken auf die isländische Sprache umzuschalten.

»Doch, ich habe schon mal was über die beiden gehört. Allerdings nichts Vernünftiges. Die Frauen lästern über die Frau und die Männer über den Mann.«

»Und was sagen sie?«

»Nichts Besonderes. Er soll einiges an Geld verschwinden lassen haben, und angeblich will seine Frau nicht zurück nach Island, weil sie hier ihr Vermögen nicht mehr zur Schau stellen kann und sich unauffällig verhalten muss. Dann heißt es noch, sie hätte Angst, von der Finanzaufsichtsbehörde oder einem Sonderstaatsanwalt verhört zu werden. Ich weiß nicht, wie ernst man das nehmen soll. Sind vermutlich alles nur Spekulationen.«

Dóra überlegte.

»Ich sollte versuchen, mich mit ihren Eltern oder Geschwistern in Verbindung zu setzen. Vielleicht wissen die ja, wie ich Karítas erreichen kann. Sie weiß bestimmt einiges über die Yacht. Vielleicht gab es ein Problem, über das die Besatzung vor der Abfahrt nicht informiert war. Die Vorbesitzer haben das Schiff ziemlich lange nicht bewegt, bevor es konfisziert wurde. Vielleicht wegen eines Defekts.«

»Das hat bestimmt nur damit zu tun, dass es Millionen am Tag kostet, mit so einem Kahn durch die Gegend zu schippern. Sie mussten sparen, wie andere in der Krise auch.« Matthias gähnte. »Aber warum sollte sie überhaupt mit dir reden wollen?«

Dóra stellte ihren Computer weg.

»Wahrscheinlich will sie es nicht, aber man kann es ja mal versuchen.« Sie räkelte sich träge. »Was meinst du, ist der Kerl ein Verbrecher?«

»Welche Art von Verbrecher? Ein Gewaltverbrecher oder ein Finanzbetrüger?«

»Ich meinte eigentlich ein Gewaltverbrecher.«

»Kann ich mir nicht vorstellen. Wie kommst du darauf?«

»Es ist unglaublich vorteilhaft für ihn, dass Karítas gerade jetzt von der Bildfläche verschwindet. Sie ist auf dem Weg nach Island, um gegen ihn auszusagen, und dann verschwindet sie spurlos. Ich habe überlegt, ob sie nicht einfach tot ist. Ob sie ermordet worden sein könnte. Es ist ziemlich lange her, seit sie fotografiert oder interviewt wurde, und in den letzten Tagen hat die Presse es immer wieder probiert. Trotz ihrer momentanen finanziellen Situation sieht es ihr gar nicht ähnlich, sich vor den Medien zurückzuziehen. Vielleicht hängt das alles zusammen. Bei den Unterlagen, die ich vom Auflösungsausschuss bekommen habe, war ein Blatt mit ihrem Namen, einer ungültigen Telefonnummer und einer alten E-Mail-Adresse. Vielleicht wissen die etwas, was sie mir nicht sagen dürfen, und wollen mich dadurch auf die richtige Spur bringen.«

»Das bezweifle ich«, sagte Matthias skeptisch. »Auch wenn du einen Zettel mit dem Namen dieser Frau bekommst, muss das überhaupt nichts heißen, schon gar nicht, dass sie tot ist. Abgesehen davon ist es völlig unsinnig, mit ihren Angehörigen zu sprechen, wenn du glaubst, dass sie nicht mehr lebt. Willst du die vielleicht bitten, ihr was auszurichten, und wenn du nichts von ihr hörst, gehst du davon aus, dass sie tot ist?«

Matthias grinste.

»Nicht sehr schlau.«

»Nein, so meinte ich das nicht. Es reicht mir, mit einem oder zwei nahen Verwandten von ihr zu reden. Wenn sich herausstellt, dass die Familie nichts von ihr gehört hat, stimmt etwas nicht. Es ist eine Sache, nicht mit der Presse zu reden, aber seine engste Familie im Unklaren zu lassen? Wenn das stimmt, was in der Zeitung über Karítas' Mutter steht, dann weiß sie nicht, wo sich ihre Tochter aufhält. Aber vielleicht weiß sie ja haargenau, wo sie ist, und bringt mich mit ihr in Kontakt. Das wäre natürlich am allerbesten.«

Matthias schüttelte verständnislos den Kopf, als Sigga und Gylfi mit dem schlafenden Orri auf dem Arm nach Hause kamen. Sigga nahm den Kleinen und trug ihn in ihr Zimmer, während Gylfi stehen blieb. Er schien etwas auf dem Herzen zu haben und war ganz zappelig.

»Papa hat aus Norwegen angerufen.«

»Ach ja?« Dóra richtete sich halb auf. »Und wie geht es ihm?«

»Er hat da so eine Idee. Eine Superidee, eigentlich.«

Gylfi setzte sich auf die Lehne des Sofas, auf dem Dóra lag. Bald wäre er ein erwachsener Mann – er war in die Höhe geschossen und musste nur noch etwas breiter werden.

»Er hat in Norwegen jemanden kennengelernt, der für eine Ölfirma arbeitet, und der kann mir einen Job besorgen, wenn ich will«, sagte er.

»Einen Job?« Dóra setzte sich ganz auf. »Einen Sommerjob, meinst du?«

»Ja, und für den nächsten Winter. Es ist total gut bezahlt.«

»Jetzt warte mal.« Dóra brannten so viele Fragen auf der Zunge, dass sie nicht wusste, wo sie anfangen sollte. »Ich dachte, du wolltest nach dem Abi direkt studieren. Stimmt das etwa nicht? Und was ist mit Sigga? Sie hat noch ein Jahr auf dem Gymnasium vor sich, sollen Orri und sie etwa hierbleiben?«

»Sigga könnte das letzte Jahr außerschulisch machen. Und ich hätte schon Lust, ein Jahr Pause einzulegen, dann habe ich Zeit, um richtig rauszufinden, was ich studieren will. Und wir würden Geld sparen. Habe ich schon gesagt, dass es total gut bezahlt ist?«

Gylfis Freude war ehrlich, und er wäre bestimmt am liebsten sofort ins Internet gegangen und hätte ein Flugticket gekauft.

»Die Gehälter in Norwegen sind zwar hoch, aber es ist auch teuer, dort zu leben. Dein ganzes Geld würde für euren Lebensunterhalt draufgehen. Was meinst du, was es kostet, da eine Wohnung zu mieten?«

Dóra suchte verzweifelt nach etwas, das seine Vorfreude dämpfen würde. Etwas, das ihn dazu brächte, innezuhalten und zu merken, dass das eine Schnapsidee war. Gylfi, Sigga und Orri an ein anderes Land zu verlieren, war das Letzte, was sie wollte, auch wenn ihr schon lange klar war, dass die drei bald ausziehen und ihr eigenes Heim gründen würden. Sie hatte sogar fest damit gerechnet, dass es kurz nach Gylfis Studienbeginn im Herbst so weit wäre. Aber dass er mit Sigga und Orri ins Ausland ziehen könnte, war ihr nie in den Sinn gekommen.

»Das ist ja das Coole! Papa hat eine große Wohnung, und die benutzt er nur jeden zweiten Monat. Da könnten wir wohnen, jeden zweiten Monat mit ihm zusammen und den anderen Monat alleine.« Gylfi lächelte breit. »Eine Superlösung. Und dieser Job ist genial. Ich arbeite zwei Wochen und habe dann drei Wochen frei.«

Dóra war verblüfft.

»Das kann nicht sein. Was ist das denn eigentlich für ein Job?«

»Auf einer Bohrinsel. Man fliegt mit einem Helikopter hin«, sagte er selig lächelnd.

»Aha.«

Dóra wusste nicht, ob sie lachen oder weinen sollte. Das schlug sämtliche hirnrissigen Ideen ihres Ex-Mannes um Längen. Gylfi auf einer Bohrinsel. Er war kaum je über die Stadtgrenzen von Reykjavík hinausgekommen, geschweige denn in einer Situation gewesen, die vergleichbar war mit einem schwimmenden Stahlgerüst im Nordatlantik oder wo auch immer diese Plattform stand.

»Weißt du, Gylfi, das ist eine schreckliche Idee. Schrecklich!« Sie blickte zu Matthias in der Hoffnung auf Unterstützung, aber der sagte nichts und ließ sich nicht anmerken, was er davon hielt. »Dieser Job ist gut bezahlt, weil er lebensgefährlich ist, und du bist erstens zu jung dafür und hast zweitens überhaupt keine Erfahrung. Schon allein der Flug zum Arbeitsplatz ist lebensgefährlich. Das kommt überhaupt nicht in Frage!«

Gylfis Lächeln war wie weggewischt.

»Natürlich kommt das in Frage«, entgegnete er und stand auf. »Du hast überhaupt nicht darüber zu bestimmen. Ich schreibe meinen Lebenslauf und schicke ihn Papa, damit er ihn dem Mann geben kann. Es steht noch nicht hundertprozentig fest, dass er mich einstellt, aber wenn er ja sagt, mache ich es.«

Gylfi schaute zu Matthias, erntete aber denselben ausdruckslosen Blick und wandte sich wieder an seine Mutter:

»Du musst dich nur an den Gedanken gewöhnen und nicht immer so negativ sein.«

Mit diesen Worten stolzierte er aus dem Zimmer. Dóra saß schweigend da und versuchte sich zu beruhigen. Dann sagte sie:

»Was zum Teufel hat Gylfi auf einer Bohrinsel verloren? Er tankt noch nicht mal selbst, er fährt immer an die Service-Zapfsäule!«

Matthias zuckte mit den Achseln.

»Da gibt es bestimmt alle möglichen Jobs für junge Männer. Meines Erachtens würde ihm das nur guttun.«

Dóra runzelte die Stirn.

»Machst du Witze?«

Aber Matthias musste gar nicht antworten, damit sie merkte, dass das nicht der Fall war. Es sah ganz so aus, als sei sie als Einzige dagegen. Sie allein musste ihren Sohn irgendwie davon abhalten. Verhindern, dass er einen Job annahm, der ihn das Leben kosten konnte und außerdem dazu führte, dass Orri seinen festen Punkt im Leben verlor – seine Großmutter. Auch wenn Gylfi und Sigga gute Eltern waren und ihren Sohn liebevoll betreuten, fehlte ihnen die Lebenserfahrung, die man für eine gute Kindererziehung brauchte. Dóras Gedanken kamen abrupt zum Stillstand, als ihr einfiel, dass sie im selben Alter Mutter geworden war. Und das hatte eigentlich ganz gut funktioniert. Na toll, jetzt wandten sich schon ihre eigenen Gedanken gegen sie.

Dóra drehte sich wieder zum Computer, wütend auf Gott und die Welt. Sie wollte erst einmal nicht weiter darüber nachgrübeln, zumal es durchaus möglich war, dass Gylfi seine Meinung geändert hatte, wenn er morgen früh aufwachte. Um auf andere Gedanken zu kommen, suchte sie nach Geschichten über verlassene Schiffe.

Und die waren ziemlich ergiebig.

6. KAPITEL

Das Wetter hatte sich seit dem gestrigen Abend deutlich verschlechtert, und die Yacht schaukelte heftig. Schwere, dunkelgraue Wolkenbänke zogen über den Himmel, und der Regen musste jeden Moment losprasseln. Das Wasser war nicht mehr bläulich, sondern spiegelte den dunklen Himmel wider: alles grau und bedrohlich. Die Stimmung an Bord war trübselig, und die Mädchen wirkten gelangweilt und enttäuscht. Die Fahrt war nicht so vergnüglich, wie sie es sich vorgestellt hatten.

»Warum sind die Wellen obendrauf weiß, Papa?« Bylgja starrte aus dem Fenster im Wohnzimmer, wo sich die Familie versammelt hatte.

»Weil sie sich mit der Luft vermischen, wenn die Wellen so hoch schlagen. Und das ist gut für die Fische, weil sie dann Sauerstoff aus dem Wasser bekommen.«

Ægir war sich nicht sicher, ob diese Erklärung stimmte. Er war nie besonders gut in Naturkunde gewesen. Zahlen und Berechnungen lagen ihm besser, die waren eindeutig, und es gab fast nie Ausnahmen.

»Pass auf! Geh am besten da lang, wo du dich festhalten kannst«, sagte er und beobachtete, wie seine Tochter mit unsicheren Schritten durch den Raum aufs Sofa zuwankte. Die Yacht schaukelte heftig nach beiden Seiten, und sie waren am Morgen alle schon einmal hingefallen. Sie hatten grünliche Gesichter, und obwohl sie versuchten durchzuhalten, machte sich der Magen bei jedem Schlingern des Schiffes bemerkbar.

Lára lag ausgestreckt auf dem Sofa und hatte den Kopf in den Händen vergraben. Sie hatte über Kopfschmerzen geklagt und beim Frühstück nicht viel runtergekriegt. Die Mädchen hatten zugelangt, als fürchteten sie, länger nichts mehr zu essen zu bekommen, und Ægir hoffte, dass sie die Seekrankheit überwunden hatten – zumindest fürs Erste. Doch als er sah, wie dumpf und schlapp sie waren, schien ihm das zu optimistisch. Bylgja war immer noch erschöpft, und Arna wirkte auch nicht viel munterer.

»Ist mein Kopf größer als sonst?«, fragte Lára und nahm eine Hand von ihrem Kopf. Er sah genauso aus wie sonst, bis auf den Abdruck ihrer Hand auf der Wange.

»Nein, er sieht völlig normal aus«, antwortete Ægir und stieß langsam Luft aus, um gegen die Krämpfe anzukämpfen, die er plötzlich in seinem Magen spürte.

»Ich finde, er ist größer.« Arna reckte sich, um den Kopf ihrer Mutter besser sehen zu können. Lára stöhnte.

»Wisst ihr, was wir machen?« Ægir schlug sich auf die Schenkel und versuchte sich zum Aufstehen zu motivieren. »Wir gehen an Deck. Wisst ihr noch, was Þráinn gesagt hat? An der frischen Luft geht es einem besser, und die können wir jetzt gut gebrauchen. Anschließend legen wir uns hin, und wenn wir dann wieder aufwachen, sind wir topfit.«

Von Letzterem hatte der Kapitän zwar nicht gesprochen, aber Ægir war sich ziemlich sicher, dass es stimmte. Bei seinem Sportbootkurs war er überhaupt nicht auf so etwas vorbereitet worden. Er hatte den Lehrer nicht nach Seekrankheit fragen wollen, um seine Unerfahrenheit nicht zuzugeben. Was bescheuert war, da seine Mitschüler kaum mehr Erfahrung hatten. Alte Seebären machten keinen Sportbootführerschein.

»Lasst uns gehen«, sagte er.

Sie rappelten sich auf, und Ægir musste Lára auf die Beine

helfen. Ihre Augen glänzten und flackerten, als falle es ihr schwer, scharf zu sehen.

»Ich glaube, ich sterbe«, murmelte sie in sein Ohr, als er sie in den Flur führte. »Gibt es keine Medikamente gegen diesen Mist?«

»Ich glaube, dafür ist es schon zu spät. Vielleicht, wenn wir sie nehmen, bevor wir uns hinlegen. Ich würde mich sofort übergeben, wenn ich jetzt was runterschlucken müsste.«

Ægir blieb an der Tür zum Deck stehen und löste den Riegel. Es hatte eine Weile gedauert, sich daran zu gewöhnen, dass alle Außentüren von innen und außen auf diese Weise verschlossen waren, aber inzwischen rüttelte er nicht mehr an der Türklinke.

»Halli ist draußen«, sagte Ægir. Durch das Bullauge in der Tür sah er den Rücken des jungen Mannes, der sich an die Reling lehnte. Der Rauch, den er auspustete, schaffte es nur bis kurz über seinen Kopf, bevor er vom Wind weggefegt wurde. Was gut war, denn Ægir ahnte, dass Zigarettenrauch keinen guten Einfluss auf ihren angeschlagenen Zustand hätte. Er öffnete die Tür und hielt sie fest.

Halli drehte sich um und sah sie aufs Deck hinaustreten.

»Tag.«

Als sie aufgestanden waren, hatte er noch geschlafen, aber jetzt stand er da, das hellblonde, kurzgeschnittene Haar plattgedrückt und fettig und die Augen noch leicht geschwollen vom Schlaf.

Sie grüßten einander. Die Mädchen waren bei dem pfeifenden Wind und den krachenden Wellen kaum zu hören, und Láras Stimme klang rau und belegt. Nur Ægir sprach einigermaßen normal.

»Wir denken, dass es uns ein bisschen besser geht, wenn wir frische Seeluft einatmen«, sagte er.

»Passt auf. Es ist stürmisch.« Halli klemmte die Zigarette zwischen Daumen und Zeigefinger und flitschte die Kippe hinaus aufs Meer. »Das fegt einen glatt von Bord, vor allem kleine Kinder.«

Er musterte die Mädchen, die sich unter seinem Blick wanden.

Ægir spürte, wie Bylgjas kleine Hand nach seiner Hand tastete und sie fest drückte.

»Ich passe schon auf sie auf«, sagte er und nahm Arna an die andere Hand. »Wie lange braucht man, um sich daran zu gewöhnen? Um diese Übelkeit zu überwinden?«

Halli zuckte mit den Achseln. In seinem Gesicht war keine Spur von Mitleid.

»Ich weiß nicht. Ich war nie seekrank.«

Ægir unterdrückte das Bedürfnis, den unfreundlichen Kerl anzufahren.

»Und hast du nie Leute gesehen, die es waren?«

»Doch, doch. Ich weiß nur nicht mehr, wie es genau entsteht. Ihr kommt mir allerdings ziemlich munter vor, falls ihr wirklich seekrank seid. Eigentlich müsstet ihr über der Reling hängen und euch die Seele aus dem Leib kotzen.«

»Bitte hör auf, das reicht«, zischte Lára durch zusammengepresste Lippen. Als Halli auf dem Weg nach drinnen an ihnen vorbeiging, musste sie würgen, konnte sich aber gerade noch beherrschen.

»Atme tief ein, Liebling. Er ist weg, es liegt nur noch frischer Meeresgeruch in der Luft.« Ægir hielt seine Töchter immer noch fest an der Hand, obwohl sie gerne losgelassen hätten, nachdem Halli weg war. »Ich muss euch festhalten, ihr habt gehört, was er gesagt hat. Wir wollen doch nicht mitansehen, wie ihr ins Wasser fallt.«

Das Zerren der kleinen Finger in seinen Händen hörte sofort auf.

»Mit dem Kerl stimmt doch was nicht. Der scheint was gegen uns zu haben«, sagte Lára und atmete tief durch.

»Er ist nur schüchtern.« Ægir konzentrierte sich ebenfalls aufs Atmen, und es schien zu wirken. Die Übelkeit und das Pochen in den Schläfen ließen etwas nach. »Atmet mal tief ein und aus, Mädchen. Dann fühlt ihr euch besser.«

»Wenn ich tief ein- und ausatme, muss ich die Augen zumachen, und das will ich nicht«, sagte Bylgja und schaute zu ihrem Vater, noch blasser als vorher. »Dann sehe ich die Frau.«

»Welche Frau?« Ægir beugte sich zu ihr hinunter und achtete darauf, die Hand ihrer Schwester nicht loszulassen.

»Die Frau auf dem Bild. Ich hab von ihr geträumt, und wenn ich die Augen zumache, hab ich Angst, wieder von ihr zu träumen.«

»Welches Bild denn, Schatz?«

»Das Bild im Wohnzimmer. In dem Rahmen an der Wand«, antwortete Bylgja. Ihre Brillengläser waren mit kleinen Gischt-tropfen bedeckt.

Ægir versuchte, sich zu erinnern, welches Bild sie meinte. Im Gegensatz zu Lára interessierte er sich nicht besonders für andere Menschen, während sie stundenlang Klatschheftchen lesen und Fotos von Fremden inspizieren konnte. Sie verbrachte auch un-mäßig viel Zeit auf Facebook und schaute sich Fotos von Freun-den und Bekannten an. Ægir war das völlig unverständlich.

»Welches Bild meint sie, Lára?«

»Das Gemälde von Karítas. Die Ehefrau des Vorbesitzers der Yacht. Es hängt an der Wand direkt neben dem Fernseher. Das musst du doch bemerkt haben.« Lára lächelte zaghaft und wirkte so schon viel munterer. »Oder bist du so vernarrt in deine Frau, dass du keine anderen mehr siehst?«

Anstatt zu antworten, wandte sich Ægir wieder Bylgja zu, die an seiner Hand zog.

»Die Frau mit der Halskette, Papa! Auf dem Bild. Die hat sie im Traum auch an. Aber ihr Gesicht ist ein bisschen anders.«

»Ach so, die Halskette.« Schmuck interessierte Ægir noch we-niger als andere Menschen. Er nahm Bylgjas Hand fester in seine. »Wir träumen oft von Dingen, die wir tagsüber gesehen haben. Deshalb hat dich die Frau auf dem Bild im Traum besucht. Du kannst ruhig die Augen zumachen, Schatz, Träume können einen nämlich nicht verletzen. Sie sind einfach nur wie Gedanken. Ge-danken, die ein bisschen durcheinandergeraten, weil wir schla-fen und nicht aufpassen.«

Er wollte noch hinzufügen, dass es so ähnlich war, wie betrunken zu sein, wenn die Vernunft schwindet und einem irgendein Unsinn wie eine großartige Idee vorkommt, ließ es aber lieber bleiben. Das hätte bestimmt nicht zu Bylgjas Verständnis beigetragen.

»Ich hab auch von der Frau geträumt. Das hab ich Mama gestern Abend erzählt«, sagte Arna und schaute zu ihrem Vater. Er lächelte sie an und drückte die Hände seiner beiden Töchter. Arna lächelte nicht zurück, sondern sprach mit besorgter Miene weiter. »Meine Freundin Helga sagt, dass Träume einem was sagen. Wenn wir dasselbe träumen, hat der Traum ganz bestimmt was zu bedeuten. Vielleicht versteckt sich die Frau auf dem Schiff.«

»Nein, das glaube ich nicht. Ihr träumt dasselbe, weil ihr Zwillinge seid. Ihr seht gleich aus, und manchmal träumt ihr dasselbe. Das ist doch bestimmt nicht das erste Mal, oder?«

Doch darauf bekam er keine Antwort mehr, denn in diesem Moment ging die Tür zum Deck mit einem lauten Knall auf. Sie war gegen die Wand geschlagen.

Halli stand in der Türöffnung, machte aber keine Anstalten, rauszukommen, sondern lehnte sich lässig gegen den Türrahmen und hielt die Tür mit dem Fuß auf.

»Ihr solltet das hier mal nehmen. Dann fühlt ihr euch bestimmt besser.« Er streckte seine geschlossene Hand aus und wartete, dass sie zu ihm kämen. »Das sind Tabletten gegen Seekrankheit, die habe ich in einer Kabine gefunden. Þráinn sagt, sie wären in Ordnung. Pflaster wären besser, aber wir haben keine gefunden.«

Lára nahm die Tabletten entgegen.

»Danke.« Sie musterte die Packung und umschloss sie dann fest mit ihrer Hand. »Hoffentlich wirken die schnell.«

Halli zuckte nur mit den Schultern, nahm seinen Fuß aus dem Türspalt und ließ die Tür hinter sich zufallen. Sie hörten, wie der Riegel vorgeschoben wurde.

»Sind wir jetzt ausgesperrt?«, fragte Lára. »Na toll.«

»Nein, man kann den Riegel von innen und außen vorschieben. Das habe ich schon getestet«, antwortete Ægir. Er hatte Angst gehabt, dass sich die Mädchen ein- oder aussperren könnten. Man wusste nie, auf was für Ideen sie kamen.

»Wie wär's, wenn wir noch ein paar Mal tief durchatmen und dann reingehen und die Tabletten nehmen? Am besten mit Wasser.« Er füllte seine Lungen tief und atmete dann demonstrativ aus. Anschließend wiederholte er das Spiel und schaute dabei auf das wogende Meer, in der Hoffnung, das würde helfen. Aber er konnte die Bewegungen des Wassers nicht voraussehen und sich nicht auf das nächste Schlingern vorbereiten – dafür verhielten sich die Wellen viel zu unvorhersehbar. Im einen Moment sah es so aus, als würde der Wind sich plötzlich legen und die Wasseroberfläche sich glätten, und im nächsten Moment war es, wie auf einem Flaschenkorken dahinzutreiben.

Ægir überlegte, wie tief das Meer an dieser Stelle war, kam aber auf keine befriedigende Antwort. Sie hatten den Festlandsockel längst hinter sich gelassen, so dass es hier womöglich ein paar Kilometer bis zum Meeresgrund waren. Oder? Wieder wurde ihm sein begrenztes Interesse an der Natur bewusst. Er hatte das bestimmt schon mal gelernt, war aber völlig ratlos – vielleicht waren es an der tiefsten Stelle auch nur ein paar hundert Meter? Er hatte keinen blassen Schimmer. Vielleicht hatte das ja nie zum Schulstoff gehört. Was spielte es auch für eine Rolle, wie weit es mitten auf dem Meer bis zum Grund war? Wenn man unterging, dann war man eh verloren, ob man nun in hundert oder tausend Metern Tiefe endete.

Solche Überlegungen heiterten nicht gerade die Stimmung auf, und Ægir verdrängte sie. Es war sinnlos, sich diesen Gedanken hinzugeben, und er wusste aus Erfahrung, dass Sorgen, die tief im Inneren vor sich hinköcheln durften, ziemlich gefährlich werden konnten. Wie damals, als er sich zum Tauchen überreden ließ. Er hatte mit ein paar Freunden von der Uni einen Strandurlaub gemacht, lange bevor er Lára kennengelernt hatte. An dem

Tag, bevor es richtig losgehen sollte, absolvierten sie einen kleinen Kurs im Schwimmbad, und in der Nacht konnte Ægir nicht schlafen. Seine Freunde schnarchten einfach vor sich hin, ungerührt von der drohenden Gefahr, für die sie auch noch einen Haufen Geld bezahlen mussten. Unzählige Möglichkeiten, wie man beim Tauchen ums Leben kommen konnte, gingen Ægir durch den Kopf, während er sich im Bett herumwälzte, und als er endlich einschlief, war er kurz davor, einen Rückzieher zu machen. Doch am nächsten Morgen wollte er sich vor seinen Kumpels keine Blöße geben und machte die Tour mit.

Letztendlich stellte er sich gar nicht so dumm an, vielleicht weil er sich bereits damit abgefunden hatte, sein Leben in dem hellgrünen Wasser auszuhauchen. Er war von dem Tauchlehrer sogar besonders gelobt worden, weil er beim Tauchen so ruhig und entspannt war. Nur ein einziges Mal befiel ihn Panik. Sie waren auf dem Grund angelangt, und er sah durch die Taucherbrille die fremde Umgebung und die Lebewesen um sich herum und dachte, dass er dort nicht begraben sein wollte. Doch als er sich wieder auf sein Mundstück konzentrierte und tief und regelmäßig atmete, konnte er die Panik überwinden. Erst auf dem Weg nach oben, als er das Licht und den Himmel sah, hatte er das unkontrollierbare Verlangen, durch die Nase zu atmen. Er musste sofort wieder nach unten schauen und sich gedulden, bis er an der Oberfläche war. Dann erlitt er noch einen kleinen Schock, als der Lehrer mit ihnen zu der Stelle schwamm, an der der Festlandsockel steil abfiel und er die unwirkliche Dunkelheit und den klaffenden Abgrund vor sich sah. Ægir bekam eine Gänsehaut. Warum musste er ausgerechnet jetzt daran denken?

»Lasst uns reingehen.« Lára zog an ihm. »Wenn ich weiter tief einatme, werden meine Lungen ganz salzig.«

»Ich will rein, Papa.« Bylgja schaute ihn flehend an. »Ich will nicht länger hierbleiben.«

Ægir versuchte, vor seiner Familie zu verbergen, wie sehr er Bylgjas Meinung teilte, am liebsten hätte er seine Töchter in den

Arm genommen und sie ganz tief unten in der Yacht eingesperrt. Er wollte zwar selbst nicht auf dem Meeresgrund enden, aber die Angst, dass seine Töchter ein solches Schicksal erleiden könnten, war noch viel, viel größer.

Ægir hielt es durchaus für möglich, dass die Tabletten wirkten. Sie hatten sie anscheinend doch noch früh genug genommen. Die Cola war inzwischen lauwarm, aber Ægir bestand darauf, dass jeder von ihnen eine Dose trank. Dann konnten sie im Notfall wenigstens etwas von sich geben.

»Ist das das Bild, von dem ihr gesprochen habt?« Ægirs Kopf war erst jetzt klar genug, dass er sich umschauen konnte. Er zeigte auf den protzigen goldenen Rahmen um das Gemälde einer jungen Frau, die Karítas sein musste. Der Rahmen bildete einen Gegensatz zu dem albernen Bild und hätte besser zu einem Gemälde aus Rembrandts Zeiten gepasst.

»Ja. Ist sie nicht schön?« Lára beobachtete die Reaktion ihres Mannes genau.

»Das kann ich von hier aus nicht so gut sehen. Scheint ganz hübsch zu sein, die Kleine.«

Lára streckte das Bein aus und versetzte ihm von ihrer halbliegenden Position im Sessel einen leichten Tritt.

»Erzähl nicht solchen Quatsch. Schau dir lieber das Bild an.«

Ægir kam mit Mühen auf die Beine. Er fühlte sich geschwächt, wie nach einer großen Anstrengung, vielleicht, weil er so viel gewankt war.

»Was man nicht alles auf sich nimmt«, klagte er.

Die Zwillinge schauten von ihren Malbüchern auf, die sie noch rasch in Lissabon in einem Buchladen gekauft hatten. Sie hatten sich viel schneller erholt als ihre Eltern und nur kurz auf dem Sofa gelegen. Karítas' Augen folgten ihm und wurden größer, als er ganz nah an das Gemälde herangetreten war. Die junge Frau war schön, das ließ sich nicht leugnen. Aber sie war nicht

Ægirs Typ. Dafür war sie zu perfekt, zu gestylt und sich ihrer eigenen Attraktivität zu bewusst. Künstlich. So wirkte es zumindest. Ægir war auf den Fotos in den Zeitschriften am ehesten ihr Haar aufgefallen. Er erinnerte sich dunkel daran, dass es ungewöhnlich dick und robust war, vielleicht das Einzige, was die Stylisten in Ruhe gelassen hatten. Der Maler war offensichtlich derselben Meinung wie er gewesen, denn er hatte sich mit diesem Teil des Bildes die größte Mühe gegeben. Alles andere wirkte zusammengeschustert. Die Haare flossen in schön geschwungenen Locken über ihre Schultern, aber das konnte natürlich ebenso gut eine Erfindung des Künstlers sein. Ægir konnte sich unmöglich erinnern, ob die Haare der Frau auf den Fotos glatt oder lockig gewesen waren. Die hellen Töne gaben ihre natürliche Haarfarbe ziemlich gut wieder und unterschieden sich von dem fahlen, gefärbten Weißblond, das so viele junge Frauen bevorzugten. Die anderen Farben des Gemäldes waren weniger gut getroffen und etwas zu grell. Der große feuerrote Edelstein an der Halskette, von der Bylgja gesprochen hatte, ähnelte einer Weihnachtskugel. Dasselbe galt für das Kleid und die Finger- und Fußnägel, die in derselben Farbe lackiert waren. Auch die sonnengebräunte Hautfarbe wirkte unecht, und die schlanken Hand- und Fußgelenke schienen einer Barbiepuppe nachempfunden worden zu sein, denn sie waren viel zu glatt. Zudem stand der Busen in keinem Verhältnis zu dem schlanken Körper und erinnerte ebenfalls an eine Plastikpuppe.

Ægir beugte sich vor, um die Kette genauer unter die Lupe zu nehmen, die die Mädchen so beeindruckt hatte. Er verstand nicht genau, warum. Es war eine schlichte Kette aus Gold oder Weißgold, und an ihrem Ende, zwischen den imposanten Brüsten, hing der große, rote Edelstein in einer herzförmigen Einfassung. Diese war mit weißen Steinen besetzt, wahrscheinlich Diamanten. Unten an dem Herz hing noch ein blauer Tropfen, vermutlich auch ein Edelstein.

»Wie heißen noch mal rote Edelsteine?«, fragte er.

»Rubine«, antwortete Lára ungewöhnlich schnell. Sie besaß nicht viel Schmuck, nur ein paar Konfirmationsgeschenke und einen Ring und eine Kette, die er ihr zur Verlobung geschenkt hatte. Einmal hatte sie ihm gesagt, es sei ein Zeichen ihrer Liebe, dass ihre Beziehung die Geschenke überdauert hätte. Sie hatte den Schmuck ein paar Jahre lang nicht mehr getragen, zuletzt, als die Zwillinge mit Kaiserschnitt auf die Welt gekommen waren. Damals hatte sie die Kette angezogen und den Ring auf ihren geschwollenen Ringfinger gequetscht, weil sie meinte, das bringe Glück. Vielleicht hatte sie seitdem kein Glück mehr gebraucht, aber Ægir wünschte sich plötzlich, sie hätten den Schmuck dabei.

»In der *Woche* stand was über diese Halskette, die hat ihren Mann ein Vermögen gekostet, und sie zieht sie nie aus. Er hat sie ihr zur Hochzeit geschenkt.«

»Was?« Ægir drehte sich um. »Hätte ich dir was zur Hochzeit schenken sollen? Ich dachte, das wäre Aufgabe der Gäste.«

Lára grinste und wirkte schon viel munterer.

»Nein, ich weiß auch nicht, was das soll. Vielleicht machen reiche Ausländer das so. Du hast nichts falsch gemacht, keine Sorge. Du hättest mir allerdings am nächsten Morgen ein Geschenk machen sollen. Aber wir haben ja nicht in der Hochzeitsnacht zum ersten Mal was ausprobiert, wofür ich einen Preis verdient hätte.« Sie setzte sich ganz auf. »Und wie gefällt sie dir? Sei ehrlich!«

»Schön, aber nicht mein Typ.«

»Ach Liebling.« Lára schien ihm nicht zu glauben. Die Mädchen blickten gespannt von ihrer Mutter zu ihrem Vater und warteten auf seine Reaktion.

»Nein, ich meine es ernst. Sie ist viel zu perfekt, um interessant zu sein. Zu schöne Menschen wirken oft langweilig, und die Leute reagieren anders auf sie, es geht nie um ihre inneren Werte.« Er trat einen Schritt von dem Bild zurück und hatte das Gefühl, dass sich die Augen der Frau in seinen Rücken bohrten. »Natürlich lässt sich das nicht verallgemeinern und ist nicht wissenschaftlich erwiesen, aber ich finde es trotzdem. Die Frau ist oberflächlich.«

Lára lächelte breit.

»Du bist ein guter Menschenkenner. Ich glaube, sie ist total dämlich. Die Interviews mit ihr sind meistens ziemlich banal, und sie wirkt immer arrogant.«

Arna schien damit nicht einverstanden zu sein und sagte:

»Aber du sagst doch oft, dass wir hübsch sind, Papa. Sind wir dann böse?«

Die zarten Gesichter seiner Töchter mit ihren strubbeligen Haaren gehörten zu dem Schönsten, was er je gesehen hatte. Doch die Schönheit steckte in den unvollkommenen Details: etwas zu große Zähne, ein schiefes Lächeln, Sommersprossen und unterschiedlich hohe Augenbrauen. Bylgjas verschmierte Brille, die sie mit den Fingern abgewischt hatte, als sie hereingekommen waren.

»Ich habe doch gesagt, dass man das nicht verallgemeinern kann. Überhaupt nicht. Die Menschen, die immer nur an ihr Äußeres denken, verlieren ihre Ausstrahlung. Aber ihr nicht. Niemals.«

»Na gut«, sagte Arna versöhnt.

Bylgja schien nachzudenken. Sie hielt einen roten Wachsstift in ihrer ungewöhnlich ruhigen Hand.

»Die Frau in meinem Traum war überhaupt nicht böse. Nur traurig. Vielleicht war es ja eine andere Frau«, sagte sie.

»Na, vielleicht habe ich ja auch unrecht, und sie ist total nett«, sagte Ægir lächelnd. »Es wäre nicht das erste Mal, dass ich mich getäuscht habe, kann ich euch sagen.«

Der rote Stift sank langsam auf das halbfertige Bild im Malbuch.

»Hoffentlich, Papa. Hoffentlich ist sie nett«, sagte Bylgja und wandte sich wieder ihrem Malbuch zu.

Die rote Farbe bedeckte eine immer größer werdende Fläche des Bildes, und aus Ægirs Blickwinkel sah es so aus, als blute der Stift langsam, aber sicher aus.

7. KAPITEL

Es kam gar nicht so selten vor, dass draußen auf dem Meer Menschen spurlos verschwanden. Die Geschichten, die im Internet kursierten, hatten Dóra lange wachgehalten. Das, was sie daran faszinierte, kam ihr gleichzeitig höchst ungelegen: sämtliche Geschichten waren ungelöste Rätsel, für die es keine Erklärungen gab. Mit den Leuten auf der *Lady K* war es wahrscheinlich genauso – sie würden in Geschichten über das mysteriöse Verschwinden von Menschen auf einer Motoryacht weiterleben und mit der Zeit namenlos und vergessen werden.

Eines der berühmtesten Geisterschiffe war die *Mary Celeste*, die 1872 bei gehissten Segeln im Atlantik treibend gefunden wurde – einen Monat nachdem sie den Hafen von New York mit Kurs auf Genua verlassen hatte. Eines der Rettungsboote war verschwunden, aber das Schiff war seetüchtig und hatte Wasser- und Nahrungsvorräte für ein halbes Jahr an Bord. Die Fracht sowie die persönlichen Gegenstände der achtköpfigen Besatzung und der zwei Passagiere waren unangetastet. Die Schiffspapiere waren verschwunden, mit Ausnahme des Logbuchs, das jedoch kein Licht auf die Ereignisse warf. Die Geschichte der *Mary Celeste* erinnerte unangenehm an die der *Lady K*, zumal es sich bei den Passagieren um die Ehefrau und die einjährige Tochter des Kapitäns gehandelt hatte. Besatzung und Familie hatten sich in Luft aufgelöst. Die Ursachen wurden nie ergründet, und der Fall blieb eines der größten Rätsel der Geschichte der Seefahrt.

Dóra war jedoch nicht nur auf alte Geschichten von verlassenen Schiffen gestoßen, sondern auch auf jüngere, davon fünf aus den letzten zehn Jahren. Am bemerkenswertesten war das Verschwinden dreier Männer von dem Katamaran *Kaz II* vor der Küste Australiens im Jahr 2007. Als man das Schiff fand, war es völlig unversehrt, an Bord sah alles normal aus – aber von der Besatzung fehlte jede Spur. Auf dem Tisch stand Essen, ein Laptop war eingeschaltet, und der Motor lief. Die Rettungswesten und die gesamte Rettungsausrüstung befanden sich an ihrem Platz. Keine Hinweise auf einen Überfall oder Gewaltanwendung. Nicht unähnlich der Situation an Bord der *Lady K*, außer dass man auf der *Kaz II* eine Kamera mit Filmausschnitten von den Männern vor deren Verschwinden fand. Oder hatte die Polizei auf der isländischen Yacht auch so etwas gefunden? Mindestens einer musste doch eine Kamera oder ein Fotohandy dabeigehabt haben. Dóra musste das unbedingt überprüfen. Der Film von der *Kaz II* konnte die Ereignisse zwar nicht erklären, aber vielleicht war das bei der *Lady K* anders.

Bei den Geschichten, die Dóras Fall am Nächsten kamen, ging es um Personen, die von Kreuzfahrtschiffen verschwunden und nie mehr gefunden worden waren. Das geschah etwa zehnmal im Jahr – angesichts der großen Zahl von Menschen, die auf Luxuslinern über die Weltmeere fuhren, nicht besonders oft. Leider gingen die Angehörigen oft leer aus, wenn die Lebensversicherung des Verschollenen ausbezahlt werden sollte. Die Versicherungen argumentierten, der Tod des Versicherten sei nicht eindeutig nachzuweisen, was vor Gericht auszureichen schien, zumindest im Ausland. Das verhieß nichts Gutes für Ægirs Eltern. Wobei es in diesem Fall ja nicht nur um eine Person ging. Es war ziemlich unwahrscheinlich, dass sich sieben Personen gemeinsam absetzten, um irgendwo ein neues Leben zu beginnen. Außerdem war die Yacht fast die ganze Zeit weit vom Festland entfernt gewesen – undenkbar, dass die Leute überlebt hatten, falls sie von Bord gesprungen waren. Kreuzfahrtschiffe blieben hingegen meist in Küstennähe.

»Wann triffst du dieses ältere Ehepaar wegen der Versicherungssache?«, fragte Bragi. Er trat zu Dóra, die an der Kaffeemaschine stand und sich die zweite Tasse des Morgens genehmigte.

»Um zwei. Warum fragst du?« Dóra goss sich Milch ein.

»Ach, ich wollte dich bitten, dir einen Briefwechsel anzuschauen, in einem Fall, der wahrscheinlich vor Gericht kommt. Vielleicht siehst du ja einen Weg, wie man die Parteien beschwichtigen kann. Ich bin völlig ratlos und brauche deine Hilfe.« Bragi schenkte sich Kaffee ein. »Ich hätte dir eine Kopie gemacht, aber ... tja, ich muss mir das heute Mittag selbst noch mal anschauen.«

»Ich sehe es mir direkt an.«

Bragi nickte zufrieden und fragte:

»Weißt du, wann wir den Kopierer zurückbekommen? Das ist wirklich unerträglich. Ich wäre fast in den Schreibwarenladen gegangen, um Matrizenpapier zu kaufen, aber dann fiel mir ein, dass das wohl mit einem Drucker nicht funktioniert.«

»Bist du schon mal auf die Idee gekommen, einfach zwei Exemplare auszudrucken?«, fragte Dóra grinsend und trank einen Schluck Kaffee. »Aber ich stimme dir zu, das ist wirklich unerträglich. Ich checke es mal. Lass Bella doch einfach in der Zwischenzeit für dich zum Copy-Shop gehen. Sie hat es nicht anders verdient, es ist nämlich ihre Schuld. Schick sie am besten jedes Mal mit einer Seite.«

Dóra ging in ihr Büro, um bei der Werkstatt anzurufen. Als sie den Hörer in der Hand hielt, beschloss sie – trotz Matthias' Pessimismus –, es einfach mal bei Karítas' Eltern zu versuchen. Probieren schadete ja nichts.

Bella knallte die Tür so fest zu, dass Dóra Angst hatte, der Wagen würde auseinanderfallen. Draußen war es immer noch kalt, in den Frühnachrichten war von Schneefall im Norden des Landes die Rede gewesen, und trotzdem stand der Frühling angeblich vor der Tür. Dóra hatte mit einem tollen Winter und einem zeitigen Frühling gerechnet, ohne eine meteorologische oder hellseherische Grundlage dafür zu haben. Doch der bitterkalte Wind, der ihre Haare in alle Richtungen abstehen ließ, erinnerte sie wieder einmal daran, wie falsch sie gelegen hatte. Dóra konnte so gut wie nichts sehen, schaffte es aber mit einigen Mühen, ihre Mütze aufzusetzen, und die Sicht wurde besser. Sie standen vor dem Haus von Karítas' Mutter im Stadtteil Arnarnes, nachdem sie es auf wundersam leichte Weise geschafft hatten, sich mit ihr zu verabreden. Dóra hatte ihren Namen und ihre Telefonnummer im Internet gefunden und einfach angerufen. Karítas' Vater, der mit Vornamen Karl hieß, war nicht unter dieser Nummer registriert. Vielleicht hatten sich die Eltern scheiden lassen, oder der Vater war verstorben. Jedenfalls schien die Mutter so einsam zu sein, dass ein Gespräch über die Yacht mit einer Anwältin eine willkommene Abwechslung für sie war.

»Mann, was für ein beknacktes Haus!«

Der Wind konnte Bella immer noch nichts anhaben, sie stand unerschütterlich auf dem Bürgersteig und glotzte die Villa an. Sie war im spanischen Stil, und Dóra musste Bella zustimmen: Bei diesem Wetter wirkte das völlig deplatziert.

»Psst!« Dóra schnitt eine Grimasse. »Vielleicht hört sie uns.«

»Willst du mich verarschen?«, tönte Bella, während sie sich umschaute. »Bei diesem Sturm kann selbst ich dich kaum hören, und du stehst direkt neben mir.«

»Trotzdem.«

Dóra wollte Bella bitten, ihre Zunge im Zaum zu halten, sobald sie im Haus wären, ließ es aber bleiben. Es würde ohnehin nichts bringen. Sie hoffte nur, dass es kein Fehler gewesen war, sie mitzunehmen. Karítas und Bella waren in der Schule in derselben Jahrgangsstufe gewesen. Das hatte Bella auf der Yacht erwähnt, als Dóra Karítas noch für unwichtig gehalten hatte. Doch nachdem sie die Unterlagen des Auflösungsausschusses gelesen und das Blatt mit Karítas' Namen entdeckt hatte, hatte sie Bella nach ihrer Bekanntschaft mit Karítas gefragt und erst mal eine Standpauke über sich ergehen lassen müssen, sie seien weder Freunde noch Bekannte gewesen. Nur in derselben Jahrgangsstufe. Doch dann hatte sich Bella wieder beruhigt.

Sie erinnerte sich gut an Karítas, zumal sie das beliebteste Mädchen der Schule gewesen war, was nicht überraschte. Ebenso wenig wie die Tatsache, dass Bella und sie nicht in derselben Clique gewesen waren. Karítas war mit den Coolen befreundet und Bella mit den Losern. Wobei Bella natürlich ein anderes Wort für ihre Freunde benutzte.

»Glaubst du, dass ihre Mutter sich an dich erinnert?«, fragte Dóra.

Sie gingen durch das schmiedeeiserne Tor, das viel zu stark verziert und zu auffällig war, um nach Island zu gehören. Dahinter führte ein gefliester Weg hinunter zum Haus, das direkt am Meer lag.

»Nee, wahrscheinlich nicht. Sie will bestimmt nichts mehr von früher wissen. Da hatte sie noch kein so schickes Haus. Da wohnte sie nämlich mit ihrer Tochter in einer kleinen Wohnung in einem Hochhaus, vielleicht sogar einer Sozialwohnung. Und die Alte arbeitete im Kiosk an der Ecke.«

»Da hat sie sich ja offensichtlich stark verbessert«, flüsterte Dóra, denn sie waren vor der Haustür angelangt. »Vergiss nicht, beiläufig zu erwähnen, dass du ihre Tochter kennst. Und sag nichts Schlechtes über sie. Tu so, als seist du ihr größter Fan gewesen.«

Bella schnaubte, protestierte aber nicht. Rechts und links neben der Haustür standen riesige weiße Blumenkübel aus Beton. Ausgedörrte Sommerblumenreste vom letzten Jahr ragten aus der trockenen Erde und zitterten im Wind. Zwei Löwen hätten besser zum Stil des Hauses gepasst. Dóra klingelte und fügte noch hinzu:

»Sonst darfst du nie mehr mitkommen, noch nicht mal mit Altpapier zur Aktenvernichtung.«

»Soll das eine Drohung sein?«

Dóra konnte nicht mehr antworten, denn die Tür ging auf und eine Frau, augenscheinlich Karítas' Mutter, begrüßte sie.

»Oh, kommen Sie schnell rein. Es zieht so, sonst fliegt mir hier alles durchs Haus.«

Sie winkte sie mit ihrer sonnengebräunten, runzeligen Hand, an der jede Menge Ringe steckten, herein. Die Ringe sahen unecht aus, aber Dóra konnte das nicht wirklich beurteilen, denn sie hatte nicht viel für Schmuck übrig.

»Ich habe gerade unten am Fenster geraucht, als Sie geklingelt haben. Aber kommen Sie rein, kommen Sie rein.«

Dóra und Bella zogen schnell die Tür hinter sich zu. Dann standen die drei Frauen in dem vergleichsweise kleinen Vorraum, in dem man kaum seine Jacke ausziehen konnte, ohne der Dame des Hauses einen Arm ins Gesicht zu rammen, wovor Dóra große Angst hatte. Ein unglücklicher Anfang konnte alles zunichte machen.

»Was für ein schönes Haus«, sagte Dóra, während sie hinter der Frau in den eigentlichen Wohnbereich ging. Er war zwar nicht nach ihrem Geschmack eingerichtet, aber manche Leute hielten Vergoldungen und Plüsch ja für den Höhepunkt guten Geschmacks. Im Flur und im Wohnzimmer wimmelte es von Beistelltischchen, Vasen, Bildern, Regalen und Deckchen, und Dóra hatte Mitleid mit demjenigen, der das alles abstauben musste. Was allerdings dringend nötig gewesen wäre. Sie bemühte sich, die Oberflächen nicht allzu lange anzustarren, um nicht unhöflich zu wirken. Vielleicht hatte die Haushaltshilfe ja aufgehört – nicht unwahrscheinlich, falls das Auskommen der Mutter vom Wohlstand ihrer Tochter abhängig war.

»Bitte setzen Sie sich. Ich hole Kaffee.« Die Frau ging aus dem Wohnzimmer, und Dóra und Bella schauten sich um. Dóra konnte ihrer Sekretärin am Gesicht ablesen, dass ihr die Möbel und Staubfänger auch nicht gefielen. Bella runzelte sogar leicht die Oberlippe, so als röche sie etwas Unangenehmes. Es gab kaum eine Einrichtung, in die sie schlechter gepasst hätte. Sie starrte auf die Fotos von Karítas, die sie entweder alleine oder mit ihrem Mann zeigten – wahrscheinlich weckten die Bilder Erinnerungen an ihre Jugend, die sie lieber verdrängte. Allerdings handelte es sich ausschließlich um Fotos nach Karítas Einheirat in die Welt der Reichen. Keines von ihr als Kind oder Jugendliche.

»Also dann.« Die Frau brachte ein silbernes Tablett mit geblümten Porzellantassen, einer dazu passenden wuchtigen Kaffeekanne, einem Milchkännchen und einer Zuckerdose mit einem kleinen Silberlöffel. »Darf ich Ihnen ein Tässchen anbieten? Ich brauche selbst dringend einen Kaffee. Obwohl ich versuche, weniger Kaffee zu trinken, weil mein Blutdruck so hoch ist.«

Sie schenkte Dóra und Bella ein, die bei dem Wortschwall nur nickten, und nahm sich dann selbst eine Tasse.

»Wer von Ihnen ist denn nun Dóra?«

»Ich!«, sagte Dóra zu schnell und zu laut, weil sie auf keinen Fall mit Bella verwechselt werden wollte. »Ich bin Dóra, wir haben miteinander telefoniert. Das ist Bella. Sie arbeitet in der Kanzlei.«

Die Frau streckte Bella die Hand entgegen und sagte:

»Hallo, nennen Sie mich einfach Begga.« Dann schaute sie Bella forschend an. »Sie kommen mir irgendwie bekannt vor, kann es sein, dass wir uns kennen?«

»Ich habe als Kind im selben Viertel gewohnt wie Sie. Karítas war in meiner Jahrgangsstufe. Vielleicht kennen Sie mich daher.«

Begga wurde plötzlich unruhig und schien nicht an ihr früheres Leben erinnert werden zu wollen. Dóra verfluchte sich selbst, dass sie nicht an diese Möglichkeit gedacht hatte.

»Bella hat mir erzählt, wie gut sie sich an ihre Tochter erinnert, sie muss so unglaublich hübsch gewesen sein. Und ist es natürlich immer noch«, warf sie ein.

Die Frau entspannte sich ein wenig. Im Gegensatz zu Bella, die sich aber immerhin zusammenriss.

»Karítas war immer auffällig. Schon als Säugling sah sie aus wie ein Engel.«

Die Mutter lächelte bei der Erinnerung. Der Lippenstift, den sie bestimmt extra für den Besuch aufgelegt hatte, zog sich in die kleinen Fältchen um ihre Lippen, wodurch sie älter wirkte, als sie war. Auch wenn man nicht sagen konnte, dass Karítas ihrer Mutter aus dem Gesicht geschnitten war, gab es eine gewisse Ähnlichkeit, vor allem um die Augen herum. Es war allerdings schwierig, Beggas Gesichtszüge richtig auszumachen, denn sie war unverhältnismäßig stark geschminkt. Vielleicht war sie in jungen Jahren eine Schönheitskönigin gewesen und konnte sich nicht mit ihrem Alter abfinden. Ihre Beine waren jedoch immer noch schlank und attraktiv, worüber sie sich vollkommen bewusst war, denn sie trug einen knielangen Rock und hochhackige Schuhe, die für diesen Anlass völlig unangemessen waren. Ihr restlicher Körper wirkte im Vergleich zu ihren Beinen aufgedunsen.

»Ich kann gar nicht beschreiben, wie sehr ich sie vermisse. Wir sind uns so nahe. Wir waren ja immer nur zu zweit. Ihr Vater war nie da. Deshalb sind wir uns so wichtig. Wir waren mehr wie beste Freundinnen als wie Mutter und Tochter«, sagte Begga, und es klang eher wie Wunschdenken als wie Realität.

»Das glaube ich.« Dóra lächelte. »Wohnt sie hier bei Ihnen, wenn sie in Island ist?«

»Ja, meistens. Wenn sie alleine kommt. Den beiden gehört ja das Haus. Eigentlich wohne ich nur hier, um ihnen einen Gefallen zu tun, sonst würde ja ständig eingebrochen. Wenn Gulam mitkommt, übernachten sie in einem Hotel. Er kommt ja nicht oft mit, eigentlich gar nicht mehr. Verständlicherweise.« Begga warf den Kopf zurück. »Sogar Karítas kann sich das nicht mehr vorstellen.«

»Meinen Sie wegen der Sache mit der Bank?« Dóra traute sich nicht, die Worte Schulden oder Insolvenz in den Mund zu nehmen.

»Ja. Das ist wirklich schrecklich.« Begga nippte an ihrem Kaffee, und als sie die Tasse abstellte, blieb ein roter Streifen am Rand haften. »Ich darf aus verständlichen Gründen nicht darüber reden, man weiß ja nie, was diesem Sonderstaatsanwalt zu Ohren kommt. Als ob ein so reicher Mann wie Gulam auf die Idee kommen würde zu betrügen, um Geld zu verdienen. Das hat er doch gar nicht nötig!«

Sie stieß Luft durch die Nase aus und strich sich mit der Hand durch ihr schlecht frisiertes Haar.

»Nicht, dass Sie denken, ich hätte Sie im Verdacht, für diesen Staatsanwalt zu arbeiten. Dafür sind Sie viel zu sympathisch.«

Dass die Frau Bella sympathisch fand, zeigte nur, wie selten sie Besuch hatte. Gesellschaftlich hatte sie es bestimmt nicht leicht, hatte sich wahrscheinlich von ihren alten Freunden und Bekannten, die nicht begütert waren, losgesagt, nur um zu merken, dass sie von der isländischen High Society nicht mit offenen Armen empfangen wurde. Dafür war sie zu neureich und erinnerte andere zu sehr daran, dass sie es auch waren.

»Ist Karítas nicht okay? Ich meine finanziell«, sagte Bella. Sie hatte das Unglaubliche geschafft: ehrlich zu wirken.

Begga dachte kurz nach und winkte dann ablehnend mit der Hand, wie um ein Problem wegzuwischen.

»Bitte behalten Sie das für sich, aber Karítas ist gut gestellt. Das ist ja keine Pleite wie bei dahergelaufenen Leuten, es gibt alle möglichen Geldanlagen und so, die beiden sind nur wegen dieser Bargeldkrise in Schwierigkeiten geraten, wegen diesen Lehman-Brüdern und dem ganzen Quatsch. Im Grunde total ungerecht, denn wenn sie einen höheren Kredit bekommen hätten, wäre mit diesen Anlagen gar nichts passiert. Ich bin der Meinung, dass das einfach nur Neid war. Man wollte ihnen alles wegnehmen, weil sie so viel hatten. Aber das ist nicht geglückt, Gott sei Dank. Nicht ganz.«

Dóra nickte und versuchte, mitfühlend zu wirken. Begga schien tatsächlich zu glauben, die Lehman Brothers seien keine Bank, sondern irgendwelche Gauner, und wollte ihnen den schwarzen Peter zuschieben.

»Wie ich Ihnen schon am Telefon gesagt habe, sind wir hier, um mit Ihnen über die Yacht zu reden, die Karítas und ihrem Mann gehörte. Wir wissen eigentlich nichts über ihre finanzielle Situation, aber es ist schön zu hören, dass sie über das Gröbste hinweg sind. Sie haben doch bestimmt gehört, dass die Yacht kürzlich ohne Besatzung hier an Land getrieben ist, als sie überführt werden sollte. Ich arbeite für die Angehörigen der vermissten Familie.«

Beggas Gesichtsausdruck zeigte kein großes Mitleid, und Dóra versuchte es auf anderem Weg.

»Ich habe gehört, dass die Yacht in der nächsten Zeit schwerverkäuflich sein wird.«

»Ach ja?« Begga hob ihre extrem dünnen, tiefschwarzen Augenbrauen. »Ist sie beschädigt? Ich weiß, dass Karítas und Gulam damals unheimlich viel Geld für sie bezahlt haben.«

»Sie ist leicht beschädigt, und ihr schlechter Ruf könnte den Verkaufspreis weiter senken, jetzt, da die Leute, die an Bord waren, verschwunden sind. In der Welt der Schifffahrt gibt es wohl ziemlich viel Aberglauben.«

»Verliert Karítas dadurch Geld?« Die besorgten Augen der Frau flackerten zwischen Dóra und Bella hin und her.

»Nein, sie verliert nichts.« Dóra wurde noch vorsichtiger, denn ihr war nicht klar, ob die Frau von dem Eigentümerwechsel der Yacht wusste. »Die Bank hat die Yacht gepfändet. Soweit ich weiß, floss ein Teil des Geldes, das sich Karítas' Mann geliehen hat, in den Kauf der Yacht, und deshalb hatte die Bank einen Anteil an ihr. Sie wissen ja, diese Finanzinstitute sind manchmal so ...«

Sie verschluckte das Wort »gnadenlos«, um nicht zu übertrieben zu klingen.

Begga nickte geistesabwesend.

»Doch, das wusste ich. Karítas war bei mir, als das Thema aufkam.« Sie überlegte einen Moment. »Es kann sogar das letzte Mal gewesen sein, dass sie in Island war. Jedenfalls war sie völlig verzweifelt. Sie überlegte damals, sich von Gulam zu trennen, und war total fertig. Und dann haben die Behörden sie auch noch drangsaliert und ständig wegen dieser Finanzgeschichten verhört.«

Sie warf Dóra und Bella einen vorwurfsvollen Blick zu.

»Stellen Sie sich das mal vor! Dabei gibt es doch kein so privates Thema wie die ehelichen Finanzen! Das hat ihr ganz schön zugesetzt, und sie dachte sogar darüber nach, der Polizei alle Unterlagen auszuhändigen, nur um endlich ihre Ruhe zu haben. Und dann kam auch noch das mit der Yacht, mein Gott, ich dachte, das würde ihr den Rest geben. Aber Karítas ist zäh und zum Glück ins Ausland gefahren. Ich vermisse sie natürlich furchtbar, aber es ist besser, dass sie sich fernhält, solange das nicht ausgestanden ist.«

»Wissen Sie, wohin sie gefahren ist?«

»Nach Lissabon, wo die Yacht lag. Sie musste noch alle möglichen Sachen von Bord holen. Persönliche Dinge, auf die die Bank keinen Anspruch hat. Sie hätte auch ihr Dienstmädchen schicken können, aber sie wollte die Sachen selbst durchsehen. Dieses Mädchen war nicht besonders clever, und ich verstehe gut, dass Karítas das lieber selbst in die Hand nehmen wollte.«

»Ist sie noch in Lissabon? Wäre sie vielleicht bereit, mit mir zu telefonieren? Es gibt kaum jemanden, der so viel über die Yacht weiß wie sie. Sie kann mir womöglich helfen, herauszufinden, was mit den Leuten passiert ist. Mir vielleicht sagen, ob es an Bord ein Rettungsboot gab, von dem andere nichts wussten. Es ist auch durchaus möglich, dass die Yacht defekt war, ohne dass die Besatzung es wusste. Ich kann alles gebrauchen, das bestätigt, dass etwas an Bord nicht so war, wie es sein sollte. Bei meinem Fall geht es um eine Lebensversicherung, die nur ausbezahlt wird, wenn ich beweisen kann, dass die verschollenen Personen tot sind.«

Sie vermied es absichtlich, Ægir und seine Familie beim Namen zu nennen, falls Begga den Fall aus den Medien kannte und wusste, dass es sich um einen Mitarbeiter des Auflösungsausschusses handelte.

Die große Standuhr schlug einmal laut und zeigte halb elf an. Dóra schaute auf ihre Uhr. Es war erst zwanzig nach. Offenbar gab es noch mehr, was in diesem Haus gerichtet werden musste. Plötzlich schenkte Begga ihnen eifrig Kaffee nach. Sie bedankten sich, und Dóra wiederholte ihre Frage.

»Ich weiß nicht, ob sie mit Ihnen telefonieren will. Sie ist durch die ganze Geschichte sehr vorsichtig geworden, ich glaube, sie hat Angst, dass ihr Telefon abgehört wird. Sie hat mich zum Beispiel noch nicht angerufen, seit sie weg ist, und sie meldet sich sonst immer.« Begga rückte das Kaffeeservice zurecht, bis alles wieder gerade stand. »Schließlich bin ich ihre Mutter.«

»Wo ist sie denn jetzt? Ich versichere Ihnen, dass wir nichts mit der Finanzaufsicht oder anderen offiziellen Stellen zu tun haben«, sagte Dóra und achtete darauf, ihre Tasse wieder akkurat auf die Untertasse zu stellen.

»In Brasilien, glaube ich,« antwortete Begga und beobachtete, wie Bella fast die ganze Tasse in einem Zug leertrank. »Ich habe heute Morgen eine Postkarte von ihr bekommen. Sie hat mir öfter Postkarten von ihren Reisen geschickt, letztes Jahr habe ich eine zum Geburtstag bekommen. Die war aus Amerika.«

»Dürfen wir die Karte aus Brasilien mal sehen?«, fragte Bella freiheraus, und Dóra hätte sie dafür küssen können.

»Nein, das geht nicht«, antwortete Begga verstimmt. »Die ist an mich persönlich gerichtet, und ich wüsste nicht, was das mit der Yacht zu tun haben sollte.«

Es war ziemlich seltsam, persönliche Mitteilungen auf einer

Postkarte zu verschicken, die jeder lesen konnte, aber sogar Bella brachte es nicht fertig, die Frau darauf hinzuweisen. Zumal sie recht hatte: Die Karte hatte nichts mit Dóras Anliegen zu tun.

»Waren Sie mal auf der Yacht?«, fragte Dóra freundlich lächelnd.

»Ja, sogar zweimal«, sagte Begga. Sie erinnerte Dóra an ihre selbstgefällige Katze, der es auch schwerfiel, ihren Stolz zu verbergen.

»Wirklich phantastisch!«, fügte sie hinzu, lehnte sich leicht zurück und schob ihr Haar zurecht, durch das ein grauer Haaransatz schimmerte.

»Haben Sie an Bord ein Rettungsboot gesehen? Hat Karítas oder ihr Mann es ihnen vielleicht gezeigt?«

»Ich habe Gulam nur selten getroffen, und wir haben nie über die Yacht geredet. Mein Englisch ist ja nicht so gut, dass ich mich mit ihm darüber unterhalten könnte, und ich wäre auch nie auf dieses Thema gekommen. Wir haben nicht viel Zeit miteinander verbracht, seit Karítas geheiratet hat und ins Ausland gezogen ist, deshalb habe ich versucht, wichtigere Dinge anzusprechen, zum Beispiel, ob sie nicht bald ein Kind bekommen wollen. Man hofft ja immer, dass Karítas mal für einen langen Urlaub nach Hause kommt oder ich länger als ein paar Tage bei ihr verbringen kann, aber das ist wohl ungünstig. Ihr Mann ist beruflich immer so eingespannt, und ich habe den Eindruck, dass er Karítas für sich allein haben will. Ist ja auch verständlich.« Sie lächelte unterwürfig. »Aber letztendlich habe ich natürlich einen größeren Anspruch auf sie. Schließlich ist sie meine Tochter.«

Sie schien den negativen Unterton zu bemerken und fügte hastig hinzu:

»Bitte verstehen Sie mich nicht falsch, ich habe nichts gegen ihn. Überhaupt nicht. Gulam ist ein toller Mann und vergöttert Karítas. Sie bekommt alles, was sie will.«

»Er ist ja schon ziemlich alt. Ist das nicht komisch? Ist er nicht im selben Alter wie Sie?« Bella übernahm wieder die Aufgabe, die unangenehmen Fragen zu stellen. Einfach so. Geradeheraus.

Begga lächelte, aber das Lächeln reichte nicht bis zu ihren Augen.

»Er ist sogar ein bisschen älter als ich. Aber bei Männern ist das was anderes. Sie brauchen für ihre geistige Entwicklung länger als Frauen, deshalb macht so ein Altersunterschied nichts aus.«

Ein peinliches Schweigen setzte ein, und es war klar, dass keine von ihnen glaubte, dass Männer fast dreißig Jahre länger brauchten als Frauen, um geistige Reife zu erlangen.

»Es war überhaupt nicht notwendig, sich mit der Rettungsausrüstung zu beschäftigen. Die Yacht kann nicht untergehen.« Begga schaute Dóra und Bella spöttisch an. »Sie ist ja auch nicht untergegangen. Ich wüsste nicht, was für eine Rettungsausrüstung diese Leute gebraucht hätten, damit sie nicht verschwinden.«

Darauf ließ sich nichts erwidern, und Dóra und Bella saßen kleinlaut da und wichen Beggas Blick aus. Die wurde langsam wieder munter.

»Außerdem hatte man auf dem Schiff gar keine Zeit und Lust, etwas anderes zu machen, als das Leben zu genießen. Ich habe selten so viel leckeres Essen und so guten Wein bekommen. Wie am Fließband.« Ihr Gesichtsausdruck erinnerte wieder an die Katze.

Sie plauderten weiter miteinander, bis die Standuhr elf schlug. Dóra nutzte die Gelegenheit, um den Besuch zu beenden. Als Bella und sie sich verabschiedet hatten und zum Auto gingen, rief Begga ihnen plötzlich hinterher:

»Falls Sie Karítas erreichen, könnten Sie sie dann bitten, mich anzurufen? Ich muss dringend mit ihr sprechen, es gibt da ein Missverständnis wegen der Grundsteuer für das Haus.«

Dóra drehte sich um und musterte die Frau, die in der Tür des Hauses ihrer Tochter stand, eines Hauses, das endlose Kosten verursachte, die Begga ohne fremde Hilfe bestimmt nicht bewältigen konnte. Vielleicht wären ein kleineres Haus und mehr Kontakt besser gewesen, wenn die Tochter ihrer Mutter wirklich eine Freude hätte bereiten wollen.

»Ja, mache ich. Versprochen.«

Sie gingen weiter, hörten die Tür aber nicht zuschlagen. Wahrscheinlich stand Begga immer noch auf der Schwelle und sah ihnen nach, um so lange wie möglich von diesem banalen Besuch zu zehren. Dóra fühlte sich besser, als sie im Auto saßen und losfuhren.

»Wetten, dass der Typ Karítas abgemurkst hat, um die Scheidung zu verhindern? Oder damit sie ihn nicht verpfeift?«, tönte Bella. Sie gab ihre Versuche, den Sicherheitsgurt anzulegen, auf und drehte sich zu Dóra, die am Steuer saß.

»Meine Fresse, eine Postkarte! Jeder Depp kann eine Postkarte schicken: *Alles supi in Rio – Küsschen, Karítas.* Er hat einfach ihre Handschrift gefälscht. Und den Text mit Google Translate ins Isländische übersetzt. Ich meine, überleg doch mal! Seit sie ihren Kram von der Yacht geholt hat, wurde sie von niemandem mehr gesehen!«

Bella hatte die Nachrichten über ihre alte Schulkameradin offenbar aufmerksam verfolgt, obwohl sie sie nicht leiden konnte. Doch selbst wenn Dóra eine verkappte Spielsüchtige gewesen wäre, hätte sie diese Wette nicht angenommen.

»Hoffentlich stimmt das nicht«, entgegnete sie.

Und wäre es auch nur Karítas' Mutter zuliebe.

8. KAPITEL

»Hm, ist das lecker!«, sagte Lára mit vollem Mund, schluckte aber, bevor sie weitersprach. »Und heute Morgen war ich mir noch sicher, dass ich nie mehr was runterkriegen würde.«

Die Familie hatte die meiste Zeit des Tages in dem großen Doppelbett vor sich hingedämmert, die Mädchen zwischen ihre Eltern geklemmt, mit Büchern in der Hand, in denen sie immer wieder lasen, wenn ihnen nicht gerade die Augen zufielen und sie einschlummerten. Ægir war auch ein paar Mal eingenickt, aber immer wieder hochgeschreckt, ohne zu wissen, warum. Lára hatte hingegen mindestens zwei Stunden lang tief und fest geschlafen und sich, trotz der Zappelei ihres Mannes und ihrer Töchter, nicht gerührt. Die Tabletten machten schlapp und schläfrig, so dass der Nachmittag schnell vorbeigegangen war, doch jetzt fühlten sie sich fast wieder genauso gut wie bei der Abfahrt. Aber nur fast.

»Wirklich superlecker!«

Sie saßen alle zusammen in der Küche, bis auf Loftur, der auf der Brücke Wache schob. Um die Mahlzeit war ein derartiger Wirbel entstanden, dass es so wirkte, als würden sie etwas feiern. Als die Mädchen aufgewacht waren, hatte es sie in den Fingern gejuckt, etwas zu tun, daher durften sie den Tisch fürs Abendessen decken. Sie nahmen ihre Aufgabe sehr ernst, fanden eine weiße, gestärkte Tischdecke und Stoffservietten, die sie in silberne Serviettenringe steckten. Die Gläser und das Geschirr waren ebenfalls sehr edel. Ægir holte dann als i-Tüpfelchen noch einen Rotwein. Þráinn hatte das Angebot, mit ihnen zu essen, sofort angenommen – vielleicht, weil die Mädchen ihn eingeladen hatten, und es schwieriger war, ihnen etwas abzuschlagen als ihren Eltern. Halli hatte erst abgelehnt, dann aber doch angenommen, als Þráinn auf sein Gerede, er würde sich ein Sandwich holen und in der Kabine essen, nicht eingegangen war. Schwer zu sagen, ob er es bedauerte, dass er sich breitschlagen lassen hatte, denn obwohl er den Kopf hängen ließ und die meiste Zeit auf seinen Teller starrte, schien ihm zumindest das Essen zu schmecken.

Lára und Ægir hatten den Kühlschrank nach etwas leicht Verdaulichem durchsucht und das Kochen übernommen. Jetzt lag das Ergebnis auf großen Tellern vor ihnen.

»Prost!« Ægir hob sein Glas und wartete darauf, dass die anderen es ihm nachtaten. »Schade, dass wir nicht so schlau waren, ein paar Flaschen Weißwein mitzunehmen. Wir hätten wissen müssen, dass hier Fisch auf den Tisch kommt.«

»Schon in Ordnung.« Þráinn trank einen großen Schluck von der dunkelroten Flüssigkeit. »Wir sind nicht wählerisch, was, Halli?«

»Nee.«

Der junge Seemann war wie immer wortkarg. Vielleicht hatte das mit seinem Alter zu tun, oder weil es ungewohnt für ihn war, eine Familie an Bord zu haben. Ægir würde auch nicht anders reagieren, wenn eine vierköpfige Familie sein Büro besetzen würde. Halli nippte an seinem Wein und wirkte nicht besonders glücklich damit. Vielleicht trank er lieber Bier.

»Es ist doch bestimmt in Ordnung, wenn ihr einen Schluck trinkt, oder? Ich meine, wegen des Schiffes?«, fragte Lára und steckte sich noch ein Stück gebratenen Fisch in den Mund.

»Doch, doch, wir fahren mit Autopilot und reduziertem Tempo. Nachts fahren wir möglichst langsam und tagsüber wesentlich schneller. Jetzt schippern wir so vor uns hin und können ruhig beide etwas essen und trinken. Wenn ich gleich übernehme, bin ich topfit. Keine Sorge, ein oder zwei Gläser Wein machen mir nichts aus.«

»Wer fährt denn nachts?«, fragte Bylgja.

»Wir wechseln uns auf der Brücke ab, müssen aber nicht viel machen. Wir legen uns einfach hin und sind in Bereitschaft. Notieren sicherheitshalber stündlich unsere Position, für den Fall, dass etwas schiefläuft.«

»Was denn zum Beispiel?« Arna schaute von ihrem Teller auf. Sie suchte die ganze Zeit nach Gräten und hatte noch nicht angefangen zu essen. Ihr Fisch war völlig zermatscht.

Þráinn machte ein betretenes Gesicht. Offenbar hatte er nicht mit einer solchen Frage gerechnet.

»Tja, also, wenn der Strom ausfällt und die Messgeräte nicht mehr funktionieren, wissen wir zumindest, wo wir sind. Wobei ein Stromausfall keine wirklich ernste Sache und außerdem höchst unwahrscheinlich ist. Und falls etwas anderes passiert, macht das auch nichts, schlimmstenfalls müssten wir einfach andere Schiffe um Hilfe bitten.«

»Aber hier sind doch keine anderen Schiffe«, warf Bylgja ein. Sie aß mit mehr Appetit als Arna und hatte schon wieder ein bisschen Farbe im Gesicht. Vielleicht, weil sie als Erste krank geworden war. Zum Glück hatte keines der Mädchen noch einmal von Karítas oder wirren Träumen gesprochen. »Wir haben keins gesehen, und man hört auch nichts.«

»Die sind da draußen, auch wenn wir sie nicht sehen. Das Meer ist riesengroß. Wenn ihr wollt, kann ich euch auf der Brücke die Geräte zeigen, die angeben, welche Schiffe in unserer Nähe sind. Außerdem haben wir natürlich Radar.«

»Damit wir uns zurechtfinden?«, fragte Bylgja und schaute von ihrem Teller auf.

Þráinn lächelte.

»Ja, kann man so sagen. Das Radar zeigt uns, was sich um

uns herum im Meer befindet, damit wir nicht mit etwas zusammenprallen.«

Lára schenkte Þráinn Wein nach. Bisher hatten die Männer die Familie an Bord ignoriert. Hatten zwar geantwortet, wenn sie etwas gefragt wurden, aber nie von sich aus etwas gesagt. Halli und Loftur waren immer noch ziemlich zurückhaltend, aber Þráinn taute langsam auf.

»Seid ihr schon mal mit dieser Yacht gefahren?«, fragte Lára und hoffte, etwas Tratsch über Karítas zu hören. Sie hatte fast das Gefühl, die junge Frau zu kennen, weil sie so viele Klatschartikel über sie gelesen hatte.

»Nein, ich habe das Schiff neulich zum ersten Mal gesehen. Ich muss sagen, ich wäre durchaus bereit, mal im Sommer damit durchs Mittelmeer zu schippern. Oder durch die Karibik«, antwortete Þráinn und starrte hinaus in die Dunkelheit.

Als sie sich an den Tisch gesetzt hatten, hatte es angefangen zu regnen, und jetzt klatschten die Tropfen gegen die Fensterscheiben. Das Geräusch erinnerte sie daran, wie angenehm es war, drinnen zu sein.

»Es hat angeblich fast was Ehrenamtliches, so eine Yacht zu fahren. Soll im Vergleich zu Trawlern nicht besonders gut bezahlt sein. Leute, die viel Geld haben, sind meistens geizig.«

»Und du, Halli?«, versuchte Ægir den jungen Mann ins Gespräch einzubeziehen.

»Ja.« Erst schien es so, als bliebe dieses Wort seine endgültige Antwort, doch dann fügte er plötzlich hinzu: »Aber nur für drei Monate. Deshalb bin ich hier. Man wollte jemanden dabei haben, der sich ein bisschen auskennt.«

»Wow! Wie war es denn so hier an Bord?«, fragte Lára. »Ist ja echt irre, dass die Yacht einer Isländerin gehört hat.«

»Kommt darauf an, wie man es definiert. Die Yacht war auf ihren Mann registriert. Beziehungsweise auf eine Firma, die ihm gehörte«, warf Ægir ein.

»Du weißt schon, was ich meine, Halli«, sagte Lára. »Wie war es denn so?«

Halli starrte weiter auf seinen Teller und schob eine Kartoffel hin und her.

»Ganz normal.«

»Das kann doch nicht normal gewesen sein.« Lára versuchte vergeblich, Blickkontakt zu ihm herzustellen. »Erzähl doch mal! Wie war denn diese Karítas? Und ihr Mann?«

»Die waren ganz normal. Mehr kann ich nicht sagen. Ich musste unterschreiben, dass ich nicht über meinen Aufenthalt an Bord spreche. Vor allem nicht über die Gäste oder die Besitzer, eigentlich darf ich da gar nichts zu sagen.« Er räusperte sich. »Vielleicht gilt das ja nach der Insolvenz nicht mehr. Ich weiß nicht, aber das ändert auch nicht viel. Es war nicht ungewöhnlich, und eigentlich gibt es nichts zu erzählen.«

»Musstest du auch unterschreiben, dass du deine technischen Kenntnisse auf Fahrten für andere Auftraggeber nicht nutzen darfst?«, fragte Þráinn spöttisch und verschränkte die Arme vor der Brust. »Wenn man bedenkt, wie schlecht du dich hier an Bord auskennst, könnte man das nämlich meinen.«

Er blinzelte Lára zu, ohne dass Halli es bemerkte. Der junge Mann errötete bis zu den Haarwurzeln.

»Waren Kinder an Bord?«, fragte Arna, die die Sache mit der Vertraulichkeit nicht verstanden hatte oder für unwichtig hielt.

»Er weiß es nicht, Schatz«, sagte Ægir, der jeden Tag in der Bank mit vertraulichen Angelegenheiten zu tun hatte. Es sprach für den jungen Mann, dass er sich an sein Wort halten wollte. Das musste man akzeptieren. Ægir warf Lára einen ernsten Blick zu, den sie jedoch ignorierte.

»Doch, er darf bestimmt ja oder nein sagen«, entgegnete Arna, legte die Gabel auf ihren Teller und drehte sich zu Halli. Sie interessierte sich genauso für andere Leute wie ihre Mutter, während Bylgja mehr auf ihren Vater kam. So ähnlich sich die Mädchen äußerlich auch waren, umso verschiedener war ihre Charaktere.

»Waren Kinder an Bord?«, insistierte sie.

»Nein.«

Niemand wusste, ob Halli die Wahrheit sagte oder einfach nur weitere Fragen im Keim ersticken wollte.

»Aber du kannst uns doch bestimmt erzählen, ob es dir Spaß gemacht hat.« Lára wollte immer noch nicht aufgeben.

»Nein.«

Erst wusste niemand, was Halli meinte, aber seine folgende Aussage räumte jeglichen Zweifel aus:

»Ich habe mich hier nicht wohl gefühlt und war hin- und hergerissen, ob ich diese Fahrt überhaupt machen soll.«

»Oh.« Das war nicht die Antwort, die Lára sich erhofft hatte. »Warst du seekrank?«

Zum ersten Mal, seit sie losgefahren waren, lächelte Halli.

»Nein, war ich nicht.«

»Was war es denn dann?«, fragte Lára und tat so, als merke sie nicht, wie Ægir sie mit dem Fuß anstieß.

»Diese Yacht ist seltsam. Ich kann es nicht genau erklären, aber irgendwas stimmt nicht mit ihr.« Er grinste Þráinn herausfordernd an. »Außerdem war der Kapitän ein ziemlicher Idiot, was allerdings nicht so ungewöhnlich ist.«

Þráinn schnaubte.

»So ein verdammter Unsinn. Als ob du was über solche Schiffe wüsstest! Fährst doch gerade mal seit drei, vier Jahren zur See! Diese Yacht zählt zu den besten Schiffen, die ich je gefahren bin, und ich weiß, wovon ich spreche!«

Halli wurde wieder rot, diesmal eher aus Wut denn aus Schüchternheit.

»Ich meinte ja nicht das Schiff als solches!« Er trank einen großen Schluck. »Es liegt an der Atmosphäre. Mit der Yacht stimmt was nicht, und ich bin nicht der Einzige, der das denkt.«

»Ach ja?«, rutschte es Ægir heraus. Dieses Gespräch trug nicht gerade dazu bei, dass sich die Mädchen wohler fühlten. Sie saßen stocksteif da und saugten jedes Wort in sich auf, anstatt zu essen.

»Andere aus der Mannschaft haben mir Geschichten erzählt, die über die Yacht kursieren. Die waren alle gleich. Echt gruselig, auch wenn ich nicht besonders abergläubisch bin. Und die Jungs meinten das definitiv ernst!«

Halli verstummte plötzlich und konzentrierte sich darauf, die letzte Kartoffel in den Mund zu schieben.

»Danke für das Essen.«

Dann stand er auf und verließ die Küche.

Ægir ging auf die Kommandobrücke und wunderte sich, dass es dort ganz anders aussah, als er sich das vorgestellt hatte. Der Raum erinnerte eher an das Büro einer Radiowerkstatt als an ein Steuerhaus: reihenweise Computerbildschirme und alle möglichen Geräte, von denen jedes seine Funktion hatte. Das Einzige, was zu Ægirs ursprünglicher Vorstellung passte, war ein prachtvolles Holzsteuerrad vor den Fenstern der Brücke, aber Þráinn hatte ihm am ersten Tag erklärt, dass es nicht benutzt würde und nur für den Notfall da wäre, falls die automatische, elektronische Steuerung versagte. Üblicherweise steuerte man die Yacht mit einem Steuerhebel, der noch unauffälliger aussah als bei einer Spielekonsole. Neben den Instrumenten für die Navigation verfügte die Yacht über umfangreiche Telekommunikationsgeräte, und obwohl Ægir sich kaum zutraute, Þráinns Erklärungen wiederzugeben, erinnerte er sich vage daran, welche Aufgabe jedes Gerät hatte. Dennoch hoffte er, dass es nicht dazu käme, dass er irgendeines davon benutzen müsste. Dann bestand nämlich die Gefahr, dass die Yacht endlos im Kreis fuhr.

»Ist es nicht schwierig, diese ganzen Bildschirme und Messgeräte zu kontrollieren?«, fragte er und stellte das kalte Bier auf den Tisch in der Raummitte. Die Tischplatte war mit einer steifen Decke bezogen und hatte einen hohen Rand aus Chrom, damit bei starkem Seegang nichts herunterrutschte. Auf dem Tisch lag eine Karte, und Ægir achtete darauf, die feuchte Flasche so hinzustellen, dass sie nicht an das Papier kam. Er hatte bei seinem Segelkurs ähnliche Dokumente voller Linien und Zahlen gesehen. Im Seminarraum hatte er sie noch verstanden, aber jetzt schienen sie ihm nur wenig mit dem Meer zu tun zu haben, das sie darstellen sollten.

»Ich habe dir ein Bier mitgebracht. Dachte, das wäre in Ordnung, wenn Þráinn dich gleich ablöst.«

»Danke.« Loftur reckte sich nach der Flasche und schien zu überlegen, ob er sich dem Passagier gegenüber weiterhin so mürrisch verhalten sollte wie bisher. »Mir reicht's auch gerade. Irgendwas stimmt nicht mit dem Funkgerät, und ich kriege es nicht repariert. Das macht mich echt wahnsinnig.«

Er trank einen Schluck.

»Was ist denn damit?«

»Irgendwelche Scheißstörungen und merkwürdige Funkrufe.« Er nickte in Richtung eines Instruments, das aussah wie ein Kreditkartengerät. Daraus hing ein weißer Streifen Papier wie eine Zunge. »Da ist eine NAVTEX-Meldung gekommen. Nicht weit von uns ist ein Container von einem Frachtschiff gefallen, damit muss es zusammenhängen.«

»Was ist dieses NAVTEX?«, fragte Ægir. Er ging zu dem Gerät und las den kurzen englischen Text mit allerhand Ziffern und Buchstaben auf dem heraushängenden Blatt.

»Das empfängt Seemeldungen, Sturmwarnungen, Eisberichte und andere Warnungen. Zum Beispiel über schwimmende Container wie jetzt.«

»Sind wir denn in Gefahr?«, fragte Ægir beiläufig, da er nicht davon ausging, dass es so wäre. Dafür war Loftur viel zu ruhig und hätte bestimmt Þráinn geholt, wenn es sich um eine wirkliche Gefahr handeln würde. Ægir trank einen Schluck von seinem kalten Bier.

»Nein, davon gehe ich nicht aus.« Loftur beobachtete konzentriert das Radar. »Sind deine Töchter und deine Frau ins Bett gegangen?«

»Ja, Lára noch nicht, aber die Mädchen schlafen schon fast. Lára ist unten und liest ihnen etwas vor, damit sie nicht wieder Albträume bekommen wie letzte Nacht. Obwohl wir fast den ganzen Tag rumgehangen haben, könnte ich auch schon wieder schlafen gehen. Diese Seeluft macht einen irgendwie so müde.« Ægir wechselte die eiskalte Bierflasche von einer Hand in die andere. »Hast du Familie?«

Loftur schaute Ægir missbilligend an. Vielleicht wollte er mit Fremden nicht über sein Privatleben sprechen, oder Ægir hatte unbeabsichtigt einen wunden Punkt getroffen. Obwohl er noch ein junger Mann war, konnte er gerade eine Trennung hinter sich haben, und Ægir bereute es, ihn gefragt zu haben. Aber er hatte seinen Gesichtsausdruck wohl falsch interpretiert.

»Nein, noch nicht.«

Die Yacht kippte unsanft nach unten, und wurde beim Hochschaukeln von einem heftigen Schlag getroffen, der sich durch den Rumpf des Schiffes zog. Ægir musste sich am Tisch festhalten, um nicht das Gleichgewicht zu verlieren. Darauf war er nicht vorbereitet gewesen, er hatte sich in den letzten ein, zwei Stunden ganz gut ausbalancieren können.

»Tja, dann.« Er drückte seine Knie wieder durch und sah, dass die Bewegung Loftur überhaupt nicht ins Wanken gebracht hatte. Dann wurde alles ruhig, und die Yacht kam wieder in die Waagerechte. »Kann man denn auf diesen tollen Messgeräten sehen, wie sich das Meer verhält?«

»Falls du meinst, ob ich sehen kann, wann eine Welle kommt, um dich vor ihr zu warnen, lautet die Antwort nein. Um darauf vorbereitet zu sein, schaut man am besten über den Bug nach vorne.« Loftur warf einen Blick auf die Messgeräte und Bildschirme hinter sich. »Du kannst gerne mal gucken. Aber fass nichts an.«

Ægir konnte das Angebot nicht ablehnen und Loftur sagen,

dass Þráinn ihm das meiste schon gezeigt hatte. Loftur könnte das als Desinteresse auslegen und somit seinen wahren Charakter enthüllen: Er war ein langweiliger Bürohengst. Außerdem wäre es ziemlich bitter, sein freundliches Entgegenkommen abzuweisen, wenn er sich endlich ein wenig öffnete.

»Das ist doch das Radargerät, oder?« Ægir stellte sich vor einen großen Farbbildschirm, den er sehr wohl kannte. Auf dem Bildschirm war eine Scheibe mit einem Zeiger, der sich langsam im Kreis drehte und einen hellen Bereich hinter sich herzog. Der Bereich verblasste wieder, je weiter der Zeiger voranschritt.

»Ja«, sagte Loftur und trat zu ihm. »Es zeigt, wie die elektromagnetischen Wellen vom Sender der Yacht ausgestrahlt werden. Wenn sie auf ein Objekt stoßen, werden sie reflektiert, und das sieht man dann auf dem Bildschirm. Die Yacht ist in der Mitte des Kreises, verstehst du?«

Ægir nickte und tat so, als wisse er das nicht bereits, und Loftur fuhr fort:

»Wie du siehst, ist niemand in unserer Nähe. Das ist allerdings ziemlich ungewöhnlich, und ich dachte schon, wir wären vom Kurs abgekommen, das GPS wäre falsch eingestellt.«

»Und was hast du herausgefunden?«

»Nichts, nur, dass wir noch auf Kurs sind. Es ist einfach Zufall.«

»Könnte das Radar kaputt sein? Sind da vielleicht Schiffe, die einfach nicht erscheinen?«

»Nein, das bezweifle ich. Das ist keine vielbefahrene Route, das hat nicht viel zu sagen. Wir werden schon wieder Schiffe sehen, wenn wir in die Fischfangzone kommen. Das Meer unter uns ist tot. Alles Lebendige aufgesaugt. Schon schlimm, wenn man sich das vorstellt.«

»Und was ist mit diesem Container? Müsste man den sehen?«

Loftur zuckte mit den Achseln.

»Kommt darauf an, in welcher Höhe er treibt. Die elektromagnetischen Wellen müssen auf etwas stoßen, um reflektiert zu werden. Wenn er ganz tief unten ist, erscheint er nicht auf dem

Bildschirm. Eigentlich wäre es besser, wenn wir mehr Seegang hätten, dann würde er mit den Wellen auf- und abschwimmen und wäre eher zu sehen.«

Er machte einen Schritt zur Seite und zeigte Ægir einen anderen Bildschirm.

»Und das ist das Echolot. Es nützt uns hier nichts, weil das Meer unter uns so tief ist. Aber es ist ein wichtiges Gerät, wenn man in den Festlandsockel kommt.«

Ægir erinnerte sich an seine vorherigen Überlegungen und fragte:

»Wie tief ist das Meer denn hier?«

Loftur zeigte auf den Bildschirm.

»Etwa 3200 Meter. Bei dieser Tiefe kommt die Sonne nie bis auf den Meeresgrund, und die Flora und Fauna ist äußerst speziell. Eigentlich phantastisch, dass da unten noch was lebt. Der Druck ist fast dreihundert Mal so hoch wie hier an der Oberfläche. Das ist sogar zu tief für Tiefseefische.« Loftur schaute aus dem Fenster, als erwarte er, in der Dunkelheit etwas zu sehen. »Tiefseefische sind allerdings schon speziell genug. Ich habe gehört, dass sie sich, wenn sie ausnahmsweise mal im Netz landen, wie Luftballons aufpumpen, um den Druck auszugleichen. Wahrscheinlich würde mit uns dasselbe passieren, wenn wir aus der Atmosphäre gezogen würden.«

Ægir erinnerte sich, einmal etwas über einen Fisch gelesen zu haben, vor dessen Maul ein Licht baumelte. Das war ein Tiefseefisch gewesen, der mit dem Licht andere Fische anlockte. Sie wurden neugierig, wenn sie den Lichtschein sahen, und endeten dann in seinem Maul. Ægir traute sich jedoch nicht, diesen Fisch zu erwähnen, falls er eine Erfindung war, etwas, das Seemänner sich ausgedacht hatten, um Landratten wie ihn zu veräppeln. Die Lügenbarone des Meeres.

Neben Loftur knarrte ein Gerät, das Ähnlichkeit mit einem Lautsprecher hatte.

»Jetzt fängt dieser Mist wieder an!«, fluchte Loftur und beugte sich zu dem Lautsprecher hinunter. Für einen Moment war nichts anderes zu hören als der Regen, der gegen die Fenster prasselte, und ihre Atemzüge. Doch dann knackte es wieder, gefolgt von einem anderen Geräusch, das an das Blubbern der aufsteigenden Luftblasen beim Tauchen erinnerte.

»Ist das das Funkgerät, von dem du eben gesprochen hast?«

Loftur nickte, während er sich voll und ganz auf das Gerät konzentrierte.

»Macht es diese Geräusche, weil es kaputt ist?«

Jetzt war das Gerät ganz still.

»Ja, ich glaube, es ist kaputt. Eigentlich sollte man nur was hören, wenn jemand sendet. Ich weiß nicht, das ist ein UKW 16, das reicht nicht sehr weit. Kaum bis Sichtweite. Vielleicht empfangen wir Bruchstücke einer Meldung, die nicht für uns bestimmt ist. Laut AIS-Gerät befindet sich jedenfalls innerhalb von dreißig Seemeilen kein Schiff, das könnte also durchaus sein.«

Loftur sah an Ægirs Gesicht, dass er nicht wusste, wovon er sprach, und erklärte:

»Das ist ein automatisches Schiffsidentifikationssystem, das Identität, Fahrdaten und Manöver anderer Schiffe angibt. Das AIS-Gerät empfängt diese Daten innerhalb eines Radius von 35 Seemeilen und übermittelt sie. Außerdem benutzen die Küstenwache und die Hafenbehörden es zur Kontrolle.«

Weitere Knarzgeräusche drangen aus dem Funkgerät, und die Männer starrten es an.

»Vielleicht ist ja der Sender defekt?«, fragte Ægir und wurde ganz verlegen, als Loftur ihn mit einem Hauch von Achtung im Blick musterte. »Du weißt schon, jemand versucht, eine Meldung durchzugeben, aber es geht nicht, weil bei ihm was kaputt ist.«

»Denkbar.«

Loftur schien noch etwas hinzufügen zu wollen, verstummte aber, als sich das Gerät wieder bemerkbar machte. Jetzt war kein Knarzen mehr zu hören, sondern nur noch das Luftblasengeräusch und etwas, das eine Stimme hätte sein können, aber so undeutlich war, dass man überhaupt nichts verstand. Dann trat wieder Stille ein. Dennoch hatte man den Eindruck, als würde immer noch gesendet, als sitze jemand am anderen Ende und starre die Sprechmuschel an. Loftur riss das Mikro hoch.

»Hallo?« Aus dem Lautsprecher kam keine Antwort. »Hallo, hier *Lady K*, wir befinden uns 316 Seemeilen nördlich von Lissabon. Bitte melden.«

Lofturs Englisch war nicht perfekt, aber gut verständlich. Keine Antwort.

»Bitte melden.« Immer noch keine Antwort. Loftur stellte das Mikro zurück an seinen Platz. »Das muss irgendein Idiot sein.«

»Ein Idiot mit Zugang zu einem Funkgerät«, versuchte Ægir die Stimmung aufzuheitern. Etwas Unheimliches lag in der Luft – vielleicht war jemand in Schwierigkeiten und konnte keine Hilfe rufen, weil sein Funkgerät kaputt war. Vielleicht war es eine Yacht wie ihre, mit Kindern an Bord.

»Willst du es noch mal probieren?«, fragte Ægir.

»*Lady K*.«

Sie standen wie erstarrt da und glotzten den Lautsprecher an. Jetzt war die Stimme klar und deutlich zu hören, kein Knacken und keine Luftblasen, nur diese beiden Worte, eindeutig der Name ihrer Yacht.

»*Lady K*«, erklang es noch einmal, und jetzt merkte Ægir, warum ihm ein Schauer über den Rücken lief. Die Stimme war grauenerregend, als seien die Worte ein Fluch oder eine unterschwellige Beleidigung. Die Person sprach schleppend, betonte jeden einzelnen Buchstaben und klang keineswegs verzweifelt. Wer auch immer es war, er befand sich sicher nicht in Schwierigkeiten. Das Gerät verstummte, und jetzt war deutlich zu hören, dass die Verbindung abgerissen war.

Ægir musterte das Bier in seiner Hand und beschloss, nichts mehr davon zu trinken. Seine Phantasie spielte dermaßen verrückt, dass ihm das jetzt überhaupt nicht guttat. Je länger die krächzenden Laute aus dem Funkgerät verstummt waren, umso bescheuerter wirkte das alles. Natürlich war das nur irgendein Idiot, wie Loftur gesagt hatte. Ægir blickte zu dem jungen Steuermann, wollte lächeln oder einen lockeren Spruch ablassen, hielt aber sofort inne. Lofturs Gesicht sah fast genauso aus wie seines: Es zeugte von Angst. Ægir war schockiert, dass dieser in sich ruhende Mann eingeschüchtert wirkte. Doch dann erinnerte er sich an Hallis Worte beim Abendessen. Er hatte die Yacht als Unglücksschiff bezeichnet. Das erklärte einiges und trug nicht dazu bei, dass Ægir sich besser fühlte.

Das Radar piepte, und die Männer schauten hin. Überschnell und übereifrig. Auf dem Bildschirm war ein schwarzer, blinkender Fleck neben der Yacht aufgetaucht, der vorher nicht da gewesen war.

9. KAPITEL

»Ich empfehle Ihnen, beim Bezirksgericht einzuklagen, dass Ægirs und Láras Besitz als Erbmasse eingestuft wird. Vielleicht noch nicht heute oder morgen, aber bald, es sei denn, die Situation ändert sich maßgeblich. Wenn das Urteil positiv ausfällt, wird auch ein mutmaßlicher Todeszeitpunkt festgelegt.«

Dóras Vorschlag machte Ægirs Eltern sichtlich zu schaffen. Dennoch fuhr sie ungerührt fort, damit sie vorankamen. Sie hatten sich bei Sigríður und Margeir zu Hause getroffen, damit die beiden nicht in die Kanzlei kommen mussten. In ihrer vertrauten Umgebung fühlten sie sich wohler als in der kühlen Atmosphäre der Kanzlei.

»Das ist im ersten Artikel eines Gesetzes von 1981 über Verschollene festgelegt. Ziel ist es, die Interessen der Betreffenden zu wahren, ihren Besitz und ihre Rechte zu schützen. Ich würde dem Gericht Beweise für Ægirs und Láras Verschwinden vorlegen, und anschließend beurteilt der Richter, ob sie ausreichen. Die Kosten für die Verhandlung müssten Sie wahrscheinlich nicht tragen, da solche Fälle wie Pflichtverteidigungsfälle behandelt werden.«

»Das ist gut. Wir haben nicht viel Geld, wie Sie vielleicht sehen können, und hätten im Zweifelsfall Schwierigkeiten, das zu bezahlen«, sagte Margeir und wies auf die kleine, schlichte Wohnung.

Dóra hatte die alten, aber gutgepflegten Möbel durchaus registriert. Auf einem Tischchen im Wohnzimmer stand ein kleiner Röhrenfernseher. Das Häkeldeckchen, das darunter lag, hing über die Tischkante und bildete ein weißes Dreieck. Rechts und links neben dem Fernseher standen alte und neuere Familienfotos, auf denen alle strahlend lächelten. Ein Blumenstrauß, der aussah wie aus einem Supermarkt, stand in einer Vase auf einem kleinen, altmodischen Esstisch. Vermutlich ein Beileidsstrauß von Freunden oder Verwandten. Die Blumen ließen schon die Köpfe hängen, ihre Schönheit war verwelkt und ihre Aufgabe erledigt – man hatte nur vergessen, sie aus der Vase zu nehmen. Über allem lag Trauer.

Dóra machte eine kleine Pause und sagte dann:

»Aber es gibt noch etwas, das Sie bedenken müssen. Ich habe mir die Bedingungen der Lebensversicherung angeschaut und nichts gefunden, dass einer Auszahlung im Weg stünde. Nichts darüber, dass der Tod nur in einem bestimmten Zeitraum eintreten darf, was oft vorausgesetzt wird, und auch nichts darüber, dass der Anspruch erlischt, wenn der Versicherte sich das Leben genommen hat. Ich weiß, dass es hier nicht um Selbstmord geht, aber es würde den Fall verkomplizieren, wenn die Versicherung das behauptet. Trotzdem ist die Sache nicht so einfach.«

»Nein?«, fragte Margeir teilnahmslos.

»Zum Beispiel gibt es eine Vorschrift, dass die Versicherung unverzüglich über Schadensfälle, also über Ægirs und Láras Tod, unterrichtet werden muss. Dieser Mitteilung müssen etwa die gleichen Unterlagen beiliegen wie beim Bezirksgericht. Das ist also relativ einfach.« Dóra schwieg erneut und holte tief Luft. »Dennoch wird die Versicherung unsere Forderung wahrscheinlich ablehnen. Das ist üblich und sogar kürzlich hierzulande passiert. Da verschwand ein Mann, der ein Segelboot von den USA nach Island überführen wollte, und die ausländische Versicherung weigerte sich, seinen Tod anzuerkennen. Das Bezirksgericht musste den Mann erst für tot erklären, und anschließend wurde die Versicherung gezwungen, das Geld auszuzahlen. Ich nehme stark an, dass das in Ihrem Fall auch so sein wird. Das würde bedeuten, dass das Gericht die vorgelegten Beweise weiterleitet. Außerdem müssten Verwandte und andere Personen, die etwas über Ægirs und Láras Verschwinden wissen, vor Gericht aussagen.«

»Wäre das dann im Ausland? Ich weiß nicht, ob wir uns zutrauen, vor einem ausländischen Gericht auszusagen«, entgegnete Margeir. Seine Stimme klang wie computergesteuert.

»Nein, wenn der Verschollene zuletzt hier ansässig war, entscheiden isländische Gerichte darüber. Das würde also vor dem Bezirksgericht Reykjavík verhandelt.« Dóra wartete auf weitere Fragen, aber da nichts kam, fuhr sie fort: »Ich weiß, dass das zurzeit alles sehr schwer für Sie ist, aber ich schlage trotzdem vor, dass ich die notwendigen Unterlagen für die Versicherung zusammensuche und den Fall melde. Wir sollten nicht länger damit warten. Falls Ægir und Lára noch lebend gefunden werden, widerrufen wir die Mitteilung einfach. Wenn die Versicherungssumme dann bereits ausbezahlt wurde, muss sie nur zurückerstattet werden, ungeachtet der üblichen Wertminderung.«

»Wir wollen das Geld nicht ausgeben, das haben wir Ihnen ja schon beim letzten Mal gesagt«, warf Sigríður ein und strich sich mit der Hand durchs Haar, so dass es durcheinandergeriet und der graue Haaransatz durchschien. Auf ihrer Bluse prangten zwei auffällige Flecken, und ihre Jeans schienen auch schon länger keine Waschmaschine mehr gesehen zu haben. Margeir sah mit seinen grauen Bartstoppeln und seinem schmutzigen Haar aus, als sei er gerade von einer schweren Krankheit genesen. Das Ehepaar hatte sich definitiv noch nicht wieder gefangen.

»Das Geld gehört Sigga Dögg. Wir würden es nur benutzen, um für sie zu sorgen. Und um die Anwaltskosten für die ganzen Prozesse zu bezahlen.«

»Die Anwaltskosten werden nicht viel ausmachen.«

»Ach, nein?«, schnaubte Sigríður.

Margeir legte seiner Frau beruhigend die Hand aufs Knie, doch Dóra verstand ihre Wut.

»Sie sprachen von Beweisen, die der Mitteilung an die Versicherung beigefügt werden sollen. Was meinen Sie damit?«, fragte er.

»Unterlagen, aus denen hervorgeht, wann die Yacht den Hafen verlassen hat, den Zeitplan, den die Mannschaft bei der Abfahrt festgelegt hat, Informationen über die Route, das Wetter, wo die Yacht zuletzt mit Besatzung und Passagieren an Bord gesehen wurde und so weiter. Außerdem Hinweise darauf, dass die Yacht überstürzt verlassen wurde oder die Leute über Bord gespült wurden, sowie weitere Ermittlungsunterlagen, die ich von der Polizei bekommen kann. Falls sich die Polizei nicht kooperativ zeigt, kriege ich die auch durch einen Gerichtsbeschluss.«

Das Ehepaar wirkte immer besorgter.

»Aber darum kümmere ich mich. Sie haben schon genug Probleme«, beschwichtigte Dóra.

»Ja, das stimmt wohl«, sagte Margeir. »Wir sind kurz vorm … ich weiß auch nicht.«

»Nervenzusammenbruch«, ergänzte Sigríður prompt. Sie errötete leicht und sprach dann in aufrichtiger Trauer weiter. »Ich fühle mich am elendsten, wenn ich Meldungen darüber im Radio höre oder in der Zeitung sehe. Dann muss ich an all die Nachrichten über Todesfälle und Unglücke denken, die ich je in meinem Leben gehört habe, ohne mir darüber im Klaren zu sein, welchen Schmerz sie verursachen. Man denkt natürlich: *Die armen Leute* und so, aber ich wäre nie auf die Idee gekommen, dass ich selbst einmal in dieser Situation bin. Dass wir selbst *die armen Leute* sind.«

Sie atmete tief durch die Nase ein.

»Aber die Meldungen werden zum Glück weniger«, sagte sie und straffte sich. »Und dann ist da noch etwas, ich weiß, dass es sinnlos ist, aber ich muss andauernd darüber nachdenken, warum alles so gekommen ist. Sie wollten eigentlich nicht mit dem Schiff fahren.«

Sigríður wich Dóras Blick aus. Vielleicht schämte sie sich für diese Gedanken, die doch vollkommen verständlich waren. Niemand erwartete, dass man vernünftig dachte, wenn man trauerte.

»Wenn dieser Seemann sich nicht verletzt hätte, wären sie einfach wie geplant nach Hause geflogen. Und wenn Ægir damals nicht an dem Sportbootlehrgang teilgenommen hätte, wäre er nicht gebeten worden einzuspringen.« Sigríðurs Augen wurden feucht, und sie schwieg für einen Moment. »Und ich hätte noch einen Sohn, eine Schwiegertochter und die Zwillinge.«

Margeir saß reglos da und starrte vor sich hin. Bestimmt hatte er genau dasselbe schon hundertmal gedacht, aber noch nie vor Fremden laut ausgesprochen.

Dóra nahm einen bunten Lego-Stein und hielt ihn dem kleinen Mädchen hin, das plötzlich vor ihr stand. Es starrte den Lego-Stein an, als müsse etwas Tolles passieren. Dóra wusste, dass das Kind ungefähr zwei Jahre alt war. Es wirkte bedrückt.

»Wie nimmt die Kleine das alles auf?«, fragte Dóra. Sie lächelte das Kind liebevoll an, das verwundert zurückschaute. »Vielleicht ist sie ja noch zu klein, um das richtig zu begreifen?«

»Sie versteht überhaupt nichts. Weint jeden Abend wegen ihrer Mama«, antwortete Sigríður und erschauerte. »Ich weiß nicht, was ich tun soll. Wie erklärt man das einem kleinen Kind? Wir hatten Besuch von einer Kinderpsychologin und einer Sozialarbeiterin, aber die konnten uns überhaupt keinen Rat geben.«

»Die Situation ist ja auch sehr ungewöhnlich. Es ist höchst selten, dass eine ganze Familie spurlos verschwindet, vielleicht wissen sie auch nicht, wie sie damit umgehen sollen.« Dóra nahm den Lego-Stein wieder von dem Mädchen entgegen. Er schien doch nicht mehr so spannend zu sein. »Ich kann mich zum Beispiel unmöglich in Ihre Lage hineinversetzen und das alles nur bis zu einem gewissen Grad nachvollziehen. Eine solche Tragödie sollte niemand erleben müssen. Vielleicht ist es ja gut, dass sie noch so klein ist und nicht richtig versteht, was passiert ist.«

Sigríðurs Gesicht ließ nicht erkennen, ob sie Dóra zustimmte. Es war völlig erstarrt, die Mundwinkel womöglich dazu verdammt, auf ewig herunterzuhängen. Ihr Mann wirkte noch verzweifelter.

»Haben Sie schon über die Zukunft der Kleinen nachgedacht? Ich nehme an, Sie wollen zumindest das Umgangsrecht beantragen«, sagte Dóra.

»Selbstverständlich. Aber wir wissen immer noch nicht, ob wir das Sorgerecht beantragen sollen. Natürlich können wir uns nicht vorstellen, die Kleine nicht mehr bei uns zu haben, aber wir verstehen auch, dass eine andere Lösung wahrscheinlich besser für sie ist. Wie gesagt, gestern und heute Morgen waren diese Fachleute hier, und wir haben den Eindruck, dass sie alles bestimmen werden. Sie nehmen uns das Kind weg, egal, wie sich unsere finanzielle Lage entwickelt. Sie haben es nur noch nicht fertiggebracht, uns das mitzuteilen. Aber ich kann es an ihren Augen ablesen«, sagte Sigríður und betrachtete das kleine Mädchen, das Dóra immer noch schweigend anstarrte. »Leider gibt es keine Onkel und Tanten, die sie aufnehmen könnten. Ægir war Einzelkind, und Lára hat nur diesen unmöglichen Bruder, der niemals als Pflegevater in Frage käme. Láras Eltern sind auch nicht besser gestellt als wir und können die Kleine nicht nehmen. Wir haben uns natürlich mit ihnen getroffen und viel miteinander telefoniert. Láras Mutter ist so deprimiert, dass sie Sigga Dögg noch nicht mal für ein paar Stunden nehmen kann. Ich bete jeden Abend, dass wir sie behalten können, auch wenn das dem Kind gegenüber ungerecht ist. Ich habe aufgehört zu arbeiten, und wir könnten uns gemeinsam um sie kümmern.«

Grimmig wischte sie sich über die Augenwinkel, so als sei sie wütend auf ihre Trauer.

»Sie ist nach mir benannt. Es ist so unfair, sie uns wegzuneh-

140

men. Wenn sie auch noch aus unserem Leben verschwindet, ist es, als hätten wir niemals Nachkommen gehabt. Als seien all diese Fotos nur geliehen.«

Sie zeigte auf die Fotorahmen. Das Kind streckte die Hand aus und wollte den Lego-Stein zurückhaben. Dóra legte ihn in die kleine Hand. Am liebsten hätte sie das Kind zu sich genommen und den Großeltern erlaubt, es regelmäßig zu sehen. Aber der Gedanke währte nur ein paar Sekunden – so etwas machte man nicht mal eben, und Dóra war keineswegs in der Lage, noch ein Kleinkind bei sich zu Hause aufzunehmen.

»Sobald Sie dazu bereit sind, besprechen wir die Sache. Auch wenn die Kleine bestimmt noch eine Weile hierbleiben kann, sollten Sie sich nicht zu lange Zeit lassen. Sobald Ægir und Lára für tot erklärt werden, wird sich das Jugendamt einschalten.«

Mehr ließ sich dazu nicht sagen. Dóras Meinung nach war es für das Kind das Beste, bei guten Pflegeeltern unterzukommen und regelmäßige Treffen mit den Großeltern zu arrangieren. Sie beschloss, das Gespräch auf dringlichere Themen zu lenken.

»Es wäre gut, wenn Sie mir noch ein paar Fragen für mein Schreiben an die Versicherung beantworten könnten.«

Die beiden schienen auch froh zu sein, über etwas anderes reden zu können.

»Hatten Ægir oder Lára irgendeine ernste Krankheitsdiagnose? Entweder in der letzten Zeit oder vor Abschluss der Lebensversicherung? Falls sie der Versicherung etwas über ihren gesundheitlichen Zustand verheimlicht haben, kann das zu einer Annullierung führen. Und falls sie kürzlich erkrankt sind, könnte die Versicherung das benutzen, um ihren Tod verdächtig erscheinen zu lassen.«

»Sie waren kerngesund, hatten nie etwas Ernsthaftes«, sagte Margeir ehrlich. »Sie haben beide nicht geraucht und nur in Maßen getrunken.«

»Gut. Vielleicht können Sie mir den Namen ihres Hausarztes sagen, falls ich gebeten werde, das zu bestätigen.«

»Ich bin mir nicht sicher, ob wir den kennen.« Die beiden wechselten einen Blick, in der Hoffnung, dass der andere die Antwort wüsste.

»Macht nichts. Das Ärztezentrum in ihrem Stadtteil kann mir bestimmt Auskunft darüber geben. Wenden wir uns dem eigentlichen Vorfall zu. Wurde vor der Abreise nie darüber gesprochen, dass Ægir und seine Familie möglicherweise mit dem Schiff zurück nach Island fahren?«

Margeir schaute Dóra entrüstet an, doch als er das Wort ergriff, klang seine Stimme unverändert – ausdruckslos und resigniert:

»Mit keinem Wort. Das hätten sie uns natürlich erzählt. Wir haben ja auf ihre Tochter aufgepasst. Das war auf keinen Fall geplant.«

»Man denkt doch manchmal über etwas nach und ändert dann seine Meinung. Es hätte ja sein können, dass sie mit der Idee geliebäugelt und sie dann wieder fallenlassen haben. Aber gut, dass es nicht so ist. Das bekräftigt Ihre Aussage, dass Ægir mehr oder weniger gezwungen war, an Bord zu gehen«, sagte Dóra, obwohl sie immer noch Zweifel hegte. »Könnten sie darüber nachgedacht und vergessen haben, es Ihnen zu sagen?«

Die Frau zupfte mit ihren kurzen Fingernägeln an einem losen Faden an ihrem Blusenärmel. Ihre Hände waren voller Sehnen und ihre Finger gekrümmt. Vielleicht litt sie an Gicht.

»Das weiß ich natürlich nicht. Aber falls sie mit dem Schiff fahren wollten, haben sie das mir gegenüber nicht erwähnt. Mit keinem Wort«, sagte sie und blickte zu ihrem Mann.

»Mir gegenüber auch nicht«, sagte er bestimmt. »Darüber haben sie nie gesprochen. Obwohl es genug Gelegenheiten gegeben hätte.« Er verschränkte die Arme vor der Brust und hielt Dóras Blick stand. Er schien doch stabiler zu sein, als er zunächst gewirkt hatte.

»Nun gut, machen Sie sich keine Gedanken darüber. Haben

Ihr Sohn und Ihre Schwiegertochter Ihnen eine E-Mail oder eine Nachricht mit einer Bestätigung ihrer Reisepläne geschickt? Vielleicht mit Telefonnummern oder Informationen über die Hotels, in denen sie übernachten wollten, damit Sie sie im Notfall erreichen konnten?«

»Wir haben kein E-Mail. Aber Ægir hat uns eine Liste mit den Terminen und den Hotels gegeben, und mit ihren Handynummern. Sie waren sehr nervös, weil es das erste Mal war, dass sie Sigga Dögg alleine gelassen haben. Der Zettel hängt am Kühlschrank. Soll ich ihn holen?«

Dóra bejahte, und Sigríður erhob sich mühselig. Auf dem Weg in die Küche hielt sie sich die Hüfte. Dieser Anblick stimmte Dóra nicht gerade optimistisch, dass die beiden die Vormundschaft für ihr Enkelkind bekommen würden. Aber sie war froh, als sie den Zettel in der Hand hielt – er bestätigte den bisherigen Verlauf der Geschichte. Die Familie hatte zurück nach Hause fliegen wollen. Auf dem Zettel standen die Telefonnummern von zwei Hotels, in denen sie abgestiegen waren, eins in London und eins in Lissabon, sowie die Flugnummern mit Abflugs- und Ankunftszeiten.

»Haben sie sich zwischendurch mal gemeldet? Bevor sie in Lissabon losgefahren sind?«

»Ja, ja, sie haben natürlich oft angerufen. Beim letzten Mal haben sie uns gesagt, dass sie mit dem Schiff nach Hause fahren. Sie waren sogar schon an Bord und hatten gerade abgelegt. Ich habe mit beiden gesprochen. Mein Sohn hat mir erzählt, wie es dazu gekommen ist, wenn auch nicht im Detail. Sie wollten vor allem mit Sigga Dögg sprechen«, sagte Sigríður und nahm die Kleine auf den Arm. »Sie wollten noch mal anrufen, solange sie Empfang hatten, aber das haben sie dann nicht gemacht. Ich habe keine Ahnung, wie weit man draußen auf dem Meer Handyempfang hat.«

»Ich auch nicht.«

Dóra hatte gehofft, sie hätten während der Überfahrt noch

öfter Kontakt mit Ægir und Lára gehabt, über Satellitentelefon oder Funk. Das hätte es leichter gemacht, die Zeit ihres Verschwindens einzugrenzen. Aber da ließ sich nichts machen – die Polizei wusste bestimmt, ob der Kapitän noch Kontakt mit dem Festland gehabt hatte. Dóra beobachtete, wie Sigga Dögg ihre Wange an die Brust ihrer Großmutter schmiegte. Nachdem sie sich zurechtgesetzt hatte, drehte sie ihren Kopf zu Dóra. Ihre großen, grauen Augen musterten sie neugierig. Vielleicht dachte sie, Dóra sei eine weitere Psychologin, die ihr Aufgaben vorlegen oder Fragen stellen wollte.

»Kann sie schon sprechen?«, fragte sie.

»Schon ganz schön viel. Aber sie ist viel stiller geworden seit … Sie wissen schon. Sie versteht mehr, als man denkt«, sagte Margeir und sah das Kind an. »Das ist auch der Grund, warum wir nicht damit einverstanden waren, wie diese Experten mit ihr geredet haben. Man sollte doch meinen, dass solche hochgebildeten Leute sich mehr Mühe geben.«

»Wie meinen Sie das?«, fragte Dóra verständnislos. »Haben Sie gesehen, dass sie die Kleine nicht gut behandelt haben?«

»Nein, aber beim letzten Besuch durften wir ja nicht dabei sein.« Er streckte die Hand aus und strich Sigga Dögg sanft über den Fuß. »Jedenfalls sagt sie auf einmal Sachen, die sie aufgeschnappt haben muss, und da das nicht von uns stammt, kann es nur von diesem Beamtenpack sein, das meint, alles zu wissen und zu können. Wir sind noch nicht in der Lage, Gäste zu empfangen, sie hat also sonst kaum jemanden getroffen.«

Er zog seine Hand wieder zurück.

»Was sagt sie denn? Wie kommen Sie zu diesem Schluss?«

Die beiden pressten die Lippen zusammen und schienen die Frage ignorieren zu wollen. Dann tauschten sie einen Blick, und Sigríður bedeutete Margeir, zu antworten.

»Dinge, die mit dem Unglück zusammenhängen. Dinge, die sie sich nicht ausgedacht haben kann, weil sie viel zu erwachsen sind. Ein zweijähriges Kind weiß nichts vom E-r-t-r-i-n-k-e-n, geschweige denn vom T-o-d.« Er buchstabierte die beiden Wörter, damit das Kind sie nicht verstand. »Sie muss sie von jemandem aufgeschnappt haben, und da kommen nun mal nicht viele in Frage.«

Dóra wurde hellhörig. War es denkbar, dass das Kind die Worte nicht von der Psychologin oder der Sozialarbeiterin gehört hatte, sondern von seinen Eltern? Hatten sie sich beratschlagt und nicht darauf geachtet, dass die Kleine in der Nähe war? Es war durchaus vorstellbar, dass das Kind jetzt, da es spürte, dass seinen Eltern und Schwestern etwas zugestoßen war, die Worte wiederholte. Falls sich Lára und Ægir jetzt an irgendeinem geheimen Ort in der Sonne aalten, wussten Ægirs Eltern jedenfalls nichts davon. Ihre Trauer war zu echt und ihre Ratlosigkeit zu greifbar. Die Sache ging einfach nicht auf. So etwas tat man seinen Eltern und seinem Kind doch nicht an.

»Kinder lassen sich schnell ablenken. Sie denkt bestimmt bald an etwas anderes und spricht nicht mehr davon«, sagte Dóra und schaute dem kleinen Mädchen in die Augen. »Vielleicht Kätzchen? Magst du Katzen? Ich habe eine, die ist ziemlich dick.«

Sigga Dögg hob den Kopf von der Brust ihrer Großmutter. In dem kleinen Spalt zwischen ihren Lippen glänzte ein Speichelfaden. In dem merkwürdigen Licht, das durchs Fenster drang, sah er aus wie Silber.

»Mama!«

Dóra spürte, wie ihr das Blut in die Wangen schoss. Wie konnte sie nur auf die Idee kommen, in dieser Situation mit dem Kind über Kätzchen zu reden? Sie hatte keine Ahnung von Kinderpsychologie – den praktischen Teil des Psychologiestudiums hatte sie zwar mit ihren Kindern und ihrem Enkel hautnah absolviert, aber das reichte wohl kaum.

»Ja, mein Schatz«, sagte sie und wusste nicht, wie sie reagieren sollte. Sie hoffte, dass das Kind nichts Weiteres sagen oder die Großeltern eingreifen würden. Die saßen jedoch nur schweigend da und wirkten verwundert darüber, dass sie dieser fremden Anwältin so viel anvertraut hatten.

»Mama Wasser im Mund.« Das kleine Mädchen verzog das Gesicht. »Oh, oh.«

Dóra räusperte sich und schaute zu Sigríður und Margeir. »Meinten Sie das?«

Die beiden nickten mit ängstlichen Augen.

»Da ist noch mehr«, sagte Sigríður fast flüsternd. »Warten Sie.«

Die Kleine nahm gar nicht wahr, dass ihre Großeltern ihr die ungeteilte Aufmerksamkeit schenkten. Sie saß mit aufgerissenen Augen da und starrte Dóra an. Die hatte das Gefühl, als wünsche sich das Kind, die Sprache besser beherrschen, mehr sagen und sich genauer ausdrücken zu können.

»Oh, oh, arme Adda und Bygga.« Sie stülpte die Unterlippe vor. »Böses Schwimmbad.«

Dóra war sich nicht sicher, ob sie richtig gehört hatte, nahm aber an, dass sie ihre Schwestern Arna und Bylgja meinte.

»Böses Schwimmbad?«, fragte sie.

Die Kleine nickte.

»Arme Adda und Bygga.« Sie reckte ihren Kopf in Dóras Richtung, was bei einem so kleinen Kind unheimlich erwachsen wirkte. »Böses, großes Schwimmbad. Wasser im Mund.«

Dóras Handy piepste, und ein grellblauer Schein leuchtete durch die Öffnung ihrer Tasche. Heilfroh über diese Unterbrechung, nahm sie entschuldigend das Handy heraus. Auf dem Display war die Nummer der Kanzlei. Dóra drückte den Anruf weg, obwohl das Display weiterleuchtete.

»Ich finde nicht, dass es so klingt, als hätte sie das von Erwachsenen aufgeschnappt«, sagte sie.

»Wer sollte denn sonst so was sagen? Wohl kaum andere Kinder? Sie hat ja auch gar keine Kinder getroffen, seit …« Sigríður zog das Mädchen wieder an sich und hielt es ganz fest, als fürchte sie, dass Dóra es ihr entreißen wolle. Ihre Stimme war schriller als vorher, und sie legte dem Kind vorsichtig die Hände auf die

Ohren, wie um es davor zu schützen, noch mehr zu hören oder die Erschütterung seiner Oma zu spüren.

»Na ja, kann es sein, dass sie jemanden über das Schicksal Ihres Sohnes und seiner Familie reden hören hat und jetzt versucht, die Dinge auf ihre Weise zu begreifen?«

Das große Schwimmbad ließ sich kaum als etwas anderes als das Meer verstehen, und Wasser im Mund konnte ein kindliches Verständnis von Ertrinken sein. Zumal ein Kind in diesem Alter das Wort *ertrinken* wahrscheinlich ebenso wenig kannte wie lateinische Bezeichnungen in der Botanik.

»Davon weiß ich nichts, meines Wissens ist das nicht passiert. Aber wo auch immer sie es her hat, es ist sehr unangenehm. Letzte Nacht ist sie weinend aufgewacht, hat immer wieder schluchzend dieselben Worte wiederholt und nach ihrer Mama gerufen. Und heute Morgen ging es weiter. Jetzt ist sie ruhig, aber in der Nacht war sie ganz verrückt vor Angst. Wie sagt man einem Kind, das nach seiner Mama ruft, dass niemand weiß, wo sie ist? Können Sie mir das verraten?«

»Nein, das kann ich nicht«, antwortete Dóra. Ihr war klar, wie wichtig es war, dass sich die Lage bald entspannte. Die beiden wurden zerfressen von einer unterdrückten Wut auf ihre eigene Lage und die Unsicherheit über die Zukunft. Und die Vergangenheit. Es zermürbte sie, nichts über das Schicksal Láras, Ægirs und der Zwillinge zu wissen. Dóra beneidete Psychologen und Sozialarbeiter nicht, die solchen Leuten beistehen mussten.

»Auch wenn es vielleicht kindisch klingt, hoffe ich, dass man sie in einem Rettungsboot auf dem Meer findet und alles wieder gut wird«, sagte sie teilnahmsvoll.

Die beiden schauten sie zuerst entgeistert an, schienen ihr dann aber zu glauben, dass sie es ernst meinte. Margeir streckte sich.

»Wir auch.« Er ballte seine Hände zu Fäusten, so dass seine Knöchel weiß wurden. »Das können Sie sich ja vorstellen.«

Das Display des Handys, das nun in Dóras Schoß lag, hatte

aufgehört zu leuchten. Als sie einen Blick darauf warf, blinkte es einmal und kündigte eine SMS an.

»Bitte entschuldigen Sie.«

Dóra nahm das Handy und öffnete die SMS. Gut möglich, dass Bragi oder einer der Kollegen sie dringend brauchte. Aber die Mitteilung kam von Bella: *Im Internet steht, es wurde eine Leiche gefunden – von der Yacht.*

Im Handumdrehen schwand Dóras Hoffnung auf ein Rettungsboot, das draußen auf dem Meer trieb.

10. KAPITEL

Dóra war sehr unzufrieden, als sie auflegte. Sie hatte sich zwar keine großen Hoffnungen gemacht, erschöpfende Infos über den Leichenfund zu bekommen, aber etwas mehr hätten es schon sein dürfen. Da war ja sogar das Internet ergiebiger als die Polizei. Die hatte auf sämtliche Fragen dieselbe Antwort gegeben: *Darüber können wir zum jetzigen Zeitpunkt leider keine Auskunft geben.* Und alle Versuche, den Schutzwall zu durchbrechen, entpuppten sich als erfolglos. Dóra wusste immer noch nichts über das Geschlecht und das Alter der an Land gespülten Person und hatte keine Bestätigung bekommen, dass sie sich überhaupt an Bord der Yacht befunden hatte.

»Wer ist es? Weißt du es?«

Bella stand in der Bürotür und lehnte sich an den Türrahmen. Sie hatte einen dampfenden Kaffeebecher in der Hand. Der Duft stieg Dóra in die Nase, und sie merkte, dass sie unbedingt einen Kaffee brauchte. Für den Bruchteil einer Sekunde schoss ihr durch den Kopf, Bella zu fragen, ob sie einen Schluck haben dürfe, doch dann war der Drang doch nicht mehr so stark.

»Die wollten nichts sagen«, antwortete Dóra, drehte sich zum Bildschirm und checkte, ob es neue Meldungen gab. Nichts.

»Diese Scheißpolizei ist doch nie zu irgendwas zu gebrauchen«, schimpfte Bella und zog ein langes Gesicht.

»Ich weiß nicht, das ist nun mal deren Arbeitsweise. Sie wollen bestimmt erst die Angehörigen informieren, bevor sie mit Fremden über den Fall sprechen.«

Dóra musste an die kleine Sigga Dögg denken, die es am ehesten verdient hatte zu erfahren, wer der Tote war. Und die Mannschaftsmitglieder hatten vielleicht auch Kinder, die zwischen Bangen und Hoffen schwankten. Die Presse hatte gerade erst die Namen der Verschollenen veröffentlicht, aber ihre Familienverhältnisse wurden noch geheim gehalten. Das wäre zweifellos die nächste Meldung, womöglich mit Interviews mit engen Freunden, die auf Neuigkeiten warteten. Dóra hatte die Namen der Besatzungsmitglieder gegoogelt, aber sie waren zu weit verbreitet. Nur einen Namen erkannte sie wieder: Halldór Þorsteinsson, der drei Monate auf der Yacht gearbeitet hatte, als sie noch im Besitz von Karítas und Gulam gewesen war. Damit war ausgeschlossen, dass Dóra mit ihm über die Sicherheitsvorkehrungen auf der Yacht und darüber, was vielleicht geschehen war, reden konnte.

Einerseits hoffte sie, dass die an Land gespülte Person nicht von der Yacht war, andererseits wünschte sie sich, dass es so wäre. Das würde zumindest die Auszahlung der Versicherungssumme vereinfachen. Außerdem musste es für die Angehörigen ein Trost sein, wenn wenigstens die sterblichen Überreste gefunden wurden. Aber was wusste sie schon davon? Würde sie mit Sicherheit wissen wollen, dass ihre Kinder tot wären, oder lieber jahrelang weiterhoffen?

»Ich weiß nicht, aber ich lese aus diesen Meldungen, dass es sich um einen Mann handelt. Die Wortwahl ist zwar nicht eindeutig, aber stilistisch klingt es so. Auch wenn wir im 21. Jahrhundert angekommen sind, wird über Frauen anders gesprochen als über Männer, irgendwie behutsamer«, meinte Dóra.

»Ist ein Foto dabei?«, fragte Bella sensationslüstern.

»Nein, natürlich nicht!«

Auf den Nachrichtenseiten im Internet gab es keine Bilder, die den Fall direkt betrafen. Auf einer Seite war ein Foto von der beschädigten Yacht im Hafen von Reykjavík, auf einer anderen eins von dem Strand, an dem die Leiche gefunden worden war, und auf den übrigen Seiten allgemeine Bilder aus dem Bereich der Seefahrt. Die Polizei hatte es offenbar geschafft, sich den wachsamen Augen der Fotografen zu entziehen, aber es handelte sich auch um einen entlegenen Strand südlich von Sandgerði.

»Ich glaube, es ist eine Frau.« Bella nippte an ihrem Kaffee. »Und ich glaube, ich weiß auch, welche.«

»Man muss ja nicht hellsichtig sein, um darauf zu kommen. Lára war die einzige Frau an Bord.«

»Die meine ich aber nicht. Ich glaube, es ist Karítas.«

Dóras Blick wanderte vom Bildschirm zu Bella.

»Wie kommst du denn darauf? Das wäre ja wohl sehr merkwürdig.«

»Erstens bin ich mir ziemlich sicher, dass sie tot ist.«

»Wie kommst du darauf?«

»Ich hab das Internet nach Meldungen über Karítas durchforstet und finde kein einziges Foto von ihr, seit sie nach Portugal gefahren ist, um ihre Sachen zu regeln. Und das ist ziemlich seltsam.«

»So spannend ist sie nun auch wieder nicht, dass die Presse sie durch die halbe Welt verfolgt. Meinst du nicht, dass sie sich in Brasilien versteckt, wie ihre Mutter gesagt hat? Auch wenn sie von der Bildfläche verschwindet, ist das noch kein Grund, sich Sorgen um sie zu machen. So viel Zeit ist ja noch nicht vergangen.«

»Ich mache mir absolut null Sorgen um sie. Ist mir doch völlig wurst, ob sie in einer Plastiktüte bei den Bullen im Keller liegt oder irgendwo in Südamerika in der Sonne«, sagte Bella entrüstet. »Außerdem hab ich auch auf ausländischen Seiten gesucht. Es gibt unglaublich viele Fotos von ihr und Seiten über irgendwelche Partys, bei denen sie war, und die stammen alle aus der Zeit, bevor sie nach Portugal gefahren ist. Aber ich habe zwei neuere Artikel über ihren Kerl und seine Verträge mit den Gläubigern gefunden, darin wird Karítas mit keinem Wort erwähnt.

Und das ist nicht normal. Ich kann mir nicht vorstellen, dass sie sich absichtlich vom Glamour-Leben fernhält, wo auch immer sie ist. Die ist doch abhängig von der öffentlichen Aufmerksamkeit.«

Bella trank gierig einen großen Schluck Kaffee, so dass Dóra ganz grün vor Neid wurde.

»Sie ist tot. Der Kerl hat sie umgebracht.«

Obwohl Dóra auch schon daran gedacht hatte, wirkte diese Theorie so unglaubwürdig, wenn man sie laut aussprach, dass sie Matthias' abfällige Kommentare dazu jetzt besser verstand.

»Wir wissen nichts Genaues über diese Frau. Außer einer Sache. Sie wurde nicht tot am Strand gefunden. Das passt einfach nicht zusammen. Wie hätte sie denn zum Beispiel auf die Yacht kommen sollen, wenn ihr Mann sie umgebracht hat?«, fragte sie.

»Vielleicht hat er die Leiche auf dem Schiff versteckt, die anderen haben sie gefunden und voller Ekel oder Panik über Bord geschmissen. Dann haben sie es bereut, versucht, sie wieder an Bord zu holen und sind dabei selbst ins Wasser gefallen«, phantasierte Bella.

Dóra verkniff sich eine ironische Bemerkung. Seit sie an dem Fall arbeitete, verhielt sich Bella ihr gegenüber ungewöhnlich friedfertig. Ihre Beziehung war lange feindselig gewesen, ohne dass es dafür einen besonderen Grund gab, und diese Waffenruhe war eine willkommene Abwechslung. Schon seit langem musste Dóra in der Kanzlei ständig auf der Hut sein, weil die Sekretärin womöglich gerade wieder einmal etwas ausheckte. Es hatte also nur positive Effekte, den Frieden zu wahren. Sie hatte es sogar unterlassen, Bella wegen des Kopierers, der immer noch in Reparatur war, auf die Füße zu treten.

»Wer weiß, vielleicht«, sagte sie nur.

Bella schnitt eine Grimasse.

»Tja, oder sie ist von Außerirdischen gefressen und am Stück wieder ausgekotzt worden. Zufälligerweise genau vor der Küste der Halbinsel Reykjanes.« Sie starrte Dóra mit einem Hauch ihrer alten Rebellion in den Augen an. »Ich weiß genau, wann du etwas ehrlich meinst. Ich bin kein Vollidiot. Wenn du glaubst, dass meine Theorie Unsinn ist, dann sag das doch!«

»Ich weiß nicht, was bei diesem Fall Unsinn ist und was nicht, Bella. Ich wäre erstaunt, wenn du recht hast, aber ich glaube, dass mich alle möglichen Lösungen wundern würden. Der Fall ist einfach ungewöhnlich. Du musst gar nicht beleidigt sein.«

»Ich bin nicht beleidigt«, log Bella.

Aus ihrer Kaffeetasse dampfte es nicht mehr, und Dóra hatte keinen verlockenden Duft mehr in der Nase. Leider. Stattdessen gewann der altbekannte Kotzegestank wieder die Oberhand. Obwohl er schwächer geworden war, konnte Dóra ihn noch überall riechen und fürchtete schon, dass das eine Einbildung war, die sie noch jahrelang verfolgen würde.

»Könntest du mal bei der Werkstatt anrufen und dich nach dem Kopierer erkundigen?«, fragte Dóra naserümpfend. »Ich habe auch schon angerufen. Ich finde, die sind ein bisschen zu entspannt wegen dieser Ersatzteile, die angeblich unterwegs sind. Wenn wir öfter anrufen, machen sie dem Lieferanten wahrscheinlich mehr Druck.«

Sie wollte nicht so direkt sagen, dass Bella dafür zweifellos besser geeignet war als sie oder die anderen Kollegen in der Kanzlei.

»Wenn du es hinkriegst, dass der Kopierer vor dem Wochenende wieder hier ist, lasse ich den schnellen Internetanschluss einrichten, nach dem du immer bettelst.«

Bella kniff die Augen zusammen. Sie schien das für ein sehr ungünstiges Angebot zu halten. Was es keineswegs war. Es stand eigentlich nicht an, die Internetverbindung zu verbessern, und Bella konnte nur von dem Deal profitieren. Die einzige Mitarbeiterin, die mit der jetzigen Geschwindigkeit und der erlaubten Download-Menge unzufrieden war, war sie, und alle wussten, dass das nichts mit ihrer Arbeit zu tun hatte. Deshalb waren Dóra und Bragi natürlich dagegen gewesen. Es konnte peinlich für sie werden, wenn wegen illegalem Download im großen Stil gegen die Kanzlei ermittelt würde.

»Okay, einverstanden. Und ich habe nicht gebettelt – nur gefragt«, entgegnete Bella und verschwand mit finsterem Gesicht, zweifellos, um die beste und schnellste Internetverbindung herauszusuchen, die es in Reykjavík gab. Und hoffentlich, um zum Angriff auf die Werkstatt zu blasen.

Dóra konnte sich nur schwer konzentrieren, nachdem Bella gegangen war. Sie musste noch so viele Unterlagen für die Versicherung zusammensuchen, dass sie gar nicht wusste, wo sie anfangen sollte. Und falls die an Land getriebene Leiche Lára oder Ægir war, war ein Teil davon vielleicht überflüssig. Vielleicht stellte sich ja auch bei der Obduktion heraus, dass die Person an einer Krankheit gestorben war – es war zum Beispiel nicht ausgeschlossen, dass sich die Leute vergiftet hatten. Dóra nahm den Hörer und wollte die Nummer ihres Ex-Mannes Hannes wählen, hielt jedoch inne. Nicht, weil sie meinte, er könne abweisend reagieren, im Gegenteil: Er war oft hilfsbereit, wenn sie Fragen zu medizinischen Themen hatte. Nach der Scheidung waren das im Grunde die einzigen Themen, über die sie sprechen konnten, ohne ständig auf ihre Wortwahl achten zu müssen, als befänden sie sich auf vermintem Gelände. Dóra hatte einfach Angst, dass ihr wegen seiner unmöglichen Idee, ihren Sohn auf eine Bohrinsel zu schicken, der Kragen platzte. Selbst wenn sie sämtliche Punkte, die Hannes als Vater falsch machen konnte, auf einen Zettel schreiben würde, wäre sie niemals auf so etwas gekommen. Eine Bohrinsel! Sie seufzte laut und legte den Hörer wieder auf. Das Telefonat würde übel ausgehen, und sie würde ihre Frage nach möglichen ansteckenden Krankheiten nie stellen. Wobei das vielleicht auch gar nichts brachte. Es beantwortete nämlich nicht die Frage, warum die Leute von Bord verschwunden waren. Keine Krankheit löste das Verlangen aus, sich ins Meer zu stürzen.

Dóra ging wieder auf die Nachrichtenseite. Ein neuer Artikel über den Leichenfund stand im Netz.

Es war an der Zeit, dass Brynjar den Job wechselte, das wusste er selbst am allerbesten. Die Nachtwachen fielen ihm immer noch genauso schwer wie vor fünf Jahren, als er als Hafenwärter angefangen und gedacht hatte, er würde sich daran gewöhnen. Wobei er nie geplant hatte, in diesem Job zu bleiben, er wollte lediglich die Zeit nach dem Abbruch seines Studiums überbrücken, ein bisschen Geld verdienen und sich dann für ein Fach einschreiben, das ihm lag. Die Nächte wollte er dafür nutzen, über seine Zukunft nachzudenken, aber jetzt, ungefähr tausend Nachtschichten später, war er immer noch zu keinem Ergebnis gekommen. Außer, dass er hier nicht länger arbeiten wollte. Es war, als hätte der Unfall, als die Yacht gegen die Landungsbrücke geprallt war, ihm die Augen geöffnet. Die Leute, die auf dem Schiff gewesen waren, hatten bestimmt auch gedacht, sie hätten noch ihr ganzes Leben vor sich, aber das hatte sich als falsch herausgestellt. Er wollte nicht länger so weiterleben wie jetzt, doch nur er allein konnte etwas daran ändern. Er war sozial isoliert, weil er einen anderen Lebensrhythmus hatte als seine Freunde, und wenn er an seiner Situation nichts änderte, wäre er am Ende ein einsamer, merkwürdiger Kauz, den niemand mehr zu Gesicht bekäme außer Nachtschwärmern auf Irrwegen.

So wie jetzt.

»Sie dürfen da nicht rumlaufen. Dieser Bereich ist gesperrt!«

Energisch ging er auf das Pärchen zu, das am Kai entlangwankte. Das Mädchen trug hohe Absätze, die für diese Umgebung völlig ungeeignet waren, und lief wie ein Zombie im Kino, zumindest von hinten betrachtet. Ihr Begleiter war auch nicht viel besser, konnte aber die Schuld nicht auf seine Schuhe schieben. Brynjar hoffte, dass es nicht einer von diesen Typen war, die unter Alkoholeinfluss aggressiv wurden. Von denen hatte er echt genug.

Das Mädchen drehte sich um, mit lethargischem Blick und verschmiertem Lippenstift.

»Was?« Dann rief sie zu ihrem Kumpel, der weitergegangen

war: »Ellert! Red mit diesem Typen!« Ihre Zunge musste aufgedunsen und pelzig sein.

»Was?« Der Mann wirkte älter als das Mädchen, war wahrscheinlich in Brynjars Alter. Er stand schwankend da und versuchte, die Situation zu begreifen. »Wer bisdu?«

Er verstummte, während er versuchte, das Gleichgewicht zu halten.

»Bisdu nich gut drauf?«

»Doch, total.« Brynjar winkte ihnen weiter zu. »Kommt her, sonst landet ihr noch im Wasser.«

»Im Wasser?« Das Mädchen schien überhaupt nicht zu begreifen, wo sie sich befanden.

»Was meinsdu?«, nuschelte sie. »Wir gehn zu 'ner Party.«

»Hier ist keine Party. Da geht ihr lieber in die Stadt oder nach Hause.«

»Nee, hier is 'ne Party. Hamm wir doch gesehen.« Der Mann war jetzt neben das Mädchen getreten und stützte sich an ihm ab. So wirkten sie stabiler, als wenn jeder alleine stand.

»Ihr habt euch verguckt. Hier sind keine Häuser, nur Boote und Schiffe. Da gibt es keine Party.«

Der Mann grinste dümmlich.

»Klar doch, hamm wir aber gesehen.« Er drehte sich um und zeigte auf etwas. »Das coole Schiff da drüben.«

Brynjar wusste sofort, welches Schiff er meinte – das Pärchen zählte die Fischerboote und Trawler bestimmt nicht zu den coolen Schiffen. Er musste die Yacht meinen, die im Bereich der Küstenwache an einer Landungsbrücke lag.

»Da ist keine Party. Ihr müsst jetzt gehen. Kommt morgen wieder, wenn es euch bessergeht«, sagte er.

»Klar ist da eine Party. Hab ich doch gesehen. Da war ein Gast auf dem Deck.« Das Mädchen klang wie ein trotziges Kind, das sich etwas in den Kopf gesetzt hatte und nicht nachgeben wollte. »Du kannst uns nicht verbieten, zu der Party zu gehen.«

»Ihr habt euch verguckt. Da ist niemand an Bord, und da findet auch keine Party statt. Dieses Schiff ist stillgelegt, es ist beschädigt, und niemand darf dort Partys feiern.«

Brynjar spürte, wie sein Herz schneller schlug, als wolle es sicherstellen, dass genug Blut durch seinen Körper gepumpt wurde, falls etwas Schlimmes auf ihn zukam.

»Ich sage es noch mal, ihr müsst jetzt gehen.«

»Da war ganz bestimmt jemand.«

Das Mädchen drehte den Kopf schwerfällig zu seinem Begleiter und rutschte dabei aus. Brynjar konnte gerade noch rechtzeitig den Arm ausstrecken, um sie vorm Hinfallen zu bewahren. Der Mann schien das überhaupt nicht bemerkt zu haben und begnügte sich damit, zustimmend zu nicken. Er wirkte noch fertiger als eben, als Brynjar die beiden durch das Fenster des Wächterhäuschens gesehen hatte. Erst hatte er sich damit begnügt, sie zu beobachten, hatte gehofft, sie würden umkehren und er müsste sich nicht um sie kümmern. Er hatte an Bord der Yacht keine Bewegung gesehen, erinnerte sich aber, dass das Pärchen beim Betreten des Hafengeländes stehen geblieben war und das Schiff angestarrt hatte. Das Mädchen hatte den Mann angetippt und auf die Yacht gezeigt. Brynjar war davon ausgegangen, dass sie es aus der Presse kannte und ihren Freund darauf hinweisen wollte. Natürlich wäre er sofort vom Stuhl aufgesprungen, wenn er an Bord der Yacht jemanden gesehen hätte. Es musste eine Sinnestäuschung gewesen sein.

»Ich glaub, ich muss nach Hause«, sagte der Mann und war auf einmal ganz grün im Gesicht. »Ich fühl mich nich gut. Vielleicht bin ich seekrank. Schwankt der Kai?«

Sie standen auf einer betonierten Hafenmole, aber Brynjar unterließ es, sie darauf hinzuweisen. Der Mann stützte jetzt fast sein gesamtes Körpergewicht auf das zierliche Mädchen, das darüber nicht gerade begeistert war.

»Danke für den Abend, Mann, wir sehen uns«, sagte er verwirrt. Dann wankten sie von dannen, trotz der Proteste des

Mädchens und ihrem Gequengel, sie würden eine vollgeile See-
mannsparty verpassen. Vollgeil.

Als sich Brynjar sicher war, dass die beiden wirklich nach
Hause gingen, drehte er sich um und starrte zu der Yacht hin-
über. Sie neigte sich ein wenig zum Rand der Landungsbrücke,
aber das war bestimmt wegen der Beschädigungen, die sie sich
bei dem Aufprall zugezogen hatte. Konnte es sein, dass ein Be-
trunkener an Bord gegangen war, ohne dass Brynjar es gemerkt
hatte, und jetzt an Deck herumwankte? Doch er sah keine Bewegung und hörte nur das leise Plätschern der Wellen. Vielleicht
stand der Kerl auf der von ihm abgewandten Seite, zumindest
war er nicht drinnen, es sei denn, er war eingebrochen, denn alle
Türen der Yacht waren abgeschlossen. Dieser Penner konnte
aber auch wieder gegangen sein, tja, oder sich hingelegt haben,
falls er überhaupt an Bord gewesen war. Das änderte nichts daran, dass Brynjar die Sache überprüfen musste, wie sehr es ihm
auch widerstrebte. Er marschierte los.

In letzter Zeit war in der Kaffeepause beim Schichtwechsel
kaum über etwas anderes als über die Yacht geredet worden.
Brynjar hatte sämtliche Geschichten über den Fluch gehört, der
auf ihr lasten sollte. Auch wenn er diesem Geschwätz keinen
Glauben schenkte, konnte er nicht leugnen, dass dieses pracht-
volle Schiff eine seltsame Ausstrahlung hatte. Das konnte man
nicht immer nur auf diese Geschichten schieben oder auf die
möglichen Tode der Leute, die mit der Yacht nach Island gefahren waren. Brynjar hatte nämlich mit eigenen Augen gesehen,
dass die Vögel das Schiff mieden, sich nie darauf niederließen
und anscheinend auch nicht darüberflogen. Natürlich konnte das
Zufall sein, musste Zufall sein. Aber trotzdem. In der Nacht,
nachdem die Yacht an ihren jetzigen Platz gebracht worden war,
hatte er ein paar Fische bemerkt, die tot neben ihr im Meer
schwammen. Er konnte sich nicht erinnern, dass er jemals mehr
als einen einzelnen Fisch tot im Wasser treiben gesehen hatte.
Das war doch ein Zeichen für etwas Unnatürliches. Pflichtgemäß

hatte er die Beobachtung notiert und dann am nächsten Abend erfahren, dass Mitarbeiter vom Nahrungsmittelinstitut Matís die Fische eingesammelt hatten, um sie zu untersuchen. Brynjars Kollege meinte, selbst wenn irgendwelche Schreibtischtäter die Sache für eine Folge von Verschmutzung oder Vergiftung hielten, sei allen klar, dass der Tod der Fische irgendwie mit der Yacht zusammenhing.

An Deck schien niemand zu sein. Brynjar schaltete die Taschenlampe ein und leuchtete am Schiff entlang, sah aber nichts als flackernde Schatten.

»Hallo!«

Der Ruf durchschnitt die Stille, verhallte aber sofort. Als die Stille wieder einsetzte, war sie schwerer und greifbarer geworden, als missfalle ihr die Störung.

»Hallo!«, rief Brynjar erneut und überlegte, wie oft er das noch wiederholen musste, um seine Pflicht zu erfüllen.

Keine Antwort. Er trat ein paar Schritte zurück, um einen besseren Blickwinkel zu haben, und ließ den Schein der Taschenlampe noch einmal am Schiff entlanggleiten. Die Schatten hüpften in einem bizarren Tanz über den weißgestrichenen Stahl. Brynjar versuchte, das Wasser neben dem Schiff abzuleuchten, falls der ungebetene Gast über Bord gefallen war, sah aber nichts Besonderes. Eine rote Coladose schwamm behäbig auf der Wasseroberfläche, ansonsten wirkte das Meer wie frisch gestaubsaugt. Als er den Lichtstrahl ein Stück weiterwandern ließ, sah er einen weißen Nebelschleier übers Meer ins Hafenbecken ziehen. Der Nebel war nicht besonders dicht und lag nur etwa einen Meter über dem Meeresspiegel. Das war zwar an dieser Stelle nicht üblich, aber er hatte am Hafen schon öfter Nebel erlebt, ohne sich besonders darum zu kümmern. Doch jetzt sah die Sache anders aus. Er wollte nicht hier sein, neben diesem berüchtigten Schiff, falls der Nebel dichter wurde und man die eigene Hand nicht mehr vor Augen erkennen konnte. Außerdem hatte er genug getan.

Mit energischen Schritten ging er zurück zum Wächterhäuschen und drehte sich nicht um, als er meinte, von der menschenleeren Yacht ein Flüstern zu hören. Er verstand kein Wort, war sich aber ziemlich sicher, dass es zwei Stimmen waren, die einander ähnelten. Beide klangen wie Frauen- oder eher wie Kinderstimmen. Zwei Kinder. Zwillinge. Plötzlich wurde sein Mund ganz trocken, und die Taschenlampe in seiner Hand war unglaublich schwer. Er blieb stehen und lauschte, obwohl sein Verstand ihm befahl weiterzugehen. Diesmal hörte er nichts, was seine Angst keineswegs verringerte. Er hatte keine Ahnung, wovor er sich fürchtete – bis jetzt hatten Kinder keine großen Gefühle in ihm geweckt, jedenfalls keine Angst. Vielleicht war es das Bild in seinem Kopf von den toten Schwestern, die an Bord der Yacht herumspukten und vergeblich nach ihren Eltern oder einem Ausweg suchten. Bis in alle Ewigkeit an ein Schiff gefesselt, das ihnen jede Freude, jedes Glück und jede Zukunft genommen hatte. Brynjar ging weiter. Eins war jedenfalls klar: Das würde nicht in seinen Bericht eingehen. Sonst erklärten die Leute ihn endgültig für verrückt.

Er beschleunigte seinen Schritt und schloss im Wächterhäuschen die Tür hinter sich ab, zum ersten Mal in seiner Zeit als Hafenwärter. Dann rief er die Polizei an und meldete einen möglichen Einbruch auf der Yacht, ohne die Stimmen auch nur mit einem Wort zu erwähnen. Falls an Bord des Schiffs etwas nicht stimmte, sollte die Polizei es doch herausfinden.

Es war wirklich an der Zeit, den Job zu wechseln.

11. KAPITEL

Der junge Mann am anderen Ende der Leitung wirkte abwesend und zerstreut. Er hieß Snævar Þórðarson und war der Einzige mit diesem Namen und der Berufsbezeichnung Schiffsmechaniker im Telefonregister. Fannar vom Auflösungsausschuss hatte Dóra den Namen des ausgefallenen Besatzungsmitglieds gesagt, als sie keine Idee mehr hatte, mit wem sie sonst noch über die Yacht reden konnte. Der Mann bestätigte sofort, dass er mit der *Lady K* nach Island fahren sollte und das Schiff ein bisschen kenne. Er konnte Dóras Fragen präzise beantworten, hatte aber nicht viel mit der Vorbereitung der Yacht für die Überfahrt zu tun gehabt. Dóra kam es erst merkwürdig vor, dass er sofort auf alles eine Antwort parat hatte, doch dann stellte sich heraus, dass er bereits dreimal von der Polizei verhört worden war.

Doch je mehr Fragen sie stellte, desto ausweichender reagierte er, besonders, als es darum ging, warum Ægir für ihn eingesprungen war. Wer wollte schon gerne für das Verschwinden einer ganzen Familie verantwortlich sein? Zuerst versuchte Snævar, ungerührt und objektiv zu antworten, wurde aber plötzlich emotional.

»Ich bin immer noch total geschockt. Ich bin ja eigentlich kein gefühlsduseliger Typ, aber als ich gesehen hab, wie die Yacht einfach so gegen die Landungsbrücke geknallt ist, da wusste ich, dass was nicht stimmt. Und *ich* hätte an Bord sein sollen! Nicht das Ehepaar mit den beiden Mädchen!«

»Unfälle kündigen sich nun mal nicht an. Sie können sich nicht die Schuld daran geben. Das Leben ist voller Zufälle, und diesmal hatten Sie Glück und andere Pech«, sagte Dóra, obwohl sie wusste, dass ihre Worte nicht viel ausrichten würden. Die Gewissensbisse würden ihn weiter quälen. »Warum waren Sie eigentlich am Hafen, als die Yacht anlanden sollte? Doch nicht zufällig, oder?«

»Nein, ich wollte Halli abholen. Wir waren befreundet, und er hatte mir den Job verschafft. Wir waren beide zwischen zwei Trawlerfahrten an Land, und er fand es selbstverständlich, mich mitzunehmen. Er konnte das leicht einfädeln, weil die ihn wegen seiner Erfahrung auf der Yacht unbedingt dabeihaben wollten. Ich war nicht so begeistert, aber doch bereit mitzufahren. Das war schon in Ordnung. Gut bezahlt, und außerdem dachte ich, es wäre nett, wenn Halli dabei ist. Ein kleines Abenteuer, wir bekamen den Flug umsonst und konnten uns Lissabon anschauen. Aber sogar das ging schief, obwohl die ersten Tage noch lustig waren.«

»Weil Sie verunglückt sind?«

»Ja, ist nicht besonders schön, so ein Beinbruch. Und echt ätzend für Halli, mir helfen zu müssen.«

»Darf ich fragen, was passiert ist?«

Die Stille am anderen Ende der Leitung signalisierte Dóra, dass ihre Frage nicht gut ankam.

»Sie müssen es mir nicht erzählen, aber dann werde ich es auf anderem Wege erfahren. Die Umstände, die dazu geführt haben, dass Ægir an Bord ging, sind sehr wichtig für die Klärung meines Falls. Bedenken Sie, dass die beiden noch eine kleine Tochter haben, für die es wichtig ist, dass die Erbschaftsangelegenheiten so schnell wie möglich bearbeitet werden. Und dafür müssen die Fakten klar vorliegen.«

»Ich kann Ihnen erzählen, was passiert ist.« Er zögerte und

hielt den Hörer einen Moment weg, um zu husten. »Aber das ist nicht gerade leicht für mich. Dieser Unfall war total unsinnig.«

»Die meisten Unfälle sind unsinnig, machen Sie sich darüber mal keine Sorgen.«

»Ja, vielleicht.« Er atmete tief durch und sprach dann schnell weiter. »Ich war betrunken. Sturzbetrunken und bin in einer dieser steilen Gassen in Lissabon gestürzt. Wobei ich noch Glück hatte, ich bin ein ganzes Stück gerutscht und wäre fast unter einem Auto gelandet. Dann wäre vielleicht alles nicht so schlimm gekommen, das denke ich jedenfalls manchmal.«

Dóra schwieg. Wenn Snævar tödlich verunglückt wäre, hätte sein Freund Halldór die Fahrt wahrscheinlich abgesagt, und dann hätte es nicht ausgereicht, Ægir an Bord zu holen. Man hätte zwei neue Leute einstellen müssen. Aber die Vergangenheit ließ sich nun mal nicht ändern.

»Da ist eine Sache«, fuhr Snævar fort, »von der ich nicht weiß, ob sie wichtig ist. Ich wurde gestoßen. Die Ärzte in Lissabon wollten das nicht an die große Glocke hängen, und da ich nicht ganz nüchtern war, haben sie mich nicht ernst genommen. Sie meinten, ich hätte mir das nur eingebildet oder wolle mich rechtfertigen. Aber ich wurde gestoßen. Es ging zwar alles sehr schnell, aber da bin ich mir hundertprozentig sicher.«

»Ich wäre Ihnen sehr dankbar, wenn Sie mir irgendwelche Nachweise über den Unfall geben könnten. Unabhängig davon, ob Sie gestoßen wurden oder nicht.«

»Wollen Sie das Bein haben?« Das sollte wohl ein Witz sein, aber Snævars Stimme klang nicht besonders fröhlich.

»Ich dachte eigentlich eher an Ihre Krankenakte oder vielleicht eine beglaubigte Aussage.«

»Ich kann gerne so eine Aussage machen, aber da bräuchte ich Ihre Hilfe. Krankenakten habe ich keine, die sind alle an die Versicherung gegangen. Wenn Sie wollen, kann ich da anrufen und nachfragen. Ich habe ja im Moment nicht viel zu tun. Ansonsten müsste man das Krankenhaus in Lissabon kontaktieren.«

»Gut, wann würde es Ihnen denn passen? Könnten Sie morgen oder übermorgen zu mir in die Kanzlei kommen, damit ich die Zeugenaussage für Sie schreibe? Es wäre natürlich gut, wenn Sie das mit der Versicherung bis dahin geklärt hätten«, sagte Dóra. Sie war ganz zufrieden mit dem Ergebnis des Telefonats, von dem sie sich eigentlich nicht viel versprochen hatte. »Und noch etwas. Da Sie Halli schon länger kennen, wollte ich Sie fragen, ob Sie wissen, warum er seinerzeit nur so kurz auf der *Lady K* gearbeitet hat. Hatte das was mit mangelnden Sicherheitsvorkehrungen zu tun? Oder mit der technischen Ausstattung der Yacht?«

Snævar schnaubte verächtlich.

»Nein, damit hatte es nichts zu tun. Laut Halli war auf der Yacht alles in Top-Zustand. Die Technik war perfekt und der Motor so gut wie neu, da gab's nichts zu meckern.«

»Was war denn dann der Grund?«

»Soweit ich weiß, ging es um den Kapitän. Halli hat ziemlich deutlich gesagt, dass der Typ ein geiziges Arschloch war. Ich habe ja noch nie auf so einer Yacht gearbeitet, aber laut Halli ist es so, dass der Kapitän am Ende der Tour das Trinkgeld bekommt und an die ganze Mannschaft verteilt. Und da gibt es nun mal zwei Sorten von Kapitänen: Solche, die das Geld gerecht zwischen allen aufteilen, und solche, die sechzig Prozent zwischen sich, dem Steuermann und dem Schiffsmechaniker aufteilen und den anderen den Rest geben. Das klingt vielleicht nicht so wild, aber wenn man mit solchen Snobs unterwegs ist, sind manchmal zwölf Leute mit Navigieren, Kochen, Putzen und Bedienen beschäftigt. Und dann macht es einen großen Unterschied, wie das Trinkgeld aufgeteilt wird. Auf der *Lady K* bestand die Mannschaft meistens aus zehn Leuten, die Offiziere bekamen jeweils zwanzig Prozent, und die armen Schweine mussten die restlichen vierzig Prozent unter sich aufteilen. Als Mechaniker gehörte Halli zur zweiten Gruppe. Und wir reden hier nicht von ein bisschen Kleingeld. Das Trinkgeld war oft höher als der Lohn und dazu noch steuerfrei.«

Dóra verkniff es sich, ihn darauf hinzuweisen, dass seine Interpretation der Steuergesetze ziemlich leger war.

»Normalerweise hätte Halli mit so einem Kapitän nicht mehr als zwei Fahrten gemacht. Aber er blieb etwas länger, weil die Isländerin, der die Yacht gehörte, ihn gerne dabeihatte, damit sie ab und zu Isländisch sprechen konnte. Damit sie sich über die anderen an Bord lustig machen konnte, ohne dass sie es verstanden und so. Aber das allein reichte natürlich nicht, und Halli hörte auf, sobald er einen neuen Job hatte.«

»Hatte er danach noch Kontakt zu Karítas?«

»Nein, um Himmels willen!«, lachte Snævar und wirkte jetzt ganz gelöst. »Das war keine wirkliche Freundschaft, da haben Sie mich völlig falsch verstanden. Auf solchen Yachten mischt sich die Mannschaft nicht unter die Besitzer und ihre Gäste. Halli hat vielleicht mal ein paar Witzchen mit Karítas gerissen, aber mehr nicht. Wenn ich mich recht erinnere, hat er sie danach nur noch einmal von weitem gesehen. Da war er auf einer anderen Yacht und hat sie vor einer Insel im Mittelmeer an Deck der *Lady K* gesehen. Kurz darauf hat er wieder angefangen, auf Trawlern zu arbeiten.«

»War er nicht mit ihr auf Facebook befreundet?«

»Facebook? Halli war nicht auf Facebook.«

»Noch eine Frage«, sagte Dóra zögernd, da sie befürchtete, dass er langsam die Nase voll hatte und doch nicht zu ihr in die Kanzlei kommen würde, wenn sie so weitermachte. »Was glauben Sie, was passiert ist? Sie kennen das Schiff ja ein bisschen und können sich die Ereignisse vielleicht besser ausmalen.«

Snævar wartete einen Moment, bevor er antwortete. Vielleicht ging er im Geiste noch einmal alle Theorien durch, über die er bereits nachgedacht hatte.

»Also, wenn einer, zwei oder drei Leute verschwunden wären, gäbe es jede Menge mögliche Erklärungen. Aber alle? Dazu fällt mir nicht viel ein. Das Einzige, was ich mir vorstellen kann, ist, dass sie geglaubt haben, die Yacht geht unter, und sie kommen nur lebend davon, wenn sie von Bord springen. Vielleicht hatten sie Angst, dass die Yacht explodiert, wobei es unwahrscheinlich ist, dass die Besatzung und der Kapitän das geglaubt haben. Die müssten es besser wissen. Und sie sollten auch in der Lage sein, zu beurteilen, ob das Schiff untergeht oder in Gefahr ist, deshalb waren sie vielleicht nicht dabei, als es passiert ist. Aber was ist dann mit ihnen geschehen? Wie Sie hören, bin ich zu keinem zufriedenstellenden Ergebnis gekommen.«

»Aber nehmen wir mal an, es wäre so gewesen – warum haben sie dann kein Rettungsboot zu Wasser gelassen?«

»Das fragen Sie mich? Keine Ahnung. Vielleicht dachten sie, sie hätten nicht genug Zeit dafür. Vielleicht war ein anderes Schiff in der Nähe, das sie aufgenommen hat. Was weiß denn ich?«

»Noch eine letzte Frage. Warum konnten die Mannschaft oder die Passagiere die Situation so falsch einschätzen? Geht zum Beispiel eine Warnsirene los, wenn der Rumpf leckschlägt oder etwas Derartiges passiert? Vielleicht gab es ja einen Fehlalarm.«

»Natürlich gibt es eine Alarmanlage, aber selbst wenn die defekt ist und ein Fehlalarm ausgelöst wird, springt die Mannschaft nicht einfach ins Wasser. Die Passagiere vielleicht, aber nicht die Besatzung. Die würden erst mal überprüfen, was los ist, und nur von Bord springen, wenn das Schiff komplett in Flammen steht. Entweder hat sie jemand gezwungen, die Yacht zu verlassen, oder sie sind auf andere Weise umgekommen. Etwas anderes kommt eigentlich nicht in Frage.«

Dóra verabschiedete sich von Snævar, zufrieden, aber keineswegs schlauer.

Die Polizei war Dóra gegenüber äußerst kooperativ, auch wenn sie nicht auf alle Fragen Antworten bekam. Aber das war normal. Natürlich musste man erst sorgfältig prüfen, was man ihr aushändigen konnte. Alle, mit denen sie sprach, verstanden die

Situation, hatten Mitleid mit Ægirs Eltern und seiner kleinen Tochter und wollten Dóra nach besten Kräften helfen. Einige waren allerdings irritiert, als sie die ausländische Versicherung erwähnte, und noch irritierter, als sie die Höhe der Versicherungssumme erfuhren. Sie hätte das zwar auch verschweigen können, aber das wäre den Interessen ihrer Mandanten langfristig nicht dienlich gewesen. Dóra versuchte herauszukriegen, ob die an Land gespülte Leiche mit der Yacht zu tun hatte, gab aber auf, als sie merkte, dass ihre Fragen bei der Polizei nur Unmut auslösten.

»Mir ist klar, dass Sie mir die Unterlagen heute noch nicht aushändigen können, aber können Sie mir wenigstens sagen, was vorhanden ist? Ich muss unbedingt wissen, ob die Schiffsdokumente an Bord waren, und wenn ja, welche? Am wichtigsten wären das Logbuch, das Seefähigkeitsattest und alle Bescheinigungen über die Sicherheitsausstattung der Yacht.«

»Das kann ich Ihnen gerne sagen.« Der Polizeibeamte drückte einen Kaugummi aus einem Aluminiumstreifen und steckte ihn sich in den Mund. »Ich würde Ihnen ja auch gerne einen anbieten, aber das ist Nikotinkaugummi. Ich habe aufgehört zu rauchen. Angeblich kann man davon abhängig werden, aber es soll weniger schlimm sein als Zigaretten.«

Seinem Gesichtsausdruck nach zu schließen würde es noch etwas dauern, bis er von den Kaugummis abhängig wäre.

»Die meisten Schiffsdokumente waren an Bord, und ich gehe davon aus, dass Sie bald eine Kopie bekommen können. Aber beachten Sie bitte, dass ein paar Seiten fehlen, die Kopien sind nicht vollständig.«

»Es fehlen Seiten?«, fragte Dóra erstaunt. »Hatten die was mit der Fahrt nach Island zu tun?«

»Ja, wahrscheinlich. Aber wir wissen nicht, wann sie herausgerissen wurden, vielleicht schon, bevor der Kapitän die Yacht übernommen hat. Wer weiß, wann er von Bord verschwunden ist. Es gibt ein paar Einträge vom Beginn der Fahrt, aber einige ältere sind anscheinend herausgerissen worden. Jedenfalls sind sie weg. Wir wissen nicht, ob das wichtig ist, aber es ist zumindest verdächtig.«

Dóra machte sich eine Notiz.

»Und haben Sie schon die Fotoapparate und Handys überprüft? Es würde mir sehr helfen, wenn ich Hinweise darauf hätte, wann die Leute definitiv noch gelebt haben.«

»Nein«, antwortete der Polizist. Er kaute schnell, und jedes Mal, wenn er die Zähne aufeinanderbiss, konnte man sehen, wie sich seine Kiefermuskeln anspannten.

»Wann werden Sie das denn machen?«

»Gar nicht.«

»Gar nicht?«, fragte Dóra verwundert.

»Genau.« Seine Gesichtsmuskeln entspannten sich, als er den Kaugummi zwischen Schneidezähne und Oberlippe schob. »Es waren keine Fotoapparate oder Handys an Bord.«

»Ist das nicht merkwürdig?«

Der Mann zuckte die Achseln.

»Ich weiß es nicht. Wahrscheinlich haben die Leute die Geräte beim Verlassen der Yacht mitgenommen oder hatten gar keine dabei, was eher unwahrscheinlich ist.«

»Ja, allerdings.«

Dóra kritzelte die Worte Handys und Kameras mit drei Fragezeichen in ihr Notizbuch. Auf dem Zettel, den Ægir seinen Eltern gegeben hatte, standen seine und Láras Handynummern. Sie mussten also auf jeden Fall Handys dabeigehabt haben. Und hatte Lára nicht auf dem Weg aus dem Hafen von Deck aus angerufen? Sie hatte ihr Handy also nicht im Hotel oder sonst wo vergessen. Und die Mannschaft musste auch Handys dabeigehabt haben. Es gab ja kaum mehr jemanden unter achtzig, der kein Handy besaß. Das war wirklich höchst merkwürdig.

»Es wäre auch gut, wenn ich die GPS-Daten von der Yacht bekommen könnte. Ich weiß allerdings nicht, in welchem Format das möglich wäre.«

»Wir haben die Route anhand der GPS-Daten schon nachgezeichnet. Am besten geben wir Ihnen einfach eine Karte mit der Route. Ist ja unnötig, die Arbeit doppelt zu machen.«

»Das wäre hervorragend«, sagte Dóra und lächelte. »Noch eine Frage, dann verspreche ich, Sie erst mal nicht weiter zu stören. Haben Sie eine Übersicht über die Kommunikation zwischen der Yacht und dem Festland oder mit anderen Schiffen nach Verlassen des Hafens, am besten mit Zeitangaben?«

»Tja, da sagen Sie was!« Der Polizist rührte mit der Zunge unter seiner Lippe herum, um zu überprüfen, ob der Kaugummi noch da war. »Das ist nämlich auch so was, das nicht ganz so ist, wie es sein sollte.«

»Aha?«

Dóra fragte sich, ob die Kommunikationsgeräte auch von der Yacht verschwunden waren. Der Mann klang zumindest so, als sei etwas Merkwürdiges vorgefallen. Was ja gut zum Rest der Geschichte passen würde.

»Die Funkgeräte waren defekt oder haben nicht richtig funktioniert. Das konnten wir dem Logbuch entnehmen. Das Satellitentelefon war auch nicht zu gebrauchen, der Kapitän schreibt, es sei nicht angemeldet gewesen. Die beiden Funkgeräte werden noch untersucht. Wir wissen zumindest, dass sie noch in Ordnung waren, bevor die Yacht abgelegt hat. Aber ob jemand daran rumgespielt hat oder ob es Zufall ist, dass beide auf derselben Fahrt kaputtgegangen sind, muss sich noch rausstellen.«

»Hat man nicht deshalb zwei Funkgeräte dabei, um einen solchen Totalausfall zu verhindern?«

»Kann sein, soweit ich weiß, haben sie auch unterschiedliche Reichweiten. Das eine reicht nur bis zu benachbarten Schiffen und das andere wesentlich weiter. Einmal sind sie immerhin durchgekommen. Die Verbindung war zwar schlecht, aber der Kapitän hat nach dreißig Stunden Fahrtzeit mit einem Steuermann auf einem britischen Trawler gesprochen. Das Gespräch war auf Englisch, daher lassen sich Missverständnisse möglicherweise auf Sprachschwierigkeiten zurückführen, aber wir schließen auch nicht aus, dass alles richtig verstanden wurde.«

»Worum ging es denn?«, fragte Dóra und hoffte, dass er ihr die ganze Geschichte erzählen würde.

Der Polizist schob den Kaugummi wieder in die Mundhöhle und kaute wild darauf herum.

»Weil das große Funkgerät kaputt und das Telefon nicht angeschlossen war, hat der Kapitän das britische Schiff gebeten, den isländischen Behörden einen Leichenfund an Bord zu melden. Der englische Steuermann hat verstanden, es handele sich um eine tote Frau. Sie haben noch über andere Dinge gesprochen, aber darüber kann ich zum jetzigen Zeitpunkt keine Auskunft geben. Jedenfalls ist es zweifelhaft, ob es sich bei der Leiche um Lára handelt. Lässt sich aber auch nicht ganz ausschließen. Wir wissen nicht, wer es sonst sein könnte, und auch nicht, was die Todesursache war.«

Der Polizist hörte auf zu kauen und schaute Dóra in die Augen.

»Möglicherweise sind nicht nur sieben, sondern acht Personen von der Yacht verschwunden. Wir haben jedenfalls von dieser Frau bisher noch keine Spur gefunden.«

12. KAPITEL

»Das muss bis morgen warten.«

Þráinn schwang sich zurück aufs Deck, nachdem er sich so waghalsig über die Reling gelehnt hatte, dass Ægir automatisch zu ihm getreten war, um ihn packen zu können, falls er über Bord fiel.

»Ich kann nicht genug sehen. Scheint der verdammte Container oder ein Teil davon zu sein. Du hättest mich holen sollen, Loftur. Bei diesem Wellengang ist es reiner Zufall, wenn der auf dem Radar erscheint, das hättest du wissen müssen. Vielleicht hätten wir die Kollision verhindern können, das hätte nicht passieren dürfen.«

»Es war zu spät«, sagte Loftur kleinlaut. »Die Welle hat den Container angehoben, er ist auf dem Radar erschienen und dann sofort gegen uns geprallt. Ich habe das genau beobachtet, aber dann ist der da gekommen, und ich konnte mich nicht mehr konzentrieren.«

Er zeigte mit abfälliger Miene auf Ægir.

»Jetzt gib ihm nicht die Schuld!«, entgegnete Þráinn und wischte sich die Hände an den Hosenbeinen ab.

Ægir ignorierte den Wortwechsel, denn er wollte auf keinen Fall zum Zankapfel zwischen den beiden werden. Dann würden sie sich am Ende doch wieder versöhnen und ihn noch mehr links liegen lassen als jetzt. Ægir beugte sich über die Reling und spähte hinab in die Dunkelheit. Er sah nicht viel mehr als ein Glänzen auf dem Meer.

»Ist der nicht heute Morgen früh weggetrieben?«, fragte er.

»Vielleicht, das wäre gut«, antwortete Þráinn und drehte sich zu Loftur. »Ich denke, wir sollten uns heute Nacht lieber treiben lassen. Halli soll zusammen mit mir Wache halten, es könnte ja noch mehr von dem Zeug rumschwimmen. Dann kannst du dich hinlegen, wir beobachten dieses Ungetüm abwechselnd und kriegen vielleicht das Funkgerät wieder in Gang. In dieser Meldung, die ihr gehört habt, wollte uns bestimmt jemand auf das Ding hinweisen.«

Er blickte wieder über die Bordwand auf das Treibgut in der Schwärze unter ihnen.

»Hoffentlich treibt der heute Nacht weg, wenn nicht, kümmern wir uns morgen im Hellen darum.«

Loftur nickte, wirkte aber immer noch unzufrieden mit seiner Rolle bei der ganzen Geschichte. Er hatte Ægir geschickt, den Kapitän zu wecken, nachdem sie den im Meer treibenden Container bemerkt, ihn kurz darauf auf dem Radar gesehen hatten und mit ihm kollidiert waren. Obwohl der Aufprall nicht laut gewesen und das Boot nicht stark ins Schlingern geraten war, hatte sich Loftur erschreckt und wollte nicht weiterfahren, bevor Þráinn die Situation beurteilt hatte. Der Kapitän hatte die Sache keineswegs auf die leichte Schuler genommen, was Ægirs Herz noch schneller schlagen ließ. Wenn Þráinn sich Sorgen machte, gab es allen Grund, Angst zu haben. Er war nicht der Typ, der sich von Kleinigkeiten beeindrucken ließ.

»Wenn wir uns nur treiben lassen, kann ich die Wache mit dir gerne übernehmen«, sagte Ægir.

Er nahm die Hand von der Reling und drückte den Rücken durch.

»Wäre das nicht am besten? Wer weiß, ob ihr mich während der Fahrt noch mal zur Nachtschicht einteilen könnt, und so könnten sich Loftur und Halli ausruhen.«

Die beiden Männer sagten nichts, und ihre Mienen ließen sich nicht ergründen.

»Wenn wir morgen aktiv werden müssen, brauchen sie ihren Schlaf. Wir können sie ja jederzeit wecken, falls etwas Unvorhergesehenes geschieht und sie mehr ausrichten können als ich.«

Wieder stieß Ægirs Angebot auf Schweigen. Loftur schien darauf zu warten, dass Þráinn eine Entscheidung traf.

Da presste eine Welle den Container gegen den Schiffsrumpf, und ein dumpfer Knall zerriss die Stille. Ægir überlegte, wie stabil die Yacht wohl war und wie viele solche Schläge sie aushielt. Vielleicht war seine Idee, die Wache zu übernehmen, doch nicht so schlau – er wäre zweifellos völlig überfordert, falls die Yacht leckschlagen sollte. Während er noch darüber nachdachte, nahm Þráinn seinen Vorschlag an.

»Gut, dann wecken wir dich, Loftur, wenn wir dich brauchen. Oder Halli. Gut möglich, dass der Container von der Strömung weggerissen wird, dann ist der Fall erledigt, und es müssen nicht mehr zwei Leute Wache halten. Ist wahrscheinlich sowieso übertrieben, aber man weiß ja nie.«

»Kein Problem«, entgegnete Ægir. Er war schließlich öfter schon mal eine Nacht wach geblieben. »Ich hole mir nur schnell ein Buch.«

In der Kabine schlief Lára auf der zerknüllten Bettdecke. Sie atmete schwer, und ihre Lider zuckten – sie träumte. Ægir setzte sich vorsichtig auf die Bettkante und flüsterte ihr ins Ohr, er müsse für den Rest der Nacht auf die Brücke. Sie murmelte etwas Unverständliches und drehte sich dann auf die andere Seite. Ægir bezweifelte, dass seine Worte zu ihr durchgedrungen waren, und überlegte kurz, ob er sie wecken sollte, ließ es aber bleiben. Gut möglich, dass sie dann nicht mehr einschlafen könnte und die ganze Nacht wach liegen würde. Auf dem Weg nach oben steckte er den Kopf in die Kabine der Mädchen und sah sie in der Mitte des Doppelbetts in einer eigenartigen Umarmung liegen. Vom Bettkopf lächelte ihn Sigga Dögg an, wie um ihm zu versichern, dass alles in Ordnung sei, dass sie auf ihre Zwillingsschwestern aufpassen würde, so wie er auf die Yacht.

Er schloss die Tür, und das trübe Licht, das aus dem Gang zu den Mädchen hineingedrungen war, verschwand und ließ sie in der stockdunklen Kabine zurück.

Ægir hielt inne, wollte die Tür noch einmal öffnen und das Licht einschalten oder die Tür einen Spalt offen stehen lassen. Aber das war unsinnig: Wenn er Licht machte, würden die Mädchen womöglich aufwachen, und da die Yacht unablässig schaukelte, würde die Tür ständig auf- und zuschlagen. Nach kurzem Zögern machte er sich auf den Weg durch den Gang und blieb dann vor der Außentür stehen. Alles sah ganz normal aus, die Lampen an der Decke waren grell, und alle Türen geschlossen. Sie waren so dick, dass keine Geräusche aus den Kabinen drangen, sogar das Dröhnen der Motoren klang gedämpfter als an anderen Stellen auf der Yacht. Dennoch wurde Ægir das unangenehme Gefühl nicht los, dass er die Mädchen gerade jetzt nicht alleine lassen sollte. Dachte er vielleicht, er sollte an Bord so viel Zeit wie möglich mit ihnen verbringen? Als bestünde die Zukunft nur aus Minuten und nicht aus Jahren?

Auf der Brücke wartete Þráinn. Er drehte ihm den Rücken zu, und Ægir hatte den Eindruck, er hätte etwas ins Funkgerät gesagt und versuche, es zu überspielen.

»Ist noch eine Meldung gekommen?«, fragte Ægir.

»Was?« Þráinn runzelte die Stirn, als begreife er die Frage nicht. Dann schaute er zum Funkgerät und sagte: »Meinst du über Funk?«

Ægir bejahte.

»Äh, nein, nein«, sagte Þráinn und strich leicht über den Monitor. »Ich glaube, es ist defekt, ich bekomme keinen richtigen Empfang. Und dummerweise spielt das große Funkgerät auch nicht mehr mit. Das, was ihr eben gehört habt, muss mit einem Kurzschluss zusammenhängen. Vielleicht hat der beide Geräte lahmgelegt. Du musst dir jedenfalls keine Sorgen machen, dass du noch mal von einem Funkruf gestört wirst. Die Geräte geben keinen Piep mehr von sich, zumindest nicht, bevor die Jungs und ich sie uns morgen früh genauer angeschaut haben. Es ist etwas Komplizierteres, das kann ich jetzt nicht reparieren.«

»Ich werde die Geräusche bestimmt nicht vermissen.«

Ægir starrte das kleine Funkgerät an und hoffte zutiefst, dass der Kapitän recht hätte und es ruhig bleiben würde. Er wollte diese unheimliche Stimme nicht noch einmal hören, vor allem nicht, wenn er alleine war. Allerdings kam ihm die Erklärung des Kapitäns komisch vor – wie sollte ein Kurzschluss dazu führen, dass der Name der Yacht aus dem Lautsprecher der Funkanlage drang? Aber der Mann musste ja wissen, wovon er sprach.

Ægir beobachtete, wie der Kapitän die Bildschirme kontrollierte. Er hatte sich noch keine Meinung über ihn gebildet – manchmal war er freundlich und dann wieder sehr abweisend. Ægir konnte noch nicht mal sein Alter schätzen. Seine Haare waren noch schwarz und voll, aber sein Gesicht ziemlich verlebt und wettergegerbt. Er war durchtrainiert und wirkte dadurch noch größer. Ægir ging ihm gerade mal bis zu den Ohren. Seine Hände waren gebräunt, und auf seinem rechten Handrücken war ein Netz aus weißen Narben undefinierbaren Ursprungs. Vielleicht von vielen kleinen Schnitten. Ægir wusste nicht, ob das etwas mit der Seefahrt zu tun haben konnte. Schließlich ging er nur jeden Morgen ins Büro, wo die größte Gefahr darin bestand, sich an einem Bogen Papier zu schneiden, während dieser Mann mit unberechenbaren Meeresströmungen und heimtückischem Wetter zu kämpfen hatte. Es gab bestimmt Momente, in denen er sich nicht sicher war, ob er wieder heil nach Hause zurückkehren würde. So war es Ægir noch nie ergangen. Er räusperte sich und fragte:

»Soll ich draußen oder drinnen anfangen?«

»Vielleicht ist es am besten, wenn ich zuerst rausgehe.«

»Muss ich auf irgendwas besonders achten?«

Þráinn sah sich um.

»Wir lassen uns treiben, du musst dich also nicht um das Steuerpult kümmern. Das brauche ich dir jetzt nicht zu erklären. Wenn was passiert, holst du mich einfach.«

Ægir blieb alleine auf der Brücke zurück. Das Buch, auf das er sich so gefreut hatte, hatte jegliche Anziehungskraft verloren. Zumal er im Halbdunkel auf der Brücke ohnehin nicht viel sehen konnte. Obwohl Þráinn weg war, konnte Ægir sich nicht dazu durchringen, sich auf seinen Stuhl zu setzen – das wäre so, als würde er, ein erwachsener Mann, Kapitän spielen. Lieber kauerte er sich auf einen Stuhl in die Ecke, die Füße auf einem kleinen Beistelltisch. Er legte das Buch beiseite, ohne auch nur die Seite zu markieren, auf der er gewesen war.

Als er sich umschaute, wurde ihm klar, dass die Nacht noch lange nicht vorbei war. Er legte die Hände in den Schoß und sah nichts als kohlrabenschwarze Dunkelheit. Keine Sterne am Himmel, der Mond hinter den Wolken. Die Dunkelheit in der Stadt war nichts im Vergleich zu dieser hier, mitten auf dem Meer, wo alles tiefschwarz, undurchdringlich und unerbittlich war. Er hatte das Gefühl, nach ihr greifen zu können: Wenn er die Hand nur weit genug über die Reling streckte, würde er sie spüren – schleimig, weich und eiskalt wie Tang. Er stand auf und trat unter die Lampe in der Mitte der Kommandobrücke. In seinen Ohren klang immer noch die Stimme aus dem Funkgerät.

Er bereute es, nicht gefragt zu haben, ob er kurz rausgehen dürfe, um frische Luft zu schnappen oder sich etwas zu trinken zu holen. Egal. Er bräuchte nur zwei Minuten, um schnell in die Küche zu gehen. Am liebsten hätte er ein eiskaltes Bier gehabt, aber das verkniff er sich lieber. Nicht, weil er indirekt am Steuerpult saß, sondern weil er fürchtete, müde zu werden. Er wollte auf keinen Fall alleine auf der Brücke einnicken. Wahrscheinlich, weil Þráinn ihn dabei ertappen könnte.

In der Küche ging nach einem kurzen Moment das Licht an. Der Kühlschrank gab ein summendes Geräusch von sich, das

Ægir zuvor nicht bemerkt hatte, vielleicht weil die Stille jetzt viel intensiver war. Er fühlte sich einsam, dachte darüber nach, Lára zu wecken, um Gesellschaft zu haben, verdrängte den Gedanken aber sofort wieder. Dann wären die Mädchen morgen alleine, während Lára und er ausschliefen, und es war unverantwortlich, sie aus den Augen zu lassen. Sie wuchsen zwar schneller, als ihm lieb war, waren aber immer noch klein genug, um etwas Unvorsichtiges zu tun.

Der Kühlschrank war riesengroß und halbleer. Die Vorräte, die sie mit an Bord gebracht hatten, verloren sich in den Regalen, und es war fast unheimlich, wie wenig es war. Würde ihnen unterwegs das Essen ausgehen? Wobei sich die größte Vorratskammer der Welt direkt unter ihnen befand, so dass sie wohl kaum verhungern würden. Ægir schob eine Ketchupflasche zur Seite, in der Hoffnung, dass sich dahinter eine Coladose verstecken würde. Das war nicht der Fall, und dasselbe galt für andere mögliche Verstecke in dem Riesenkühlschrank. Einen Moment lang war er froh, dass Lára nicht da war und ihn nicht ausschimpfen konnte, weil er keine neue Dose in den Kühlschrank gestellt hatte, wenn er vorher eine rausgenommen hatte. Das war ein ständiges Streitthema zwischen ihnen – sie nahmen Dosen aus dem Kühlschrank, und er vertraute darauf, dass sie ihn wieder auffüllen würde. Das Letzte, worauf er Lust hatte, war eine warme Cola. Wie dumm, einen so großen Kühlschrank zu haben und an einer Eismaschine zu sparen. Die hätte alles gerettet.

Genervt holte Ægir im Vorratsraum Cola, doch seine Laune besserte sich wieder, als sein Blick auf die riesige Kühltruhe fiel, die er ganz vergessen hatte. Sie hatten für die Fahrt ein paar Brote, mehrere Pakete Hühnerbrust und Hackfleisch hineingelegt. Sie waren in Eile gewesen, und er erinnerte sich nicht daran, Eiswürfel gesehen zu haben, aber es waren bestimmt noch welche vom Vorbesitzer in der Truhe.

Der große Deckel knarrte, als Ægir die Truhe öffnete. Eiskalter Dampf strömte ihm entgegen. Er fuhr zurück und beugte sich dann hinunter, um zwischen den tiefgefrorenen Lebensmitteln zu suchen.

Erst konnte er die Vorräte in der Truhe gut beiseiteschieben, fand aber keine Eiswürfel. Doch er war stur und wühlte weiter, tiefer und tiefer, immer angestrengter und mit steif gefrorenen Fingern. Währenddessen dachte er darüber nach, wie schlecht konstruiert Kühltruhen waren: Riesenkisten, in denen man nur an die unteren Dinge herankam, wenn man die oberen entfernte. Er war erst in der Mitte der Truhe angelangt, als er auf eine schwarze Mülltüte stieß, die fast den gesamten Platz darunter auszufüllen schien. Ægir piekste mit dem Finger hinein. Vielleicht hatte der Vorbesitzer ja eine Megaparty geplant und kiloweise Eiswürfel besorgt. Aber da war er wohl zu optimistisch gewesen. Es war etwas anderes, Größeres. Wahrscheinlich ein halbes Schwein oder Rinderkeulen. Ægirs zog die Hände zurück und blies seine kalten Finger warm. Warme Cola musste doch reichen.

Lebensmittelpackungen in unterschiedlichen Größen stapelten sich jetzt an den Enden der Truhe, und Ægir verteilte sie wieder. Das war ziemlich schwierig, da die Truhe randvoll gewesen war. Er kämpfte gerade damit, Fischfilets neben die schwarze Tüte zu stopfen, als seine Hand fest gegen das kalte Plastik gedrückt wurde und er den Inhalt der Tüte fühlte. Langsam zog er seine Hand zurück und starrte in die Truhe. Es war, als würde sie atmen – immer noch waberte kalter Dampf heraus. Was zum Teufel hatte er da berührt? Jedenfalls keine Rinderkeule. Und auch kein Schwein. Es hatte sich vielmehr so angefühlt, als streiche er über versteinerte Finger. Er wedelte den Dampf beiseite und versuchte vergeblich zu erkennen, was er durch die schwarze Plastikfolie angefasst hatte. Am liebsten hätte er die Truhe einfach zugeknallt, die Cola genommen und wäre zurück auf die Brücke gegangen. Aber er konnte nicht. Er musste nachschauen.

Als er vorsichtig an der Stelle, die er berührt hatte, ein Loch in die Tüte riss, spürte er, wie furchtbar alleine er war. Er sehnte sich nach Láras Wärme unter der Bettdecke und nach ihren gleichmäßigen Atemzügen. Er wollte nicht hier sein, alleine mit dem Inhalt dieser Tüte. Dann wurde er plötzlich wütend und riss, ohne weiter darüber nachzudenken, ein Loch hinein.

Sein Blick fiel auf schneeweiße, reifüberzogene Finger mit rotem Nagellack.

Es wurde eng in der kleinen Kammer, weil sich alle hereindrängelten, aber keiner direkt neben der Truhe stehen wollte.

»Was sollen wir tun?«, fragte Lára. Sie war noch heiser vom Schlaf, hatte wirre Haare und Kissenabdrücke auf der Wange. Loftur und Halli waren auch gerade erst aufgewacht, ließen sich die Nervosität aber weniger anmerken.

»Was sollen wir tun?«, wiederholte Lára mit zitternder Stimme. »Wir können doch nicht einfach mit einer Toten in der Kühltruhe nach Hause fahren, als wäre überhaupt nichts geschehen!«

»Wer das wohl ist?« Þráinn beugte sich vor und starrte in die Kühltruhe. Ihr Inhalt war noch genau so, wie Ægir ihn zurückgelassen hatte. Keiner wollte die Tüte anfassen, nachdem er den Deckel angehoben hatte, um ihnen zu zeigen, dass er nicht verrückt geworden war.

»Ich bin mir nicht sicher, ob ich das wissen will. Und ich muss auch nicht unbedingt das Gesicht dieser Frau sehen. Ist ja auch egal, wer das ist, wir kennen sie sowieso nicht«, sagte Halli und schüttelte sich. »Hoffe ich zumindest.«

Lára knabberte an ihrer Lippe.

»Jetzt sagt doch mal, was sollen wir tun?«

Ægir öffnete den Mund, schwieg aber. Er hatte keine Ahnung, was sie jetzt machen sollten, und außerdem hatte Þráinn das Sagen an Bord, das war sein Problem. Und er beneidete ihn nicht darum, denn er hatte im Augenblick genug mit sich selbst zu tun und wäre keineswegs in der Lage gewesen, anderen zu sagen, was sie tun sollten. Seit ihm klargeworden war, was sich in der

179

Tüte befand, hatte er automatisch die Befehle seines Gehirns befolgt: Truhe schließen, Kapitän holen, Loftur und Halli wecken und mit ihnen auf die Brücke gehen, ohne Lára und die Kinder zu wecken. Lára war zwar aufgewacht, aber die Mädchen schliefen immer noch tief und fest.

Energisch ergriff Þráinn das Wort, ohne Diskussionen oder Gegenvorschläge zuzulassen:

»Wir machen nichts. Wir schließen die Truhe und halten Kurs. Wenn wir jetzt etwas anfassen, zerstören wir vielleicht wichtige Beweismittel.«

»Sollen wir nicht die Polizei rufen und die Leiche abholen lassen? Wir könnten doch hier warten oder ihnen entgegenfahren«, warf Lára ein und zog ihre Strickjacke fester zu, um sich gegen die Kälte zu schützen, die aus der Truhe drang.

Þráinn schnaubte verächtlich.

»Wir warten nicht auf die Polizei. Woher sollte die denn kommen? Wir sind meilenweit von der nächsten Polizeistation entfernt und befinden uns außerhalb des Zuständigkeitsbereichs irgendeines Landes.«

Ægir hatte auf der Karte, in der ihre Route eingezeichnet war, gesehen, dass sie den portugiesischen Rechtsraum längst verlassen hatten und sich jetzt in internationalen Gewässern befanden.

»Und dann? Können wir überhaupt nichts tun? Gibt es auf dem Meer denn keine Gesetze?«

Lára spähte zu der Truhe und schüttelte sich. Sie war die Einzige, die es nicht über sich gebracht hatte, hineinzuschauen, und den Männern nur gefolgt war, um nicht alleine in der Küche stehen zu müssen.

»Natürlich gibt es hier Gesetze«, sagte Þráinn, ohne näher zu erläutern, um welche es sich dabei handelte und wie man in einem solchen Fall vorzugehen hatte. Aber er würde es schon wissen – selbst Ægir hatte bei seinem Sportbootkurs etwas über Seerecht gelernt, wenn auch nur oberflächlich. Vielleicht wollte der Kapitän Láras Hysterie nicht noch verstärken, indem er die Frage korrekt beantwortete. Ægir wollte sich jedenfalls lieber nicht einmischen. Das konnte er seiner Frau auch später, wenn sie alleine wären, erklären. Aber das war auch gar nicht nötig, denn Þráinn sah Lára geduldig an und erklärte:

»Wir haben keine andere Möglichkeit, als auf Kurs zu bleiben. Wir schließen die Truhe, ich melde den Vorfall, und wir fahren wie geplant nach Island. Dort übernehmen die Behörden den Fall. Das ist ein isländisches Schiff, und auf See gelten die Gesetze des Landes, unter dessen Flagge man fährt.« Er warf Ægir einen Blick zu. »Sind auch ganz sicher alle Papiere in Ordnung? Oder ist bei der Registrierung der Yacht auch was schiefgegangen, so wie mit dem Telefon?«

Ægir begegnete seinem Blick und wusste auch ohne Spiegel, dass er ein dummes Gesicht machte.

»Doch, ich meine nein. Die Yacht ist jetzt isländisch.«

Das klang nicht sehr überzeugend, zumal er nur hoffen konnte, dass es wirklich stimmte. Ægir hatte so etwas zum ersten Mal gemacht, und die Unterlagen, die er bekommen hatte, waren fast alle auf Portugiesisch oder Französisch. Ihm konnten durchaus ein paar Fehler unterlaufen sein.

»Gut, sonst müssen wir nämlich umkehren.«

»Was?« Lára sah den Kapitän entsetzt an. »Zurück nach Portugal?«

Er nickte.

»Oder nach Monaco, wo die Yacht vorher registriert war. Wenn die Neuregistrierung nicht erfolgt ist und das Schiff nicht isländisch ist, besteht diese Gefahr durchaus.«

»Aber …«, warf Loftur ein und verstummte sofort wieder.

»Aber was?« Lára klang so, als rechne sie mit etwas noch Schlimmerem. Doch was sollte schon noch schlimmer sein?

»Nee, ich dachte nur …« Loftur wurde rot, als sich alle Augen auf ihn richteten. Obwohl er am liebsten den Mund gehalten hätte, sah er sich gezwungen, weiterzusprechen, weil Lára ihn sonst womöglich mit Gewalt dazu gebracht hätte. »Diese Leiche

181

muss doch schon in der Kühltruhe gewesen sein, als wir an Bord gegangen sind. Da stimmt ihr mir doch zu, oder?«

»Natürlich«, antwortete Ægir, fast ein wenig enttäuscht über die unspektakuläre Frage. Er hatte mit etwas Wichtigerem gerechnet – dem Gespür eines erfahrenen Seemanns.

»Wir vermissen ja niemanden aus unserer Gruppe. Und haben auch keine Leiche an Bord geschleppt«, fügte er hastig hinzu. Er erinnerte sich, dass Þráinn gesehen hatte, wie sie ihre Vorräte in die Kühltruhe geräumt hatten, und wollte jeglichen Zweifel ausräumen.

Loftur nickte.

»Aber das bedeutet, dass die Leiche schon an Bord war, bevor das Schiff isländisch wurde. Spielt das eine Rolle?«, fragte er.

Þráinns Lippen zogen sich zu zwei dünnen Strichen zusammen.

»Das können wir nicht wissen. Vielleicht wurde die Leiche gar nicht in Portugal an Bord gebracht. Falls es unter der Hoheit eines anderen Landes geschehen ist, muss ich dahin fahren, weil das isländische Gesetz nur für Verbrechen auf isländischen Schiffen in internationalen Gewässern gilt. Das betrifft alle Länder mit Küstenbereichen, es ist also im Grunde nebensächlich, unter welcher Flagge das Schiff fährt.« Er streckte die Hand aus und machte die Kühltruhe zu. »Es bringt nichts, darüber zu spekulieren. Wir haben ja keine Ahnung, wann es passiert ist. Es ist unmöglich festzustellen, wie lange es her ist, wo es war, was genau passiert ist und ob es sich dabei überhaupt um ein Verbrechen handelt. Vielleicht gibt es ja eine natürliche Erklärung.«

»Eine natürliche Erklärung?« Lára klang jetzt viel couragierter, da sie nicht mehr Gefahr lief, die Leiche anschauen zu müssen. »Es gibt keine natürliche Erklärung für eine Leiche, die in eine Plastiktüte gewickelt in einer Kühltruhe an Bord einer Yacht liegt!«

»Vielleicht nicht.« Þráinn ging zur Tür und scheuchte die anderen hinaus. »Aber das ändert nichts daran, dass ich hier das

Sagen habe, und den Fall den isländischen Behörden übergeben werde. Ich melde es, und dann kümmern die sich darum.«

Lára merkte, dass es sinnlos war zu protestieren. Þráinn wollte weiterfahren, genau wie alle anderen. In Portugal würde man sie bestimmt verhören und vielleicht sogar eine Reisesperre verhängen, solange die Ermittlungen anhielten.

»Ich versuche, Kontakt nach Island herzustellen. Ihr beiden könnt ruhig runtergehen und euch hinlegen«, sagte Þráinn zu Ægir. »Ich brauche deine Hilfe erst mal nicht mehr.«

Ægir antwortete nicht. Er würde auch bestimmt nicht so bald mehr anbieten, alleine auf der Brücke zu stehen. Das, was auf dieser Yacht vor sich ging, war doch nicht normal.

Als Ægir und Lára im Bett lagen, starrten sie an die Decke und konnten nicht schlafen. Sie hatten nicht mehr über die Leiche geredet, sich nur die Zähne geputzt und zum Schlafengehen fertiggemacht, als sei nichts geschehen. Sie hatten nur ein paar banale Worte gewechselt, und Ægir kam sich vor wie in einem absurden Theaterstück.

»Ich weiß, wer das ist«, sagte Lára plötzlich. Sie drehte sich nicht zu ihm, sondern starrte weiter an die Decke.

»Ach ja?« Ægir lag unbeweglich da. »Wer denn?«

»Karítas. Ich habe es gerochen, kurz bevor Þráinn die Truhe wieder zugemacht hat.«

»Aber eine Leiche riecht doch nicht so wie die Person, als sie noch gelebt hat. Deine Sinne sind überreizt.«

»Es war kein Leichengeruch, sondern Parfümgeruch. Der Flakon ist in der Schublade im Kosmetiktisch. Es war derselbe Geruch.«

»Tragen nicht Millionen Frauen dasselbe Parfüm?«

»Nein, es ist ein superteures, das ich noch nie im Laden gesehen habe. Deshalb habe ich daran gerochen. Ich kenne die Marke und war neugierig, wie es riecht.«

»Vielleicht wird es nur in teuren Geschäften im Ausland verkauft. Es könnte ein sehr verbreiteter Duft bei reichen Frauen sein. Vielleicht stammt er von einer der vielen Frauen, die im Lauf der Zeit an Bord der Yacht gewesen sind.« Ægir schloss die Augen. »Ausgeschlossen, dass die Leiche schon jahrelang da liegt. Und wenn die Vorbesitzer sie an Bord geschafft haben, hätten sie sie doch längst ins Meer geworfen. Sie kann erst vor kurzem da reingelegt worden sein.«

Ægir schlug die Augen wieder auf. Wenn sie geschlossen waren, sah er die blauweiße Hand vor sich.

»Oder kurz bevor die Yacht konfisziert wurde.«

Er schwieg einen Moment nachdenklich und fügte dann hinzu:

»Es sei denn, sie haben sie reingelegt, als die Yacht im Hafen lag. Weißt du noch? Die Versiegelung war doch aufgebrochen. Vielleicht hat jemand, der einen Schlüssel hatte, die Leiche heimlich an Bord gebracht. Es gab ja keine Einbruchsspuren. Da kommen nicht viele in Frage. Eigentlich nur das Ehepaar, dem die Yacht gehörte.«

»Karítas war es nicht. Die liegt in der Truhe.«

»Das kannst du nicht wissen. Trotz des Parfümgeruchs.«

»Es ist nicht nur der Geruch. Als Þráinn mit dem Kochlöffel in die Tüte gepiekst hat, habe ich etwas Feuerrotes aufblitzen sehen. Ich habe es erst kapiert, als ich das Parfüm gerochen habe. Es war ganz bestimmt die Halskette. Die von dem Gemälde.«

Ægir gab auf. Er hatte keine Lust, mit ihr darüber zu streiten, dass es noch mehr Rotes auf dieser Welt gab als Karítas' Halskette. Es änderte ja auch nichts. Ob es nun Karítas oder eine andere Frau war – in jedem Fall war ihr ein frühzeitiger Tod zuteil geworden. Und ein eiskaltes Grab.

13. KAPITEL

Das Frühstück schmeckte seltsam, vielleicht wegen der Atmosphäre. Aus Rücksicht auf die Mädchen sprach keiner über die nächtlichen Ereignisse, und trotzdem war es, als spürten sie, dass in der Welt der Erwachsenen etwas nicht stimmte. Sie stocherten in ihrem Müsli herum, sagten nicht viel und stellten keine Fragen. Ab und zu wurde ein Löffel in den Mund geschoben und dann lange gekaut. Ungewöhnlich lange. Der Regen peitschte gegen die Fensterscheiben, und der Sturm schüttelte die Yacht so sehr, dass alle losen Dinge auf dem Tisch festgeklemmt werden mussten.

»Ich habe noch mehr Tabletten gegen Seekrankheit, wenn ihr welche braucht«, sagte Þráinn. Er schaute nicht auf, sondern starrte nur die halbgegessene Brotscheibe auf seinem Teller an. Nach der langen Nacht war er müde, und die dunklen Ringe unter seinen Augen ließen vermuten, dass er schlechtgelaunt war. Doch es war ihm nicht anzumerken.

»Ja, kann gut sein, dass wir noch welche brauchen«, entgegnete Ægir. Ihm war schon länger nicht mehr übel gewesen, aber als das Wort Seekrankheit fiel, meinte er, ein Grummeln im Magen zu spüren. Wenn das Boot den ganzen Tag so schaukelte, musste sich bestimmt wieder einer von ihnen hinlegen, wenn nicht gar die ganze Familie.

»Nehmt lieber jetzt eine und wartet nicht, bis euch wieder schlecht ist. Das kann nur helfen.«

Þráinn nahm sein Brot in die Hand, schien abbeißen zu wollen, legte es dann aber wieder auf den Teller. Gierig trank er Kaffee aus einem schweren Becher, der bei den schlingernden Bewegungen der Yacht nicht ins Rutschen kam.

»Es wäre gut, wenn du fit bist, falls wir nachher wegen des Containers etwas unternehmen müssen. Bei diesem Wetter ist es besser, zu dritt zu sein. Loftur muss ein bisschen schlafen, wir haben bis heute früh versucht, die Funkgeräte wieder in Gang zu bringen.«

Láras Augen weiteten sich, als sie das hörte. Sie hatte am Morgen mit Ægir vereinbart, dass sie bei diesem Wetter nicht an Deck gehen würden. Die Gefahr, von Bord geweht zu werden, war viel zu groß. Er legte ihr beschwichtigend die Hand aufs Bein.

»Willst du dich nicht auch hinlegen?«, fragte er Þráinn. »Du warst doch auch die ganze Nacht wach, oder? Von mir aus können wir uns das auch später anschauen.«

»Von mir aus auch«, sagte Halli.

Er war der Einzige am Tisch, der Appetit hatte. Er nahm sich noch eine Scheibe Brot und belegte sie dick mit kalter Butter, die sich schlecht verteilen ließ.

»Ich checke das in der Zwischenzeit mal ab und überlege, was wir machen können. Wir haben ja keine Eile. Wenn wir es schaffen, das Ding zu lösen, kommen wir bei diesem Wetter sowieso nur im Schneckentempo vorwärts. Wir können uns ruhig noch ein bisschen treiben lassen. Das macht doch keinen Unterschied.«

»Vielleicht nicht, aber ich will es trotzdem hinter mich bringen. Wir sollten nicht länger warten, ich kriege keine richtige Verbindung zum Festland und keinen Wetterbericht. Das NAVTEX hat Sturm angekündigt, und es ist schwer zu sagen, wie lange der anhält. Könnte auch ein paar Tage dauern. Das stimmt nicht mit der ursprünglichen Vorhersage überein, und wir wissen nicht, wie sich der Sturm entwickelt.« Þráinn kippte mehr Kaffee hinunter. »In der Abstellkammer sind Regensachen. Falls ihr keine dabeihabt.«

So vorausschauend waren Ægir und Halli nicht gewesen – Ægir hatte nicht damit gerechnet, dass seine Reise auf dem offenen Meer enden würde, und Halli hatte wohl gedacht, dass solche Ausrüstung zur Verfügung gestellt würde. Ægir hatte noch weniger Lust, an Deck zu gehen, wenn er irgendwelche alten Regensachen anziehen musste, und sein Appetit verschwand ganz.

»Ich finde es unverantwortlich, bei diesem Wetter rauszugehen«, sagte Lára und schob Ægirs Hand von ihrem Oberschenkel. »Das kann doch nicht gutgehen!«

Ihre Augen wanderten zur Tür der Vorratskammer, die inzwischen mit einem Vorhängeschloss versehen war. Þráinn musste sie in der Nacht zugesperrt haben, damit die Mädchen nicht auf die Idee kamen, in die Kühltruhe zu schauen – und vielleicht auch, damit die Erwachsenen nichts anfassten.

»Warum können wir nicht einfach Gas geben und das Ding abschütteln?«

Þráinn verzog keine Miene und schaute Lára mit müden, leeren Augen an.

»Weil das nicht ungefährlich ist. Der Container könnte in die Schiffsschraube geraten oder die Außenhaut beschädigen, und das fändest du bestimmt nicht so toll. Da er bis jetzt noch nicht weggetrieben ist, hat er sich wahrscheinlich am Schiff verkantet, sich festgehakt oder so was, und das beunruhigt mich. Du kannst dir sicher sein, dass ich die richtigen Entscheidungen treffe.« Um seine Worte etwas abzumildern, fügte er hinzu: »Und du musst keine Angst haben, wenn wir rausgehen. Ich würde deinen Mann nicht mitnehmen, wenn ich es für gefährlich halten würde.«

»Ich hab mal gesehen, wie ein Mann über Bord gerissen wurde. Ein schreckliches Unglück. Da kam eine Riesenwelle und dann … wusch, und der Mann war weg«, sagte Halli mit vollem

Mund. Sein Teller war schon wieder leer. »Aber da war viel schlimmeres Wetter als jetzt.«

Lára warf ihm einen missmutigen Blick zu und fragte: »Und was ist mit dem armen Mann passiert?«

Halli zuckte die Achseln.

»Weiß ich nicht. Wir haben ihn nie wieder gesehen.«

Arna und Bylgja starrten Halli mit großen Augen an.

»War er tot?«

»Nein, er ist nicht gestorben. Er wurde von einem Rettungsboot aufgenommen, von einem Schiff ganz in der Nähe«, antwortete Ægir hastig, damit Halli die Mädchen nicht zu Tode ängstigte. Leider hatte er nicht viel Zeit, sich etwas aus den Fingern zu saugen, aber zum Glück gaben sich die Mädchen mit seiner Version zufrieden. Wobei es oft so war, dass sie einfach das glaubten, was sie glauben wollten.

»Und jetzt esst zu Ende. Ihr müsst was im Magen haben, bevor ihr noch eine Tablette nehmt.«

Er warf Halli einen bitterbösen Blick zu, damit er nicht auf die Idee kam, das Ende der Geschichte zu korrigieren. Der junge Mann wäre am liebsten im Boden versunken, und durch sein gefärbtes Haar war sein hochroter Scheitel zu sehen. Ægir ignorierte ihn und konzentrierte sich auf seine Töchter.

»Trinkt eure Milch aus, aber lasst noch ein bisschen im Glas, damit ihr die Tablette runterschlucken könnt.«

»Igitt!«, jammerte Bylgja. »Die mag ich nicht. Ich will keine Tablette mehr nehmen.«

Ægir war so froh, dass sie bei einem anderen Thema waren, dass er keine Lust hatte, seiner Tochter zu erklären, die Tablette sei geschmacksneutral.

»Jetzt esst zu Ende!«, sagte er.

Das Gerede über diesen armen Kerl, der verschwunden war, erinnerte ihn brutal an das, was sich in der Truhe hinter der Wand befand. Durch seinen Kopf spukten weiße, leblose Finger, die gefroren waren und ins Leere griffen. Er lehnte sich auf seinem Stuhl zurück und steckte sich den letzten Bissen Brot in den Mund. Wenn er mit gutem Beispiel voranging, würde er die Mädchen eher dazu bringen, aufzuessen. Das Brot war noch genauso trocken und geschmacklos wie beim ersten Bissen, und der Aufschnitt schmeckte nach Plastik. Vielleicht würde von jetzt an alles an Bord so schmecken. Der Luxus war vorbei. Ungenießbares Essen und abgetragene Regenklamotten.

»Bist du durchgekommen?«

Ægir musste fast schreien, um den Sturm und den Regen zu übertönen. Entgegen seinen Hoffnungen war das Wetter noch schlechter, als man von drinnen hätte annehmen können. Der Regenoverall hatte sich jedoch als Glücksgriff erwiesen: Er war ziemlich neu und fast unbenutzt. Sie hatten aus einer ganzen Reihe gut erhaltener Overalls wählen können, da die Yacht vor allem in südlichen Gefilden unterwegs gewesen war.

»Wissen wir jetzt, was wir machen müssen?«, schob Ægir hinterher. Es war zwar schwer, sich zu unterhalten, aber vielleicht würde es keine bessere Gelegenheit mehr geben. Vieles, worüber er sprechen wollte, konnte man nicht erwähnen, wenn die Mädchen dabei waren, außerdem wollte er Lára so gut es ging heraushalten. Sie wirkte alles andere als ausgeglichen, und je weniger sie von der ganzen Geschichte mitbekam, umso besser.

»Ich bin nicht nach Island durchgekommen, konnte die Meldung aber über das kleine Funkgerät an ein britisches Schiff durchgeben. Man konnte vor lauter Knacken und Rauschen nicht viel hören, aber ich glaube, sie haben das meiste verstanden und informieren die isländischen Behörden. Hoffentlich kriegen wir die Funkgeräte wieder in Gang, dann nehme ich Kontakt mit Island auf und erkläre es noch mal. Unabhängig davon halten wir Kurs, wie ich letzte Nacht gesagt habe.«

Þráinn war wie ausgewechselt, seit er draußen im Sturm stand, und sah nicht mehr aus wie ein Zombie. Er hatte gerötete

Wangen und einen klaren Blick. Dasselbe galt für den ausgeschlafenen Halli, der putzmunter war und sich sogar darauf zu freuen schien, es mit den Naturgewalten aufzunehmen. Der Unterschied zwischen den beiden Seemännern und Ægir kristallisierte sich in diesem Augenblick besonders heraus: Sie mochten Herausforderungen und gefahrvolle Situationen, während er seiner Arbeit am liebsten in der Sicherheit der eigenen vier Wände nachging.

»Hast du ihnen nichts von dem Container und unseren Schwierigkeiten gesagt?«, fragte er.

Gischt klatschte ihm ins Gesicht, und seine frischrasierten Wangen brannten vom Salz. Für einen verletzten Seemann einzuspringen, war ohne Zweifel die größte Fehlentscheidung, die er je getroffen hatte. Er verdrängte den Gedanken und dachte an ihre Heimkehr und das angenehme Leben, das sie erwartete. Sie mussten nur durchhalten und heil nach Hause kommen. Dann würde alles gut.

»Nein, die andere Sache war wichtiger, ich wollte nicht noch mehr Verwirrung stiften. Sie hätten ohnehin nichts tun können. Oder wäre deine Bank bereit, Bergungslohn zu zahlen?«

»Nee, eher nicht.« Ægir nahm die lange Stange mit dem Haken entgegen, die Þráinn ihm reichte. Das nasse Holz fühlte sich glatt an. »Aber du meinst, sie haben dich verstanden und geben das mit der Leiche weiter?«

»Ich hoffe es, aber sicher bin ich mir nicht. Das wird sich hoffentlich bald zeigen, hängt alles davon ab, ob wir das große Funkgerät wieder hinkriegen, oder das kleine natürlich. Dann hätten wir wenigstens vernünftigen Kontakt zu anderen Schiffen. Gott sei Dank sind die Steuergeräte in Ordnung, es scheint also kein Stromausfall gewesen zu sein. Ich weiß nicht, woran es liegt.«

»Soll ich es mir mal ansehen?«, fragte Halli. Er hielt den Deckel einer weißen Kiste hoch, in der sich diverse Ausrüstungsgegenstände befanden, die Þráinn herausholte. Er musste seine ganze Kraft aufwenden, den Deckel nicht loszulassen, wenn der

Wind hineinfuhr. »Ich kenne mich ein bisschen aus, wollte mal Elektriker werden.«

»Ja, unbedingt. Aber Loftur kennt sich auch ganz gut aus, und der war völlig ratlos.«

Þráinn richtete sich auf und hielt die Gegenstände, die er herausgeholt hatte, mit dem Fuß fest, damit sie nicht wegrollten.

»Vielleicht ist es auch nur Zufall. Der Sturm hält uns zum Narren«, sagte Þráinn. Er gab Halli zwei Stecken, ähnlich dem, den Ægir in der Hand hielt, und nahm selbst zwei weitere. »Ich hoffe, das reicht.«

Dann hob er einen Haufen Leinen vom Boden auf und hielt ihn Ægir und Halli hin.

»Zieht das an. Deine Frau wird nicht mehr sehr nett zu mir sein, wenn du über Bord gespült wirst, Ægir, und auf dich kann ich nicht verzichten, Halli.«

Ægir legte den Stecken ab und entwirrte die Leinen, die sich als Gürtel entpuppten, in den man eine Sicherheitsleine einhaken konnte. Er machte Hallis Handgriffe nach, und obwohl es nicht leicht war, die Sicherheitsausrüstung anzulegen, schaffte er es schließlich. Þráinn wollte sich anscheinend nicht festhaken, obwohl Ægir weitere Gürtel in der Kiste gesehen hatte. Vielleicht lag es unter seiner Würde. Der Gurt war ziemlich unbequem, aber Ægir fühlte sich trotzdem wesentlich sicherer damit. Er hatte keine Angst mehr vor dem, was auf ihn zukam.

»Also dann!«, rief er und hob den Stecken wieder auf. Als er das schwere Werkzeug in der Hand hielt, wurde er noch mutiger. Vielleicht stand er letztendlich doch auf der falschen Seite im Leben und hätte sich besser einen Job ausgesucht, bei dem es mehr auf Körperkraft und Männlichkeit ankam als auf Debit und Kredit. Der Windstoß, der ihn erfasste, holte ihn jedoch schnell wieder auf den Boden der Tatsachen zurück. Er überstand die Bö, stieß sich aber so heftig mit dem Ellbogen, dass ein stechender Schmerz durch seinen Arm fuhr. Als sie an der Reling entlanggingen, trat er fest auf, um auf dem glitschigen Deck nicht auszurutschen. Der Regenoverall war wie ein Segel, und der Wind versuchte ihn umzustoßen, konnte sich aber nicht für eine Richtung entscheiden.

»Hak das in die Schlaufe ein«, sagte Þráinn, gab ihm einen Haken und befestigte das andere Ende der Sicherheitsleine an einem Stahlring an der Reling. Anschließend ruckte er einmal fest an der Leine, die an Ægirs Körper herunterhing. Bei Halli sparte er sich den Test.

»Alles bereit?«

Ægir und Halli nickten. Die anschließende Aktion fand Ægir ziemlich sinnlos und unverständlich. Ziel war es, den Container von der Yacht wegzuschieben und gleichzeitig herauszufinden, ob unter der Wasseroberfläche etwas schwamm, das die Schraube oder das Steuerblatt beschädigten konnte, wenn sie losfuhren. Doch wie sehr sie sich auch abplagten und je weiter sie sich über die Reling lehnten, es brachte gar nichts: Der aalglatte, rostige Container, der an der Yacht hing, bewegte sich nicht. Auch nicht, wenn sie gleichzeitig schoben. Der Container blieb dicht bei der Yacht, und der einzige erkennbare Unterschied war der, dass ein paar Pappkartons auftauchten und an der Seite des Containers trieben.

»Der Scheißcontainer ist aufgegangen!« Þráinn holte seinen Stecken ein. »Verdammter Mist!«

»Ist das sehr schlimm?« Ægir holte seinen Stecken ebenfalls ein, froh, seine Arme ein wenig ausruhen zu können.

»Denkbar.« Þráinn wischte sich über die Stirn, damit ihm das Wasser nicht in die Augen lief. »Kommt darauf an, was drin ist und wo sich die Luke befindet.«

»Kann sich das verdammte Ding wirklich verhakt haben?«, fragte Halli, spuckte aus und konnte froh sein, dass ihm der Speichel nicht wieder ins Gesicht klatschte. »Irgendwas stimmt nicht mit diesem Scheißteil.«

»Ich weiß auch nicht, was da los ist. Am Kiel gibt es nichts, woran er sich festhaken kann. Es sei denn, wir haben ein Leck.

Das hast du doch gestern Abend abgecheckt, oder?«, fragte
Þráinn Halli.

»Da war nichts. Und wenn danach was leckgeschlagen wäre,
hätten wir es gemerkt. Das Ding ist so verdammt schwer, das
kriegen wir von hier nicht richtig gepackt. Vor allem nicht bei
dieser beschissenen Sicht«, entgegnete Halli. Er lehnte sich wieder über die Reling und stemmte den Stecken noch einmal gegen
den Container. »Ich gehe gleich runter und überprüfe alles noch
mal.«

»Ist es denn wirklich nur ein Container?« Ægir blickte über
das aufgewühlte Meer. »Und wo ist das Schiff, von dem er gefallen ist? Sind die nicht verpflichtet, das Ding wieder an Bord zu
holen oder dafür zu sorgen, dass es untergeht?«

Þráinn und Halli tauschten einen Blick und grinsten spöttisch.

»So läuft das nicht«, sagte Þráinn und schlug Ægir kräftig auf
die Schulter. »Ist aber eine gute Idee. Laut NAVTEX war es nur
ein Container. Wenn noch mehr von Bord gefallen wären, wäre
eine weitere Meldung gekommen. Darüber müssen wir uns keine
Sorgen machen, wir sollten uns lieber darauf konzentrieren, wie
zum Teufel wir das Scheißding loskriegen, ohne was zu beschädigen.«

»Können wir es nicht darauf ankommen lassen? Einfach losfahren und schauen, was passiert?«, fragte Ægir. Er wollte verhindern, dass der Kapitän das vorschlug, wovor er am meisten
Angst hatte: mit einem Beiboot an die Bordwand heranzufahren
und den Container aus der Nähe unter die Lupe zu nehmen. Das
Deck kam Ægir im Vergleich mit einem kleinen Boot auf den
hohen Wellen wie ein gepolstertes Zimmer vor. Er spürte, dass
die Tablette ihm noch im Hals steckte und kämpfte damit, sie
runterzuschlucken.

Þráinn schüttelte den Kopf und schwieg. Halli trat von einem
Bein aufs andere und entgegnete:

»Ich glaube, von Deck aus können wir jedenfalls nichts mehr
tun. Auch nicht bei besserem Wetter.« Er schlug leicht mit dem

Stecken gegen die Reling. »Sollen wir nicht lieber reingehen? Ich checke den Maschinenraum und den Frachtraum. Wenn da alles in Ordnung ist, ist es keine so schlechte Idee, einfach loszufahren.«

Ægir wurde vom Wind geschüttelt und konnte die beiden Männer vor sich kaum mehr sehen. Der Sturm hatte sich verstärkt, und die Tropfen, die ihm ins Gesicht klatschten, waren eine Mischung aus Regen und Hagel. Er drehte den Rücken in den Wind und schaute plötzlich in das zierliche Gesicht seiner Tochter, die ihn durch das Bullauge anstarrte. Es war voller Tropfen, und er erkannte nicht direkt, welcher Zwilling es war – Arna oder Bylgja ohne ihre Brille. Auch der Gesichtsausdruck war fremd, trauriger als bei einem Kind üblich. Vielleicht waren es nur die Wasserstreifen, die das Gesicht verzerrten, hoffentlich nicht der Anblick ihres Vaters an Deck, der ihr Angst einjagte. Sein Herz wurde schwer, und das bisschen Waghalsigkeit, an dem er sich festgehalten hatte, schwand.

»Ich will rein«, sagte er mit einem Ton in der Stimme, der weder wütend noch erregt war, sondern einfach nur sachlich. Der Wind fegte ihm die Mütze vom Kopf, Wasser tropfte in seinen Kragen und floss kalt an seinem Rücken herunter. Die Kälte beschwor wieder Bilder von der schlanken Hand in der Kühltruhe in seinem Kopf herauf, und er war völlig erschöpft.

»Ich kann nicht mehr.«

Seine Worte drangen zu Þráinn durch, wobei er vielleicht ohnehin hatte reingehen wollen. Sie hakten die Rettungsleinen aus und räumten die Ausrüstung schweigend wieder ein, zu müde, um gegen den Wind anzuschreien. Als sie wieder in der Abstellkammer waren, in der die Regenklamotten aufbewahrt wurden, ergriff Halli als Erster das Wort. Die Stille dort drinnen war nach dem brüllenden Sturm an Deck wie in einer Kirche.

»Ich glaube, mein Overall ist von innen nässer als von außen.« Halli hatte Schwierigkeiten, die an seiner Jeans klebenden Hosenbeine über die Füße zu ziehen. »Keine Ahnung, wie ich das hingekriegt habe.«

»Das ist Scheißmaterial. Völlig zwecklos bei diesen Verhältnissen.« Þráinn schlug seine Jacke aus und hängte sie auf. »Ihr hättet besser so ein Ding angezogen.«

Er zog am Bein eines Taucheranzugs, der an einem Haken hing. Darunter stand eine Sauerstoffflasche mit Maske und Taucherweste.

»Dann hättet ihr auch keine Rettungsleinen gebraucht«, fügte er hinzu.

»Nee, danke.« Halli schnitt eine Grimasse. »Das würde ich nie ausprobieren. Unter Wasser zu atmen, ist was völlig Unnatürliches.«

»Ich auch nicht.« Þráinns Stimme klang wieder so matt und heiser wie beim Frühstück. »Hab noch nie verstanden, wie man so was machen kann.«

Ægir hörte auf, die Wasserflecken von seinen Ärmeln zu streichen. Endlich etwas, bei dem er mehr Mut hatte als sie.

»Ich bin schon mal getaucht. Hab sogar einen Tauchschein.«

Er erzählte ihnen nicht, dass es sich um eine Grundstufe für Anfänger handelte, bei der man nicht viel mehr können musste, als unter Wasser Luft abzulassen.

»Du kannst tauchen?«, fragte Þráinn und schaute Ægir vielsagend an. Halli glotzte ebenfalls, tauschte einen Blick mit dem Kapitän und grinste.

»Äh, ja«, sagte Ægir zögernd.

Glaubten sie ihm etwa nicht? War er in ihren Augen ein solcher Versager, dass sie ihm zutrauten, etwas zu erfinden, um sie zu beeindrucken?

»Ich hab es vor ein paar Jahren im Urlaub gelernt.«

»Wäre es da nicht an der Zeit, mal im richtigen Meer zu tauchen?«, sagte Þráinn und stieß mit dem Zeh gegen die Sauerstoffflasche. »Von oben können wir nicht sehen, was mit diesem Container los ist. Von unten wäre es hingegen kein Problem. Was meinst du? Es würde nur ein paar Minuten dauern.«

Wieder spürte Ægir die Tablette, die immer noch in seinem

trockenen Hals brannte. Was war er nur für ein verdammter Idiot? Das Letzte, wozu er Lust hatte, war, in dieses graue, aufgepeitschte Wasser zu springen, das absolut nichts mit dem Meer gemein hatte, in dem er getaucht war. Das war klar, blaugrün und warm gewesen. Hier war es so warm wie in der eiskalten Umarmung der Leiche in der Kühltruhe. Er schluckte, und die Tablette rutschte ein kleines Stück tiefer. Er fühlte sich wie damals als kleiner Junge, als er den anderen Kindern erzählt hatte, er könne von einem Garagendach zum nächsten springen. Sie hatten ihn beim Wort genommen. Er war auf die Garage des Nachbarn geklettert und hatte versucht, auf die nächste, zehn Meter entfernte zu springen, womit er so oft geprahlt hatte, wohl wissend, dass er es nie schaffen würde. Für den Rest des Sommers lag er mit gebrochenem Bein zu Hause. Hatte er denn gar nichts dazugelernt?

Ægir musste wieder an den Beinbruch denken, als Halli und Þráinn ihn ins Wasser hinabließen. Falls das Schlimmste eintraf, waren gebrochene Knochen seine geringste Sorge. Das einzig Beruhigende war, dass er an der Reling festgebunden war, damit man ihn herausfischen konnte, falls etwas schiefging. Das wiederholte er im Geiste immer wieder, um die Panik in den Griff zu bekommen. Bei seinen früheren Tauchgängen hatte er keine Rettungsleine gehabt. Doch diese Beruhigung verpuffte, als seine Füße die aufgewühlte Wasseroberfläche berührten und die Kälte ihn packte. Auch als sein gesamter Körper im Wasser war, wurde es nicht besser. Seine Zähne klapperten, ohne dass er etwas dagegen tun konnte, und hinderten ihn daran, aus ganzer Kraft zu brüllen, er hätte es sich anders überlegt. Aber das kam nicht in Frage. Jetzt war er hier und musste diese Aufgabe hinter sich bringen. Es würde ohnehin nur fünf Minuten dauern. Doch es war schwer, an die eigene Lüge zu glauben – natürlich würde es länger dauern. Er warf einen Blick auf den Sauerstoffmesser und sah, dass noch genug in der Flasche war – selbstverständlich war der Sauerstoff, seit er die Flasche angelegt hatte, nicht weniger geworden. Wäre sie doch leer gewesen! Dann hätte niemand erwartet, dass er sich auf diese Sache einließ.

Ægir ließ Luft aus der Weste und begann zu sinken. Als sein Kopf ins Wasser glitt, traf ihn die Kälte so heftig, als hätte ihm jemand ein Brett gegen den Schädel geschlagen. Alles wurde still, und er merkte, dass er die Luft anhielt. Einen Moment lang konzentrierte er sich nur aufs Atmen. Ein. Aus. Ein. Aus. Nach einer Weile machte er es automatisch und spürte eine gewisse Erleichterung. Trotzdem war er vollauf damit beschäftigt, nicht durchzudrehen, denn jetzt erblickten seine Augen das düstere, trübgraue Meer, das unmittelbar über seinem Kopf wogte. Er versuchte erneut sich zu beruhigen, diesmal, indem er die Augen schloss und auf seine eigenen Atemzüge lauschte, deren Lautstärke durch die Sauerstoffmaske noch verstärkt wurde. Er fühlte sich etwas besser und beschloss, die Sache anzugehen. Doch augenblicklich begannen im hintersten Winkel seines Gehirns die Alarmsirenen zu heulen.

Es würde schlecht ausgehen.

Es würde schlecht ausgehen.

Es würde sehr schlecht ausgehen.

Er öffnete die Augen.

14. KAPITEL

»Ich will acht Auen!«

Orri sprach »Augen« wie »Auen« aus und gab keine Erklärung für die Anzahl. Vielleicht war es die höchste Zahl, die er kannte.

»Was willst du denn mit acht Augen, Orri?«, fragte Dóra und fuhr auf den einzigen freien Parkplatz vor dem Kindergarten. »Reichen die zwei, die du hast, nicht aus?«

»Ich will viel sehen.«

Orri schaute aus dem Fenster, mit nachdenklichem Gesicht. Draußen gab es nicht viel, was einen vierjährigen Dreikäsehoch interessierte, selbst wenn er viermal so viele Augen hätte – nur dürre Espen, die noch keine Blätter trugen.

»Ich weiß nicht, ob man mit acht Augen mehr sieht als mit zwei.« Dóra stieg aus dem Wagen und hielt Orri die Tür auf. »Und es wäre bestimmt viel schwieriger, abends einzuschlafen, wenn man so viele Augen zumachen müsste.«

»Ich will trotzdem acht Auen!«

Dóra schnallte Orri ab und trat beiseite, damit er aussteigen konnte.

»Für die ist eigentlich gar kein Platz, Schatz. Dein Gesicht ist nicht groß genug.«

»Spinnen sind klein. Die haben auch acht Auen.«

Das war also die Erklärung.

»Spinnen haben acht Beine, nicht acht Augen«, sagte Dóra.

Der Wind schüttelte die Espen, so dass ein paar welke Blätter vom letzten Sommer weggeweht wurden. Sie brachte Orri zum Eingang, und mit jedem Schritt verstärkte sich der Lärm der zahlreichen Eltern, die ihrem widerspenstigen Nachwuchs die Anoraks auszogen, vermischt mit dem Kreischen der Kinder, die bereits drinnen spielten. Als Dóra die Tür öffnete, hätte sie Orri am liebsten nachgeahmt und sich die Ohren zugehalten. Sie beugte sich zu ihm hinunter, zog sanft eine Hand von seinem Ohr und flüsterte:

»Sei froh, dass du keine acht Ohren hast, dann bräuchtest du auch acht Hände!«

Als sie sich hinters Steuer setzte und die Autotür zuschlug, setzten die altvertrauten Gewissensbisse ein, wie jedes Mal zu dieser Zeit und an diesem Ort. Wie erging es dem Kind eigentlich in der Obhut Fremder? Nicht, dass sie den Kindergärtnerinnen unterstellen würde, Orri nicht gut zu behandeln. Keineswegs. Vielmehr beunruhigte sie die große Menge an Kindern. Zu Hause kümmerten sich fünf Personen um Orri, und im Kindergarten war das Verhältnis fast umgekehrt. Aber da ließ sich nicht viel dran ändern. Dóra sollte lieber dankbar sein, so viel Zeit mit ihrem Enkel verbringen zu dürfen. Jedenfalls noch. Gylfi war immer noch von der unsäglichen Idee mit der Bohrinsel besessen und hatte schon andere damit angesteckt. Am Morgen hatte Dóra gehört, wie Sóley ihren Bruder gefragt hatte, ob Ferienjobs in Norwegen besser bezahlt seien als in Island. Und Matthias war so begeistert von der Idee, dass sie sich nicht gewundert hätte, wenn er sich auch auf den Job bewerben würde.

»Ist was über die Leiche in den Nachrichten?«

Dóra hängte ihre Jacke auf und versuchte ihre Verwunderung darüber, dass die Sekretärin pünktlich war, zu überspielen – sie saß sogar schon am Computer hinter dem Empfangstresen.

»Keine Ahnung«, antwortete Bella, ohne ihren Blick vom Bildschirm abzuwenden. Ihr rundes, blasses Gesicht war bläulich erleuchtet, wodurch sie noch leichenhafter aussah als sonst. »Zerbrich dir nicht den Kopf darüber, ich hab dir doch gesagt, dass es Karítas ist.«

»Wenn du meinst.«

Dóra machte den Garderobenschrank zu und nahm ihre Aktentasche. Sie hatte Bella nicht erzählt, dass sie von der Polizei erfahren hatte, dass die Tote möglicherweise an Bord der Yacht gewesen war. Sie war sich nicht wirklich sicher, ob man Bella etwas anvertrauen konnte, wobei sie ihres Wissens noch nie etwas ausgeplappert hatte. Aber die Informationen waren noch nicht bestätigt, und es gab keinen Grund, Bellas Überzeugung von Karítas' Tod mit Halbwahrheiten weiter anzufachen.

»Warum bist du schon so früh hier?«, fragte sie. Vielleicht hatte der Fall Bella so gepackt, dass sie meinte, schon vor Tagesanbruch auf der Arbeit sein zu müssen.

»Zu Hause haben sie mir den Internetzugang gesperrt.«

Bella hob in Zeitlupe ihren Kopf vom Bildschirm und warf Dóra einen wütenden Blick zu. Der sollte wahrscheinlich sagen, dass sie nicht anständig bezahlt würde. Aber die Bedingung für eine anständige Bezahlung war natürlich, dass man auch anständig arbeitete.

»Ich hab ein Angebot auf eBay laufen, das ich verfolgen muss. Die Zeit läuft bald ab, und ich will nicht, dass mich in letzter Sekunde jemand überbietet.«

Dóra drehte sich auf dem Weg in ihr Büro um und fragte:

»Du hast kein Geld, deinen Internetanschluss zu bezahlen, und shoppst im Internet? Ich würde das lieber lassen und damit anfangen, kleinere Schulden abzuzahlen.«

Bella verdrehte die Augen.

»Das sind keine kleineren Schulden.« Sie tippte auf der Maus herum und blies die Wangen auf. »Außerdem kaufe ich was, um ein Geschäft zu machen. Wenn ich diese Box für einen guten Preis kriege, kann ich sie später teurer wieder verkaufen. Es sind also eigentlich Einnahmen, nicht Ausgaben.«

»Box?« Dóra hob die Augenbrauen.

»Batman Lego. Arkham Asylum.«

Dóra traute sich nicht zu, den Namen zu wiederholen und fragte:

»Wie soll man denn mit einer Lego-Box was verdienen?« Vielleicht war Bella endgültig durchgeknallt, wobei es nach der Erfahrung der letzten Jahre wohl auch nicht dümmer war, sein Geld in Lego zu investieren als in isländische Aktien. »Ist das ein Sammlerstück?«

Bella nickte.

»Ja, und dieser Typ hat offensichtlich keine Ahnung, was er da in der Hand hat.« Sie kniff die Augen zusammen und starrte auf die eBay-Seite. »Die Verpackung ist unversehrt, alle Anleitungen sind dabei, und es fehlt keine einzige Figur und kein einiger Lego-Stein.«

Sie schaute zu Dóra.

»In dieser Box waren sieben Figuren.«

Dóra versuchte zu lächeln. Sie hatte keinen blassen Schimmer, ob sieben Figuren viel oder wenig war.

»Viel Glück!«, wünschte sie nur.

Dieser kurze Einblick in Bellas wundersame Welt reichte ihr vollkommen, und sie ging in ihr Büro. Wenn sie eine solche Lego-Box bei sich zu Hause fände, würde sie sie Orri schenken, ihm vielleicht sogar dabei helfen, die Verpackung aufzureißen. Dennoch konnte sie der Versuchung nicht widerstehen und ging auf eBay. Nach einigem Suchen fand sie die kostbare Box und war schwer enttäuscht: eine kleine Lego-Figur in einem Batman-Kostüm sowie eine Ansammlung seiner Feinde, plus ein paar Lego-Steine, die ein Haus oder Gefängnis darstellten. Dabei kam einem nun wirklich nicht sofort Profit in den Sinn. Die Auktion lief in einer halben Stunde aus, und Dóra überlegte kurz, ob sie Bella überbieten sollte, um sie ein bisschen zu ärgern, traute sich aber nicht. Lieber machte sie sich an die Arbeit.

Nachdem sie sich eine gute Stunde mit Versicherungsrecht, der

Gesetzeslage bei Vermisstenfällen und dem Urteil des Bezirksgerichts Reykjavík über den verschwundenen Mann auf dem Segelboot beschäftigt hatte, wusste sie immer noch nicht, was sie Ægirs Eltern über die Dauer des Verfahrens sagen sollte. Sie wusste nur, dass sich der Fall vor Gericht wahrscheinlich hinziehen würde, falls nichts Neues ans Licht käme, und tröstete sich damit, dass die Lebensversicherung des Isländers am Ende ausbezahlt worden war. Wenn sie den Fall gut vorbereitete, würden sie wahrscheinlich dasselbe Ergebnis erzielen. Dóra rief bei der Polizei an und erkundigte sich nach den Unterlagen, um die sie gebeten hatte, und war froh zu hören, dass sie sie am Nachmittag abholen konnte. Bevor sie auflegte, fragte sie noch einmal nach der an Land gespülten Leiche, bekam aber wieder keine Auskunft.

Nachdem sie sich eine Weile mit dem Bericht für die Versicherung herumgeschlagen hatte, stand sie auf und räkelte sich. Es ärgerte sie, dass sie nicht wusste, warum Ægir und Lára eine so hohe Lebensversicherung abgeschlossen hatten. Außerdem fand sie Ægirs Entscheidung, für ein Besatzungsmitglied einzuspringen, höchst seltsam. Sie hatte mit seinem Chef telefoniert, der sich dunkel daran erinnerte, die Sache aus Sparmaßnahmen befürwortet zu haben. Als Dóra genauer nachfragte, rettete er sich in Ausflüchte. Letztendlich schien es doch keine so große Ersparnis gewesen zu sein: die Kosten für einen ausländischen Seemann für eine Woche, möglicherweise mit einem guten Zuschlag, plus ein Flugticket zurück in seine Heimat. Der Chef sprach von vergleichsweise kleinen Summen, die man eigentlich durchaus hätte ausgeben können. Dann schoss er den Vogel ab und sagte etwas, das Dóra am wenigsten hören wollte: dass Ægir die Entscheidung im Grunde selbst getroffen hätte, weil er unbedingt fahren wollte. Es sei seine Idee gewesen.

Das war der Schwachpunkt bei der ganzen Sache. Jetzt sah es fast so aus, als handele es sich um ein geplantes Untertauchen der gesamten Familie. Und falls sie hohe Schulden hatten, war es noch verdächtiger. Das musste Dóra unbedingt sofort klären.

Sie rief Ægirs Eltern an und bat sie, bei Banken und anderen Finanzinstituten Auskünfte über den Schuldenstand ihres Sohnes einzuholen. Die beiden wichen aus, sie wüssten nicht, wie sie das anstellen sollten, und hielten es für schwer durchführbar, bis sie Dóra am Ende eine Vollmacht erteilten, um die Infos einzuholen. Es war zwar fraglich, ob das funktionieren würde, weil das Gerichtsurteil, Ægirs und Láras Besitz als Nachlass zu behandeln, noch ausstand, aber man konnte es immerhin versuchen. Bis dieses Urteil gefällt oder das Ehepaar für tot erklärt wurde, galt bezüglich ihrer Finanzen das Bankgeheimnis. Schlimmstenfalls mussten sie in ihrem Haus nach Quittungen und Rechnungen suchen. Doch das wollte Sigríður noch weniger, und wieder vereinbarten sie, dass Dóra es im Zweifelsfall übernehmen würde. Sigríður bat sie, dann direkt auch ein paar Kleidungsstücke und Spielzeug für die Kleine mitzubringen. Sie würden es sich immer noch nicht zutrauen, das Haus ihres Sohnes zu betreten. Mit dieser Übereinkunft verabschiedeten sie sich voneinander.

Als Dóra sich gerade einen Kaffee holen und Bella nach dem Ergebnis der Internetauktion fragen wollte, klingelte das Telefon.

»Da ist eine Frau, die mit dir sprechen will«, blaffte Bella, und dann war eine ältere Frau in der Leitung, die sich als Begga, Karítas' Mutter vorstellte.

»Sie waren bei mir zu Besuch, wissen Sie noch? Sie haben mir Ihre Visitenkarte gegeben.«

»Ja, hallo. Wie geht es Ihnen?«

»Gut, gut«, antwortete Begga wenig überzeugend. »Ich wollte Ihnen nur sagen, dass Karítas sich gestern gemeldet hat.«

Die kurze Pause, während der Dóra nichts sagte, machte sie nervös.

»Sie haben doch nach ihr gefragt, wissen Sie noch? Ich dachte nur, Sie würden das gerne wissen.«

»Stimmt, und ich bin sehr froh, das zu hören, ich dachte schon, ihr sei etwas zugestoßen«, sagte Dóra und hoffte, dass Begga nicht hörte, wie erstaunt sie war. Sie hatte fest damit gerechnet, dass es sich bei der Toten, die auf der Yacht gefunden worden war, um Karítas handelte – sei es wegen Bellas Überzeugung vom vorzeitigen Tod ihrer alten Schulkameradin, oder weil sie neben Lára die einzige Frau war, die mit dem Fall zu tun hatte. Und laut Polizei war es zweifelhaft, ob die an Land gespülte Leiche Lára war.

Die Frau stieß ein kurzes Lachen aus, das fast wie ein Kichern klang.

»Wenn ich ehrlich sein soll, dachte ich das mittlerweile auch. Aber es geht ihr gut, und sie ist wohlauf«, sagte sie.

»Haben Sie sie gefragt, ob sie bereit wäre, kurz mit mir zu sprechen? Ich kann sie auch anrufen, falls sie im Ausland ist und das Telefonat nicht bezahlen will.«

»Oh, das macht ihr doch nichts.« Beggas Stimme klang hohl, und sie hatte eindeutig keine Ahnung, was sich ihre Tochter noch leisten konnte. »Ich habe es angesprochen, aber sie konnte mir leider nicht mehr antworten, weil sie wegmusste. Ich sage es ihr noch mal, wenn ich das nächste Mal von ihr höre. Das wird bestimmt bald sein, sie hat jetzt Internetzugang.«

»Internetzugang?« Dóra überlegte, ob Karítas in derselben Klemme saß wie Bella, sagte aber nichts, um das Luxusbild, das Begga von ihrer Tochter kultivierte, nicht zu zerstören. »War sie in entlegenen Gegenden unterwegs?«

»Ja, sie ist gereist. Hat versucht, zu sich zu kommen, verstehen Sie?«

Dóra verstand das nicht ganz. Wenn sie in ihrem Leben mit Problemen konfrontiert war, konnte sie nicht mal eben auf die Galapagosinseln fliegen, um zu sich zu kommen.

»Sie ist also wieder zu Hause?«, fragte sie und fügte hastig hinzu: »Wo war das noch mal?«

Begga kicherte.

»Kein Wunder, dass Sie das fragen. Aber im Ernst, sie ist in Brasilien. Glaube ich. Darüber haben wir zwar nicht direkt gesprochen, aber sie haben dort ein Haus, und obwohl da eigentlich schon Herbst ist, ist es trotzdem wärmer als hier. Ich nehme an, dass sie dort ist.«

»Haben Sie ihre Telefonnummer?«

Jetzt war kein Kichern mehr zu hören.

»Nein. Die hat sie mir nicht gesagt, und ich habe vergessen zu fragen. Sie hatte sich eine neue Nummer zugelegt, als das alles losging und sie keine Ruhe mehr vor den Journalisten hatte. Sie hatte sogar ihr Handy gekündigt, stellen Sie sich das mal vor! Aber leider weiß ich nicht, ob sie wieder eins hat. Es war, wie gesagt, nur ein kurzes Gespräch.«

»Haben Sie denn gesehen, von welcher Nummer aus sie angerufen hat?«

»Nein, sie hat nicht angerufen. Das war auf Facebook. Hatte ich das nicht erwähnt?«

»Da habe ich wohl was missverstanden.«

Dóra fand das ziemlich seltsam. Wenn sie wochenlang nicht mit ihrer Mutter gesprochen hätte, würde sie sich bestimmt die Zeit nehmen, länger mit ihr zu reden. Und sie würde eher anrufen, als auf einer Internetplattform mit ihr zu chatten. Wenn aber jemand vorgab, Karítas zu sein, um ihre Mutter zu täuschen, musste das Gespräch möglichst kurz und möglichst nicht am Telefon sein. Je länger es dauerte, desto größer war die Gefahr, Fehler zu machen. Vor allem, wenn Google Translate benutzt wurde. Dóra hätte Begga liebend gerne gefragt, ob sie über etwas Persönliches gesprochen hätten, etwas, das sonst niemand wusste. Aber das hätte die arme Frau nur durcheinandergebracht, und es wäre ziemlich frustrierend, ihre Erleichterung nach dem Facebook-Chat wieder zunichte zu machen.

»Hat sie sonst noch was Besonderes gesagt?«

»Nein, eigentlich nicht. Nur, dass es ihr gutgeht und dass das Wetter gut wäre. Dann hat sie noch nach dem Wetter in Island gefragt. Ich weiß das nicht mehr im Detail.«

»Nein, natürlich nicht. Aber es ist gut, dass sie wohlauf ist und sich hoffentlich bald wieder bei Ihnen meldet. Dann denken

Sie vielleicht an mein Anliegen«, sagte Dóra, der plötzlich etwas klar wurde. Wenn jemand vorgab, Karítas zu sein, musste es ein Isländer sein. Es war einfach unmöglich, mehr als zwei Sätze mit Google übersetzen zu lassen, ohne sich verdächtig zu machen.

»Ich habe letztes Mal vergessen zu fragen, ob Karítas im Ausland isländische Freundinnen oder Bekannte hat?«

»Tja, nicht viele. Sie ist so furchtbar beschäftigt, wenn sie im Ausland ist, da bleibt keine Zeit für alte Freunde. Ihr Terminkalender lässt ihr ja kaum Zeit für ihre alte Mutter«, antwortete Begga und lachte wieder ihr lebloses Lachen. »Die einzigen Isländer, mit denen sie auf Reisen zu tun hat, sind die Leute, die für sie und ihren Mann arbeiten. Wenn ich mich recht erinnere, war mal ein Isländer bei der Besatzung der Yacht, und dann hatte sie noch ein isländisches Dienstmädchen oder eine Assistentin oder wie man das nennen soll. Sie war Island und den Isländern gegenüber immer positiv eingestellt, deshalb war die Berichterstattung über sie und ihren Mann nach diesem Finanzskandal ja auch so ungerecht.«

»Erinnern Sie sich an den Namen der Frau, die für sie gearbeitet hat? Ist es dasselbe Mädchen, das mit ihr nach Portugal gefahren ist?«

Dóra klemmte sich den Hörer ans Ohr und reckte sich nach einem Stift. Sie drehte ein Blatt um, auf dem sie sich Notizen über den Fall einer Familie gemacht hatte, die kurz davor war, ihren gesamten Besitz zu verlieren. Das passte ja hervorragend: Die Ursache für das Unglück dieser Leute hing nämlich tatsächlich mit den Finanzexperimenten der Superreichen zusammen.

»Wenn ich nicht mit Karítas persönlich sprechen kann, könnte ich versuchen, ihre Assistentin zu erreichen. Ist sie vielleicht mit ihr in Brasilien?«

»Das hat sie zwar nicht erwähnt, aber ich kann es mir nicht vorstellen. Karítas meinte jedenfalls, sie wäre alleine, aber vielleicht zählt sie ja Dienstboten nicht mit. Sie ist an solche Hilfe so gewöhnt wie wir an eine Waschmaschine. Ich würde meine

Waschmaschine ja auch nicht als Gesellschaft ansehen, auch wenn das vielleicht nicht direkt vergleichbar ist.«

Dóra unterdrückte einen Kommentar angesichts der absurden Idee, Menschen mit einer Waschmaschine zu vergleichen, und sagte:

»Wenn sie nicht in Brasilien ist, dann hält sie sich wahrscheinlich hier in Island auf. Das wäre umso besser, dann könnte ich versuchen, sie zu kontaktieren.«

»Ich weiß nicht, was dieses Mädchen Ihnen sagen könnte. Wer bei meiner Tochter und ihrem Mann arbeitet, muss einen ausführlichen Vertraulichkeitsvertrag unterschreiben, und den würde sie bestimmt nicht brechen. Wobei man bei der nie wissen kann. Ich fand sie immer völlig unmöglich, aber Karítas sah das anders. Ich habe ihr sogar angeboten, ihr zu helfen, damit sie dem Mädchen kündigen kann, aber davon wollte sie nichts wissen. Sie wollte das Mädchen nicht verletzen und mich nicht ausnutzen. Sie war immer so gutherzig.«

Dóra interpretierte das ein wenig anders. Karítas wollte ihre Mutter bei ihren Reisen wahrscheinlich nicht ständig am Rockzipfel haben.

»Wissen Sie noch, wie das Mädchen heißt?«

»Aldís. Ihren Nachnamen weiß ich nicht.«

Immerhin! Nachdem Dóra sich verabschiedet hatte, musste sie feststellen, dass es 219 Frauen namens Aldís im Telefonverzeichnis gab. Keine Chance, die Richtige zu finden. Mangels einer besseren Idee ging sie auf Facebook, um Karítas auf gut Glück eine Freundschaftsanfrage zu senden. Dóras Seite war nicht aktuell und uninteressant, es gab nur ein Album mit ein paar Fotos von den Kindern, die sie ganz am Anfang hochgeladen hatte. Kein großer Anreiz für Karítas, ihre Freundschaftsanfrage anzunehmen. Entweder gehörte sie zu denen, die alle Anfragen annahmen, oder zu denen, die ihre Freunde sorgfältig auswählten, und dann war es fraglich, ob Dóra durch das Nadelöhr kam.

Karítas' Seite war unverschlüsselt, und Dóra konnte sie problemlos anschauen. Als Erstes checkte sie, ob Aldís unter den Hunderten von Freunden war, die in Karítas' Augen Gnade gefunden hatten, fand sie aber nicht. Das sagte einiges über das Verhältnis der beiden aus: Dienstboten zählten offenbar nicht zu Freunden. Ebenso wenig wie Waschmaschinen. Der Rest der Seite war relativ uninteressant, bis auf die Fotoalben. Es gab eine solche Masse an Bildern, dass die Frau entweder jemanden beauftragt haben musste, sie hochzuladen, oder der enge Terminkalender, von dem ihre Mutter gesprochen hatte, erfunden war. Dóra klickte die Fotos schnell durch in der Hoffnung, Aldís oder irgendwelche Infos über sie zu finden. Nach ein paar hundert Fotos war sie total gelangweilt. Die meisten waren von gesellschaftlichen Ereignissen mit aufgetakelten Menschen. Die Frauen schienen manchmal unter der Last ihrer klotzigen Schmuckstücke zusammenzubrechen – sie waren wirklich nicht für Schwertransporte geeignet, sondern starben fast den Hungertod. Oft waren mit Schnittchen und Häppchen beladene Silbertabletts zu sehen, von denen aber nie eine Frau etwas aß. Im Gegensatz zu den Männern, die groß und klein und dick und dünn waren und sich oft etwas in den Mund steckten, wenn gerade abgedrückt wurde.

Ein paar Fotos zeigten Karítas alleine oder mit ihrem Mann aus der Nähe. Sie waren alle gestellt, und ihr Körper stets so in Szene gesetzt, dass er am besten zum Ausdruck kam. Niemals ungekämmte Haare oder Freizeitkleidung. Es fiel auf, dass sich der Fotograf immer nur für Leute interessierte, obwohl im Hintergrund alle möglichen Ecken der Welt zu sehen waren. Leute, Leute und nochmals Leute.

Als Dóra gerade aufgeben wollte, kam ein Foto von Karítas, wie sie mit Hilfe einer jungen Frau ein langes Kleid anzog. Das Mädchen schloss den Reißverschluss an ihrem langen, schlanken Rücken. Man konnte zwar nur einen Teil ihres Gesichts sehen, aber sie wäre eindeutig lieber woanders gewesen. Unter dem Bild stand: *Zu spät zum Charity-Ball in Wien, Aldís hilft in letzter*

Sekunde! Jetzt wusste Dóra zumindest, wie Aldís aussah. Vielleicht stand ihr voller Name ja unter einem der anderen Bilder. Aber Dóra hatte genug von dieser Fotosammlung, nahm das Telefon und rief Bella an. Als Internet-Junkie würde sie sich über diese Aufgabe bestimmt freuen. Bevor Dóra ihr Anliegen vorbrachte, fragte sie nach der Lego-Box und bekam zu hören, dass irgendein verdammter Schwachkopf Bella im letzten Moment überboten hatte.

»Ach, schade, vielleicht klappt's ja beim nächsten Mal«, sagte Dóra in der Hoffnung, dass Bella das hören wollte, erntete aber nur ein vieldeutiges Stöhnen und Schnauben. Dieselbe Reaktion erhielt sie auf ihre Bitte, Bella solle sich die Facebook-Seite anschauen. Als Dóra auflegte, war ihr nicht klar, ob Bella die Aufgabe übernehmen würde – aber das war ja nichts Neues.

Das Bild von Karítas, die sich mit Aldís' Hilfe anzog, war immer noch auf dem Bildschirm. Dóra starrte es an, seufzte und schüttelte langsam den Kopf. Vielleicht interpretierte sie zu viel in das hinein, was sie bisher gesehen und gehört hatte, aber sie war sich ziemlich sicher, dass Karítas langweilig, dreist und überheblich war. Sie stammte aus kleinen Verhältnissen, war zu unbeschreiblichem Reichtum gekommen und konnte nicht damit umgehen. Oder sie war schon immer eine Zicke gewesen, wie Bella hatte durchblicken lassen. Jetzt fand Dóra das Gesicht des Mädchens, das sich damit abmühte, den Reißverschluss am Rücken seiner Chefin nicht zu verhaken, noch aussagekräftiger. Sie war genervt und wütend, diese verwöhnte Prinzessin bedienen zu müssen. Als Dóra das Foto vergrößerte, änderte sie ihre Meinung: Das Gesicht war nicht wütend, sondern hasserfüllt.

15. KAPITEL

Unten in der Tiefe war die Sicht schlecht. Der Scheinwerfer war ungewohnt, und Ægir stellte sich so ungeschickt an, dass der Lichtschein ständig flackerte. Alles wirkte lebendig und zugleich furchteinflößend, als könne jeden Moment etwas passieren. Das eine Mal, als Ægir im Meer getaucht war, hatte nichts mit dieser Schnapsidee gemein; damals hatte er sich gut gefühlt und fast vergessen, wie fragil das Leben unter der Wasseroberfläche war. Jetzt hämmerte das Herz in seiner Brust, und er musste sich bei jedem Atemzug darauf konzentrieren, genug Sauerstoff durch das Mundstück zu bekommen und nicht durchzudrehen. Doch er konnte sich einfach nicht beruhigen. Der Plastikgeschmack in seinem Mund wurde immer stärker, und Ægir wurde mit jedem Atemzug nervöser.

Er schaute nach oben in der Hoffnung, sich zu entspannen, wenn er sah, wie kurz der Abstand zur Wasseroberfläche war. Doch es half nicht. Die Helligkeit weckte ein unkontrollierbares Verlangen, durch die Nase zu atmen. Schnell senkte er den Kopf wieder und spürte, wie seine eiskalten Halswirbel knackten. Das Geräusch war gedämpft und schien ganz langsam durchs Meer getragen zu werden – wozu auch Eile? Es hörte ja niemand zu. Die Yacht knirschte unablässig, vermutlich wegen der Spannung in der Stahlwand, was Ægirs angespannte Nerven nur noch mehr strapazierte. Was, wenn der Schiffsrumpf kaputt war? Würden

sie von ihm verlangen, noch einmal mit Werkzeug hinunterzu-
tauchen und den Schaden zu reparieren? Er verdrängte den Gedanken, indem er die Augen zukniff und dreimal durchatmete.
Die Luftblasen blubberten an seinen Ohren vorbei, und er beneidete sie darum, auf dem Weg an die Oberfläche zu sein. Dann
riss er die Augen wieder auf und nahm sich zusammen. Je eher
er sich ans Werk machte, desto früher kam er aus dieser Hölle
heraus.

Er packte den Scheinwerfer fester und versuchte, den Lichtstrahl gerade zu halten. Als ihm das einigermaßen gelang, bewegte er die Lampe hin und her und suchte den Container, der nicht
weit entfernt sein konnte. Þráinn hatte ihn in einigem Abstand
dazu hinuntergelassen, damit die Sauerstoffflasche auf seinem
Rücken nicht an dem Container entlangratschte und kaputtging.
Was würde passieren, wenn sich die Flasche an dem Container
verhakte? Könnte er sich dann befreien? Es war schon schwer
genug gewesen, das Ding an Deck mit Hilfe der anderen anzulegen, aber sie unter Wasser in Panik abzuschütteln?

Der Lichtstrahl traf auf den schwimmenden Container, und
Ægir paddelte langsam mit den Flossen vorwärts. Er versuchte,
den gesamten Container abzuleuchten, aber das Wasser war
trüb, und das Licht konnte nicht viel ausrichten. Er erinnerte
sich daran, dass durch die Taucherbrille alles viel größer wirkte,
als es tatsächlich war. Dennoch war ihm an Deck nicht klar
gewesen, wie groß das Ding eigentlich war. Der Kapitän hatte
recht gehabt: Für den massiven Stahlcontainer war es ein Leich-
tes, die Schiffsschraube oder das Steuerblatt zu beschädigen. Er
lag schräg an der Schiffswand, als hätte man ihn an einer Ecke
aufgehängt. Eine der beiden Türen war aufgegangen und hing
über dem Abgrund, während die andere fest verschlossen zu
sein schien. Das war zweifellos der Grund dafür, dass der Container nicht gesunken war: Eine Ecke hatte sich mit Luft gefüllt.
Als Ægir das Ganze jetzt von der Seite sah, wusste er, warum
sie den Container nicht hatten wegschieben können: Wenn sie

gegen die Kante, die aus dem Wasser ragte, gedrückt hatten, hatten sie den Container nur weiter gegen die Schiffswand gepresst.

Trotz dieser neuen Perspektive ließ sich schwer einschätzen, ob es möglich wäre, einfach loszufahren. Dafür musste sich Ægir erst ein Gesamtbild verschaffen. Obwohl er nur langsam mit den Flossen vorwärtspaddelte, näherte er sich dem Container schneller, als ihm lieb war. Plötzlich musste er eine Hand vom Scheinwerfer nehmen und vor sich halten. Seine Hand berührte den eiskalten Stahl, während er mit den Füßen gegen die Strömung ankämpfte. Die offene Luke schwang neben ihm wie in einer sanften Brise. Ægir richtete die Lampe in die schwarze Öffnung und sah Umrisse brauner Pappkartons mit weißen Aufklebern mit dem Namen des Empfängers, die sich langsam ablösten. Der konnte lange darauf warten, sie in Empfang zu nehmen. Ægir stützte sich mit der Hand ab. Auch wenn es dumm war, hatte er Angst, in den Container gesogen zu werden und nicht mehr herauszukommen. Dann würde er in seinem Inneren vor sich hindämmern wie die Waren, die nie in die richtigen Hände gelangen würden. Er zog an der Leine, die um seine Taille gebunden war, um sich zu vergewissern, dass er noch mit dem Leben über der Wasseroberfläche verbunden war. Das war noch der Fall, aber es beruhigte ihn kaum, denn die Leine würde ihm nicht viel nützen, wenn er irgendwo festhing.

Aber er war ja nicht hier, um den Inhalt des Containers zu überprüfen oder seiner Phantasie freien Lauf zu lassen, sondern um die Schiffswand nach Beschädigungen abzusuchen und herauszufinden, wie man dieses Riesending von der Yacht lösen konnte – etwas, was selbst das Meer mit seinen Strömungen nicht geschafft hatte. Ægir fühlte sich wie eine Ameise vor einer aussichtslosen Aufgabe.

Er machte einen schwachen Versuch, den Container von der Schiffswand wegzuziehen, doch obwohl sich die offene Tür leicht bewegte, rührte sich der Container nicht von der Stelle.

Dafür brauchte man einen stärkeren Mann und am besten mehr als einen oder zwei. Beim zweiten Versuch zog er kräftiger, mit demselben Ergebnis: die Lukentür schaukelte leicht, aber der Container bewegte sich keinen Zentimeter von der Yacht weg. Die Sache wurde zusätzlich erschwert, weil Ægir gleichzeitig den Scheinwerfer festhalten musste, denn er traute sich nicht, nach der Schlaufe an seiner Weste zu tasten, in die er ihn einhaken konnte. Er war voll und ganz damit beschäftigt, sich auf die messerscharfen Eisenkanten zu konzentrieren, an denen man sich leicht schneiden konnte.

Plötzlich hatte er eine geniale Idee. Wenn er die zweite Tür öffnete, würde sich der Container mit Wasser füllen und die Luft entweichen. Dann musste das verdammte Ding sinken, und sie konnten weiterfahren. Das einzig Schwierige war, die Riegel aufzukriegen, vor allem, falls sie beschädigt waren. Er musste zu der Kurbel tauchen, mit der sich die Riegel öffnen ließen. Das sollte zu schaffen sein – er wollte den Container nur nicht loslassen, während er sich mit der Kurbel abmühte. Er fürchtete nämlich immer noch, hineingesogen zu werden und nicht mehr herauszukommen. Aber er konnte sich nicht richtig festhalten, weil er sich die Lampe unter den Arm klemmen musste. Die Sicht war einfach nicht gut genug, um die Schlaufe an seiner Weste zu suchen.

Er würde es einfach darauf ankommen lassen. Ægir ließ Luft aus der Weste und sank nach unten, bis er bei der Kurbel angelangt war, die zum Glück unversehrt aussah. Er klemmte sich die Lampe unter den Arm und krallte sich am Rand der Tür fest. Langsam wurden seine Beine in das schwarze Loch gezogen, und Ægir strampelte wie wild, um sie wieder aus dem Container zu bekommen. Damit das nicht noch mal passierte, legte er sich flach an die geschlossene Tür und konnte sich so zusätzlich abstützen.

Es war anstrengend, die Kurbel mit einer Hand zu drehen. Die Muskeln in seinen Armen, die schon von der Plackerei mit dem Stecken müde waren, schmerzten. Als er daran dachte, hatte er das Gefühl, das sei vor vielen Stunden, wenn nicht gar gestern gewesen. Eine Minute unter Wasser fühlte sich an wie eine Stunde über der Wasseroberfläche. Ægir atmete tief ein und drehte mit voller Kraft. Die Kurbel quietschte und ließ sich ganz drehen. Er hatte es geschafft! Doch seine Freude war nur von kurzer Dauer, denn er erstarrte bei der Vorstellung, dass der Container untergehen könnte, bevor er weggeschwommen war. Dass die Tür aufschlagen und der Container in die Tiefe sinken würde, mit ihm, in sein Mundstück schreiend. Ægir drückte sich kräftig ab und wartete dann eine ganze Weile. Vielleicht war seine Angst unnötig gewesen, aber jetzt wusste er zumindest, dass er vorsichtig sein musste, wenn er die Tür öffnete.

Vorsichtig schwamm er zurück zum Container und erreichte die Lukentür. Er versuchte, sie zu sich zu ziehen, aber wie sehr er auch an ihr zerrte, es war vergeblich. Der Druck des Wassers auf der Tür war zu groß, und es brachte nichts, sich damit herumzuschlagen – alleine konnte er sie auf keinen Fall aufmachen. Doch wenn er es schon nicht schaffte, den Container von der Yacht zu lösen, musste er sich zumindest davon überzeugen, dass es ungefährlich war, weiterzufahren. Und dafür reichte es nicht, sich eine Seite des Containers anzuschauen. Er musste an der Schiffswand entlang unter den Container tauchen.

Ægir blickte auf den Sauerstoffmesser, der auf über einhundert stand, was ihm nichts anderes sagte, als dass er fünfzig Punkte davon entfernt war, bis die Nadel in den roten Bereich sank und er auftauchen musste. Innerlich musste er lachen, denn er hatte keine Ahnung, was diese Zahlen bedeuteten. Er spürte die Kälte nicht mehr, was ein schlechtes Zeichen war, und ihm war noch alberner zumute. Wenn er laut auflachte, würde er bestimmt das Mundstück verlieren und ertrinken, was seine Heiterkeit erheblich dämpfte. Er ließ mehr Luft aus seiner Weste und sank tiefer. Je länger er es hinauszögerte, unter den Container zu schwimmen, umso länger dauerte es, bis er wieder bei seiner Familie war.

Ægir hielt es für das Beste, sich auf dem Rücken treiben zu lassen, wusste aber nicht, ob das ging. Dann könnte er nach oben schauen und würde nicht Gefahr laufen, mit der Sauerstoffflasche an der Unterseite des Containers hängenzubleiben. Zur Sicherheit ließ er sich weiter hinuntersinken, als nötig gewesen wäre. In seinen Ohren knackte es, und er hielt sich die Nase zu, um den Druck vom Trommelfell zu nehmen. Ohrenschmerzen waren zwar bei der bevorstehenden Aktion das geringste Problem, aber er wollte sie trotzdem vermeiden.

Doch die Sauerstoffflasche war zu schwer. Immer, wenn er versuchte, auf dem Rücken zu schwimmen, drehte er sich wieder und verlor die Kontrolle. Deshalb musste er sich damit abfinden, weiter auf dem Bauch zu schwimmen und immer wieder nach oben zu schauen, während er den Kiel nach Schäden absuchte. Dabei schoss ihm jedes Mal Adrenalin in die Adern, wenn er sah, dass er dem Boden des Containers immer näher kam. Er bemühte sich, etwas tiefer zu tauchen und aus der Gefahrenzone zu kommen.

Auf einmal kam er nicht mehr weiter. Erst dachte er, er sei von einem Stück Stahl oder einem scharfen Pflock durchbohrt worden, und ruderte wild mit den Armen. Dabei wurde er nach oben getrieben, er atmete hektisch und konnte vor lauter Luftblasen nichts mehr sehen. Als er mit der Sauerstoffflasche gegen den Boden des Containers stieß, wurde er panisch, bekam sich aber wieder in den Griff. Er merkte, dass er die Lampe noch in der Hand hielt und dass der Ruck von der Leine stammte, die sich um seine Taille gewickelt hatte. Mit zitternden Händen nahm er den Scheinwerfer in die linke Hand, stieß sich vom Container ab und tastete mit der rechten Hand nach der Rettungsleine. Sie war straff – entweder wollten die anderen ihn nach oben holen oder er war irgendwo hängen geblieben.

So konnte er jedenfalls nicht weitertauchen. Natürlich hätte er sich von der Leine losmachen können, aber es wäre zu schwierig gewesen, gegen die Strömung zurückzuschwimmen. Wenn die

Männer an Deck ihn nicht mehr sahen, trieb er womöglich einfach weg und wurde nie mehr gefunden. Dafür war ihm sein Leben und das seiner Familie zu schade. Ægir pfiff darauf, was die anderen von ihm hielten – sie konnten ja versuchen, es besser zu machen. Er reckte den Hals, um weiter sehen zu können. Der Lichtstrahl richtete in dem trüben Wasser nicht viel aus, dennoch sah er etwas aufleuchten, das er für das Ende des Containers hielt. Er wurde etwas zuversichtlicher. Jetzt konnte keiner etwas an seinen Bemühungen aussetzen. Ægir fasste wieder Mut und wollte versuchen, den Container von unten wegzuschieben. Er schwamm zu der Stelle, die er ungefähr für die Mitte des Containers hielt, und brachte sich in eine Position, aus der er die Beine gegen den Kiel stemmen und die Hände mit aller Kraft gegen den unteren Rand des Containers drücken konnte.

Er klemmte sich die Lampe zwischen die Beine, krümmte sich zusammen und versuchte dann, sich wieder auszustrecken und gegen den Stahl zu stemmen, aber der Container bewegte sich genauso wenig wie vorher. Alle weiteren Versuche brachten nichts, außer zunehmender Verwunderung darüber, wie oft er es schon probiert hatte. Ægir hatte bei der ganzen Aktion Zeit und Raum völlig vergessen. Doch die Wirklichkeit holte ihn mit einem Schlag wieder ein, als er endlich aufgab. Er hatte kein Zeitgefühl mehr und wusste nicht, wie lange er gekämpft hatte und wie viele Minuten er schon unter Wasser war. Die Messanzeige stand bei sechzig, und sein Herz schlug schneller. Wahrscheinlich hatte er zu viel Sauerstoff verbraucht und musste sofort zurück an die Oberfläche. So ruhig wie möglich drehte er sich um und schwamm gegen die Strömung, jetzt froh, den Container über sich zu haben, da er dadurch leichter vorankam. Nur die Lampe machte ihm zu schaffen, weil er beide Arme gebraucht hätte. Deshalb wollte er versuchen, sie so an die Weste zu klemmen, dass sie nach oben leuchtete. Dann würde er noch etwas sehen und könnte sich am Boden des Containers abstützten.

Ægir traute sich nicht, den Container loszulassen, und konnte mit der Lampe in der anderen Hand nicht richtig an der Weste herumtasten. Als er meinte, die Lampe sicher an seinem Körper befestigt zu haben, fiel sie ihm auf einmal aus der Hand. Entsetzen packte ihn, als er sah, wie der Lichtstrahl langsam im trüben Wasser nach unten sank. Da leuchtete plötzlich ein weißer Arm auf, der unter ihm in der Tiefe zu treiben schien. Ægir hatte Blutgeschmack im Mund und wollte am liebsten wegschauen. Aber er konnte es nicht. Für einen kurzen Moment beleuchtete die Lampe den Arm, und dann sah Ægir Teile eines Körpers: der schlanke Brustkorb war in einen dezent gefärbten Stoff gehüllt und erinnerte an eine Qualle. Der Kopf hing schief, so dass Ægir nur die Wange sah. Doch das reichte, um durch das lange Haar, das sich nach oben wellte, als wolle es ihn berühren, in ein starrendes Auge zu blicken.

Dann wurde alles schwarz. Ægir spürte, wie ihm das Blut in Finger und Zehen schoss, und ohne nachzudenken tastete er sich hektisch weiter. Er bewegte sich doppelt so schnell wie vorher, und als er am Ende des Containers angelangt war, merkte er plötzlich, dass er bei seiner Flucht den Atem angehalten hatte. Hektisch sog er an dem Mundstück und spürte den künstlichen Geschmack des Sauerstoffs in seine Lungen strömen. Dennoch fühlte es sich so gut an, dass er sich Zeit ließ, ein paar Mal zu atmen, bevor er langsam Luft in die Weste ließ und zur Oberfläche aufstieg. Ægir freute sich so darauf, endlich wieder normal atmen zu können, dass er sich beherrschen musste, sich die Tauchermaske nicht vom Kopf zu reißen. Als sein Kopf schließlich auftauchte, hätte er am liebsten laut geschrien.

Die Strickleiter hing noch an ihrem Platz, und Ægir krallte sich an der untersten Sprosse fest, während er das Mundstück ausspuckte und die Weste mit Luft vollpumpte, um nicht unterzugehen. Als er sich aus dem Wasser stemmte, wurde ihm bewusst, wie schwer die Sauerstoffflasche war, und einen Moment lang dachte er, er würde es nicht hinaufschaffen. Doch oben wartete das Leben, unten der kalte Tod, und sein Weg führte nach oben. Er spannte die kalten Muskeln seiner Oberarme an und hievte sich mühsam hinauf. War die Frau, die er gesehen hatte, Einbildung? Jetzt, wo er aus der Tiefe entkommen war, schien sie so unwirklich, dass er sich nicht mehr sicher war. Doch, es musste Einbildung gewesen sein.

»Ich hab noch nie in meinem Leben ein besseres Bier getrunken. Gib mir noch eins!«, sagte Ægir und leerte, in eine Decke eingewickelt, seine Flasche.

Normalerweise trank er vormittags nichts, aber jetzt hätte er sich ordentlich besaufen können. Ein kühles Bier war genau das, was er jetzt brauchte, und es spielte keine Rolle, dass er bei jedem eiskalten Schluck wie ein Zweig im Wind zitterte. Sein Körper dankte es ihm anscheinend nicht, aber das war ihm völlig egal, ebenso wie Láras Anstellerei. Sie hatte einen Wutanfall bekommen, als sie gehört hatte, was passiert war. Er habe sie und die Kinder getäuscht, sei ein Risiko eingegangen, das er ohne ihre Zustimmung nie hätte eingehen dürfen, und sich in jeglicher Hinsicht wie ein egoistischer Dreckskerl verhalten – süchtig nach Abenteuern oder mit dem krankhaften Bedürfnis, es anderen recht zu machen. Und so weiter. Doch so, wie er sich gerade fühlte, konnte er sie sowieso nicht zur Vernunft bringen. Er konnte sich kaum bewegen und saß bibbernd auf einem Küchenstuhl. Die Mädchen wollten nichts verpassen und waren dageblieben, nachdem ihre Mutter hinausgestürmt war. Jetzt saßen sie ihm gegenüber und starrten ihn mit ihren großen, dunklen Augen verwundert an. Es sagte einiges über seinen Zustand aus, dass es ihn nicht störte, dass sie Zeugen dieser unangenehmen Situation wurden. Das Einzige, was er nicht erwähnte, war die Frau, die er zu sehen geglaubt hatte. Er wollte nicht mit klappernden Zähnen irgendeinen Schwachsinn von sich geben. Diese Sinnestäuschung war bestimmt eine Folge der Auskühlung gewesen, und er wollte seine Heldentat nicht schmälern, indem er eine Geschichte zum Besten gab, über die die anderen heimlich den Kopf schütteln und die Augen verdrehen würden. Er war lebend davongekommen – alles andere war unwichtig, zumindest im Augenblick.

»Ist dir kalt, Papa?«, fragte Bylgja und wurde als Antwort auf diese dumme Frage von ihrer Schwester mit dem Ellbogen angestoßen. Bylgjas Brille verrutschte, und sie jammerte auf.

»Mir ist so kalt, dass ich Eiswürfel pinkeln würde, wenn ich mal müsste«, sagte Ægir und trank einen Schluck Bier aus der frisch geöffneten Flasche, die Halli ihm reichte.

»Hast du Fische gesehen?«, fragte Arna. Sie legte ihren Oberkörper auf den Tisch und ließ den Kopf auf die Hände sinken, so dass sich ihre Augen verengten. »Du hättest sie fangen sollen.«

»Ich habe keine Fische gesehen. Denen ist auch zu kalt. Ich glaube, die sind alle vor Kälte gestorben.«

Þráinn fand das überhaupt nicht witzig. Er stand am anderen Ende der Küche und lehnte sich mit verschränkten Armen ans Spülbecken.

»Ich weiß nicht, ob ich dich richtig verstanden habe. Du konntest den Riegel lösen, aber die Tür nicht aufmachen? Und du hast keine Anzeichen von Beschädigungen gesehen?«, fragte er.

Ægir nickte im Takt mit seinem zitternden Körper.

»Nein. Ich konnte kein Leck sehen. Da sind überall Kratzer, aber die sahen nicht tief oder gefährlich aus. Und die Lukentür ist lose, aber ich habe sie nicht aufgekriegt. Vielleicht könnte man sie mit gemeinsamer Anstrengung von Deck aus aufhaken und hochziehen. Ich weiß nicht. Unter Wasser geht es jedenfalls nicht.«

»Vielleicht nicht bei dir.« Halli grinste gehässig und warf Þráinn einen Blick zu. Seine fast weißen Haare klebten nach den Regengüssen an seiner Stirn.

Loftur, der dazugekommen war, während Ægir getaucht war, warf ironisch ein:

»Und ich dachte, unter Wasser wäre alles so leicht. Hat wohl nicht gereicht!«

»Haltet doch einfach euer Maul! Warum schnallt ihr euch nicht die Sauerstoffflasche um und kümmert euch um die Sache, wenn ihr so tolle Kerle seid?«, tönte Ægir und trank einen weiteren Schluck. Ihm wurde sofort wärmer, als er sich aufregte. »Ich sage euch nur, wie es da aussieht, aber ich hab keinen blassen Schimmer, was man machen kann. Ihr seid die Seeleute. Findet gefälligst einen Ausweg, anstatt auf mir rumzuhacken!«

»Du solltest besser nichts mehr trinken«, sagte Þráinn und stieß sich energisch vom Tisch ab. »Geh lieber und rede mit deiner Frau. Die war ja nicht gerade bester Laune, als sie gegangen ist. Und dann solltest du heiß duschen und dich ins Bett legen. Anders bekommt man diese Kälte nicht aus dem Leib.«

»Mama war sauer«, sagte Arna und lächelte. »Jetzt redet sie bestimmt nicht mit dir.«

Sie wäre wohl am liebsten sitzen geblieben und hätte den Erwachsenen weiter zugehört. Die Gelegenheit bekam sie nicht allzu oft.

»Ich würde lieber warten«, fügte sie hinzu.

Bylgja machte ein zerknirschtes Gesicht und sagte:

»Sie war nicht sauer, Papa. Nur traurig. Als ihr so lange draußen wart, dachte sie, ihr wärt ins Meer gefallen. Dann hat sie aus dem Fenster geguckt und nur zwei Männer gesehen, und da dachte sie, du wärst ertrunken. Sie hat uns runtergeschickt, dabei hätte ich so gerne gesehen, wie du rausgekommen bist.«

Ægir lächelte und spürte, dass seine Lippen rissig waren. Er fuhr mit der Zunge darüber und schmeckte Salz.

»Mama fängt sich schon wieder.«

»Ich will auch mal so frieren wie du«, sagte Arna und lehnte sich noch weiter über den Küchentisch. »Wenn ich ganz viel Eis esse und auf Eiswürfeln rumkaue, wird mir dann so kalt wie dir?«

»Ja, wahrscheinlich. Aber ich kann es dir nicht empfehlen.«

»Wir haben kein Eis«, sagte Þráinn energisch, nahm Halli das Sixpack aus der Hand und stellte es in den Kühlschrank.

»Oh doch«, sagte Arna trotzig, »ich hab Eis am Stiel gesehen, als wir die Kühltruhe eingeräumt haben. Darf ich eins haben, Papa?«

»Nein.« Ægir stellte sein Bier auf den Tisch. Die Frage katapultierte ihn brutal zurück in die Wirklichkeit. »Wir gehen jetzt runter zu Mama. Þráinn hat recht.«

Sein Blick wanderte vom Kapitän zur Vorratskammer. Dann wurde er schlagartig wieder nüchtern. Das Vorhängeschloss lag vor der Tür der Kammer auf dem Fußboden. Es schien aufgesägt worden zu sein. Es war definitiv unversehrt und verschlossen gewesen, als sie an Deck gegangen waren. Ægir räusperte sich und fragte:

»Habt ihr an dem Schloss rumgespielt?«

Er nickte so ruhig er konnte in Richtung Vorratskammer. Die drei Männer schüttelten den Kopf.

»Ich kann mir einfach nicht vorstellen, dass es Lára oder die Kinder waren.«

Arna und Bylgja schauten ihn verständnislos an.

»Was waren wir?«

»Ach, nichts.«

Þráinn ging zur Vorratskammer und öffnete die Tür. Ægir sah die Truhe aufblitzen, als der Kapitän in den Raum schlüpfte, und schnappte nach Luft. Die Lebensmittel, die zuoberst in der Truhe gewesen waren, lagen verstreut auf dem Boden. Und die Truhe stand offen. Ægir musste gar nicht hineinschauen, um zu wissen, dass die Leiche weg war. Der Gesichtsausdruck des Kapitäns sagte alles.

Was zum Teufel war passiert? Ægir wusste, wo die Leiche gelandet war – die Frau im Wasser war also doch keine Einbildung gewesen. Wie dumm von ihm, dass er den anderen nicht direkt von ihr erzählt, denn jetzt würde seine Geschichte unglaubwürdig und verdächtig klingen. Aber wer hatte die Leiche über Bord geworfen und warum? Er war es nicht gewesen, und weder Þráinn noch Halli hätten es tun können, ohne dass der andere es gemerkt hätte. Blieben nicht viele übrig. Ægir starrte zu Loftur, der sofort wegschaute.

16. KAPITEL

Auf dem Tisch lagen Kopien, die ziemlich mitgenommen aussahen. Sie waren schräg zusammengefaltet und an den Ecken eingeknickt. Als Dóra die Blätter auseinanderfaltete, fielen Tabakkrümel und Staub heraus – wahrscheinlich hatten sie in einer schmutzigen Jackentasche gesteckt.

»Danke, dass Sie mir das vorbeigebracht haben. Ist bestimmt nicht einfach, bei diesem Wetter mit einem Gipsbein durch die Gegend zu humpeln«, sagte sie, strich die Kopien glatt und blätterte sie schnell durch. Auf den ersten Blick schien alles dabei zu sein, wonach sie gefragt hatte. Sie lächelte Snævar an.

»War es sehr aufwendig, die Unterlagen zu beschaffen?«

»Nein, nein, nicht besonders. Ich hab meinen Kram durchgesehen und die Krankenhauspapiere gefunden. Halli muss sie in meine Tasche gesteckt haben, als er für mich gepackt hat. Dann hab ich noch Unterlagen von der Versicherung besorgt, falls Sie was Offizielles brauchen. Ich hab im Moment sowieso nichts Besseres zu tun. Vielleicht ist das auch nicht besonders hilfreich, es sind nur Auszüge von meiner internationalen Versicherungskarte und ein paar Infos, was im Krankenhaus gemacht wurde und so. Melden Sie sich einfach bei mir, wenn ich sonst noch was für Sie tun kann. Das ist eine nette Ablenkung für mich.«

»Tja, Sie können natürlich erst mal nicht zur See fahren. Wissen Sie denn, wann Sie wieder fit sein werden?«

»Nein, hoffentlich in zwei Wochen.«

Snævar zuckte mit den Achseln, so dass sich sein bunter Pullover noch mehr verzog. Der Kragen lag auf der linken Seite dicht an seinem Hals und stand rechts so weit ab, dass darunter ein weißes T-Shirt zum Vorschein kam. Snævar trug eine schmuddelige Jogginghose, die überhaupt nicht zu dem verzogenen, fusseligen Acrylpulli passte. Sein dunkles, kurzgeschorenes Haar musste dringend gewaschen werden, und eine Rasur hätte auch nicht geschadet. Dóra versuchte die Nachlässigkeit des jungen Mannes nicht weiter zu beachten. Es war bestimmt schwierig, eine Hose zu finden, deren Beine weit genug für den Gips waren, und Duschen war wahrscheinlich auch nicht leicht.

»Ich fahre jeden zweiten Monat zur See. Als ich verunglückt bin, hatte ich gerade frei, hoffentlich bin ich wieder fit, wenn die nächste Tour losgeht. Sonst habe ich zwei weitere Monate keine Arbeit. Vielleicht kann ich auch mit meinem Kollegen die Schicht tauschen.«

Dóra spähte unter den Schreibtisch und sah, dass er eine Tüte vom Staatlichen Alkoholladen um seinen Gips gewickelt hatte.

»Tja, so kommen Sie jedenfalls nicht weit, das ist klar.«

»Nein.« Er grinste verbissen und sagte dann ernst: »Wissen Sie, wer da am Strand gefunden wurde?«

»Ja«, antwortete Dóra und schaute ihm in die Augen. »Es war nicht Ihr Freund.«

Am Morgen hatte Ægirs Vater angerufen und ihr gesagt, er hätte von der Polizei erfahren, dass es sich bei der Leiche nicht um seinen Sohn oder ein anderes Familienmitglied handele. Die Leiche sei obduziert und die Angehörigen benachrichtigt worden. Gegen Mittag werde die Presse informiert. Deshalb ging Dóra davon aus, dass es in Ordnung war, Snævar den Namen des Mannes zu sagen.

»Es war Loftur, der Steuermann.«

Sie konnte sehen, dass Snævar erleichtert war und sich für

seinen Egoismus schämte. Die Sache war natürlich tragisch, egal, um wen es sich handelte.

»Kannten Sie ihn?«

»Nein, ich glaube, ich habe ihn nie getroffen, aber ich kann mir fremde Gesichter unglaublich schlecht merken. Vielleicht haben wir auch irgendwann mal eine kurze Tour zusammen gemacht, aber ich meine nicht.«

»Sie haben ihn also nicht in Lissabon gesehen?«

»Nein, und den Kapitän auch nicht. Ich bin verunglückt, bevor die beiden in die Stadt gekommen sind. Wenn alles nach Plan verlaufen wäre, hätte ich sie natürlich getroffen. Aber ich weiß, wer dieser Loftur ist. Zumindest vom Hörensagen.«

»Ja? Was erzählt man sich denn über ihn? Etwas Schlechtes?«

»Nein, überhaupt nicht. Ich weiß nicht mehr genau, aber es war nichts Schlechtes. Nur, dass er ein ganz guter Steuermann wäre und so. Ich glaube, er war ziemlich jung, als er die Prüfung gemacht hat.« Snævar starrte vor sich hin, während er nachdachte. »Jetzt fällt's mir wieder ein! Es ging darum, dass es schade wäre, dass er die Reederei verlässt, weil er so talentiert wäre. Er hat früher auf dem Schiff gearbeitet, auf dem ich jetzt bin, aber kurz vor mir aufgehört. Er ist wohl mit dem ersten Steuermann nicht klargekommen, was halt so passiert. Dann wurde darüber spekuliert, was er in Zukunft machen würde. Mehr nicht.«

»Kannte Ihr Freund Halli ihn?«

Snævar schüttelte langsam den Kopf.

»Ich glaube nicht, aber ich bin mir nicht ganz sicher.« Er lehnte den Kopf so weit zurück, dass sich sein Adamsapfel unter der gespannten Haut abzeichnete. »Oh Mann, ist das alles ätzend.«

»Ja, das ist es wirklich«, sagte Dóra und überlegte, ob solche Typen, die keine Gefühle zeigten, Trauer besser verarbeiten konnten. »Sie wissen ja, dass die Wahrscheinlichkeit, dass noch jemand lebend gefunden wird, immer geringer wird.«

Er verdrehte die Augen und sagte:

»Von denen lebt keiner mehr. Das kann doch wohl niemand behaupten.«

Dóra verschränkte die Arme vor der Brust.

»Ich stimme Ihnen in gewisser Weise zu, aber es ist manchmal unglaublich, was Menschen alles aushalten.«

Snævar schüttelte den Kopf.

»Ausgeschlossen, dass sie irgendwo in einem Rettungsboot auf dem Meer treiben, falls Sie das meinen. Das wäre längst untergegangen, das können Sie vergessen.«

»Ja, wahrscheinlich.«

Dóra musste ihm recht geben: Es waren bestimmt alle tot, zumal die offizielle Suche beendet war. Über dem Gebiet, in dem die Yacht unterwegs gewesen war, kreisten keine Hubschrauber mehr. Stattdessen wurden jetzt die Küsten abgesucht – nach Leichen.

»Wann haben Sie zuletzt von Ihrem Freund Halldór gehört? Ægir und seine Familie haben in Island angerufen, als die Yacht in Lissabon ausgelaufen ist. Hat Halldór sich nach der Abfahrt noch mal bei Ihnen gemeldet?«

»Nein«, sagte Snævar, ohne lange nachzudenken. »Bevor er gefahren ist, hat er noch Schmerztabletten, Getränke, Süßigkeiten und so was für mich gekauft, und dann haben wir uns am Tag vor der Abfahrt im Hotel voneinander verabschiedet. Danach hab ich nichts mehr von ihm gehört. Er war echt super, hat mir ein Flugticket nach Hause gekauft und so. Wir hatten keinen Laptop dabei, deshalb konnte ich es nicht selbst machen. Zum Glück gab es in der Lobby einen Computer. Und jetzt weiß ich nicht so recht, wie ich es wiedergutmachen soll. Ich kann doch keinen Kontakt zu seiner Familie aufnehmen, solange sie noch hoffen, ihn zu finden. Da warte ich lieber noch ein bisschen. Ich hab nur Angst, es zu vergessen, und dann wundern sie sich vielleicht, wenn die Kreditkartenabrechnung kommt.«

Dóra suchte aus dem Papierstapel die Reiseunterlagen heraus, die sie beim ersten Durchblättern gesehen hatte. Sie fand eine Quittung von Expedia für einen Flug über London nach Island.

Der Name des Karteninhabers war Halldór Þorsteinsson. Dóra zeigte ihm die Quittung.

»Die gebe ich Ihnen wieder, wenn ich sie kopiert habe, damit Sie es nicht vergessen.« Sie legte den Stapel beiseite und sagte: »Ich habe noch eine Frage, die vielleicht ein bisschen seltsam klingt. Hatte Halldór kein Handy dabei? Oder einen Fotoapparat?«

Snævar schaute sie an, als sei sie nicht ganz dicht.

»Doch, klar hatte er ein Handy dabei. Aber bestimmt keinen Fotoapparat. Habe ich jedenfalls nicht gesehen. In seinem Handy war vielleicht einer, aber warum hätte er Fotos machen sollen?« Er legte den Kopf schräg. »Warum fragen Sie?«

»Ach, nur so. An Bord wurden keine Handys oder Kameras gefunden. Ich finde das ziemlich merkwürdig. Wenn die Leute das Schiff plötzlich verlassen haben, muss doch in der Hektik mindestens einer sein Handy vergessen haben, ganz zu schweigen davon, wenn sie über Bord gespült wurden«, antwortete Dóra und wechselte rasch das Thema. »Und Sie haben nie überlegt, selbst mitzufahren? Anstatt zu fliegen und im Hotel rumhängen zu müssen? Sie hätten doch bestimmt auch mit dem Gipsbein mal eine Wache auf der Brücke übernehmen können, oder?«

»An den ersten beiden Tagen wäre ich wohl keine große Hilfe gewesen, aber danach hätte ich schon was machen können, da haben Sie recht. Ich bin nach drei Tagen nach Hause geflogen, und der Flug war genauso anstrengend, wie an Bord mal eine Wache zu übernehmen. Ich weiß noch, dass ich mich geärgert habe, als Halli weg war. Wir hätten gut auf der Yacht übernachten können, anstatt Geld für ein Hotel auszugeben. Sie hätten mich bestimmt mitfahren lassen. Aber jetzt bin ich natürlich heilfroh, das können Sie sich ja denken.«

»Wäre das denn möglich gewesen?«

»Ja, klar. Wir hatten die Schlüssel, und sicher hätte niemand was dagegen gesagt. Wir sollten alles fertigmachen und die Geräte und die Ausrüstung kontrollieren, bevor die anderen an Bord kämen. Ich kann mir nicht vorstellen, dass jemand was dagegen gehabt hätte. Aber wie gesagt, jetzt bin ich total froh, dass mir das erst später eingefallen ist.«

»Haben Sie den Kapitän angerufen und gefragt?«

»Nein, ich wollte nicht mit ihm reden, weil er so sauer war. Ich hab schon vor langer Zeit gelernt, dass man nicht vernünftig mit jemandem reden kann, wenn er eingeschnappt ist. Halli hat ihn darauf angesprochen, aber er wollte nicht. Da war wohl schon vereinbart, dass die Familie mitfährt. Ich muss gestehen, dass ich jetzt heilfroh bin, dass Halli nicht insistiert hat. Die Schmerzen im Bein sind nichts gegen Hallis Schicksal.«

Dóra holte eine Mappe aus der Schublade, in der sie die Unterlagen von der Polizei aufbewahrte.

»Wenn es Ihnen recht ist, möchte ich Ihnen noch kurz etwas zeigen. Das ist die Route der Yacht, wie sie im GPS eingegeben war.«

Sie fuhr mit dem Finger an einer leicht gezackten Linie zwischen Lissabon und Reykjavík entlang. Dann schlug sie die beiden nächsten Blätter auf. Das erste war eine vergrößerte Abbildung der Route im isländischen Hoheitsgewässer, das zweite zeigte mehrere Kreise, die die Yacht auf hoher See gezogen hatte, als sie noch ungefähr vierundzwanzig Stunden bis Island vor sich hatte.

»Ich kann den Mann, von dem ich das bekommen habe, nicht erreichen, aber wenn ich es richtig verstehe, ist die Yacht hier im Kreis gefahren«, sagte Dóra und zeigte auf das zweite Blatt. »Das ist das Datum, das heißt, die Kursänderung fand vierundzwanzig Stunden, bevor die Yacht mit voller Fahrt in den Hafen gefahren ist, statt. Haben Sie eine Idee, was da passiert sein könnte?«

Snævar hob die Augenbrauen und musterte die Karte.

»Es ist natürlich denkbar, dass der Autopilot kaputtgegangen ist oder sich das Steuerruder verklemmt hat, aber das ist ziemlich unwahrscheinlich. Der Kapitän hätte die Yacht niemals so oft im

Kreis fahren lassen, ohne einzugreifen. Da könnte eher jemand über Bord gegangen sein, und sie haben nach ihm gesucht.« Er schaute Dóra an. »Oder nach ihr. Oder nach ihnen.«

»Daran habe ich auch schon gedacht. Nur blöd, dass aus diesem Ausdruck nicht hervorgeht, wer es war …«

»Tja, so schlau ist der Bordcomputer leider nicht.«

»Das war ja auch ein Witz.« Dóra zeigte wieder auf die erste vergrößerte Karte. »Und dieser letzte Teil der Fahrt wirkt auch merkwürdig. Wenn ich das richtig verstehe, ändert sich der Kurs, als sich die Yacht Island nähert. Sie fährt sehr nah am Leuchtturm von Grótta in Seltjarnarnes vorbei, dann zurück aufs offene Meer, macht einen großen Bogen und fährt dann in Reykjavík in den Hafen. Das ist eine vergrößerte Darstellung der letzten Etappe.«

Snævar beugte sich über die Karte.

»Und was ist das?«

»Ich denke, das ist das Datum und wann die Route in das Gerät eingegeben wurde.«

Snævar nickte.

»Es muss also noch jemand gelebt haben, als sich die Yacht der Küste genähert hat?«, sagte er und zeigte auf das Datum auf der zweiten Karte.

»Ja, ich denke schon.« Dóra folgte der Strecke auf dem Ausdruck mit dem Finger. »Kann es sein, dass dieser Jemand beim Leuchtturm an Land geschwommen ist? Wissen Sie etwas über die Meeresströmungen dort?«

»Wow.« Snævar strich sich mit beiden Händen so fest das Haar zurück, dass sich seine Stirn straffte und seine Augen verengten. »Wow.«

»Ich weiß.«

Dóra war genauso irritiert gewesen, als sie die Karten zum ersten Mal gesehen hatte. Zumal es ihren Fall noch komplizierter machte. Wie sollte sie den Richter dazu bewegen, Ægir und Lára für tot zu erklären, wenn sie heimlich an Land geschwommen sein könnten? Wahrscheinlich hätte an dieser Stelle jeder die Yacht verlassen können. Vielleicht hatten es sogar alle gemacht. Bis auf Loftur. Oder die anderen waren durchgedreht und kurz vor der Küste ertrunken. Aber das passte nicht dazu, dass Lofturs Leiche südlich des Küstenörtchens Hafnir gefunden worden war. Sie konnte kaum den ganzen Weg von Seltjarnarnes dorthin getrieben sein.

»Wie ist das Meer vor Grótta? Kann man da an Land schwimmen?«, fragte sie.

»Ja, nee, ich weiß es nicht. Kommt wahrscheinlich darauf an, ob man ein guter Schwimmer ist und wie die Verhältnisse sind. Da müssten Sie einen Profischwimmer fragen.« Snævar wirkte immer noch irritiert und starrte auf die Karte. »Wow, ich würde mir nicht zutrauen, da zu schwimmen.«

»Und in einem Taucheranzug?«

Snævar lächelte.

»Tja, da fragen Sie den Falschen. Das hab ich einmal probiert, das ist nichts für mich. Ich würde vor Island niemals tauchen. Aber für Geübte ist das vielleicht kein Problem.«

»Gibt es denn sonst einen Grund, da lang zu fahren? Um Schären, Sandbänke oder Strömungen zu umgehen?«

»Nein.« Snævar schüttelte den Kopf. »Keinen.«

»In Ordnung.« Dóra fuhr mit dem Finger über die Schleife, die von Grótta in die Faxaflói-Bucht führte. »Und was ist damit? Wissen Sie, warum die Yacht nicht direkt in den Hafen gefahren ist?«

Wieder schüttelte Snævar den Kopf.

»Nein, ich kapiere das einfach nicht. Das ist unsinnig. Total unsinnig. Es sei denn, da ist auch jemand über Bord gegangen. Aber das erklärt diese Schleife nicht, die ist viel zu groß und außerdem kehrt die Yacht nicht auf ihre ursprüngliche Route zurück. Das ist völliger Quatsch.«

»Das dachte ich mir.« Dóra zog die Mappe zu sich herüber. »Könnte das jemand, der sich mit einem solchen Gerät nicht auskennt, eingegeben haben? Funktioniert das wie ein GPS im Auto?«

»Ja, das GPS funktioniert genauso, aber man muss sich mit dem Autopiloten und zwar genau mit dem Gerät, das an Bord war, auskennen. Sonst kann man solche Kunststückchen nicht machen. Oder es hat jemand daran rumgespielt, der sich eben nicht gut genug auskennt. Das könnte die Erklärung sein.«

»Ja.« Dóra nickte nachdenklich. »Zum Beispiel jemand, der einen Sportbootführerschein hat? Könnte der mit so einem Gerät umgehen?«

Snævar lachte spöttisch auf.

»Nee, die lernen doch nichts Vernünftiges. Denen werden bei der Berechnung von Routen noch nicht mal Kompassabweichungen beigebracht. Das könnten Sie genauso gut wie diese Sportbootheinis.«

Damit war Ægir ausgeschlossen, ebenso wie Lára und natürlich die Zwillinge. Und Loftur vermutlich auch.

Blieben nur Þráinn und Halli übrig.

Google Translate war für einige Dinge ganz brauchbar. Dóra hatte die Anmerkungen eingetippt, die der Arzt oder die Krankenschwester bei Snævars Aufnahme im Krankenhaus in Lissabon gemacht hatte. Ein Punkt hieß »Unfallhergang«, und aus dem ging hervor, dass der stark alkoholisierte Patient bei der Einweisung angegeben hatte, von einem Landsmann gestoßen worden zu sein. Er hatte nicht gewusst, wer es gewesen war, allerdings nicht sein Begleiter Halldór, und dann etwas Unverständliches genuschelt. Der Arzt hatte beschlossen, die Polizei erst einzuschalten, wenn der Patient wieder nüchtern war, da seine Ausführungen äußerst wirr waren. In den Unterlagen stand nicht mehr darüber, so dass Dóra nicht wusste, was daraus geworden war. Das hatte Snævar mit keinem Wort erwähnt.

Dóra rief ihn an, als sie sich sicher war, dass er wieder zu

Hause sein musste, denn sie wollte ihn nicht im Bus oder Taxi erwischen. Wenn man in der Öffentlichkeit telefonierte, verhielt man sich oft so unnatürlich. Nachdem sich Dóra entschuldigt hatte, ihn so kurz nach seinem Besuch schon wieder zu stören, kam sie direkt zum Thema.

»Können Sie sich noch daran erinnern?«

»Ja, aber nur dunkel.« Snævar klang nervös, so als bedauere er es bereits, ihr die Papiere ausgehändigt zu haben.

»Und werden Sie da richtig zitiert? Sie seien von einem Isländer gestoßen worden?«

»Ja … ich hatte damals den Eindruck, aber ich würde meine Hand dafür nicht ins Feuer legen. Ich war betrunken. Aber ich bin mir ziemlich sicher, dass er was auf Isländisch gesagt hat, bevor er mich auf den Rücken geschlagen hat und ich gestürzt bin.«

»Muss es dann nicht Halldór gewesen sein? Sie waren doch an dem Abend zusammen, oder?«

»Nein, er war drinnen und hat die Rechnung bezahlt. Ich musste raus an die frische Luft, hatte wie gesagt ziemlich viel getankt. Es war ganz bestimmt nicht Halldór.«

Dóra schwieg einen Moment und fragte dann:

»Wurde das nicht bei der Polizei angezeigt?«

»Nein. Ich wollte mich im Ausland nicht mit der Polizei rumschlagen, das hätte sowieso nichts gebracht. Was hätte ich denn tun sollen? Fingerabdrücke von meiner Jacke nehmen lassen?«

»Und hat sich das Krankenhaus damit abgefunden?«

»Ja, die waren froh, als sie mich entlassen konnten. Halldór war die ganze Nacht bei mir und hat denen am nächsten Morgen vorgelogen, ich müsste am selben Tag abreisen. Ich hatte keine Lust, noch mal zur Kontrolle hinzugehen. Der Bruch war versorgt, da kann man sowieso nur warten, bis die Knochen zusammenwachsen. Die haben das geschluckt und ihm diese Papiere mitgegeben.«

»Und warum habe ich dann das Original? Sind Sie damit nicht hier zum Arzt gegangen?«

»Nein«, antwortete Snævar beschämt, und Dóra kam sich vor wie seine Mutter. »Aber ich gehe bald.«

»Das sollten Sie tun. Ich mache eine Kopie und lasse Ihnen das Original zukommen. Ich kann es auch direkt an Ihren Hausarzt schicken, wenn Sie wollen.«

Snævar wollte die Papiere lieber nach Hause geschickt bekommen, und Dóra vermutete, dass er den Arztbesuch so lange wie möglich hinauszögern wollte. Vielleicht nahmen sich solche harten Kerle wie er den Gips ja auch einfach selbst ab.

»Sagen Sie mal, wissen Sie zufällig, wann Loftur und Þráinn nach Lissabon gekommen sind?«

Da es keinen Direktflug von Island nach Lissabon gab und die Leute zu dieser Jahreszeit nicht viel reisten, konnten sich nicht viele Isländer in der Stadt aufgehalten haben.

»Die sollten drei oder vier Tage nach uns kommen, glaube ich.«

»Und wann war das?« Dóra suchte die Kopie von Snævars Flugticket heraus und glich das Datum mit seinem Besuch im Krankenhaus ab. »Am Tag nach Ihrem Unfall?«

Snævar überlegte einen Moment und sagte dann:

»Ja, ich glaube, es war am nächsten Tag.« Er schwieg wieder. »Ich kann mich unmöglich an die Daten erinnern. Warten Sie, doch, sie sollten am Nachmittag des dritten März kommen. War das nicht derselbe Tag, an dem ich verunglückt bin?«

Dóra schaute auf den Krankenbericht. Dritter März. Es war also denkbar, dass Þráinn oder Loftur etwas mit der Sache zu tun hatten. Sie beschloss, Bella damit zu beauftragen, den gesamten Krankenbericht in Google Translate einzugeben. Das war bestimmt ergiebiger, als dass Snævar sich noch an etwas erinnerte. Dóra bedankte sich und legte auf.

Die ganze Sache war ziemlich ungünstig für ihr Verfahren. Wenn die Versicherung den Krankenbericht in die Hände bekäme, würde sie Ægir vielleicht damit in Verbindung bringen. Er hätte Snævar schubsen können, um seinen Platz einzunehmen.

Das war zwar unwahrscheinlich, aber durchaus denkbar. Warum konnte nie mal etwas einfach sein?

Dóra lehnte sich im Stuhl zurück und räkelte sich. Vielleicht gab es ja auch für eine Anwältin einen Job auf einer Ölplattform.

17. KAPITEL

Ein Zucken des Schwanzes war das einzige Lebenszeichen der Katze auf der Fensterbank. Sie starrte in den Garten, wo der Sturm peitschte. Unwetter und Regengüsse waren unter ihrer Würde – vielleicht schlug sie mit dem Schwanz, um ihre Empörung über dieses Gebaren der Natur zum Ausdruck zu bringen.

»Katzen sind so langweilig!«, sagte Sóley und beobachtete die Katze gleichgültig. Mutter und Tochter lagen gemeinsam auf dem Sofa, die Tochter mit einem aufgeschlagenen Buch auf dem Bauch. »Die tun nie was.«

»Sie tun ganz viel«, entgegnete Dóra, die sich verpflichtet fühlte, ihr Haustier zu verteidigen. »Aber nur das, was sie wollen, und nicht das, was du willst.«

Sie stieß Sóley sanft mit dem Fuß an.

»Sei nicht gemein zu der armen Katze. Sie kann auch nichts dafür, dass das Wetter so schlecht ist.«

Sóley hätte am Vormittag gegen die Mädchenfußballmannschaft aus Egilsstaðir antreten sollen, aber deren Flug war ausgefallen. Ihre Freundinnen und sie waren davon überzeugt gewesen, dass ihnen der Sieg sicher sei, und waren unglaublich enttäuscht.

»Die Katze ist bestimmt genauso enttäuscht wie du. Sie wollte einen Spaziergang machen, und jetzt hat sie Angst, aufs Meer hinausgeweht zu werden«, versuchte Dóra ihre Tochter zu trösten.

»Ich hasse Wind. Warum gibt es den eigentlich?«

Anscheinend ruhte die ganze Ungerechtigkeit der Welt auf Sóleys Schultern.

»Vielleicht gibt es ihn, weil die Leute in früheren Zeiten dadurch segeln und Windmühlen antreiben konnten.«

Sóley verdrehte die Augen als Zeichen dafür, dass Windmühlen und Segelfahrten in früheren Zeiten im Vergleich zu einem Spiel der vierten Mädchenliga völlig unwichtig waren. Dóra setzte sich auf dem Sofa auf, drehte sich und nahm ihre Tochter in den Arm.

»Schön, dass du da bist, auch wenn du schlechte Laune hast«, sagte sie und stand auf. »Komm bloß nicht auf die Idee, einen Ferienjob in Norwegen anzunehmen.«

»Sprecht ihr über mich?«

Gylfi kam gähnend ins Wohnzimmer. Sigga war mit Orri zu einem Kindergeburtstag bei ihrer Cousine gegangen, aber der junge Vater hatte verkündet, er sei erkältet und wolle die Kinder nicht anstecken. Dóra hatte nichts dazu gesagt, denn sie hatte noch gut in Erinnerung, wie Matthias sich bei Orris Kindergeburtstagen angestellt hatte. Sie wusste nicht, was ihm mehr auf die Nerven gegangen war: der Lärm der Kinder oder das Geschrei der Mütter. Sie konnte Gylfi eigentlich ganz gut verstehen und hatte sich schon länger vorgenommen, sich nicht in seine Beziehung zu Sigga einzumischen. Auch wenn sie alle unter einem Dach wohnten, mussten die beiden miteinander klarkommen, ohne dass sie ständig eingriff.

»Nein, haben wir nicht.« Dóra grinste ihn an. »Wir reden auch schon mal über Norwegen, wenn es nicht um dich geht.«

Sie musterte ihn. Rein äußerlich entfernte er sich rasend schnell von dem Kind, das sie großgezogen hatte. Dóra war klar, dass sie ihn kaum wiedererkennen würde, wenn er ein Jahr im Ausland verbrachte. Vielleicht war das der Grund für ihr trotziges Verhalten. Sie wollte, dass er erwachsen wurde, sein Leben lebte, Risiken einging, sich die Hörner abstieß. Aber sie wollte es nicht verpassen, und auch nicht, dass er ohne Sicherheitsnetz auf einem Seil balancierte.

»Weißt du, wie schnell man in Norwegen ist, Mama?«, fragte Gylfi, der anscheinend an ihrem Gesicht ablesen konnte, was ihr durch den Kopf ging.

»Nein.«

Vielleicht musste es einfach so kommen. Gylfis kleine Familie würde ihres Weges ziehen und auf eigenen Beinen stehen, und Dóra musste sich damit abfinden, die Sicherheitsschranke am Flughafen zu passieren, um ihren Sohn und ihr Enkelkind zu besuchen.

»Wie schnell denn?«

Gylfi errötete leicht.

»Ich bin mir nicht hundertprozentig sicher, aber ziemlich schnell. Und du kannst in den Duty-Free.«

Na toll, wenn sie wegziehen würden, bekäme sie stattdessen zumindest billigen Alkohol und Süßigkeiten.

»Super, daran habe ich noch gar nicht gedacht.«

Gylfis Lächeln ließ erkennen, dass er die Ironie nicht bemerkt hatte, und Dóra fügte hinzu:

»Wann bekommst du denn eine Antwort?«

Vielleicht fiel die Antwort ja negativ aus, und all ihre Sorgen wären wie weggeblasen. Dóra hatte mal gehört, dass man sich am meisten Sorgen über Dinge machte, die nie eintrafen. Hoffentlich war das auch jetzt der Fall. Es traf jedenfalls definitiv auf Leute wie ihre Mutter zu, die nachts stundenlang wach lag, weil sie sich Gedanken machte. Wenn etwas Wichtiges anstand oder etwas Schlimmes in den Nachrichten kam, befanden sich ihre Liebsten sofort in größter Gefahr. Wenn die Bevölkerung aufgerufen wurde, nicht zu schnell Auto zu fahren, war im Grunde genommen die ganze Familie dem Tode geweiht, entweder, weil sie immer Vollgas fuhr oder weil sie Rasern zum Opfer fiel.

Wenn der ukrainische Präsidentschaftskandidat mit Dioxin vergiftet wurde, war sich ihre Mutter sicher, dass Dóra auch so etwas passieren würde, dass ihr aus Versehen eine Limonade serviert würde, die eigentlich für ein ausländisches Staatsoberhaupt bestimmt wäre und so weiter. Es war kein Zufall, dass Dóra ihren Eltern nichts von Gylfis Plänen erzählt hatte – sie machte sich selbst schon genug Sorgen, da brauchte sie nicht auch noch ihre Mutter.

»Ich weiß nicht genau. Papa wollte mal für mich anrufen, wenn ich bis Anfang nächster Woche nichts gehört habe. Er hat in der Wohnung schon alles vorbereitet, wir könnten also fahren, sobald die Schule zu Ende ist. Wir haben ja schnell gepackt.«

Dóra schloss die Augen und zählte bis zehn. Ihr Sohn hatte bisher noch nicht mal Socken eingepackt, denn darum hatte sie sich immer gekümmert. Aber die Wut, die in ihr hochkochte, hatte nichts damit zu tun. Schließlich war das ihre eigene Schuld. Vielmehr war sie sauer auf Gylfis Vater, ihren Ex-Mann. Was mischte der sich eigentlich ein? Wenn er sich zurückgehalten hätte, würde sich jetzt niemand darüber Gedanken machen, Gylfi würde sich an der Uni einschreiben, und Sigga würde es genießen, ein Jahr jünger zu sein und noch ein Jahr auf dem Gymnasium vor sich zu haben. Wenn Dóra ehrlich war, wusste sie, dass ihr Ex-Mann es nur gut gemeint hatte, wahrscheinlich fühlte er sich in Norwegen einsam und wollte seinen einzigen Sohn als Gesellschaft haben. Es war bestimmt nicht leicht, jeden zweiten Monat alleine in einem fremden Land zu verbringen.

»Ihr fahrt garantiert nicht so kurzfristig für eine so lange Zeit ins Ausland. Euch macht das vielleicht Spaß, aber vergesst Orri nicht!«, sagte Dóra, um einen neutralen Gesichtsausdruck bemüht. Das war genau das, was sie Matthias versprochen hatte, zu vermeiden: Predigten zu halten und Gylfi Vorschriften zu machen. Er war für sich selbst verantwortlich, und je früher sie das einsah, desto besser. Vielleicht sollte sie lieber auf sich selbst wütend sein als auf seinen Vater.

»Warten wir mal ab, es ist unnötig, jetzt so viel Wirbel darum zu machen«, lenkte sie ein.

»Es wäre am besten, überhaupt keinen Wirbel darum zu machen«, murmelte Gylfi und ließ sich aufs Sofa fallen. Sóley kümmerte sich nicht darum, so als ginge es sie nichts an, wenn ihr Bruder und der kleine Orri das Land verließen.

Die Katze drehte den Geschwistern träge den Kopf zu und gähnte teilnahmslos.

Eine hohle, metallische Frauenstimme warnte vor Sturm aus südöstlicher Richtung. Dóra wusste nicht, wie oft sie diese Worte schon gehört hatte, doch erst jetzt wurde ihr bewusst, welche Bedeutung sie für die Seefahrt hatten. Sie sah Wellen gegen einen Bug schlagen, Brandung aufwogen und dachte an die Menschen, die jetzt durch ferne Gewässer fuhren. In ihr schlummerte jedenfalls kein heimlicher Seemann.

»Bieg hier ab«, sagte sie und wies Matthias den Weg zur Hafenmole. »Er wollte uns bei der Yacht treffen.«

Sie schaute auf die Uhr am Armaturenbrett. Sie waren ziemlich früh.

»Wir parken und warten hier auf ihn. Er braucht bestimmt Hilfe, um an Bord zu kommen. Wir gehen besser zusammen.«

»Das Schloss kann ja nicht viel hermachen, wenn da jemand eingebrochen ist«, sagte Matthias und parkte rückwärts ein, damit sie den Hafen überblicken konnten. »Es zieht Einbrecher ja buchstäblich an, wenn das Schiff am Wochenende unbewacht im Hafen liegt.«

Fannar vom Auflösungsausschuss hatte Dóra angerufen und ihr erzählt, dass der Hafenwärter einen nächtlichen Einbruch auf der Yacht gemeldet hatte. Die Polizei hatte ihre Untersuchungen schon beendet und nicht feststellen können, dass etwas entwendet oder beschädigt worden war. Nachdem Fannar sich von der Lage überzeugt hatte, kam er zum selben Schluss, aber er hatte besorgt geklungen. Dóra war froh, dass er sie informiert hatte, und noch froher, dass er ihr die Schlüssel angeboten hatte, falls sie sich die Sache selbst anschauen wolle. Sie nahm das Angebot sofort an und fragte, ob er etwas dagegen hätte, wenn sie Snævar mitnähme, das Besatzungsmitglied, das in Lissabon verunglückt sei. Vielleicht würde er ja etwas bemerken, das Fremde leicht übersehen könnten. Nach kurzer Bedenkzeit hatte Fannar zugestimmt.

»Glaubst du, dass es okay ist, wenn ich dabei bin?«, fragte Matthias. Die regennasse Frontscheibe verzerrte die Yacht, und es sah aus, als pulsiere sie.

»Natürlich, du bist doch mein Assistent.« Dóra schaltete die Scheibenwischer ein. »Außerdem kannst du Snævar stützen. Ich vergesse so was immer und würde ihn wahrscheinlich bei der erstbesten Gelegenheit irgendwo stehen lassen.«

Die Fensterscheibe beschlug, und Dóra bat Matthias, das Gebläse einzuschalten, als Snævar in einem ziemlich schäbigen Auto angefahren kam. Es war sowohl in die Jahre gekommen als auch schlecht gepflegt.

»Ich dachte, Seeleute würden gut bezahlt«, sagte Matthias mit missbilligendem Gesichtsausdruck. Der Wagen war mit Dellen übersät, in denen teilweise der Rost durchschien.

»Vielleicht ist er Rallyefahrer.«

»Nee, glaube ich nicht.« Matthias' Gesichtsausdruck blieb unverändert. »Rallyeautos sind robuster. Das ist eine Schrottkarre. Eine verbeulte Schrottkarre. Mit der würde er keine hundert Meter über die Startlinie hinauskommen.«

»Psst, sonst hört er dich noch.«

Dóra beobachtete, wie Snævar die Wagentür aufmachte und hinausstolperte, nachdem er umständlich eine Plastiktüte über seinen Gips gezogen hatte. Dann gingen sie gemeinsam zur Yacht und blieben vor ihr stehen, während Dóra die Schlüssel suchte. Plötzlich schoss ihr durch den Kopf, wie schlecht das alles zusammenpasste: eine Yacht und prasselnder Regen. Es wäre passender gewesen, wenn das Schiff abgedeckt wäre. Das absurde

Gefühl ließ nicht nach, als sie das Luxusgefährt betraten. Snævar hatte das Licht noch nicht eingeschaltet, und das Halbdunkel minderte die Pracht: die Hochglanzeinrichtung sah matt aus, und über allem lag Staub. Dóra schaute sich um und stellte sich vor, wie es wohl war, tagelang in diesen Räumen eingesperrt zu sein. Es gab zwar im Vergleich zu anderen Yachten übermäßig viel Platz, aber dennoch war die Bewegungsfreiheit begrenzt. Sich längere Zeit dort aufzuhalten war vielleicht so ähnlich, wie in einer kleinen Burg eingesperrt zu sein.

»Macht es wirklich Spaß, auf so einer Yacht zu sein?«

Snævar schien Dóras Frage nicht richtig zu verstehen.

»Ja, ja, bestimmt. Ich weiß zwar nicht, wie es als Passagier ist, aber es macht auf jeden Fall Spaß, sie zu fahren. Wahrscheinlich ist es am wichtigsten, dass man Spaß an der Seefahrt hat.«

»Sie haben gesagt, dass sich die Mannschaft nicht unter die Passagiere mischt, aber wo hält sie sich dann auf? Gibt es ein spezielles Deck, an dem sich die Angestellten sonnen können?«, fragte Dóra und versuchte, sich zu erinnern, wie viele Decks es auf der Yacht gab. Jedenfalls mehr als zwei, vielleicht hatte die Mannschaft ein eigenes.

Snævar lachte laut auf.

»Die Mannschaft legt sich nicht in die Sonne, die ist die ganze Zeit beschäftigt, und zwischen den Wachen schläft man am ehesten. Wer sich so eine Yacht kauft, der verschwendet kein zusätzliches Geld für ein Deck für die Angestellten.« Er zuckte mit den Schultern. »Verständlicherweise.«

Matthias begeisterte sich mehr für die Yacht als Dóra. Vielleicht, weil er sie zum ersten Mal sah und die Verzweiflung über das Schicksal der Verschollenen nicht selbst erlebt hatte. Sie konnte das Design und die Konstruktion des Schiffes hingegen unmöglich bewundern, weil sie immer an das kleine Mädchen denken musste, das jetzt wahrscheinlich Waise war.

»Wie schnell fährt sie?«, fragte Matthias und strich mit dem Finger über einen edlen Fensterrahmen.

»Ungefähr sechzehn Knoten, nehme ich an. Aber so schnell wird sie selten gefahren. Wahrscheinlich meistens zwölf Knoten.«

Dóra interessierte sich überhaupt nicht für Knoten und vermutete, dass sich das Gespräch bald um Motoren drehen würde.

»Ich sehe mich mal um. Vielleicht fällt mir ja was Ungewöhnliches auf. Wenn wir uns aufteilen, sind wir schneller, und bei Matthias sind Sie besser aufgehoben als bei mir«, sagte sie zu Snævar.

Sie ließ die Männer im Wohnzimmer alleine und ging in den Schlaftrakt, falls man das so nannte. Wahrscheinlich hießen die Zimmer Kajüten, aber angesichts ihrer Größe fand Dóra die Wortwahl unpassend. Als sie den Gang betrat, bereute sie sofort ihren Vorschlag, sich aufzuteilen. Erst nachdem sie das Licht eingeschaltet hatte, fühlte sie sich besser, obwohl es flackerte. Snævar hatte sie darauf hingewiesen, dass es gut sein konnte, dass die Yacht bald keinen Strom mehr hätte, weil sie längere Zeit nicht bewegt worden sei. Der Gang war, wie nicht anders zu erwarten, menschenleer, und alle Türen waren geschlossen. Deshalb wirkte er noch furchteinflößender, und Dóra konnte den Gedanken nicht verdrängen, dass sich der Einbrecher vielleicht noch hinter einer geschlossenen Tür versteckte.

Sie schüttelte das Unwohlsein ab und spähte in die verschiedenen Räume. Sie konnte sich nicht genau erinnern, wie es vor diesem seltsamen Einbruch darin ausgesehen hatte, aber alles wirkte unberührt. Erst im Zimmer der Eltern merkte sie, dass etwas anders war, als es sein sollte. Sie stand in der Tür, ließ ihren Blick durch den Raum schweifen und trat dann zögernd ein. Die Tür fiel hinter ihr zu. Dóra zuckte zusammen, und ihr Herz schlug wie wild, aber sie biss die Zähne zusammen. Sie wusste, dass die Tür vom Schaukeln der Yacht zugefallen war, und hatte sogar mit dem Knall gerechnet. Das war ein ganz normales Schiff, zwar sehr schick, aber auch nur aus Stahl und Aluminium. Genau wie ihr Auto und ihr Toaster. Davor fürchtete sie sich ja auch nicht, und es war völlig unsinnig, sich so zu verhalten, als wolle die Yacht ihr etwas antun. Dennoch konnte sie sich nicht ganz von dem unheimlichen Gefühl befreien, dass an Bord etwas Böses lauerte.

In dem Zimmer war nichts, das darauf hinwies, dass sich ein Unbefugter darin aufgehalten hatte. Alles war so wie beim letzten Mal, außer, dass das Bett ziemlich schlampig gemacht worden war und immer noch ein großes Handtuch über dem Stuhl vor dem Kosmetiktisch hing. Ægirs und Láras persönliche Sachen waren entfernt worden – vielleicht war das die Veränderung, die sie wahrgenommen hatte. Dóra drehte sich langsam in der Mitte des Raums im Kreis und versuchte sich zu erinnern, wie es vorher dort ausgesehen hatte. Die Yacht schien schon wieder ihre Phantasie anzuregen. Sie verbot sich, an die Kinderfüße zu denken, die sie gesehen hatte. Stattdessen ging sie zu den wuchtigen Kleiderschränken und zwang sich, sie zu öffnen. Der erste Schrank war genau wie beim letzten Mal. Auch die anderen waren voller Kleidung, die ordentlich sortiert in Regalen und Fächern aus Zitrusholz lagen oder auf eleganten Kleiderbügeln an Stangen hingen, bei denen sie sich nicht gewundert hätte, wenn sie aus Silber gewesen wären. Die Frauenkleidung verströmte einen schweren, blumigen Parfümgeruch, der Dóra in die Nase stieg, bis sie sich fast ekelte. Nur ein Bügel hing leer zwischen all den anderen, die den feinen Kleidern die Schultern ersetzten, und fiel unangenehm auf. Falls Karítas ihre Kleider in Lissabon von der Yacht geholt hatte, war nicht viel dabei herumgekommen. Oder sie mochte nur dieses eine Kleid.

In einem der zweigeteilten Schränke, der offenbar Karítas' Ehemann gehört hatte, entdeckte Dóra hinter einer Stange mit Hemden eine Scheibe. Sie schob die Hemden zur Seite und sah, dass hinten im Schrank ein mächtiger Safe eingebaut war. Er war natürlich verschlossen, und Dóra versuchte gar nicht erst, die Scheibe auf gut Glück zu drehen. Dennoch überlegte sie, was wohl darin sein könnte – wahrscheinlich Manschetten mit kirschgroßen Diamanten und vielleicht etwas Bargeld. Da weder die Mannschaft noch Ægir und seine Familie in der Lage gewesen sein dürften, den Safe zu öffnen, war es undenkbar, dass sich darin etwas verbarg, das mit dem Fall zu tun hatte. Dóra vermutete vielmehr, dass Karítas wegen des Safes nach Portugal gefahren war – nicht wegen der Kleider oder persönlichen Gegenständen. Wahrscheinlich war er gähnend leer. Nachdem sie die letzte Schublade mit aufgerollten Krawatten, Socken und Gürteln angeschaut hatte, wandte sich Dóra von dem Schrank ab.

Während sie kopfschüttelnd dastand, fiel ihr auf, was sie gestört hatte. Es war nichts Besonderes. Das Holzkästchen, das auf dem Kosmetiktisch gestanden hatte, war verschwunden. Darin hatten nur Fotos und Zeitungsausschnitte gelegen, die Karítas als Erinnerung an ihr süßes Leben aufgehoben hatte. Aber wer würde sich dafür interessieren? Wohl kaum die Polizei. Dóra ging zum Kosmetiktisch und spähte in die Schubladen und Fächer, doch das Kästchen war weg. Sie konnte nicht begreifen, warum jemand in eine luxuriöse Yacht voller kostbarer Gegenstände einbrechen sollte, um es zu stehlen. Die Einzigen, die sich möglicherweise für den Inhalt des Kästchens interessierten, waren Klatschreporter, und die würden bei ihrer Recherche wohl keinen Einbruch begehen.

Im Gang gab es nichts Besonderes zu sehen, und Dóra schaltete das Licht aus und eilte zurück zu Matthias und Snævar. Sie fand die beiden erst nach einigem Suchen weiter unten im Schiff, in einer Kammer für Aqua-Scooter, Angelausrüstungen und andere technische Geräte. An der Wand befand sich eine mächtige Falltür, die sich wahrscheinlich nach außen öffnen ließ, falls man diese Spielzeuge benutzen wollte. Matthias begutachtete den Aqua-Scooter ausgiebig, und Dóra war klar, dass die Männer nicht hier waren, um nach Einbruchsspuren zu suchen. Snævar stand neben der Luke und betrachtete deren Befestigung. Im selben Moment, als Dóra durch die Türöffnung trat, schaukelte die Yacht so plötzlich, dass sie sich in der Türzarge festhalten musste, um nicht hinzufallen. Anschließend war ihre Hand voller Öl.

»Wie läuft's?«, fragte Dóra Matthias und warf einen kurzen Blick auf den Aqua-Scooter. Dann ging sie zu dem großen Waschbecken, das hinter ihm an der Wand hing, und drehte den Hahn auf.

»Von Karítas' Kosmetiktisch ist ein Kästchen verschwunden. Nichts Besonderes, deshalb verstehe ich nicht, was der Dieb damit will. Vielleicht dachte er, es wäre Schmuck drin, aber ich habe beim letzten Mal reingeschaut und nur persönliche Papiere gesehen, die völlig wertlos sind.«

Sie drehte ihre Hand unter dem eiskalten Wasserstrahl, und das Becken füllte sich mit Wasser, als sei der Ablauf zu.

»Vielleicht dachte er, es wäre ein Schmuckkästchen. Aber schon komisch, es nicht vorher aufzumachen«, entgegnete Matthias und schnitt eine Grimasse. »Klingt nicht überzeugend. Oder hat die Polizei es heute Morgen mitgenommen? Vielleicht wollten sie alle Wertgegenstände von der Yacht holen, damit nicht noch mal eingebrochen wird.«

»Aber warum nehmen sie dann nur dieses eine Kästchen mit?«

Dóra musterte ihre Hand und befand sie für sauber. Das Wasser lief langsam aus dem Waschbecken ab, und als es fast leer war, versuchte sie, den Stöpsel hochzuschieben. Der kleine Auffang am Ende des Stöpsels war voller blonder Haare, als hätte sich jemand in der Kammer rasiert oder die Haare geschnitten. Dóra zeigte ihn den anderen.

»Wer würde sich denn hier rasieren oder die Haare schneiden?«

Snævar schaute auf und zuckte mit den Achseln.

»Könnte jeder gewesen sein. Vielleicht einer aus der Mannschaft. Das ist garantiert alt und nicht von der Überfahrt nach Island. Hier mangelt es ja wirklich nicht an Waschbecken oder Badezimmern.«

Matthias verzog vor Ekel das Gesicht und sagte:

»Tu ihn wieder rein. Der Einbrecher hat ganz bestimmt nichts damit zu tun.«

Dóra gehorchte und trocknete ihre nassen Hände an ihren Hosenbeinen ab. Dann blickte sie wieder zu Snævar, der immer noch konzentriert die Falltür musterte. Er löste den wuchtigen Stahlriegel, packte den Griff, und die Luke schwang quietschend auf.

»Was machen Sie denn da?«

Einen Moment lang dachte Dóra, Snævar und Matthias wollten sich auf den Aqua-Scooter schwingen.

»Ich verstehe das nicht ganz«, sagte Snævar und zeigte auf ein dünnes Nylonseil, das an einem Haken an der Wand befestigt war und außen an der Luke entlangführte. »Dieses Seil darf während der Fahrt nicht draußen hängen. Ich wollte nur abchecken, was das ist. Vielleicht ein Schwimmer oder etwas für den Aqua-Scooter.«

Sie warteten, bis sich die Luke in fast waagerechter Position befand, und schauten dann hinaus auf den Hafen und das unruhige Wasser, das unablässig vom Regen gepeitscht wurde. Es war kein Schwimmer zu sehen, das Seil verschwand im dunklen Wasser.

»Können Sie mir mal helfen?«, fragte Snævar Matthias. »Ich kann mich so schlecht bücken. Wir sollten es reinziehen.«

Matthias trat zu ihm, nahm das Seil und machte ein verwundertes Gesicht.

»Entweder es hängt irgendwo fest, oder es hängt etwas Schweres dran.«

»Das kann nicht sein«, sagte Snævar. Er beugte sich ein wenig hinunter und versuchte, an dem Seil zu ziehen. »Sie haben recht.«

Er richtete sich wieder auf.

»Was zum Teufel kann das sein? Das Seil muss vergessen worden sein und sich am Kiel verhakt haben.« Er massierte energisch sein Kinn. »Wir sollten uns nicht damit abmühen. Die werden das schon rausfinden, wenn die Yacht in der Werft ist.«

Matthias ruckte an dem Seil und sagte:

»Es hat sich nicht verhakt. Da hängt etwas dran.«

Dóra steckte den Kopf durch die Luke und starrte auf die Stelle, an der das Seil im Meer verschwand.

»Ob es ein Netz ist? Vielleicht haben sie versucht zu fischen.« Snævar machte ein skeptisches Gesicht.

»Ich glaube, ich schaffe es«, sagte Matthias. Er zog an dem nassen Seil und wickelte es dabei um einen kleinen Stahlpfosten. Endlich sahen sie ein Stück hellgrüne Plane aufleuchten, die mit einem stählernen Haken an dem Nylonseil befestigt war. Sie schien zugebunden zu sein.

»Was zum Teufel ist das?«

Snævar streckte die Arme aus und griff nach der Plane, als Matthias sie bis an den Rand der Luke gezogen hatte. Mit gemeinsamer Kraft zogen sie die Last an Bord. Keuchend betrachteten sie ihren Fang.

»Meint ihr, wir sollten es aufmachen?«, fragte Dóra. Sie war zwei Schritte zurückgetreten. Natürlich konnte sie sich täuschen, aber es sah ganz so aus, als befände sich ein Mensch in der Plane. Von der plastikartigen Oberfläche strömte Wasser auf die glänzende Falltür, bis sich das Material dichter um den Inhalt legte. Die Form erinnerte auf unheimliche Weise an etwas, das sie auf keinen Fall finden wollt.

Snævar und Matthias antworteten nicht, sondern starrten den Packen nur verblüfft an. Dann durchbrach Snævar die Stille:

»Ich gucke rein.«

Er bückte sich langsam und löste vorsichtig mit geschickten Händen das Seil, bis alles lose war und nur noch die Plane weggezogen werden musste.

»Shit.« Er warf Dóra und Matthias einen Blick zu und atmete tief durch. »Ich weiß echt nicht, was ich hier mache. Wollen wir das sehen?«

Die beiden antworteten nicht. Snævar starrte auf die Plane und atmete noch einmal tief durch. Dann zog er die Plane weg und übergab sich auf seinen toten Freund.

18. KAPITEL

»Wolltest du schon immer zur See fahren?«, fragte Lára.

Sie war immer noch sauer auf Ægir und ignorierte ihn. Stattdessen unterhielt sie sich mit Halli, der bei ihnen im Wohnzimmer saß und Patience legte. Þráinn war rausgegangen, um Loftur zu fragen, ob er etwas über die verschwundene Leiche aus der Kühltruhe wüsste, und Ægir hatte den Verdacht, dass Halli Lára und ihn in der Zwischenzeit bewachen sollte. Bisher hatte noch niemand mit Lára über das Verschwinden der Leiche gesprochen. Es herrschte die schweigende Übereinkunft, dass das Ægirs Aufgabe wäre, aber es war unmöglich, solange sie ihn keines Blickes würdigte. Er kannte sie gut genug, um zu wissen, dass sie eher verletzt als wütend war, und das war noch heikler als ein ordentlicher Streit. Das Schlimme war, dass er wusste, dass sie absolut recht hatte: Er hätte sich niemals ohne ihre Zustimmung in eine solche Gefahr begeben dürfen. Dennoch fand er es überflüssig, sich darüber aufzuregen, was alles hätte schiefgehen können. Wie so oft, wenn sie sich stritten, war Ægir ratlos, wusste nicht, ob er sich um Lára bemühen oder ihren Willen, sie in Ruhe zu lassen, akzeptieren sollte. Sie sagte dann manchmal Dinge, die sie nicht wirklich meinte, aber es kam auch vor, dass sie genau das meinte, was sie sagte. Diesmal konnte er ihr Verhalten nicht entschlüsseln. Meistens machte alles, was er sagte, die Sache nur noch schlimmer. Es war am besten, den Mund zu halten und den Sturm auszusitzen. Deshalb war er ziemlich wortkarg, und Lára konzentrierte sich auf Halli, der sich bei dieser unerwarteten Aufmerksamkeit nicht besonders wohl zu fühlen schien. Das Gespräch verlief schleppend, denn das Einzige, was Lára über ihn wusste, war, dass er Seemann war.

»Zur See? Ich weiß nicht.« Hallis Wangen waren immer noch röter als sonst, und zwar nicht, weil es besonders warm im Raum war. Es war sogar recht kühl, aber bisher hatte keiner Þráinn gebeten, die Heizung höher zu stellen.

»Kann schon sein.«

»Kommst du vom Land?«, fragte Lára lächelnd und gab vor, nicht zu merken, dass er kein Interesse an der Unterhaltung hatte.

»Nein, aus Kópavogur.«

»Oh.« Lára spielte an ihren Haaren herum und versuchte, sich etwas Neues einfallen zu lassen. »Hast du Familie?«

»Nein, noch nicht.« Halli spähte unter einen Kartenstapel und ließ die oberste Karte liegen. »Ich bin so oft auf See, das wäre zu kompliziert.«

Lára sah ihre Chance gekommen und fragte:

»Willst du denn mal deinen Job wechseln?«

Halli schnaubte.

»Was soll ich denn anderes machen?« Er warf Lára einen irritierten Blick zu. »Man kann auch zur See fahren, ohne so oft weg zu sein wie ich.«

Er vertiefte sich wieder in die Patience und spähte unter die Kartenstapel.

»Auf großen Schiffen wird man besser bezahlt, aber da sind die Touren auch länger. Und dann kommt es natürlich auf den Fang an, manchmal hat man Glück, manchmal nicht. Das gilt für große und kleine Schiffe.«

»Sparst du für irgendwas?«, fragte Lára lächelnd, obwohl er es nicht sah. »Vielleicht für ein eigenes Dach über dem Kopf?«

»Was? Wozu?« Hallis Wangen wurden wieder röter. »Nee, ich spare für was anderes.«

Ægir fühlte sich gezwungen, ihm zu Hilfe zu kommen und das Thema zu wechseln. Das Einzige, was ihm einfiel, war etwas, das ihm auf der Zunge lag, seit sie die Leiche entdeckt hatten:

»Wenn das britische Schiff über diese Frau informiert wurde, ist dann nicht die Hölle los, wenn wir nach Hause kommen? Verhöre und so?«

»Wahrscheinlich.« Halli verspielte seine Chance auf einen Themenwechsel und blieb wortkarg. »Wird sich zeigen.«

Ægir wollte unbedingt verhindern, dass Lára ihm weitere intime Fragen stellte.

»Wie können wir denn unsere Ankunft ankündigen, wenn der Funk nicht funktioniert?«, fragte er.

»Sobald wir uns Island nähern, erscheinen wir auf den Monitoren. Sie sehen uns und treffen dann wahrscheinlich irgendwelche Vorkehrungen. Wir dürfen bestimmt nicht direkt nach Hause, das ist klar. Du kannst es vergessen, deinen Wein unbemerkt an Land zu bringen.«

Ægir rutschte das Herz in die Hose. Eine solche Antwort wollte er nicht hören. Das Letzte, was er bei der Ankunft gebrauchen konnte, waren Polizeiverhöre und scharfe Zollkontrollen. Der Traum von seinem eigenen Bett und dem vertrauten Geruch daheim im Flur verblasste. Warum waren sie nicht einfach nach Hause geflogen, verdammt nochmal? Lára ergriff ihre Chance, als er schwieg, und nahm den Faden wieder auf:

»Und sag mal, wofür sparst du denn?«

Halli machte ein Gesicht, als hätte Lára vorgeschlagen, er solle für sie strippen. Ægir fand es unmöglich, dass sie nicht merkte, dass dieser zurückhaltende junge Mann sich nicht mit ihr unterhalten, geschweige denn, persönliche Fragen beantworten wollte. Normalerweise war sie anderen Menschen gegenüber viel sensibler. Vielleicht hatte der Ärger über Ægir sie verblendet.

»Ich spare für ein kleines Motorboot. Zusammen mit einem Freund.«

»Cool«, sagte Ægir und lächelte Halli, der seine Patience trotz der Schwindelei aufgegeben hatte, aufmunternd zu. Die Yacht schaukelte, und Ægir überlegte, ob er jemals ein Motorboot geschenkt haben wollte. Er hatte die Schnauze voll vom Meer und dem ewigen Geschaukel, und seine einstmaligen Träume vom Anteil an einem kleinen Segelboot waren endgültig vorbei. Das Geld würde jedenfalls für etwas anderes draufgehen. Ein neues Auto, Auslandsreisen, ein schönes Schmuckstück für Lára, irgendetwas, das nichts mit der Seefahrt zu tun hatte. Obwohl sich Ægir mit Hilfe der Tabletten an das Schaukeln gewöhnt hatte, und die ständigen Bewegungen des Schiffes ihn nicht mehr so sehr störten wie an den beiden ersten Tagen. Er hatte sogar das Gefühl, sein Körper sei ein Teil dieser Schale geworden, die ihn übers Meer trug. Er passte seine Schritte automatisch dem Wellengang an, als sei er mit der Yacht eins geworden. Ob er Gleichgewichtsprobleme hätte, falls sie wieder an Land kämen? Sein Lächeln erstarb, und er versuchte zu ergründen, woher dieses »falls« gekommen war. Natürlich kämen sie wohlbehalten in den Hafen. Ægir zwang sich, sich wieder auf das Gespräch zu konzentrieren.

»Das schafft ihr bestimmt!«

»Hoffentlich.«

Halli stand auf, ging zum Fenster und starrte hinaus, als erwarte er, etwas anderes als das endlose Meer zu sehen. Sein Gesicht sah traurig aus, und Ægir fragte sich, ob er auch daran zweifelte, dass sie wohlbehalten in den Hafen kämen.

»Hoffentlich«, wiederholte Halli.

Lára rutschte übellaunig auf dem Sofa herum, weil Ægir sich in das Gespräch eingemischt hatte. Sie leckte sich über die Lippen, wie sie es immer machte, wenn sie über den nächsten Schritt nachdachte.

»Weißt du, wie die Wettervorhersage ist, Halli?«, fragte sie und fügte hastig hinzu: »Ich würde gerne mal mit den Mädchen an Deck, um Luft zu schnappen. Das Wetter muss doch mal besser werden.«

Halli drehte sich nicht um und starrte weiter aufs Meer.

»Ich glaube, es bleibt heute den ganzen Tag so. Das ist meistens so. Nur gutes Wetter geht schnell vorbei.«

Ægir streckte versuchsweise den Arm übers Sofa und nahm Láras Hand. Sie ließ es sich gefallen. Auf dieses Zeichen hatte er gewartet: Bald würde er wieder Gnade finden. Wie üblich hatte er keine Ahnung, wie das genau funktionierte, sondern war nur froh, dass er seine Strafe abgesessen hatte. Die Situation an Bord war schon angespannt genug, da wollte er Lára nicht auch noch mit Seidenhandschuhen anfassen müssen. Als Nächstes setzte er sich neben sie und war erleichtert, als sie es widerspruchslos geschehen ließ. Nun traute er sich, einen Schritt weiterzugehen, lehnte sich an sie und flüsterte ihr eine Entschuldigung ins Ohr. Dann fügte er hinzu, er müsse ihr noch etwas Ernstes, aber Ungefährliches erzählen. Wobei Letzteres nicht wirklich stimmte: So, wie sich die Sache entwickelte, wies alles darauf hin, dass sie an Bord nicht wirklich sicher waren.

Solange es nur um eine Leiche in der Kühltruhe gegangen war, hatte das sie noch relativ wenig beeinflusst. Das hatte nur etwas mit dem abartigen Lebensstil der Vorbesitzer zu tun. Aber jetzt, da jemand die Leiche über Bord geworfen hatte, war klar, dass dieser Jemand etwas auf dem Kerbholz hatte, die Leiche vielleicht loswerden musste, weil seine DNA-Spuren an ihr waren. Das beunruhigte Ægir, und er musste es Lára sagen. Er wollte vermeiden, dass sie etwas Unbedachtes tat, das dazu führte, dass der Betreffende sich bedroht fühlte. Er schaute in ihre großen, fragenden Augen.

»Was denn?«, fragte sie ziemlich laut, und Halli drehte sich um, als hätte sie mit ihm gesprochen. Als Lára ihre Frage wiederholte, ohne Halli zu beachten, wandte er sich wieder zum Fenster. »Was? Stimmt was nicht?«

»Ja, eigentlich schon.« Ægir lächelte zögernd. »Die Leiche ist weg. Sie wurde ins Meer geworfen, als ich getaucht bin. Sie ist an mir vorbeigetrieben. Ich dachte, es wäre Einbildung, aber das stimmt nicht. Die Leiche ist aus der Kühltruhe verschwunden.«

Lára schnappte nach Luft und schaute ihn flehend an, als wolle sie, dass er seine Worte zurücknähme oder versicherte, es sei ein Scherz gewesen. Anscheinend hatte sie unrealistische Vorstellungen von seinem Humor.

»Wie kann das sein?« Ohne eine Antwort abzuwarten, sprang sie auf die Füße und zerrte an ihm. »Wo sind die Mädchen?«

»Unten. Wo wir sie zurückgelassen haben.«

Ægir stand auf und verfluchte sich, den Mädchen erlaubt zu haben, unten zu bleiben, aber er wollte vermeiden, dass sie Zeugen des angespannten Umgangs ihrer Eltern wurden. Sie hatten im Bett gesessen und einen Film geschaut, von dessen Tauglichkeit sich weder Ægir noch Lára vorher überzeugt hatten. Der Film hatte sie in seinen Bann gezogen und tat es wahrscheinlich immer noch.

»Warte hier, ich sehe nach ihnen.«

Ægir drückte Lára zurück aufs Sofa – obwohl die Mädchen bestimmt nicht in Gefahr waren, wollte er nicht, dass sie mitkam.

Halli reagierte sofort und riss sich vom Fenster los, was darauf hinwies, dass Þráinn ihn wirklich gebeten hatte, sie zu bewachen. Als Ægir und Lára aufgestanden waren, hatte er sich verwirrt umgeschaut, so als wolle er ihnen den Ausgang versperren. Er hatte sich jedoch wieder beruhigt, als Ægir Lára zurück aufs Sofa gedrückt hatte. Sie stand also unter Verdacht – Ægir hätte die Leiche ja auch nicht über Bord werfen können, während er an der Yacht entlanggetaucht war. Er fand es dermaßen albern, dass der Kapitän auf die Idee kam, Lára könne etwas mit der Leiche zu tun haben, dass er fast laut auflachte. Dann fiel ihm ein, dass er auch als Erstes jemanden aus der Besatzung verdächtigt hatte. Wer einem am nächsten stand, dem traute man nichts

Böses zu. Aber die Verbindung zwischen dem Kapitän und seiner Mannschaft war eine andere als die zwischen Lára und ihm. Sie kannten sich seit zehn Jahren, während die Besatzung für eine bestimmte Aufgabe zusammengewürfelt worden war. Vielleicht zeugte es nur von Þráinns Führungsqualitäten, dass er hinter seinen Leuten stand. Oder er war einfach ein Dummkopf.

»Ich hole die Mädchen, mach dir keine Sorgen, Halli wartet hier mit dir«, sagte Ægir. Er ging langsam aus dem Wohnzimmer und beschleunigte seinen Schritt, als die Tür hinter ihm zugefallen war. Aber er rannte nicht. Dafür war er zu rational. Unter normalen Umständen hätte er sich noch nicht einmal sonderlich beeilt, doch die Situation an Bord ließ sich keineswegs als normal bezeichnen. Erst jetzt gestand er sich ein, dass auf der Yacht eine unheimliche Atmosphäre herrschte, und das hatte nicht nur mit dem Leichenfund zu tun. Es war einfach kein guter Ort. Als er sich der Tür zur Kabine der Mädchen näherte und die Geräusche des Films hörte, atmete er ruhiger.

Sie saßen noch am selben Platz, nebeneinander, mit kerzengeraden Rücken am Bettkopf. Als Ægir in der Tür erschien, wandten sie den Blick nicht vom Fernseher ab, murmelten aber eine kaum verständliche Begrüßung. Der Film musste ungeheuer spannend sein, denn normalerweise lächelten sie ihn zumindest kurz an.

»Wird man denn hier gar nicht begrüßt?«, fragte er mit betrübter Miene.

»Der Film ist so spannend. Wir können jetzt nicht reden.«

»Den müsst ihr jetzt leider ausmachen und mit zu Mama kommen. Kann man nicht auf Pause stellen?«

Die Mädchen schauten ihn entsetzt an. Zum tausendsten Mal wunderte er sich über die Faszination der Chromosomen. Er fand es nicht seltsam, dass sie genau gleich aussahen, aber es überstieg sein Begriffsvermögen, wie sich die chemischen Elemente so zusammensetzen konnten, dass sich zwei Individuen genau gleich verhielten. Manchmal bewegten sie sich auf dieselbe

Art und Weise, als würden sie an Land synchronschwimmen. Das war so ein Moment. Sie zwinkerten sogar gleichzeitig mit den Augen und runzelten die Stirn.

»Warum denn?« Natürlich einstimmig. »Er ist doch gleich zu Ende.«

»Weil das Meer so rau ist, dass wir euch bei uns haben wollen. Ihr könnt den Film jederzeit anschauen, er läuft nicht weg.«

Die Zwillinge fielen aus dem Takt, Arna verschränkte die Arme, während Bylgja die Beine unter ihren Körper zog und sagte:

»Wir können ihn nicht jederzeit anschauen, wenn wir ihn jetzt nicht anschauen dürfen.«

»Du weißt genau, was ich meine. Verdreh mir nicht die Worte im Mund. Eure Mutter wartet oben und macht sich Sorgen, wenn wir nicht bald kommen.« Er hob die Fernsteuerung auf. »Im Wohnzimmer gibt es auch einen Fernseher, ihr könnt da weiterschauen, wenn ihr wollt.«

Er drehte sich zum Bildschirm und schaltete ihn aus. Im Zimmer wurde es dunkel. »Warum habt ihr denn die Vorhänge zugezogen? Hat sich der Bildschirm gespiegelt?«

»Nein, wir wollten nicht rausgucken. Das ist ekelhaft«, antwortete Arna.

»Ekelhaft? Das ist ja wohl nicht das richtige Wort, mein Schatz. Das Wetter ist nasskalt oder kühl. Nicht ekelhaft.«

»Wir meinen nicht das Wetter.«

»Nein?« Ægir hob die Augenbrauen. »Was meint ihr denn sonst? Die Wellen?«

»Nee.« Bylgja schüttelte den Kopf und verzog das Gesicht. »Die Frau. Sie ist am Fenster vorbeigeflogen und ins Meer gefallen. Wir haben sie beide gesehen, als wir runtergekommen sind. Ich hab gesehen, wie du ins Meer gestiegen bist, und wir wollten sehen, wie du tauchst. Wir durften nicht aufs Deck, deshalb sind wir hergekommen und haben aus dem Fenster geguckt. Aber unser Fenster geht in die andere Richtung, und wir haben dich nicht gesehen. Nur die Frau, wie sie gefallen ist. Wir dachten, es wäre Mama, aber dann konnten wir sie besser sehen, als sie im Wasser war. Das war nicht Mama.«

Ægir schluckte.

»Habt ihr das nicht nur geträumt?«

Das war zumindest die Bestätigung, dass die Frau vom Deck oberhalb der Kabine der Mädchen über Bord geworfen worden war. Ægir war auf der anderen Seite ins Wasser gegangen, die Leiche war unter dem Kiel hergetrieben, und da hatte er sie dann gesehen.

»Nein«, antworteten die Mädchen im Chor.

»An Bord ist keine andere Frau als eure Mutter, und die sitzt oben im Wohnzimmer«, sagte Ægir. Vielleicht war sein Verhalten falsch – die Mädchen mussten womöglich bei der Polizei aussagen, und es war bestimmt nicht vernünftig, sie in ihrer kindlichen Naivität mit Zweifeln zu belasten.

»Das war nicht Mama, sondern die Frau auf dem Bild. Im selben Kleid und alles.« Bylgja schüttelte sich. »Sie hatte ein gemeines Gesicht.« Sie zuckte mit den Achseln. »Und dann ist sie untergegangen.«

Ægir atmete tief durch und versuchte, sich nichts anmerken zu lassen. Demnach war die Frau in der Kühltruhe Karítas gewesen. Er versuchte, sich an den Stoff des Kleidungsstücks zu erinnern, das sich um den entstellten Körper gebauscht hatte, und musste zugeben, dass es gut das besagte Kleid hätte sein können. Die Farben waren trüber gewesen, aber das Meer dämpfte sie genauso wie Geräusche.

»Ich hab dir doch gesagt, dass uns niemand glaubt.« Arna stand vom Bett auf. »Ihr glaubt uns nie.«

»Natürlich glaube ich euch.« Ægir suchte nach den richtigen Worten, etwas, das die Mädchen dazu bringen würde, die Sache zu vergessen. Aber ihm fiel nichts ein. »Warum habt ihr Mama nicht geholt? Oder jemand anderen?«

»Wir haben uns nicht aus dem Zimmer getraut, und als wir

dann doch raufgegangen sind, war Mama wütend, weil sie dachte, du wärst ins Meer gefallen. Wir haben versucht, ihr zu sagen, dass du tauchst, aber sie hat uns nicht zugehört. Sie wollte auch nichts über die Frau hören.« Arna sah ihren Vater an. »Bist du jetzt böse?«

»Böse? Nein, ich bin nicht böse. Aber wisst ihr was? Eigentlich war es gut, dass ihr nichts gesagt habt. Sehr gut sogar. Ich muss euch nämlich bitten, die Sache für euch zu behalten. Niemandem davon zu erzählen. Niemandem. Das ist sehr, sehr wichtig. Habt ihr mich verstanden?«

Ægir war plötzlich klar geworden, dass derjenige, der die Leiche über Bord geworfen hatte, glauben konnte, die Mädchen hätten ihn gesehen, wenn sich die Sache herumsprach. Das Risiko, dass dieses Schwein die Kinder angriff, durfte Ægir nicht eingehen.

»Mama nicht und sonst auch niemandem. Keinem aus der Mannschaft, okay?«

Die Mädchen wechselten einen Blick und hoben die Augenbrauen.

»Warum nicht?«, fragte Bylgja ängstlich.

»Weil es unser Geheimnis bleiben muss. Ich sage euch den Grund, wenn wir wieder zu Hause sind. Versprochen!« Er kniete sich zu ihnen. »Nur wir drei wissen, dass das passiert ist, sonst keiner. Und wir erzählen erst mal niemandem davon.«

Das stimmte natürlich nicht. Außer ihnen wusste es derjenige, der die Leiche über Bord geworfen hatte. Und der befand sich unter ihnen. Þráinn, Halli oder Loftur.

»Wann seid ihr runtergegangen? Direkt, nachdem du gesehen hast, wie ich ins Wasser gestiegen bin, Bylgja?«

Bylgja nickte, besorgt, etwas falsch gemacht zu haben. Ægir versuchte, sich darüber klar zu werden, was das bedeutete. Bylgja war vom Fenster weggegangen und hatte ihrer Schwester erzählt, was sie gesehen hatte. Anschließend hatten die Zwillinge ihrer Mutter gesagt, sie würden runtergehen, und sich dort ans

Fenster gestellt. Nachdem er ins Wasser gestiegen war, waren ungefähr zehn bis fünfzehn Minuten vergangen, bis die Leiche über Bord geworfen worden war. Er konnte also noch nicht mal Þráinn oder Halli ausschließen. Sie waren zwar mit ihm zusammen an Deck gewesen, aber was hatten sie gemacht, während er getaucht war?

Ægir richtete sich wieder auf. Er verabscheute es, hier zu sein, verabscheute das Meer und verabscheute die Gefahr, der seine Familie ausgesetzt war. Die Entscheidung, mit dem Schiff nach Hause zu fahren, war die schlechteste, die er je getroffen hatte. Sein Blick wanderte zu der Aktentasche, die an der Wand neben dem Schreibtisch stand, und er dachte an sein früheres Leben. Die tagtägliche Schufterei, die nicht viel einbrachte, aber relativ entspannt und ungefährlich war. Wie war er nur auf die Idee gekommen, seine Familie und sich in diese undurchschaubare Lage zu bringen? Er war ein Idiot gewesen. Er schaute hinab auf die dunklen Köpfe der Zwillinge und wusste, dass er sie enttäuscht hatte. Und Lára. Und Sigga Dögg, die zu Hause wartete. Ægir biss die Zähne so fest zusammen, dass sein Kiefer schmerzte. Sie mussten nach Island und zwar schnellstens.

In seinem Kopf spulten sich unablässig die Namen der Besatzungsmitglieder ab, als gehörten sie zu einem Kinderlied. Þráinn, Halli, Loftur. Halli, Loftur, Þráinn. Loftur, Þráinn, Halli. Wer von ihnen war es gewesen? Doch wohl nicht alle drei?

19. KAPITEL

Der Fund der Leiche stellte das Rätsel um die Yacht in ein gänzlich neues Licht. Das Schicksal des an Land getriebenen Loftur bestätigte die Theorie, dass an Bord etwas passiert sein musste, was die Leute dazu veranlasst hatte, das Schiff zu verlassen. Anders war es jedoch mit dem Toten, der in eine Plane gewickelt an die Yacht gehängt worden war. Dóra war schon zum vierten Mal bei der Polizei, während Matthias und Snævar nur zweimal einbestellt worden waren. Vielleicht mussten sie auch noch einmal aussagen, aber Dóra vermutete, dass es der Polizei zu umständlich war, mit Matthias Englisch zu sprechen, und Snævar musste sich bestimmt noch vom Anblick seines toten Freundes Halldór erholen. Zu große emotionale Beteiligung erschwerte oft eine Zeugenaussage.

Dóra folgte dem Polizisten durch einen Büroflur, der nicht mit der Absicht eingerichtet war, das Auge des Betrachters zu erfreuen. Es handelte sich um denselben Mann, mit dem sie bereits über ihren Fall gesprochen hatte, aber jetzt war sie Zeugin bei der Ermittlung eines brutalen Mordes. Der Polizist wirkte abwesend und erschöpft, der Nikotinkaugummi war einem vagen Zigarettengeruch gewichen. Dóra wusste, dass die Sparmaßnahmen bei der Polizei den Druck auf die Beamten enorm erhöht hatten und ein schwieriger, zeitaufwendiger Fall wie dieser alles andere als willkommen war.

Der Mann blieb vor der Tür zu einem kleinen Verhörzimmer stehen, das noch ungemütlicher war als der Flur. Dóra setzte sich auf einen harten Stuhl und spürte, wie verspannt ihr Rücken war. Es war stickig im Raum. Sie öffnete den obersten Knopf ihres Mantels und lockerte den Kragen ein wenig, damit sie seine Fragen nicht mit feuerrotem Kopf beantworten musste.

»Gibt's was Neues?«, fragte sie.

»Ja und nein.« Der Mann verzog keine Miene, legte eine Mappe auf den Tisch und nahm Platz. »Wir haben endlich die DNA-Ergebnisse. Wegen des Erbrochenen hat sich alles verzögert, das können Sie sich ja vorstellen.«

»Allerdings!«, entgegnete Dóra prompt und wollte ihm schon von ihrem Erlebnis mit dem Kopierer erzählen, hielt sich aber zurück und errötete, weil sie überhaupt daran gedacht hatte. »Ist jetzt bestätigt, dass es sich um Halldórs Leiche handelt? Snævar war zwar davon überzeugt, aber bei dem Zustand des Toten konnte man das nicht mit Sicherheit sagen.«

In der Zwischenzeit waren Fotos von der Mannschaft und den Passagieren in der Zeitung erschienen. Ihre schwarz-weißen Gesichter hatten Dóra am Morgen angestarrt, als sie bei Toast und Tee die Zeitung durchgeblättert hatte. Sie kannte zwar Bilder von Ægir und seiner Familie, aber die drei anderen Männer sah sie zum ersten Mal. Der Kapitän war Witwer und hinterließ drei erwachsene Kinder, die beiden anderen waren unverheiratet und kinderlos, hinterließen aber Eltern und Geschwister. Das Foto von Halldór hatte Dóra nichts gesagt.

»Ja, das wurde bestätigt.« Der Polizist blätterte in der Mappe. »Daran besteht kein Zweifel«, sagte er und warf Dóra einen Blick zu. Seine Augen waren von einem intensiven Grün, als trage er gefärbte Kontaktlinsen. Was allerdings überhaupt nicht seinem Typ entsprechen würde.

»Wir wissen jetzt auch die Todesursache, wobei das Ergebnis der Obduktion den Fall nur noch komplizierter macht. Der Mann ist nämlich ertrunken, wie auch immer er es geschafft hat, außen am Boot zu landen. Ich wollte Sie zu Ihrer Meinung darüber fragen.«

Dóra hatte überhaupt nicht damit gerechnet, dass Halldór an den Folgen eines Unfalls gestorben war. Sie war fest davon überzeugt gewesen, dass er ermordet worden war und dass die Obduktion Stichwunden oder Schlagverletzungen ans Licht bringen würde. Aber ertrunken? Wobei sie sich die Leiche nicht genauer angeschaut hatte, nur so lange, wie ihr Gehirn gebraucht hatte, um den ekelerregenden Anblick des Kopfes zu verarbeiten. Dann hatte sie sich abgewandt, um das zu vollenden, was Snævar begonnen hatte. Bei der Erinnerung krampfte sich ihr Magen zusammen.

»Tja, ich dachte, es würde etwas anderes dabei herauskommen«, sagte sie.

»Verständlicherweise. Wir haben das noch nicht an die Öffentlichkeit gegeben. Sie behandeln die Sache doch sicher vertraulich?«

»Selbstverständlich.«

»Ich nehme Sie beim Wort«, entgegnete der Polizist. »Die Obduktion ist eindeutig. Der Mann ist ertrunken, und es gibt keine Anzeichen dafür, dass er unter Wasser gedrückt oder auf andere Weise ertränkt wurde. Er hatte ein paar Beulen und Abschürfungen, aber die sind älter und waren bereits verheilt.«

»Verstehe. Wissen Sie, wie sich das abgespielt haben könnte? Warum schwamm er in eine Plane eingewickelt im Wasser?«

»Dazu kann ich noch nichts Genaueres sagen, aber die Ermittlungen laufen auf Hochtouren. Das ist alles nicht so einfach, aber wir werden es hoffentlich aufklären«, antwortete er lächelnd.

»Hoffentlich.«

Dóra öffnete den zweiten Knopf an ihrem Mantel. Die Sparmaßnahmen der Polizei schienen sich nicht aufs Heizen zu beziehen.

»Ich weiß nicht, ob Sie das wissen, aber als wir nach der Kollision an Bord kamen, gab es nur eine abgeschlossene Tür, und das war die zu der Kammer, aus der Halldórs Leiche ins Meer hing. Den Schlüssel haben wir in einer Ecke im Treppenaufgang gefunden.«

Dóra hielt das für nebensächlich und fragte:

»Und was wissen Sie über Lofturs Todesursache? Ist der auch ertrunken?«

»In diesem Fall gilt dasselbe, was ich Ihnen eben gesagt habe. Bitte behandeln Sie es vertraulich.«

Dóra nickte nur.

»Seine Leiche war nach der langen Zeit im Wasser ziemlich mitgenommen, und das Ergebnis der Obduktion ist nicht ganz eindeutig. Er ist eindeutig ertrunken, fragt sich nur, ob im Meer oder in gechlortem Wasser.«

»In gechlortem Wasser?«

»Ja, sieht ganz so aus. Wir mussten einige Proben außer Landes schicken, um eine endgültige Bestätigung zu bekommen, aber es würde mich überraschen, wenn die unser Ergebnis anzweifeln.«

»Und Halldór? Ist der auch in gechlortem Wasser ertrunken?«

»Nein, sein Lungengewebe zeigt deutliche Spuren normalen Ertrinkens.« Der Polizist legte die Hände in den Nacken und lehnte sich zurück. »Erinnern Sie sich an den Whirlpool auf einem der kleinen Decks?«

Dóra nickte.

»Ist Loftur darin ertrunken?«

»Höchstwahrscheinlich. Etwas anderes kommt eigentlich nicht in Frage.« Der Polizist ließ die Arme wieder fallen, richtete sich auf seinem Stuhl auf und rückte näher an den Tisch. »Das kann natürlich jedem passieren, vor allem, wenn man betrunken ist, aber das war bei Loftur nicht der Fall. In seinem Blut war so gut wie kein Alkohol. Aber so endete er wohl, der Arme, nüchtern in einem Meter Tiefe ertrunken.«

»Wollen Sie andeuten, dass vielleicht jemand nachgeholfen hat?«

»Nein, nicht unbedingt. Das könnte natürlich sein, aber es ist auch denkbar, dass er einen Schock erlitten hat, in Ohnmacht gefallen ist oder sich aus anderen Gründen nicht retten konnte.«

Der Polizist sah Dóra an und wartete darauf, dass sie etwas sagte. Dann fügte er hinzu: »Wollen Sie nicht fragen, was er anhatte?«

»Was hatte er an?«

»Er war vollständig bekleidet.«

Er hob mit gespielter Verwunderung die Brauen.

»Ziemlich ungewöhnlich. Normalerweise zieht man einer Leiche nichts an. Und wie kommt es, dass er im Whirlpool ertrinkt und dann im Meer landet? Da muss jemand anders am Werk gewesen sein. Und vielleicht hat der auch die anderen an Bord umgebracht.« Er schnalzte grinsend. »Oder auch nicht.«

Dóra schwieg. Bei diesen furchtbaren Neuigkeiten vergaß sie für einen Moment, dass ihr warm war.

»Da läuft es einem ja kalt den Rücken herunter, wenn man an die Zwillinge denkt. Das ist alles noch viel schlimmer, als es am Anfang aussah. Man kann sich leichter damit abfinden, dass die Mädchen bei einem Unfall ums Leben kamen, als dass sie zu Opfern eines Mörders wurden.« Sie seufzte. »Auch wenn das Ergebnis dasselbe ist.«

»Es sieht wirklich nicht gut aus«, sagte der Polizist und machte wieder ein ernstes Gesicht, »aber was Ihren Anteil an der Sache betrifft, habe ich keine weiteren Fragen.«

Er schwieg einen Augenblick.

»Es sei denn, Sie möchten noch etwas hinzufügen.«

»Nein.«

Ihr erster Besuch auf der Wache war lang und unerbittlich gewesen. Die Polizei hatte alles aus ihr herausgequetscht, was irgendwie wichtig war.

»Unsere Interessen sind ungefähr dieselben, meinen Sie nicht?«, fragte der Polizist.

Dóra nickte. Sie verfolgten vielleicht nicht dasselbe Ziel, aber der Unterschied war gering. Sie musste beweisen, dass Ægir und Lára tot waren, und die Polizei musste noch einen Schritt weitergehen. Der Mann sprach weiter:

»Deshalb haben wir überlegt, ob wir unsere Kräfte nicht bündeln sollten. Ich meine nicht, dass Sie für uns arbeiten, sondern dass Sie uns im Gegenzug alle Informationen geben, die wichtig sein könnten. Dann müssten wir Sie nicht ständig herzitieren und Ihnen aufs Zahnfleisch fühlen. Ich denke, eine solche Vereinbarung würde Ihre Pflicht gegenüber Ihren Mandanten nicht verletzen, und es ist ja im Sinne aller, den Fall zu lösen.«

»Ja, da stimme ich Ihnen zu.« Dóra dachte kurz nach und sagte dann: »Ich muss meine Mandanten natürlich darüber informieren, aber ich gehe nicht davon aus, dass sie sich querstellen. Wobei ich nichts Großartiges mache, ich versuche nur zu beweisen, dass das Ehepaar, das an Bord war, tot ist. Seit unserem letzten Zusammentreffen habe ich der Versicherung nur eine förmliche Mitteilung geschickt und meinen Bericht angekündigt. Ich kann nicht sagen, dass wir besonders optimistisch sind. Wir rechnen nicht damit, dass die Versicherung aufgrund der bisherigen Beweislage den Tod des Ehepaares anerkennt, und dann müssen wir vor Gericht gehen.«

»Aber Sie verstehen, worauf ich hinauswill?«, fragte er.

Dóra nickte.

»Wir können Sie nicht dafür bezahlen, außerdem ist es Ihre Pflicht als Anwältin, und ich muss Sie wohl nicht auf Artikel 73 über den Umgang mit öffentlichen Angelegenheiten hinweisen.«

Er räusperte sich, und Dóra dachte schon, er würde das Gesetz auswendig aufsagen, aber ihre Befürchtung war unbegründet.

»Sie sind verpflichtet, die ermittelnden Behörden zu unterstützen. Außerdem erinnere ich Sie daran, dass Sie Unterlagen aushändigen müssen, falls die ermittelnden Behörden das wünschen.«

»Ich habe nichts. Bis auf die Kopien der Papiere von Snævar

bezüglich des Krankenhausaufenthalts und des Flugtickets, die ich Ihnen schon gegeben habe. In den nächsten Tagen erwarte ich Unterlagen zu Ægirs und Láras Finanzen und ein Gesundheitsattest ihres Hausarztes. Die können Sie natürlich auch haben, wenn Sie möchten. Dann soll Snævar mir noch eine Krankmeldung von einem isländischen Arzt besorgen, als Bestätigung, dass jemand an Bord für ihn einspringen musste. Die können Sie auch gerne haben. Aber damit warte ich noch, bis er sich wieder gefangen hat.«

Dóra hatte den Eindruck, dass der Polizist meinte, sie halte irgendwelche Unterlagen zurück, und fügte hinzu:

»Nur, damit das klar ist: Es gibt, wie Sie wissen, Ausnahmen. Ich behalte mir das Recht vor, von Fall zu Fall zu entscheiden, aber natürlich helfe ich Ihnen, wenn ich kann.«

Der Polizist nickte und schien zufrieden, sogar zufriedener, als wenn sie einfach nur Ja und Amen gesagt hätte.

»Gut, ich denke, es wäre hilfreich, Kopien von allem zu bekommen.« Er wandte sich wieder der Mappe zu und starrte auf die Seite, die er aufgeschlagen hatte. »Zu diesem Kästchen, das Sie in Ihrer Aussage erwähnt haben – das war nicht bei den Dingen, die wir von Bord geholt haben. Der Einbrecher muss es mitgenommen haben. Vielleicht dachte er, es sei ein Schmuckkästchen.«

»Ja, vielleicht, aber es war nicht abgeschlossen. Er hätte es nur aufmachen müssen, um zu sehen, dass nichts Wertvolles drin war.«

»Sind Sie sicher? Haben Sie sich den gesamten Inhalt angeschaut? Nicht nur Gold und Geldbündel sind wertvoll.«

Dóra musste zugeben, dass sie den Inhalt des Kästchens nicht genauer untersucht hatte, und sagte:

»Da fällt mir noch etwas ein. Ich habe im Kleiderschrank im Schlafzimmer einen Safe gesehen. Kennen Sie den?«

»Ja, wir haben ihn öffnen lassen, er war leer«, antwortete er und lächelte Dóra zu. »Bevor ich Sie gehen lasse, möchte ich

Ihnen noch ein paar Dinge anvertrauen, die Sie bitte für sich behalten. Wahrscheinlich haben Sie für Ihren Fall keine Bedeutung, aber man weiß ja nie. Sie halten doch sicher die Augen offen, was das betrifft?«

»Selbstverständlich.«

»Gut.«

Bevor er weitersprach, schaute er ihr lange in die Augen, als erwarte er dort ein verlässliches Zeichen für ihre Ehrlichkeit zu finden. Seine grünen Pupillen wirkten noch künstlicher, wenn er sie so anstarrte.

»Sie haben gesagt, Sie hätten die Plane nicht ganz von der Leiche gezogen und nur ihren Kopf gesehen, stimmt das?«

»Na ja, ich habe nur ihren Kopf gesehen, weil ich weggeschaut habe. Snævar hat die Plane weggezogen und sich dann übergeben. Ich habe mit beidem so meine Schwierigkeiten, mit Erbrochenem und mit Leichen, besonders mit beidem zusammen, deshalb habe ich nur den Kopf gesehen. Das hat mir vollkommen gereicht. Falls ich das missverständlich formuliert habe, war das ungewollt.«

Der Polizist las etwas auf dem Blatt, das vor ihm lag – wahrscheinlich eine der beiden Aussagen, die sie gemacht hatte.

»Nein, nein, das steht hier so. Ich wusste es nur nicht mehr genau.« Er sah sie wieder an. »Sie haben also nicht bemerkt, dass jemand versucht hat, die Leiche zu zerteilen?«

»Nein, ich hatte keine Ahnung ...« Dóra hob unfreiwillig die Brauen. Damit hatte sie nicht gerechnet. Es war schon schlimm genug, dass das Rätsel um die Yacht zu einem Mordfall geworden war – und jetzt auch noch Verstümmelungen. »Matthias hat auch nichts davon gesagt.«

»Kann sein, dass er es nicht gemerkt hat, weil die Plane einen Teil des Körpers verdeckte. Es gibt Fotos vom Tatort. Aber das ist nicht das Wichtigste, sondern, ob Sie sich daran erinnern, ein Platschen gehört zu haben, als die Plane an Bord gezogen wurde.«

Er atmete tief ein und nestelte an seinem Hemdkragen herum – anscheinend war ihm auch zu heiß.

»Nein, hätte ich das hören sollen?« Dóra war so verwirrt, dass sie nicht verstand, worauf der Mann hinauswollte.

»Anscheinend wollte jemand die Leiche zerstückeln, hat dann aber aufgegeben. Er oder sie hat nur die Beine an den Knien abgetrennt, und die sind weg. Vielleicht ist es auch auf andere Weise passiert, aber wir gehen davon aus, dass es menschliche Einwirkung war. Es wäre leichter, das herauszufinden, wenn wir die Unterschenkel hätten. Wir haben Taucher bei der Yacht suchen lassen, aber ohne Erfolg. Ich dachte, Sie hätten die Beine vielleicht aus der Plane herausrutschen hören. Oder wurden sie schon vorher ins Meer geworfen? Und warum dann nicht die ganze Leiche? Das ist alles unlogisch. Wir haben die Yacht noch mal komplett nach Spuren auf diese, äh, Operation durchsucht. Es muss viel Blut geflossen sein, selbst wenn der Mann schon tot war. Der Täter hat zwar alles saubergemacht, aber wir glauben trotzdem, den Ort gefunden zu haben, an dem es gemacht wurde. Die Verstümmelungen wurden ziemlich sicher an Bord durchgeführt.«

Dóra versuchte vergeblich, sich den Ablauf vorzustellen. Sie konnte es einfach nicht.

»Wo wurde es gemacht?«

»Unter Deck, zwischen den Wassertanks, an einer abgelegenen Stelle, er muss es also heimlich getan haben.«

»Das heißt vermutlich, dass außer ihm noch jemand am Leben war?«

»Ja.« Der Polizist fixierte Dóra, und die unnatürliche tiefgrüne Farbe seiner Augen wirkte fast hypnotisierend. Vielleicht trug er Kontaktlinsen, um genau diese Wirkung zu erzielen. »Das ist unsere momentane Theorie. Aber es ist, wie gesagt, nicht hundertprozentig sicher, vielleicht stammen die Blutspuren auch von einem anderen Unfall. Wir haben auch an anderen Stellen auf der Yacht Blutreste gefunden, aber die waren besser weggewischt. Wir arbeiten daran, das alles zu klären.«

»An welchen anderen Stellen?«

Der Polizist trommelte mit den Fingern gegen die Tischkante und sagte:

»An mehreren Stellen, auf der Brücke, an einem Ausgang zum Treppenhaus und im Wohnzimmer. Und wir müssen davon ausgehen, dass das Deck womöglich auch voller Blut war, obwohl wir keine Hinweise darauf gefunden haben. Das Meerwasser kann die Spuren ziemlich schnell auslöschen. Die Yacht wurde von einem Unwetter erfasst, und die Gischt muss sehr hoch gespritzt sein. Vom Regen ganz zu schweigen. Vielleicht wurden die Beine auch an Deck abgetrennt. Das ist so gesehen natürlich der günstigste Ort.«

Dóra nickte nachdenklich. Sie erinnerte sich, dass man das Deck von mehreren Fenstern aus einsehen konnte.

»Aber hätten die anderen das nicht gemerkt?«, fragte sie und korrigierte sich, bevor ihr Gegenüber antworten konnte. »Klar, natürlich nicht nachts, wenn die meisten schliefen, aber wozu das Ganze? Ist es nicht am einfachsten, die Leiche einfach über Bord zu werfen? Auf dem offenen Meer geht sie doch unter oder wird gefressen.«

»Sollte man annehmen.«

»Noch eine Frage. Kann es sein, dass der Kapitän bei der Mitteilung an das britische Schiff Halldórs Leiche meinte? Vielleicht hat jemand den Mörder dabei ertappt, als er die Leiche zerteilen wollte, und er konnte es nicht zu Ende bringen.«

»Denkbar. Bei der Mitteilung war allerdings die Rede von einer Frau. Aber das könnte auch ein Missverständnis gewesen sein. Die Verbindung war schlecht, und dann kamen noch die Sprachprobleme zwischen dem Kapitän und dem Steuermann auf dem britischen Trawler dazu.«

»Ich verstehe das alles nicht.«

Der Polizist lächelte Dóra freundlich zu und sagte:

»Falls es Sie tröstet, uns geht es genauso. Warum wurde die Leiche an das Schiff gehängt? Man hätte sie an unzähligen Stellen an Bord verstecken können, ohne dass die anderen sie gesehen oder gerochen hätten.«

Dóra fiel kein Ort ein, an dem man die Leiche eines Mannes auf der Yacht hätte verstecken können. Sie erinnerte sich zwar an die Abstellkammern und Tanks unter Deck, wo die Blutspuren entdeckt worden waren, aber diese Räume hatte sie nur auf einer Zeichnung der Yacht gesehen.

»Könnte sie im Wasser- oder Benzintank versteckt gewesen sein?«, fragte sie.

»Die Wassertanks werden noch untersucht. Es scheint ausgeschlossen zu sein, dass die Leiche im Benzintank war.« Er tippte mit dem Stift auf die Mappe, die vor ihm auf dem Tisch lag. »Vielleicht vertraue ich Ihnen noch eine andere merkwürdige Sache an.«

»Ich falle schon nicht in Ohnmacht, mich wundert so langsam gar nichts mehr.«

Der Polizist hörte auf mit dem Tippen und sagte:

»Bei der Obduktion wurden Frostschäden an Halldórs Leiche entdeckt.«

»Frostschäden?« Dóra musste zugeben, dass sie trotz ihrer Aussage verwundert war. »Gab es unterwegs denn Frost?«

Der Polizist schüttelte den Kopf.

»Nein, sie hatten zwar ein Unwetter, aber keinen Frost. Wahrscheinlich lag die Leiche in einer der Kühltruhen. Aber da gibt es keine DNA-Spuren oder Faserspuren von der Plane. Vielleicht war sie in Plastik verpackt. Und wenn ich Ihnen das schon erzählt habe, kann ich Ihnen auch noch sagen, dass die tote Frau, die an Bord gefunden wurde, angeblich in der Kühltruhe lag. Falls der Kapitän richtig verstanden wurde. Aber die Techniker finden auch dafür keine Spuren.«

»Ich weiß nicht, was ich sagen soll.« Dóra sehnte sich nach etwas Konkretem, Handfestem. »Weiß man denn, wann Halldór gestorben ist?«

Der Polizist schüttelte den Kopf.

»Leider nicht. Die Leiche hat so viel mitgemacht, dass sich das nicht mehr so leicht feststellen lässt. Sie wurde durchs Meer gezogen, war gefroren und vielleicht in einer Kiste versteckt. Der Todeszeitpunkt ist höchst ungewiss. Halldór kann zu irgendeinem Zeitpunkt während der Überfahrt gestorben sein, nur nicht, nachdem die Yacht an Land war. Und seine Leiche hat wahrscheinlich nicht lange im Wasser gehangen, sonst wäre sie noch schlimmer zugerichtet gewesen. Dann wäre es ein Wunder, wenn sie im Hafen überhaupt noch dagewesen wäre.«

Dóra war inzwischen so heiß, dass sie sich am liebsten den Mantel vom Leib gerissen hätte. Der Polizist warf ihr einen Blick zu, während sie mit hochrotem Kopf dasaß und sich sehnlich wünschte, hinaus in die Kälte zu kommen.

»Also, das wäre so weit alles. Dann knöpfe ich mir jetzt mal meine Leute vor, die bei der ersten Durchsuchung der Yacht dabei waren. Das mache ich mindestens einmal täglich«, sagte er grinsend. »Es ist einfach unglaublich, dass keiner von ihnen dieses Seil gesehen hat. Das begreife ich einfach nicht. Sie hätten besser einen Seemann mitgenommen oder jemanden, der sich mit Schiffen auskennt. Aber das sage ich ihnen natürlich nicht, es macht mir nämlich Spaß, sie zusammenzustauchen. Regt die Blutzirkulation an.«

Mit diesen Worten stand er auf und begleitete Dóra zur Tür.

Dóra fuhr in Gedanken versunken zum Skólavörðustígur, ging in ihr Büro und saß dort eine Weile und grübelte. Dann beugte sie sich über den Schreibtisch und rief so laut sie konnte:

»Bella! Kannst du mal herkommen?«

Es war an der Zeit, zu unkonventionellen Mitteln zu greifen. Es hatte sich gezeigt, dass der gesunde Menschenverstand bei diesem Fall nur im Weg war, und für wirre, ungewöhnliche Theorien war Bella wie geschaffen.

20. KAPITEL

Lára und die Mädchen schliefen in dem großen Doppelbett den Schlaf der Gerechten. Sie lagen dicht beieinander, ihre Haare vermischten sich auf den Kissen, so dass Ægir nicht mehr auseinanderhalten konnte, welche Strähnen zu wem gehörten. Alle drei hatten gerötete Wangen. Sie hatten kein Fieber, wahrscheinlich hatte endlich jemand die Heizung an Bord aufgedreht, nachdem das Wetter schlagartig abgekühlt war. Ægir hatte keine Ahnung, wer, und es war ihm auch völlig egal. Das Einzige, was auf diesem Schiff wichtig war, lag neben ihm: seine Familie. Arna murmelte etwas, aber er konnte kein Wort verstehen. Ihre Augen bewegten sich unruhig unter den weißen Lidern, und ihre Beine zuckten. Dann wurde plötzlich wieder alles ruhig, und sie sah ganz friedlich aus. Ægir hoffte, dass sie nicht schlecht geträumt hatte. Lára und er hatten versucht, so zu tun, als sei alles in Ordnung, hatten ihre Angst und Unsicherheit überspielt, aber vielleicht zu gezwungen gewirkt. Sie wollten gar nicht daran denken, dass die Mädchen spüren könnten, wie ernst die Lage an Bord auf einmal war. Früher oder später müssten sie es ihnen ohnehin erzählen, damit sie nicht von ihrer Seite wichen.

Ægir lauschte auf die Schritte über ihnen. Er schaute an die Decke, als rechne er damit, dass der Mann plötzlich ein Loch in den Boden sägen und Gipskörnchen auf sie regnen würden. Die Kabinentür war gut abgeschlossen, was natürlich eine Selbsttäuschung war, denn ein erwachsener Mann konnte mit Leichtigkeit in ihr Zimmer eindringen. Außerdem musste es irgendwo auf der Brücke oder anderswo an Bord einen Universalschlüssel geben. Wenn jemand hereinwollte, musste er die Tür gar nicht aufbrechen. Aber darüber war Ægir nicht beunruhigt – er glaubte nicht, dass die Männer an Bord sich auch nur im Geringsten für sie interessierten. Jedenfalls noch nicht.

Seit er Lára nach unten geholt und sie sich mit den Mädchen eingeschlossen hatten, waren mehr als sieben Stunden vergangen. Die ganze Zeit über hatte niemand geklopft oder nach ihnen gerufen. Als hätte die Mannschaft sie komplett vergessen. Was Ægir gar nicht schlimm fand. Er wäre durchaus dazu bereit, still in der Kabine zu verharren, bis sie nach Island kämen, selbst wenn sie dann fast verhungern müssten. Sie hatten im Badezimmer Leitungswasser, das würde ihm reichen. Aber die Mädchen würden sich bestimmt nicht damit abfinden, tagelang nichts zu essen zu bekommen. Er musste sich also irgendwann wieder bemerkbar machen, nicht unbedingt, weil sich seine Töchter beklagten, sondern weil sich die Besatzung sonst wunderte. Dann würde vielleicht jemand zwei und zwei zusammenzählen und dahinterkommen, dass sie mehr wussten, als sie vorgaben zu wissen, und zur Tat schreiten. Es wäre feige und einfach, sie dort drinnen kaltzumachen, zum Beispiel wenn sie schliefen und sich nicht verteidigen konnten.

Die Schritte über ihm hielten an, und Ægir spürte, wie Adrenalin in seine Adern schoss. Er fand es schlimmer, wenn der Mann stand, als wenn er sich bewegte. Das konnte bedeuten, dass er etwas ausheckte. Ægir wusste, dass das ein völlig falscher Schluss sein konnte, aber es änderte nichts daran, wie er sich fühlte. Er hielt sogar die Luft an und wartete darauf, dass der Mann wieder losging. Nichts geschah. Dann knarrte etwas, vielleicht ein Stuhl oder ein Sofa, und Ægir versuchte herauszufinden, welches Zimmer direkt über ihnen lag. Am ehesten das Wohnzimmer. Dann mussten zwei Männer oben sein, einer auf der Brücke und der andere im Wohnzimmer. Ægir setzte sich auf und schob die Decke vorsichtig zur Seite, um die anderen nicht zu wecken. Vielleicht wäre es klug, raufzugehen und mit ihnen zu reden, dann müssten sie sich vor morgen Mittag nicht mehr blicken lassen. Am besten, ihre Abwesenheit wirkte so natürlich wie möglich, Ægir würde in regelmäßigen Abständen raufgehen und jammern, seine Frau und die Kinder seien seekrank. Dann könnte er Lebensmittel holen, wobei er darauf achten musste, ganz ruhig zu wirken. Als hätten sie keine Ahnung, dass jemand an Bord etwas mit der toten Frau aus der Kühltruhe zu tun hatte. Das war zwar angesichts der jüngsten Ereignisse ziemlich naiv, ließ sich aber nicht ändern. Wenn er auch nur die geringste Angst zeigte, bestand die Gefahr, dass er etwas tat oder sagte, was sich nicht mehr rückgängig machen ließ.

Ægir stand vom Bett auf und blieb einen Moment stehen, um sich an das Schaukeln zu gewöhnen. Ungefähr eine Stunde, nachdem sie sich eingeschlossen hatten, war die Yacht plötzlich weitergefahren. Vielleicht hatte die Mannschaft es geschafft, den Container loszumachen, oder der Kapitän hatte einfach entschieden, es darauf ankommen zu lassen. Konnte die Lage an Bord noch schlimmer werden? Es war aussichtslos, auf dem offenen Meer herumzutreiben und auf Hilfe zu warten. Die Kommunikationsgeräte waren funktionsunfähig, so dass sie keine Hilfe rufen konnten. Sie hatten schon lange keine anderen Schiffe mehr gesehen, und Ægir nahm an, dass sie wochenlang herumschippern konnten, ohne von jemandem bemerkt zu werden. Doch dann erinnerte er sich an den Notknopf, den Þráinn ihm gezeigt hatte und der ein Signal mit Angaben zur Position absetzte. Sie würden also nicht bis an ihr Lebensende über die Weltmeere treiben müssen. Ob er einfach auf die Brücke gehen und den Knopf betätigen sollte? Ob eine ausländische Mannschaft ihm glauben würde? Und wenn sie ihm nicht glaubte oder sich weigerte, seine Familie an Bord zu nehmen? Er ließ es lieber bleiben, aber der Notknopf gab ihm dennoch ein gewisses Sicherheitsgefühl.

Ægir kritzelte für Lára eine kurze Nachricht auf einen Zettel, erklärte, wohin er ginge und dass sie und die Mädchen ihm nicht folgen sollten. Dann zog er seine Schuhe an und verließ geräuschlos das Zimmer. Bevor er die Tür hinter sich zuzog, überlegte er noch, ob er seine Frau kurz anstoßen sollte. Lára und die Mädchen hatten mehr als zwei Stunden geschlafen und würden in der Nacht nicht mehr schlafen können, wenn sie nicht bald aufwachten. Sie waren über der letzten DVD eingenickt, nur Ægir hatte sich wach halten können. Er hätte auch gerne geschlafen, wollte aber wach bleiben, falls jemand versuchte, in die Kabine einzudringen. Aber wie sollte es in der Nacht laufen? Natürlich konnte er sich nicht tagelang wach halten, und selbst wenn, würde er in erschöpftem Zustand nicht viel ausrichten, falls es zu Handgreiflichkeiten käme. Lára und er mussten abwechselnd Wache halten, deshalb ließ er sie jetzt lieber schlafen. Sie hatte einen Riesenwirbel wegen Karítas' Parfümflakon gemacht. Sie hatte ihn Ægir zeigen wollen, weil angeblich derselbe Duft aus der Kühltruhe gekommen war. Doch der Flakon war nicht mehr an seinem Platz. Er war weder in ihrer Kabine noch im Bad, und Lára hatte alle möglichen Verschwörungstheorien entwickelt. Ægir machte sich keine Gedanken darüber. Es gab jede Menge andere, ernstere Dinge, über die er sich den Kopf zerbrach. Er zog die Tür zu und achtete darauf, sie leise einrasten zu lassen.

Als er die Treppe hinaufstieg, spürte er jeden Schritt. Bislang war sein Körper diesen Weg nahezu ferngesteuert gegangen, doch nun nahmen seine Fußsohlen das glänzende Holz wahr, und er setzte ganz bewusst einen Fuß vor den anderen. Zum ersten Mal spürte er das Geländer in seiner Handfläche, die Oberfläche war kalt und hart. Die Geräusche, die von oben kamen, waren ebenfalls deutlicher als sonst, obwohl sie nicht laut waren: ein kurzes Quietschen, ein leises Brummen, das bestimmt schon seit Beginn der Reise da war, obwohl er es nicht gehört hatte, das Poltern eines Stuhls. Diese intensiven Sinneswahrnehmungen mussten mit seinen angespannten Nerven zusammenhängen, wobei es nicht um ihn selbst, sondern um seine Familie ging. Das einzig Wichtige war, seine Frau und seine Kinder heil nach Hause zu bringen. Diese Feststellung ermutigte ihn, und er stieg energisch die Treppe hinauf. Wer um sich selbst keine Angst hatte, hatte einen Trumpf in der Hand.

Ægir beschloss, erst auf der Brücke vorbeizuschauen. Dort würde er zumindest erfahren, wie die Fahrt lief und wie die Wettervorhersage war. Er hoffte zwar, dass es der Mannschaft irgendwie gelungen war, die Geräte zu reparieren, aber das war wohl eher unwahrscheinlich. Ægir war sich sicher, dass derjenige, der die Leiche über Bord geworfen hatte, an den Geräten herumhantiert haben musste. Alles andere wäre ein zu großer Zufall. Und das verhieß nichts Gutes. Wie wollte der Täter die anderen dazu bringen, den Mund zu halten, wenn sie wieder an Land wären? Dafür gab es nur einen sicheren Weg.

Þráinn war alleine auf der Brücke. Er saß auf dem Kapitänsstuhl und starrte wie hypnotisiert vor sich hin. Ægir musste sich räuspern, um auf sich aufmerksam zu machen. Da schaute der Kapitän auf und sah ihn mit blutunterlaufenen Augen an. Er schien sich nicht hingelegt zu haben und war jetzt seit eineinhalb Tagen wach.

»Hallo, ich dachte schon, ihr lasst euch gar nicht mehr blicken«, sagte er, setzte sich auf seinem Stuhl auf und massierte seinen Kiefer, wie um ihn für eine Unterhaltung in Gang zu bringen.

»Die Mädchen und Lára sind total erschöpft. Seekrank.«

»Aha«, sagte Þráinn skeptisch. »Hoffentlich geht es bald vorüber.«

Ægir merkte, dass es sinnlos war, ihn davon überzeugen zu wollen – er würde ohnehin nur das glauben, was er wollte.

»Ja, hoffentlich. Ich bin nur kurz raufgekommen, um Cola und etwas zu essen zu holen, falls es ihnen bald wieder besser geht. Wollte nur kurz vorbeischauen und hören, ob es zur Abwechslung mal gute Neuigkeiten gibt.«

Þráinn schnaubte.

»Gute Neuigkeiten.« Er schüttelte langsam den Kopf und unterdrückte ein Gähnen. »Wie du zweifellos bemerkt hast, fahren wir wieder. Das sind doch gute Neuigkeiten.«

»Ja, das habe ich bemerkt. Was ist passiert?«

»Der Container ist gesunken. Wahrscheinlich, weil du die Lukentür aufgemacht hast. Sie hat sich beim Drehen geöffnet, und die Luft ist entwichen. Du hast die Sache gerettet. Gut gemacht.«

Wenn das Lob nicht von Þráinn gewesen wäre, hätte Ægir nicht viel darauf gegeben.

»Aber es ist nicht so wichtig, wie genau das gelaufen ist, Hauptsache, wir sind auf dem Weg nach Hause. Ich fahre schneller als bisher, damit wir so bald wie möglich im Hafen sind.«

»Wie weit ist es denn noch?«, fragte Ægir.

Þráinn zog die Seekarte zu sich und zeigte Ægir die letzte gekennzeichnete Position. Bis Island war es weiter, als Ægir gehofft hatte.

»Wenn alles gutgeht, sind wir in zwei Tagen da.«

Er legte die Karte weg.

»Wenn alles gutgeht«, fügte er hinzu und schaute Ægir eindringlich an. »Ich bin froh, dass du gekommen bist. Ich wollte schon bei dir vorbeischauen. Wir müssen miteinander reden.«

»Ach ja?« Ægir hielt sich an einem Griff an der Wand fest, um das Gleichgewicht nicht zu verlieren, als die Yacht heftig schaukelte.

Endlich wandte der Kapitän seinen Blick von ihm ab und starrte auf die schwarze Fensterscheibe, die quer über die gesamte Brücke verlief.

»Du weißt ja, dass unsere Situation alles andere als lustig ist. Das ist alles sehr merkwürdig, und ich kann im Augenblick weder Halli noch Loftur trauen.«

»Und?«

Ægir hoffte, dass er nicht vorschlagen würde, sie sollten gemeinsam versuchen, die beiden zu überwältigen und einzusperren. Er konnte unmöglich beurteilen, wer von den dreien der

Schuldige war. Was, wenn es Þráinn war? Sollte er ihn dann zusammen mit Lára angreifen? Wohl kaum.

»Ich habe keine Ahnung, wer die Leiche rausgeholt und über Bord geworfen hat. Halli, Loftur, deine Frau? Die Mädchen?«, sagte Þráinn und bremste Ægir, der protestieren wollte, mit einer Handbewegung. »Das Einzige, was ich ganz sicher weiß, ist, dass ich und du es nicht waren. Ich war die ganze Zeit oben an Deck, während du getaucht bist, aber das gilt nicht für Halli und Loftur. Über deine Frau weiß ich nichts, aber ich gebe zu, dass es wesentlich unwahrscheinlicher ist, dass sie es war, und sei es nur deshalb, weil die Mädchen ihr ständig auf den Fersen sind. Und die kommen natürlich nicht in Frage.«

Ægir erwähnte nicht, dass die Zwillinge genau in dem Moment nach unten gegangen waren, als die Leiche über Bord geworfen worden war. Er wollte den Verdacht auf keinen Fall auf Lára lenken. Tief im Inneren wusste er, dass es lächerlich war, sie damit in Zusammenhang zu bringen, aber sein Gefühl würde wohl nicht reichen, um Þráinn zu überzeugen.

»Waren Halli und Loftur lange genug weg, um es machen zu können?«, fragte er.

»Loftur war ja gar nicht bei uns, der hätte genug Zeit gehabt. Halli war mal kurz weg, aber ich habe nicht darauf geachtet. Ich wusste ja nicht, dass es mal eine Rolle spielen würde. Warum hast du nicht direkt gesagt, dass du eine tote Frau gesehen hast?«

»Ich dachte, ich hätte mich versehen. Das habe ich dir schon hundertmal gesagt.«

»Ich will dich ja gar nicht kritisieren, ich bin einfach nur müde. Zu müde, um höflich zu sein.«

Er tat gerade so, als gehöre Höflichkeit zu seinen typischen Charaktermerkmalen.

»Aber sei's drum. Ich will dir nur sagen, dass ich weiß, dass du nichts damit zu tun hast, weil du unter Wasser warst. Außer mir selbst bist du der Einzige, dem ich vertraue. Und weil ich nicht noch zwei Tage wach bleiben kann, wollte ich dich fragen, ob du mir helfen kannst, das Schiff an Land zu bringen. Du müsstest nur Wache halten, während ich mich hier drinnen kurz hinlege. Du könntest mich jederzeit anstoßen, wenn du Hilfe brauchst.«

»Tja.« Obwohl Ægir froh war, dass es nicht darum ging, die beiden anderen zu überwältigen, war er beunruhigt. »Was ist mit Lára und den Mädchen? Wo sollen sie solange sein? Ich kann sie nicht alleine lassen, während ich hier stehe und aufs Meer glotze.«

»Nein, das ist klar.«

Der Kapitän kratzte sein stoppeliges Kinn und gähnte wieder.

»Sie könnten hier bei uns sein. Das Feldbett steht da in der Kammer, ich wäre euch nicht im Weg.« Er zeigte hinter sich auf eine Tür. »Es ist zwar eng hier, aber man kann problemlos einen kleinen Tisch und Stühle reinstellen.«

»Ja, vielleicht.« Ægir schaute sich um. »Ich weiß trotzdem nicht.«

»Du hast nicht viel Zeit, darüber nachzudenken. Ich muss mich hinlegen, und wenn du dich nicht ans Steuer stellst, dann tut es vielleicht derjenige, der die Leiche über Bord geworfen hat. Und das gefällt mir überhaupt nicht. Ich weiß ja nicht, wie es dir damit geht.«

Plötzlich wurde Ægir sauer.

»Und du? Was weiß ich über dich? Ich konnte unter Wasser nicht sehen, was an Deck passiert, du hättest es genauso gut machen können. Und was dann? Wenn ich dir helfe und mich gegen die anderen stelle, die vielleicht gar nichts gemacht haben? Am liebsten würde ich mich da komplett raushalten. Mich um meine Familie kümmern und euch den Rest überlassen.«

»Ich fürchte, das geht nicht. Ihr schließt euch da unten ein, und wenn du das nächste Mal rauskommst, ist hier vielleicht einer weniger. Und dann zwei weniger. Was machst du dann? Ich glaube nicht, dass du das willst.« Þráinns Gesicht verhärtete sich bei diesen Worten, wurde dann aber wieder milder und sah müde aus. »Als Kapitän könnte ich dir natürlich befehlen, Wache zu halten. Das ist dir ja wohl klar, oder?«

Ægir nickte.

»Es wäre besser, wenn ich dich überzeugen könnte und nicht zwingen müsste.« Þráinn lächelte dumpf. »Aber glaub nicht, dass ich zögere, Gewalt anzuwenden, wenn ich muss.«

Ægir hatte keine Ahnung, was es bedeutete, die Befehle des Kapitäns nicht zu befolgen. Das hatten sie bei seinem Sportbootkurs nicht genau durchgenommen.

»Und wenn ich es trotzdem nicht tue? Werde ich dann auch über Bord befördert?«, fragte er.

»Nein, so dramatisch ist es nicht. Ich würde dich einfach von Halli und Loftur einsperren lassen. Und zwar nicht in einem Zimmer bei deiner Familie. Deine Frau und deine Töchter können sich frei bewegen. Und wie du weißt, ist die Gesellschaft an Bord nicht besonders unterhaltsam. Das ist kein Witz, mein Lieber.«

Ægir hielt sich lieber zurück, weil er sonst womöglich ausgerastet wäre. Der Mann war doch tatsächlich so dreist, ihn vor die Wahl zu stellen, ihm zu helfen oder von Lára und den Mädchen getrennt zu werden. Er würde sie in Gefahr bringen, wenn er seinen Willen nicht durchsetzen konnte. Doch dann beruhigte sich Ægir wieder. Vielleicht hatte Þráinn auch nur ein Ziel: sie heil nach Hause zu bringen.

»Ich helfe dir«, sagte er ausdruckslos. »Ich hole Lára und die Mädchen. Sie sind unten und schlafen. Solange musst du dich noch wach halten.«

»Keine Sorge«, entgegnete Þráinn ebenso kühl wie Ægir. »Ich bin im Laufe meines Lebens schon länger wach geblieben.«

Bevor Ægir etwas entgegnen konnte, ging die Tür zur Brücke auf und Halli erschien in der Türöffnung. Þráinn und Ægir verstummten, und Halli schien im ersten Moment nicht zu merken, dass etwas nicht stimmte. Doch dann bekam er hektische rote Flecken im Gesicht und sagte:

»Was habt ihr vor?«

»Ich habe Ægir gebeten, mich abzulösen. Ich muss mich aufs Ohr hauen, und das solltest du auch tun«, antwortete Þráinn. Er schaute Halli direkt ins Gesicht, und Ægir bewunderte ihn für seine Stärke. Er ließ sich nicht anmerken, dass ihm die Situation unangenehm war oder er Angst davor hatte, seinen Kollegen zu sagen, dass er ihnen misstraute.

»Verstehe.« Hallis rotes Gesicht passte nicht zu seinen gefärbten Haaren. Er reckte das Kinn. »Wenn ihr glaubt, dass ich was damit zu tun habe, habt ihr euch getäuscht.«

»Niemand weiß etwas Genaues, es macht keinen Sinn, sich darüber den Kopf zu zerbrechen. Wenn in den nächsten Tagen alle auf mein Kommando hören, kommen wir nach Hause. Wir sollten uns doch alle darüber einig sein, dass das unser Ziel ist«, sagte Þráinn.

Halli biss die Zähne zusammen, so dass die Kieferknochen in seinem roten Gesicht ganz weiß wurden.

»Natürlich«, entgegnete er, entspannte sich ein wenig und hob die Augenbrauen. »Und wo ist Loftur?«

»Loftur?«, wiederholte Þráinn müde. »Wie du siehst, ist er nicht hier. Als ich ihn zum letzten Mal gesehen habe, wollte er den Whirlpool aufheizen. Wahrscheinlich ist er da.«

»Ach ja?« Halli blieb zögernd in der Türöffnung stehen. »Der Whirlpool war abgedeckt, und unten ist er auch nicht.«

»Kann es sein, dass er im Wohnzimmer ist?« Ægir sprach schnell, wie immer bei unangenehmen Themen. »Ich habe da eben jemanden rumlaufen hören.«

Halli schüttelte den Kopf.

»Das war er nicht. Und in seiner Kabine ist er auch nicht«, sagte er und leckte sich unaufhörlich über die Lippen. »Vielleicht sind wir auch nur aneinander vorbeigelaufen, oder er ist draußen an Deck.«

»Was zum Teufel hätte er da zu suchen?«, tönte Þráinn und erhob sich von seinem Stuhl. Er ging zu den Steuerinstrumenten und hantierte daran herum, während er ihnen den Rücken zuwandte. Ægir wich Hallis Blick aus und fixierte stattdessen den Rücken des Kapitäns. Als er fertig war, drehte Þráinn sich wieder zu ihnen.

»Wir müssen ihn suchen«, sagte er und sah sie abwechselnd an. »Aber wir teilen uns nicht auf, wir gehen zusammen.«

Keiner protestierte. Schweigend folgten sie Þráinn von der Brücke, und ihre ungelenken Bewegungen zeugten davon, dass das Vertrauen zwischen ihnen erloschen war. Ihre Paranoia wurde noch größer, als sie Loftur schließlich fanden: in dem heißen, abgedeckten Whirlpool, vollständig bekleidet und ertrunken.

Damit war die Geschlechterverteilung an Bord ausgeglichen.

21. KAPITEL

Der Lichtschein von der Straße spaltete die Dunkelheit. Staub glitzerte in der Luft, schwebte durchs Zimmer und verschwand dort, wo das Licht endete. Es roch muffig, und Dóra wunderte sich, wie schnell man Räumen anmerkte, dass niemand mehr darin wohnte. Ihr eigenes Haus hatte sie und ihre Familie letztes Jahr nach drei Wochen Sommerurlaub mit trockener Kälte und einem undefinierbaren Geruch willkommen geheißen. Erst als sie alle Fenster sperrangelweit aufgerissen und die Heizung hochgedreht hatten, hatte Dóra das Gefühl gehabt, wieder zu Hause zu sein. Ægirs und Láras Haus hatte ungefähr ebenso lange leergestanden, und obwohl Dóra es nicht kannte, war sie sich ziemlich sicher, dass die beiden auch im Flur die Nase gerümpft hätten.

»Soll ich das Licht einschalten?« Margeir stand verloren in der Tür und war wie Dóra fasziniert vom Schauspiel des Staubs in dem Lichtstrahl. »Oder soll ich lieber die Vorhänge aufziehen?«

»Schalten Sie das Licht ein, das ist besser.« Dóra zog ihren Strumpf hoch, der ihr über den Fuß gerutscht war, als sie ihre Lederstiefel ausgezogen hatte. »Wir sollten zwar so wenig wie möglich anfassen, müssen aber natürlich in Schubladen und so was schauen. Vielleicht ist das auch nicht nötig, und wir haben Glück und finden sofort Kontoauszüge.«

»Sie waren so froh, als sie das Haus gekauft haben«, sagte

Margeir wehmütig und tastete nach dem Lichtschalter. »Ich habe ihnen noch beim Streichen geholfen.«

Dóra nickte. Sie wusste nicht, was sie dazu sagen sollte. Die Situation war so beklemmend, dass Worte ein armseliger Trost waren. Und sie konnte Ægirs Vater ja schlecht für seine Malerkünste loben. Das Haus war so eingerichtet wie bei vielen jungen Leuten, überwiegend in schwarz und weiß. Es unterschied sich jedoch insofern von vielen ähnlichen Häusern, die derzeit zum Verkauf standen, als dass nicht viel in die Einrichtung investiert worden war. Die Möbel waren fast alle von IKEA, an den Wänden hingen keine Gemälde, nur ein paar Graphiken, wahrscheinlich Hochzeitsgeschenke. Dóra war froh, dass nichts darauf hindeutete, dass die beiden über ihre Verhältnisse gelebt hatten.

Als Erstes sortierten sie die Post und die Tageszeitungen, die sich im Flur stapelten, fanden aber nichts Nützliches außer einer neuen Kreditkartenabrechnung. Die Familie war zum Monatswechsel abgereist, und der nächste war erst in einer Woche. Dann würden massenweise Auszüge kommen, aber Dóra wollte nicht darauf warten. Sie konnte auch mit älteren Finanzübersichten etwas anfangen.

»Haben Sie einen Vorschlag, wie wir es am besten angehen? Sollen wir oben oder unten anfangen?«, fragte sie und löste ihren Blick von einer welken Topfpflanze, die nach Wasser schrie. Es war sinnlos, die arme Pflanze zu gießen und ihren Todeskampf dadurch um ein paar Tage zu verlängern.

»Ich würde lieber hier unten anfangen. Ich weiß nicht, ob ich mir zutraue, rauf in die Schlafzimmer zu gehen. Ob ich es aushalte, das leere Bett der Zwillinge zu sehen.« Margeir schaute auf seine Zehen. »Das ist alles so schrecklich.«

»Ja, das verstehe ich.« Dóra überlegte. »Sollen wir zuerst in die Küche? Vielleicht hängen die Kontoauszüge am Kühlschrank?«, fragte sie, obwohl sie das für relativ unwahrscheinlich hielt. Sie würde das bei sich zu Hause jedenfalls nicht machen, denn sie wollte nicht, dass Sóley sah, wie viel Geld jeden Monat für die Tilgung von Krediten und andere Ausgaben draufging. Und noch weniger wollte sie, dass ihre Gäste einen Einblick in ihre Finanzen bekämen. Aber vielleicht lagen die Briefumschläge auf dem Kühlschrank oder anderswo in der Küche.

»Wenn wir etwas finden, haben Sie dann genug Informationen, um vor Gericht zu gehen?«, fragte Margeir. Er ging in die Küche, und Dóra folgte ihm. Wahrscheinlich redete er nur, um nicht über das Offensichtliche nachdenken zu müssen: all die kleinen Dinge, aus denen das Leben seines verschollenen Sohnes und dessen Familie bestanden hatte.

»Ja, ich denke schon. Es ist sehr wichtig, zu zeigen, dass sie nicht zahlungsunfähig waren. Das würde eine mögliche Behauptung der Versicherung, sie hätten sich abgesetzt, entkräften. Warum hätten sie das tun sollen, wenn zu Hause alles in Ordnung war? Solche Details werden für die Beurteilung des Gerichts eine große Rolle spielen, falls wir diesen Weg gehen. Und es wäre auch wichtig, wenn es darum geht, dass ihr Eigentum als Nachlass behandelt werden soll.«

»Absurd, dass jemand auf eine solche Idee kommt. Völlig absurd. Wenn ich mehr Energie hätte, würde ich die Versicherung dafür verklagen, so etwas Unverschämtes zu behaupten.«

»Die Versicherung hat bestimmt schon einiges erlebt. Ægir und Lára waren vielleicht ehrbare Leute, aber es gibt auch Leute, die keine Skrupel haben, Versicherungsbetrug zu begehen. Die Versicherung will Ihren Sohn und Ihre Schwiegertochter nicht verunglimpfen. Schließlich geht es um viel Geld, und das zahlen sie nur aus, wenn sie sicher sind, dass die beiden tot sind. Wenn wir den Fall gewinnen, werden sie das Urteil akzeptieren und zahlen. Und wer weiß, vielleicht zahlen sie ja auch direkt.«

Margeir schwieg und begann, willkürlich ein paar Schubladen aufzuziehen und genauso schnell wieder zu schließen, ohne hineinzuschauen.

Dóra schnitt den Umschlag mit den Kreditkartenabrechnungen mit einem sauberen Messer auf, das auf dem Tisch lag. Die

Buchungen gingen über zwei Seiten, und der Gesamtbetrag befand sich im normalen Rahmen. Wenn die Zahlungen mit der Bankkarte und in bar ähnlich hoch waren, hielt sich der Konsum der Familie in Maßen. Dóra überflog die Zahlungen, die überwiegend in Supermärkten oder an Tankstellen getätigt worden waren. Ein paar niedrige Beträge gingen an eine Firma, die Dóra nicht kannte. Ganz unten stand eine Übersicht über die Zahlungen im Ausland. Dóra kannte keine der Firmen und wusste nicht, was sich hinter den Zahlungen verbarg. Wahrscheinlich Ausgaben für Essen und Getränke, die Beträge waren nicht übermäßig hoch, bis auf eine Zahlung an dem Tag, als sie Lissabon verlassen hatten – vermutlich die Hotelrechnung.

»Ich weiß nicht, ob Sie einen Blick darauf werfen wollen, aber die Kreditkartenabrechnung ist sehr übersichtlich. Sie müssen sich deswegen und wegen möglicher Kreditratenzahlungen auf jeden Fall mit der Bank in Verbindung setzen. Ich kann auch mit denen reden, wenn Sie wollen. Sie haben sich zwar geweigert, eine Kontenübersicht auszuhändigen, werden aber Verständnis dafür haben, dass Sie wissen müssen, ob genug Geld da ist, um die anfallenden Kosten zu begleichen. Ich kann auch beim Auflösungsausschuss nachfragen, ob Ægirs Gehalt wie üblich zum Monatswechsel überwiesen wird.«

»Das wäre sehr nett von Ihnen, aber ich weiß nicht, was wir machen sollen, wenn wir etwas zahlen müssen. Unsere Rücklagen sind längst aufgebraucht.«

»Dazu wird es wohl kaum kommen. Außerdem sind bei einem so verzwickten Fall bestimmt alle kompromissbereit«, entgegnete Dóra. Sie ging zu dem großen, weißen Kühlschrank, an dem alle möglichen Zettel und Kinderzeichnungen hingen, darunter auch zwei Quittungen, eine für ein Zeitschriftenabo und eine für einen Zahnarztbesuch.

»Die Mädchen haben ja fleißig gemalt«, sagte Dóra. Sie nahm ein Bild, das mit dem Namen Bylgja gekennzeichnet war, vom Kühlschrank und zeigte es Margeir. Es war ein typisches Bild von einem glücklichen Kind: eine fünfköpfige Familie stand auf einer grünen Wiese, alle lachten und hielten sich an den Händen.

»Könnte ich mir das mal ausleihen? Es ist ein guter Beweis dafür, dass die Familie glücklich und zufrieden war, wobei das Bild allein natürlich nicht reicht.«

»Nehmen Sie es. Nehmen Sie ruhig alles, was wichtig ist. Natürlich wäre es schön, es zurückzubekommen, aber so bald werden wir die Sachen unseres Sohnes noch nicht durchschauen. Das ist noch zu schwer für uns«, antwortete Margeir, nahm das Bild und musterte es. »Die beiden haben gerne gemalt. Schon als sie noch ganz klein waren, konnten sie sich stundenlang mit Malstiften beschäftigen. Sigga Dögg ist genauso, aber sie ist im Moment noch zu aufgewühlt. Die Kleine merkt genau, dass etwas Schlimmes passiert ist.«

»Hat das Jugendamt Kontakt zu Ihnen aufgenommen, nachdem ich mit deren Anwalt gesprochen habe?«, fragte Dóra und betrachtete das Bild, das Margeir auf den Küchentisch gelegt hatte. Die schwarzen Augen der Figuren starrten ins Leere, und ihre feuerroten Münder lachten irre. Der Anblick war unheimlich, und Dóra hätte am liebsten die Kreditkartenabrechnung daraufgelegt. Doch die Figuren würden weiterlachen, und nichts würde sich ändern. Sie versuchte ihnen im Geiste Leben einzuhauchen und hoffte, dass die Mädchen gefunden würden, dass jemand sie an der Küste von Grótta an Land gebracht, versteckt oder außer Landes geschafft hätte. Die Hoffnung war zwar gering, aber dennoch eine Hoffnung.

»Ja, ich glaube schon«, antwortete Margeir.

Der alte Mann legte seine Hand auf den Griff einer Schublade, schien sich aber nicht zu erinnern, ob er sie schon geöffnet hatte.

»Ich vergesse in letzter Zeit so viel. Die rufen ständig an. Meine Frau steht kurz vorm Nervenzusammenbruch, und ich bin selbst auch nicht mehr weit davon entfernt.« Er starrte auf den Boden. »Man denkt oft, dass es hoffnungslos ist, dass wir auf Dauer kein guter Elternersatz sind und es einfach akzeptieren sollten. Geld ändert nicht viel daran. Früher oder später werden wir diesen Leuten die Tür aufmachen und ihnen die Kleine übergeben. Es ist schwer zu lieben, wenn die Liebe dem Geliebten schadet.«

Dóra legte dem Mann die Hand auf die Schulter.

»Ich glaube, Sie haben vollkommen recht. Ihre Enkeltochter ist bei jüngeren Pflegeeltern bestimmt besser aufgehoben. Aber sie sollte natürlich möglichst viel Kontakt zu Ihnen haben. Sie sind ihre einzige Verbindung zu ihrer Herkunft und unschätzbar wichtig für das Kind.« Sie zog ihre Hand wieder zurück. »Ich habe diese Woche einen Termin mit der Abteilungsleiterin. Hoffentlich wird es möglich sein, eine Regelung zu finden, die für Sie und das Kind auf Dauer am schmerzlosesten ist. Es wäre brutal, Ihnen den Umgang mit der Kleinen zu verweigern. Und dumm noch dazu.«

Danach sprachen sie nicht mehr viel. Margeir setzte sich an den Küchentisch, um sich auszuruhen. Dóra durchsuchte weiter erfolglos die Küche. Ihr fielen vor allem die verdorbenen Lebensmittel auf: ein Brot mit grünem Überzug im Vorratsschrank sowie zwei halbe Fladenbrote im selben Zustand. Sie schloss den Schrank sofort wieder, aber der Schimmelgeruch blieb ihr in der Nase hängen.

»Ich weiß nicht, ob wir altes Brot wegwerfen dürfen.«

Sie ging zum Kühlschrank und öffnete ihn. Es befand sich nichts Verdorbenes darin, aber das Ablaufdatum auf den Milchtüten machte nicht unbedingt durstig.

»Ich habe der Polizei gesagt, dass wir hier vorbeischauen wollten, und die haben nichts gesagt. Sie sind wohl noch nicht hier gewesen, und es klang auch nicht so, als stünde das an. Aber wir sollten lieber nichts wegwerfen.«

»Warum sollten sie sich das Haus anschauen? Das geht die doch gar nichts an.« Margeir klang schon wieder lebendiger. Wut auf alle, die seine Familie verdächtigen wollten, war in ihm hochgekocht und hatte die Trauer verscheucht. »Und ich weiß wirklich nicht, was für eine Rolle altes Brot spielen soll.«

Dóra schloss den Kühlschrank und sagte lächelnd:

»Nein, das ist wohl nicht so offensichtlich. Es sei denn, um zu bestätigen, dass Ægir und Lára in der letzten Zeit nicht hier waren und wann sie abgereist sind.« Das klang so unsinnig, dass Dóra gerne noch etwas Schlaues gesagt hätte, aber ihr fiel nichts ein. »Ich gehe mal nach oben. Hier ist nichts.«

Margeir nickte, machte aber keine Anstalten aufzustehen.

»Ich bleibe solange hier.«

Dóra vermutete, dass er, wenn sie das Haus verließe, stundenlang am Tisch sitzen bliebe – allein mit seinen Gedanken und Erinnerungen.

Im Flur im Obergeschoss dämpfte der Teppichboden die Schritte, so dass es noch stiller wirkte als im Erdgeschoss. Dóra ging an vier offen stehenden Türen vorbei und spähte in die Räume. Es gab zwei ziemlich aufgeräumte Kinderzimmer, eins mit Stockbetten, wahrscheinlich das Zimmer der Zwillinge, und eins voller Kleinkinder-Spielzeug, das Sigga Dögg gehören musste. Darin stand kein Bett, nur eine alte Kommode und ein weißgestrichener Tisch mit zwei dazu passenden Stühlchen. Dóra sparte sich die Kinderzimmer, da es ausgeschlossen war, dort etwas zu finden. Die Sachen, die sie Sigga Döggs Oma mitbringen sollte, mussten warten, bis sie ihre eigentliche Suche beendet hatte.

Dóra betrat auch nicht das große Badezimmer, das sich offenbar die ganze Familie geteilt hatte. Dort herrschte ein wildes Durcheinander – der beste Beweis, dass die Familie vorhatte zurückzukommen. Wenn Dóra abhauen wollte, würde sie sämtliche Schmutzwäsche waschen und niemals den Wäschekorb mit überquellenden Socken, T-Shirts und Unterwäsche stehenlassen. Außerdem hätte sie die Kosmetikartikel ordentlich aufgereiht und die offene, leere Zahnpastatube, die im Waschbecken lag, weggeschmissen. Der Verschluss lag auf dem Fußboden. Alles Anzeichen dafür, dass das Leben seinen gewohnten Lauf nahm.

Das Elternschlafzimmer wirkte kleiner, weil es so vollgestopft war. Neben dem riesigen Doppelbett stand ein ungemachtes

Kinderbettchen. Dóra quetschte sich zwischen den Betten hindurch zum Nachttisch auf der anderen Seite. Dort hatte eindeutig Lára geschlafen. Auf dem Nachttisch lagen eine billige Modeschmuckkette und eine Lesebrille aus rosa Kunststoff, die ein Mann niemals aufsetzen würde. In den beiden Schubladen war nichts Besonderes, ein leerer Tablettenstreifen und ein paar zerfledderte Taschenbücher. Liebesromane mit Titelbildern von muskulösen Männern mit langhaarigen Frauen im Arm. Keine Kontoauszüge.

Der Inhalt von Ægirs Nachttischschublade war schon interessanter. Keine Umschläge von der Bank, aber alle möglichen Papiere, die mit seiner Arbeit zu tun hatten und unter ausländischen Sportwagen- und Uhrenzeitschriften lagen. In Anbetracht von Ægirs und Láras Schicksal hätte Dóra es passender gefunden, wenn sie ihr Bett für etwas anderes benutzt hätten, als Liebesromane, Autozeitschriften und Arbeitsunterlagen zu lesen. Sie blätterte Ægirs Papiere durch, fand aber nichts über seine private Buchhaltung. Stattdessen stieß sie auf eine Zeichnung und stutzte. Es war der Grundriss von einem Boot, das große Ähnlichkeit mit der Yacht hatte. Dóra versuchte sich die Kabinenaufteilung ins Gedächtnis zu rufen – es musste sich um eine Zeichnung der verschiedenen Stockwerke der *Lady K* handeln. Wobei ihr Name nirgendwo stand, was vielleicht an der missglückten Kopie lag: Der Grundriss war schief und womöglich nur Teil einer größeren Zeichnung. Dóra blätterte den Rest des Stapels aufmerksamer durch und fand mehrere Seiten, die ihr merkwürdig vorkamen. Auf allen ging es um die Einrichtung und die Möbel auf der Yacht. Warum las ein Mitarbeiter des Auflösungsausschusses so etwas im Bett? Dóra beschloss, den ganzen Stapel mitzunehmen. Es gab bestimmt eine Erklärung dafür. Vielleicht hatte sich Ægir mit der Ausstattung und Einrichtung der Yacht beschäftigt, um ihren Wert festzulegen. Aber im Bett?

Dóra spähte in das nächste Zimmer und hatte Glück: ein Arbeitszimmer. Neben dem Computer, der auf einem kleinen

Schreibtisch stand, lag ein Stapel Rechnungen. Sie schaute sie schnell durch und fand Abrechnungen über zwei Immobilienkredite und einen Autokredit. Die ausstehenden Beträge der drei Kredite waren höher, als sie gehofft hatte, aber nicht schwindelerregend hoch. Dóra ließ ihren Blick über die Regale schweifen und sah mehrere datierte Aktenordner mit der Aufschrift »Steuern«. Den neuesten, der eine Menge Quittungen und Kontoauszüge enthielt, nahm sie mit.

Margeir saß immer noch in der Küche, als sie wieder herunterkam. Vor ihm auf dem Tisch lag eine abgegriffene Geldbörse, und er starrte das Foto unter der durchsichtigen Plastikhülle an.

»Ist das ein Foto von den Mädchen?«, fragte Dóra, legte den Aktenordner auf den Tisch und setzte sich ihm gegenüber. Der Stuhl knarrte, als hätten die drei Wochen Einsamkeit seine Stabilität beeinträchtigt.

»Ja, von den Zwillingen.« Er drehte die Geldbörse und zeigte Dóra das Foto. Sie nahm sie in die Hand und strich über das glatte, weiche Leder. Dann starrte sie das Bild an.

»Wer ist das?«

Sie zeigte auf das eine Mädchen, das ein ernstes Gesicht machte, während sein Ebenbild lächelte und den Arm um seine Schwester legte.

Margeir beugte sich über den Tisch und antwortete:

»Bylgja.«

»Trug sie immer diese Brille?« Dóra zeigte auf das feuerrote Brillengestell auf der Nase des Kindes.

»Ja, sie waren sich sehr ähnlich, aber Bylgja war kurzsichtig. Sie trug die Brille nicht gerne, war aber zu jung für Kontaktlinsen, und eine Laseroperation kam auch noch nicht in Frage. Ihre Mutter hat sich große Mühe gegeben, eine Brille zu finden, mit der sie sich anfreunden konnte. Sieht keck aus, finden Sie nicht?«

Dóra lächelte dumpf und nickte. Margeir schien ihre Verwunderung nicht zu bemerken und fuhr fort:

»Aber es gibt nicht viele Fotos von ihr mit Brille. Sie hat sie meistens abgesetzt, wenn sie fotografiert wurde. Deshalb mag ich dieses Foto sehr. Es zeigt sie, wie sie wirklich war.«

Dóra musterte das Foto noch einmal und gab Margeir dann schweigend die Geldbörse zurück. Das rote Brillengestell war eindeutig dasselbe, das sie im Schrank auf der Yacht gefunden hatte. Wie war es dorthin gelangt? Warum kletterte ein Kind in einen Schrank? Zweifellos um sich zu verstecken, fragte sich nur, vor wem?

22. KAPITEL

»Ich will niemanden veräppeln, sie war da!«

Dóra stand schamrot hinter dem Polizisten, der, das Hinterteil in die Luft gereckt, in dem Designerschrank herumkramte. Der angenehme Geruch von Zitrushölzern änderte nichts an ihrem Unwohlsein, ebenso wenig wie die verspiegelten Kleiderschranktüren, in denen sie ihr betretenes Gesicht sah.

»Es war ein rot-orangenes langes Kleid, und die Brille hing an den Fransen am Saum.«

»Kann es sein, dass Sie sich bei der Farbe vertan haben?«, fragte der Polizist mit erstickter Stimme. Sein Kopf steckte zwischen den Abendkleidern in dem prallvollen Schrank.

»Nein, ganz bestimmt nicht. Ich dachte nämlich noch, dass die Brille bestimmt niemandem aufgefallen ist, weil sie eine ähnliche Farbe hat wie das Kleid. Aber ich hatte immer nur Karítas im Kopf. Ich bin überhaupt nicht auf die Idee gekommen, dass die Brille wichtig sein könnte.«

Der Polizist entgegnete nichts und wühlte weiter zwischen den Kleidern herum.

»Ich dachte, die Brille sei im Schrank gelandet, als die Yacht noch dem Ehepaar gehörte«, fügte Dóra hinzu.

Ungelenk kam der Polizist wieder auf die Beine.

»Sie hätten uns sofort informieren sollen.«

Dóra pustete sich genervt die Ponyhaare aus den Augen. Das

hatte der Mann schon mindestens zehnmal gesagt, seit sie ihn bei der Yacht getroffen hatte, ebenso wie sein Kollege, dem sie von der Brille erzählt hatte. Sie vermisste ihren Polizeifreund, der wieder angefangen hatte zu rauchen, und vermutete, dass diese beiden zu denen gehörten, die er zusammengestaucht hatte, weil sie Halldórs Leiche übersehen hatten. Das würde erklären, warum sie sie so unfreundlich behandelten – jetzt waren sie endlich selbst in der Position, andere abzukanzeln.

»Ich hab doch schon gesagt, dass ich es vergessen habe. Der Zusammenhang ist mir erst heute Morgen klar geworden, als ich das Foto von dem Mädchen mit der Brille auf der Nase gesehen habe. Auf den anderen Fotos trug sie keine Brille. Ich fand das so nebensächlich, dass ich noch nicht mal nach der Brille geschaut habe, als ich das zweite Mal an Bord war. Obwohl ich da den Schrank aufgemacht habe.«

»Sie hätten uns trotzdem informieren sollen. Es ist nicht an Ihnen, zu beurteilen, was wichtig ist und was nicht.«

»Nein, da haben Sie vollkommen recht.«

Dóra biss sich auf die Lippen und versuchte, sich zu beruhigen. Sie spürte einen leichten Schwindel, eine Vorankündigung von üblen Kopfschmerzen, und wollte schleunigst von Bord. Sie taugte wirklich nicht für die Seefahrt, wenn sie schon im Hafen seekrank wurde.

»Natürlich hätte ich Sie anrufen und Ihnen alles, was ich gesehen habe, genau beschreiben sollen. Das wäre bestimmt am besten gewesen, oder? Ich erinnere mich zum Beispiel, im Bad Handtücher gesehen zu haben. Zwei, um genau zu sein. Aber ich habe leider vergessen, Ihnen das mitzuteilen.«

Der Polizist richtete sich ganz auf, und obwohl Dóra groß war, überragte er sie. Das Zimmer war zwar elegant, aber ziemlich niedrig, so dass der Kerl noch riesenhafter wirkte.

»Sparen Sie sich Ihren Sarkasmus«, sagte er.

»Schon gut.« Dóra versuchte etwas zu sagen, das die Atmosphäre lockerte, weil sie ihr positives Verhältnis zur Polizei nicht aufs Spiel setzen wollte. »Ich verstehe wirklich nicht, was mit dem Kleid passiert ist.«

Sie öffnete noch einmal alle Schranktüren, obwohl sie schon alles genau inspiziert hatten.

»Jemand muss es rausgeholt haben.« Sie trat einen Schritt zurück, um den offen stehenden Schrank besser begutachten zu können. »Es scheinen insgesamt weniger Kleider geworden zu sein.«

Dóra wischte das Fingerabdruckpulver ab, das beim Öffnen der Türen an ihren Fingerkuppen haften geblieben war. Ein Polizeitechniker war vor ihnen dagewesen und hatte von den Schränken, Lichtschaltern und Kommoden im Schlafzimmer Fingerabdrücke genommen für den Fall, dass seit der letzten Durchsuchung neue hinzugekommen waren. Außerdem hatte er sämtliche Schränke auf DNA-Spuren untersucht, um feststellen zu können, ob sich Bylgja oder Arna darin versteckt hatten. Währenddessen hatten Dóra und der Polizist geduldig draußen im Flur warten und ein Gespräch in Gang halten müssen, das mit jeder Minute schleppender geworden war. Vielleicht gingen sie sich jetzt deshalb so auf die Nerven.

»Wir haben Fotos gemacht, als die Yacht hier ankam. Es sollte kein Problem sein, das herauszufinden.« Der Mann schaute in das Farbenmeer, das an den Kleiderbügeln hing. »Aber ich begreife nicht, wie Sie das sehen können. Die Schränke sind doch so vollgestopft, dass überhaupt nichts mehr reinpasst.«

»Es waren definitiv mehr Kleider«, insistierte Dóra.

Sie trat noch weiter zurück und versuchte, sich ins Gedächtnis zu rufen, wie die Schränke beim ersten Mal auf sie gewirkt hatten. Es gab nur einen freien Bügel, aber der Kleiderschrank wirkte trotzdem leerer.

»Es waren mehr«, wiederholte sie und schloss den Schrank.

Der Polizist sah sich skeptisch in der Kabine um und erwiderte: »Wenn Sie recht haben und außer der Brille auch noch Kleider verschwunden sind, stellt sich ja wohl die Frage, wer diese alten Klamotten entwendet hat.«

Dóra lächelte ihn an und spürte einen Hauch von Kopfschmerzen.

»Das sind äußerst elegante Sachen, und viele dieser Kleider waren nicht gerade billig.«

»Aber benutzt. Wer will denn schon benutzte Kleider haben, auch wenn sie teuer waren?«

»Das kommt durchaus vor«, antwortete Dóra, obwohl sie keines der Kleider aus dem Schrank gewollt hätte – nicht, weil sie getragen waren, sondern weil sie nie die Gelegenheit hatte, dermaßen festliche, bodenlange Kleider anzuziehen. »Aber ich vermute, dass es am ehesten die Besitzerin oder eine ihr nahestehende Person war. Haben Sie inzwischen Kontakt mit Karítas oder ihrer Assistentin aufgenommen?«

»Nicht, dass ich wüsste.«

Dóra nickte und dachte sich ihren Teil. Bella hatte es weder geschafft, Karítas zu erreichen, noch herauszufinden, wo sich ihre Assistentin Aldís aufhielt. Nachdem Bella Karítas' Mutter zugesetzt und ständig bei ihr angerufen hatte, hatte die Frau endlich den vollständigen Namen der Assistentin ausgegraben. Wobei Dóra vermutete, dass sie ihn die ganze Zeit gewusst hatte. Doch die Familie des Mädchens entpuppte sich als völlig gleichgültig. Sie behauptete, es vergingen oft Monate, bevor sich Aldís bei ihnen melde, sie hätte ja bei ihrer Chefin auch furchtbar viel zu tun. Dóra musste Bella, die garantiert nicht für ihr psychologisches Feingefühl bekannt war, beipflichten, dass die Assistentin wohl keine sehr enge Beziehung zu ihrer Familie hatte. Doch da Aldís nicht mit eingezogenem Schwanz nach Hause zurückgekehrt war, war sie vielleicht doch bei Karítas in Brasilien. Oder beide Frauen lebten nicht mehr. Oder Aldís war für Karítas' Tod verantwortlich. Ihr hasserfüllter Gesichtsausdruck auf dem Foto ließ durchaus vermuten, dass sie Karítas lieber einen Dolch in die Brust gerammt hätte, als ihr beim Ankleiden zu helfen.

»Sagen Ihnen diese Zahlen etwas?«

Dóra beobachtete Snævar, der versuchte Ægirs krakelige Schrift zu entziffern, und war enttäuscht, als sie seinen verständnislosen Gesichtsausdruck sah. Sie fühlte sich etwas besser, seit sie wieder festen Boden unter den Füßen hatte, war aber immer noch nicht ganz fit, obwohl sie im Büro ein paar starke Schmerztabletten runtergespült hatte. Das war jetzt zwei Stunden her, und das Medikament wirkte immer noch nicht richtig.

»Nee, ich glaube nicht, dass das was mit der Yacht zu tun hat. Ist vielleicht eine Registrierungsnummer. Habe ich jedenfalls noch nie gesehen.«

Snævar legte das Blatt weg und wirkte genauso enttäuscht wie Dóra. Er war sofort vorbeigekommen, nachdem Dóra ihn angerufen hatte, und es wurde schmerzhaft deutlich, wie sehr er sich zu Hause langweilte. Jedenfalls hätten die wenigsten jungen Männer bei der Aussicht auf einen Termin mit einer Anwältin vor Freude Luftsprünge gemacht.

»Danke, dass Sie hergekommen sind«, sagte Dóra und hoffte, dass er spürte, wie wichtig ihr seine Hilfe war. Sie kannte sonst keinen Seemann, den sie hätte fragen können, und ein Seemann mit Beinbruch, der an Land festsaß und die Yacht ein wenig kannte, war ein Geschenk des Himmels.

»Das ist sehr wichtig für mich, aber Sie müssen mir natürlich nicht helfen«, sagte sie lächelnd.

Das Häufchen Elend auf dem Stuhl gegenüber richtete sich ein wenig auf. Snævar war gepflegter als bei seinem letzten Besuch, trug einen geschmackvolleren Pullover, war frisch rasiert und hatte keine Frisur mehr wie ein Soldat auf Kriegszug. Nur die verschlissene Jogginghose war noch dieselbe.

»Nein, kein Problem. Ich langweile mich zu Hause und bin froh, wenn ich einen Grund zum Rausgehen habe. Ich würde mir nur wünschen, dass ich eine größere Hilfe wäre.«

»Ich bin ja noch gar nicht fertig«, entgegnete Dóra und merkte, dass sie ihm keinen Kaffee angeboten hatte. Er schien gut eine

Tasse gebrauchen zu können, trotz seines gepflegten Äußeren war er ziemlich blass und sah mitgenommen aus.

»Denken Sie noch viel an Halldór? Das war ein furchtbares Erlebnis.«

»Ja, nein«, stammelte Snævar und wich ihrem Blick aus. Er konnte die Hände auf seinem Schoß nicht ruhig halten und hatte den Schock definitiv noch nicht überwunden.

»Haben Sie psychologische Hilfe bekommen, Snævar?«

»Nee, das wurde mir angeboten, aber ich habe abgelehnt. Ich weiß nicht, was das bringen soll.« Er zog die Nase hoch und rutschte auf seinem Stuhl herum. »Damit muss ich selbst klarkommen.«

»Verstehe«, sagte Dóra. Es war offensichtlich, dass das nicht besonders gut funktionierte. »Sie sollten trotzdem mit einem Spezialisten reden. Dafür ist es nie zu spät. Sie werden sehen, dass es Ihnen danach viel bessergeht. Versuchen Sie es doch einfach mal.«

Snævar schnaubte leise, was sowohl Zustimmung als auch Ablehnung hätte sein können. Dóra beließ es dabei und fragte lieber nach etwas Konkreterem:

»Wie geht es ihrem Bein? Schon besser?«

»Der Gips soll sechs Wochen dranbleiben.«

Er klopfte auf die Kunststoffstütze, die in eine Nóatún-Plastiktüte gewickelt aus seinem Hosenbein ragte.

»Die Hälfte müsste jetzt rum sein, und ich freue mich schon darauf, wenn ich wieder auf zwei Beinen laufen kann. Und anziehen kann, was ich möchte, und nicht das, wo ich reinkomme«, fügte er lächelnd hinzu und sah direkt ganz anders aus.

»Den Gips sind Sie schneller los, als sie denken«, sagte Dóra fröhlich, als sie Snævar aufleben sah. »Dabei fällt mir ein … hier sind die Papiere vom Krankenhaus in Lissabon. Die brauchen Sie bestimmt, wenn Sie zum Arzt gehen. Entschuldigen Sie bitte, dass ich sie erst jetzt zurückgebe.«

Snævar streckte die Hand aus und nahm die Unterlagen entgegen.

»Kein Problem. Ich habe es sowieso noch nicht geschafft. Muss mich langsam beeilen.«

»Wenn Sie möchten, kann ich Sie hinfahren. Ich müsste Sie nämlich um ein ärztliches Attest bitten. Eine Bescheinigung, dass Sie nicht mit dem Schiff zurückfahren und nicht arbeiten konnten.«

»Ich hätte sehr wohl fahren können.«

Dóra versuchte, ihre Gereiztheit zu verbergen, die sich weniger auf Snævar als auf sie selbst und ihren ständig wiederkehrenden Argwohn gegen Ægir bezog.

»Ja, zweifellos, aber Sie haben es nicht gemacht, und ich brauche eine Bestätigung, dass es wegen des Beinbruchs war. Die portugiesischen Papiere reichen nicht. Ich könnte auch meinen Ex-Mann bitten, bei Ihnen vorbeizuschauen. Er schuldet mir noch einen Gefallen.«

Gylfi hatte den Job auf der Bohrinsel bekommen und sollte direkt nach den Abiturprüfungen anfangen. In drei Monaten musste Dóra von ihrem vertrauten Leben Abschied nehmen.

»Dann müssen Sie das Haus nicht verlassen«, fügte sie hinzu.

»Nein, nein, ich gehe zu meinem Hausarzt, kein Problem.« Snævar war anzusehen, dass er einen Besuch ihres Ex-Mannes unbedingt vermeiden wollte. Er räusperte sich. »Hat sich eigentlich geklärt, wie Halli gestorben ist?«

»Ich glaube nicht«, antwortete Dóra. Sie wollte ihm nicht sagen, dass die Polizei ihr die Todesursache anvertraut hatte. Es war klar, dass Halli ertrunken war, aber es gab so viele Ungereimtheiten, dass sie lieber so wenig wie möglich darüber sagte. »Aber das wird bestimmt bald ans Licht kommen.«

»Verstehe«, sagte Snævar skeptisch.

»Haben Sie eine Idee, wie sich das alles zugetragen haben könnte?«

»Nein.« Er merkte, dass er halb in seinem Stuhl hing, und setzte sich wieder auf. »Ich habe natürlich viel darüber nachgedacht. Da muss eins zum anderen gekommen sein. Zwei von drei

Mannschaftsmitgliedern sind tot, und vielleicht ist der Kapitän auch gestorben, und die Familie hat daraufhin die folgenschwere, völlig falsche Entscheidung getroffen, die Yacht zu verlassen.«

Snævar winkte abwehrend mit der Hand und fügte hinzu:

»Aber das ergibt alles keinen Sinn. Wer hat dann den Autopiloten eingeschaltet, die Yacht zur Küste von Grótta und dann in den Hafen fahren lassen? Wohl kaum dieses Ehepaar.«

Dóra hatte sich mit den Anforderungen für den Sportbootführerschein vertraut gemacht und war zu dem Schluss gekommen, dass Ægir bei dem Kurs unmöglich etwas über automatische Steuerungen gelernt haben konnte. Natürlich war es denkbar, dass jemand aus der Mannschaft ihm oder seiner Frau das Gerät erklärt hatte, aber warum hätten sie die Yacht nach Grótta lenken sollen? Das einzig Vernünftige wäre gewesen, sie direkt in den Hafen zu dirigieren. In ihrem Kopf wirbelte alles durcheinander. Zu viele unbeantwortete Fragen und massenweise Vermutungen.

»Noch eine Frage, Snævar«, sagte sie.

Der junge Mann schaute sie erwartungsvoll an, als wünsche er sich sehnlich, eine Antwort geben zu können.

»Ist es möglich, dass ein blinder Passagier an Bord war?«

Snævar lächelte, als könne er das eindeutig beantworten. Doch so war es nicht:

»Ich bezweifle es, kann es aber auch nicht völlig ausschließen. Er müsste jedenfalls verdammt clever sein. Und leise. Auf solchen Booten wird jeder Winkel genutzt, er müsste verdammtes Glück gehabt haben, nicht entdeckt zu werden. Aber es ist nicht ausgeschlossen, dass sich ein blinder Passagier in einer leeren Kabine versteckt hat. Der müsste allerdings Nerven wie Drahtseile gehabt haben, so ein Risiko einzugehen.«

»Und im Maschinenraum oder in den Vorratskammern? Kann man sich da nirgendwo verstecken?«

»Es gibt natürlich jede Menge Stellen. Nur nicht unten im Maschinenraum, da wird ja alles Mögliche regelmäßig kontrolliert.

Wenn ich mich auf der Yacht verstecken müsste, würde ich mich so weit wie möglich vom Maschinenraum und von der Brücke fernhalten. Da würde man ziemlich sicher entdeckt.«

»Mit ein bisschen Glück wäre es also möglich?«

»Ja ... doch, wenn man die Yacht gut kennt. Doch, wahrscheinlich schon«, antwortete Snævar und rückte sein verletztes Bein zurecht, das ihm anscheinend Schmerzen verursachte. »Aber wer hätte das sein sollen? Und warum in aller Welt?«

»Keine Ahnung.«

Wenn ein blinder Passagier an Bord gewesen war, musste er etwas mit den Vorbesitzern zu tun haben. Alles andere ergab keinen Sinn. Aldís, Karítas oder ihr Ehemann Gulam. Oder jemand, den er beauftragt hatte, die Yacht zurückzuholen. Was allerdings unwahrscheinlich war, da sie nicht viel damit anfangen konnten, wenn sie gestohlen war.

»Überhaupt keine Ahnung.«

Nachdem Snævar gegangen war, kam Bella herein und setzte sich Dóra gegenüber.

»Wir kriegen den Kopierer nicht vor dem Wochenende zurück, aber wärst du bereit, den neuen Internetanschluss im Tausch gegen Infos über Aldís zu installieren?«, fragte sie.

»Was?« Dóra lehnte sich über den Tisch. »Woher hast du die denn?«

»Ich hab mit einer Frau telefoniert, die mit ihr zusammengearbeitet hat, bevor sie den Job bei Karítas angenommen hat. Fast so eine Freundin von ihr.«

»Und wo hast du die gefunden?«

»Ich hab einfach ihre Mutter angerufen und gefragt, ob sie Kontakt zu Aldís' Freunden hätte, wir müssten sie dringend erreichen. Da hat sie mir den Namen der Freundin gesagt, und ich hab ihre Nummer rausgesucht.«

»Bella, das hast du doch eben hier im Büro gemacht. Ich muss dich nicht bestechen, damit du deinen Job erfüllst. Außerdem haben Bragi und ich letztens beschlossen, dass wir keine schnellere Internetverbindung brauchen. Und diese Entscheidung werden wir frühestens in zehn Jahren überdenken.« Letzteres war eine Lüge, der Dóra nicht widerstehen konnte. »Tut mir leid.«

Bella machte Anstalten, aufzustehen.

»Okay, kein Problem.«

»Du kannst jetzt nicht gehen. Sag mir, was die Freundin gesagt hat!«

»Welche Freundin? Ich weiß gar nicht, wovon du redest. Frag mich doch in zehn Jahren noch mal, vielleicht erinnere ich mich dann noch daran«, sagte Bella und wuchtete sich vom Stuhl hoch.

»Das war ein Witz, wir besorgen dir diesen verdammten Internetanschluss. Ich habe nur auf eine gute Gelegenheit gewartet, es dir zu sagen. Ich wollte ja nicht, dass es aussieht, als wäre ich erpressbar.«

»Das ist keine Erpressung. Das nennt man ausgleichende Gerechtigkeit.«

Die Neuigkeit über den Internetanschluss brachte Bellas beste Charaktereigenschaften zum Vorschein, sie setzte sich wieder und strahlte wie ein Honigkuchenpferd. Vielleicht träumte sie bereits davon, wie sie in den letzten Sekunden eine Lego-Box auf eBay ersteigern konnte.

»Also, laut dieser Frau war Aldís nicht besonders gesellig. Sie war ein bisschen überheblich, aber sonst ganz okay, träumte davon, berühmt und vor allem reich zu werden.«

»Berühmt für was?«, fragte Dóra.

Bella warf ihr einen mitleidigen Blick zu und sagte:

»Du bist so was von altmodisch! Heutzutage muss man nicht berühmt für irgendwas sein. Sie wollte einfach berühmt und reich werden. Und weil das nicht richtig funktionierte, war sie unzufrieden und eigentlich sogar ziemlich mies drauf. Die Freundin dachte, das würde sich ändern, als sie den Job bei Karítas bekam, aber so war es nicht. Sie hat nicht verstanden, warum Aldís weiter bei ihr gearbeitet hat, wo sie doch so unzufrieden war.«

»Wurde sie schlecht bezahlt?«

»Davon hat sie nichts gesagt, vielleicht wusste sie es nicht.«

»Womit war sie denn unzufrieden?«

In Dóras Ohren klang Aldís wie eines dieser Mädchen, die davon träumten, zu reisen und im Ausland zu leben, und deshalb Aupair wurden, nur um dann zu merken, dass es im Ausland genauso langweilig war, den Abwasch zu machen, wie in Island.

»Wenn ich sie richtig verstanden habe, hatte sie die Schnauze voll, Karítas zu verhätscheln. Und von Karítas selbst auch.«

»Sie konnte sie also nicht leiden?«

»Äh … nein, sie hat sich bei dieser Freundin sehr oft über Karítas ausgelassen. Muss sie wohl oft angerufen haben, um sich auszukotzen, weil sie mit den anderen Angestellten nicht reden konnte aus Angst, die würden alles weitertratschen. Ihre Freundin hatte Mitleid mit ihr, auch wenn sie sich nicht besonders nahestanden. Sie meinte, Aldís sei so enttäuscht gewesen, sie hätte wohl gedacht, sie dürfe bei Festen und Partys dabei sein.«

Das konnte Dóra sich gut vorstellen. Sie war schon bei vielen Cocktailpartys in Firmen und Ministerien gewesen, wo sich die jungen Bedienungen danebenbenommen und unter die Gäste gemischt hatten. So war das eben in einer Gesellschaft, in der alle gleich waren, zumindest dem Namen nach. In Ländern, in denen es größere Klassenunterschiede gab, sah die Sache wahrscheinlich anders aus, und das hatte die arme Aldís zu spüren bekommen.

»Sie war also ausschließlich Karítas' Assistentin oder eine Art Dienstmädchen?«

»Ja, dafür wurde sie bezahlt. Es ist ihr anscheinend nicht leichtgefallen, das zu akzeptieren«, antwortete Bella.

»Hat sie dieser Freundin gegenüber erwähnt, dass sie kündigen wollte?«

»Danach hab ich nicht gefragt. Aber ich habe rausgekriegt, dass sie wochenlang nichts von sich hören lassen hat, was sehr ungewöhnlich war.« Bella fummelte an dem großen Ring an ihrem Finger herum, der aussah wie ein Teil von einer Ritterrüstung, vielleicht von einem Handschuh. »Glaubst du, dass sie was mit dem Fall zu tun hat? Dass sie Karítas umgebracht hat?«

Dóra ignorierte Bellas sensationshungriges Gesicht und antwortete:

»Glaube ich nicht, aber es wundert mich ein bisschen, dass keine von beiden erreichbar ist. Ein merkwürdiger Zufall, für den ich gerne eine Erklärung hätte.« Dóra streckte den Arm aus und öffnete das Fenster. Frische Luft strömte ins Zimmer, und ihre Kopfschmerzen ließen etwas nach. »Nicht, dass das viel ändern würde, aber es nervt mich einfach.«

Bella atmete tief ein und genoss die frische Luft genauso sehr wie Dóra.

»Aber du denkst trotzdem darüber nach, ob Aldís die Leute an Bord abgemurkst hat«, sagte sie.

Die Kopfschmerzen setzten wieder ein, und Dóra wollte nach Hause.

»Nein, überhaupt nicht, nur darüber, ob eine von ihnen oder beide auf irgendeine Weise mit dem Verschwinden der Leute zu tun haben. Nicht unbedingt, dass sie die Täterinnen waren. Nur indirekt.«

Daraufhin verschwand Bella zu Bragi, der sich laut Dóra um die Internetverbindung kümmern sollte. Dóra blieb zurück und massierte ihre Stirn. Vielleicht hatte Aldís gar nichts mit Karítas' möglichem Tod zu tun. Laut Karítas' Mutter hätte ihre Tochter durchaus in Lissabon sein können, als die Mannschaft dorthingekommen war. Vielleicht hatte sie eine Auseinandersetzung mit einem der Männer gehabt, weil er ihr den Zugang zur Yacht verwehrt hatte, oder einfach nur, weil sie meinte, die Yacht würde ihr und ihrem Mann noch gehören. Man konnte sich leicht ausmalen, wie ein solcher Streit enden konnte. Und was dann?

Waren Ægir, Lára und die Zwillinge dahintergekommen? Hatten sie den oder die Täter auf frischer Tat ertappt, als die Leiche über Bord geworfen werden sollte? Und hatte das dazu geführt, dass ihnen dasselbe Schicksal widerfahren war? Dóra konnte sich das einfach nicht vorstellen. So weit würde doch niemand gehen.

Dieser Fall war einfach unerträglich.

23. KAPITEL

»Ich weiß nicht, ob es was bringt, aber wir sollten es dennoch versuchen.«

Þráinn war total übermüdet, aber seine Stimme klang immer noch imposant. Ægir dachte darüber nach, wie es wohl war, Kapitän zu sein und die Befehlsgewalt an Bord zu haben – wie eine Art Diktator in einem winzigen Land.

»Es gibt keine andere Erklärung. Wir finden das Schwein und fahren dann nach Hause«, sagte Halli atemlos. Er war heilfroh, dass sein Vorschlag, den blinden Passagier zu überwältigen, positiv aufgenommen worden war. Verständlicherweise, denn er war am verdächtigsten und wollte, dass alle zusammenhielten. Sonst stünde er ganz alleine da. Doch diese neue Solidarität hing davon ab, ob sie den blinden Passagier, der die Leiche über Bord geworfen und Loftur ermordet hatte, fänden. Halli beteuerte hartnäckig und ziemlich überzeugend seine Unschuld, ebenso wie Þráinn, und Ægir konnte nur hoffen, dass er ebenso überzeugend klang, wenn es um ihn und Lára ging. Er hatte mit keinem Wort erwähnt, dass Lára und die Kinder geschlafen hatten und er ungefähr eine Stunde wach im Bett gelegen hatte. Sonst säße er in derselben Klemme wie Halli und müsste Þráinn fieberhaft von seiner Unschuld überzeugen.

»Wie sollen wir das angehen?«, fragte Ægir.

Bei der Vorstellung, alleine durch die Gänge zu streifen, in sämtliche Ecken zu spähen und Gefahr zu laufen, dass sich dieser Schuft hinter der nächsten Tür verbarg – sei es nun Halli, Þráinn oder dieser imaginäre blinde Passagier –, lief ihm ein kalter Schauer über den Rücken. Ægir hatte zwar eher Halli in Verdacht, konnte Þráinn aber nicht ausschließen, denn niemand traute sich zu, den Zeitpunkt von Lofturs Tod einzugrenzen. Sowohl Þráinn als auch Halli waren fast den ganzen Nachmittag alleine gewesen, und es ließ sich unmöglich feststellen, ob sie die Wahrheit sagten. Þráinn blieb ganz ruhig, und Halli war furchtbar nervös, aber Ægir konnte nicht sagen, welches Verhalten für einen Unschuldigen normaler war. In dieser Situation war wohl gar nichts mehr normal oder unnormal. Ægir stand unter Schock und musste immer wieder hysterisch auflachen, seit er den toten Loftur gesehen hatte.

Sie waren zu dritt zum Whirlpool gegangen, der unter der gepolsterten Abdeckung dampfte, und hatten dort eine Weile wie angewurzelt gestanden, bis Þráinn ihn aufgedeckt hatte. Ægir und Halli waren nicht näher herangegangen und hatten keinen Finger gerührt, um dem Kapitän zu helfen, der sich mit der schweren, steifen Abdeckung abmühte. Als sie endlich weg war und die Männer Loftur anstarrten, der vollständig bekleidet mit starrenden Augen und offenem Mund im heißen Wasser lag, hatte niemand etwas gesagt. Unzählige silbrige Luftblasen hafteten in seinem Haar, und er sah aus, als trage er einen mädchenhaften Kopfschmuck, der sein totes Gesicht noch abstoßender machte. Es würde lange dauern, bis Ægir wieder in einen Whirlpool steigen könnte, nachdem er in Lofturs gebrochene Augen geschaut hatte. Der Anblick, wie ihm das Wasser aus Nase und Ohren gelaufen war, als sie ihn herausgehievt und auf den Rücken gelegt hatten, war schrecklich.

»Ich glaube, ich will zu meiner Familie«, sagte Ægir.

»Wir drei bleiben zusammen. Es gibt keine andere Möglichkeit«, erwiderte Þráinn bestimmt, obwohl er ein Gähnen unterdrücken musste. »Deine Frau und deine Töchter bleiben solange hier auf der Brücke. Man kann sie von innen abschließen, außerdem haben alle Türen Fenster, so dass sie sehen können, wenn jemand rein will.«

»Was hilft es ihnen, den Kerl zu sehen, wenn er die Tür aufbrechen will? Falls er überhaupt existiert.«

Ægirs Gedanken spielten verrückt. Er wusste, dass er nur eine Chance hatte, die Schwächen dieses Plans aufzudecken, der seine Familie womöglich das Leben kosten würde. Und es gab jetzt nichts Wichtigeres. Scheiß auf das Geld, scheiß auf ihn selbst, scheiß auf alles außer seiner Familie.

»Es ist schwierig, hier einzubrechen. Das Fensterglas ist speziell gehärtet, um Stürmen und Wellenbrechern standzuhalten, die wesentlich stärker zuschlagen können, als ein Mensch es je könnte. Aber falls es doch dazu kommt, können sie sich verteidigen.«

»Ach ja?«, sagte Ægir mit schriller Stimme und hielt einen Moment inne, um sich zu beruhigen. Angesichts dieser absurden Situation war ihm schon wieder zum Lachen zumute. Lára hatte nie einen Grund gehabt, sich selbst zu verteidigen, und ihr Alltag lag in unglaublich weiter Ferne: einkaufen, den tropfenden Wasserhahn im Badezimmer reparieren, Ægirs Eltern zum Essen einladen, die Batterie im Rauchmelder auswechseln. Das wirkte in diesem Moment alles so lächerlich, dass er sich fast nicht mehr im Griff hatte.

»Willst du Lára etwa die Axt geben?«, gickste er und zeigte auf das Werkzeug, das an der Wand hing. Seine Finger zitterten, und er ließ den Arm wieder sinken. Er wollte nicht, dass die anderen sahen, wie aufgelöst er war.

»Nein«, antwortete Þráinn, im Gegensatz zu Ægir ganz ruhig und gelassen. »Ich gebe ihr den Revolver.«

Ægir musste wieder giggeln. Kurz darauf brach er in lautes Gelächter aus, das ihn ans Kiffen während der Schulzeit erinnerte. Ein Lachen einfach so, ohne Grund. Þráinn und Halli glotzten ihn an, bis er nicht mehr weiterlachen konnte und nur noch laut hickste.

»Sie kann nicht schießen«, stieß er hervor, gefolgt von einer weiteren, irren Lachsalve.

»Das ist nicht so schwer«, sagte Þráinn. Er klang besorgt – zweifellos eher wegen Ægirs Zustand als wegen Láras Fähigkeiten, mit einer Schusswaffe umzugehen. »Sie muss nur zielen und den Hahn spannen.«

»Ist das denn sinnvoll?«, rutschte es Halli heraus, aber er merkte sofort, wie seine Worte klangen – als wäre es ihm lieber, Lára sei unbewaffnet, damit er sie leichter überwältigen könnte. »Ich meine, sie kann sich verletzen oder aus Versehen die Mädchen anschießen.«

»Ich glaube, dafür ist sie zu vernünftig. Ich würde ihr eher den Revolver anvertrauen als euch«, sagte Þráinn und musterte die beiden abfällig.

Ægir wurde klar, wie armselig sie wirken mussten, und es war ein geringer Trost, dass Halli kaum in einem besseren Zustand war als er: Er leckte sich ständig über die Lippen und bibberte. Der Kapitän hatte vollkommen recht, Lára würde sich nicht dümmer anstellen als sie.

»Soll ich Lára und die Mädchen holen?«, fragte Ægir.

»Ja, wir warten solange hier.« Þráinn zeigte auf einen Stuhl und bedeutete Halli, sich zu setzen. Dann drehte er den Kapitänsstuhl so, dass er ihn im Blick behalten könnte. »Beeil dich und trödele nicht rum.«

Ægir trocknete sich auf dem Weg in die Kabine die vom Lachen feuchten Augenwinkel. Er atmete tief durch, um sich wieder zu fangen. Er musste Ruhe bewahren, wenn er mit Lára redete. Falls er auch nur das kleinste Anzeichen von Unsicherheit zeigte, würde er die Zwillinge und wahrscheinlich auch seine Frau damit anstecken. Zum ersten Mal, seit er Loftur gesehen hatte, gestand er sich ein, wie er sich fühlte. Er war nervös. Er hatte Angst.

Bevor er die Kabine betrat, räusperte er sich und strich sich durchs Gesicht, damit man ihm die Angst nicht ansah. Dann öffnete er lächelnd die Tür. Seine Frau und seine Töchter waren wach und saßen im Bett, die Decke immer noch über sich gebreitet. Drei Paar gleiche Augen starrten ihn an, und er las aus ihnen, dass es ihm misslungen war, seine Gefühle zu verbergen.

»Was? Was ist los?«, fragte Lára, stieß die Decke weg und stand auf.

»Nichts. Es ist etwas passiert, und wir müssen auf die Brücke, nichts Besorgniserregendes. Wir starten eine kleine Suchaktion an Bord, und du musst solange auf der Brücke warten. Mit den Mädchen.« Er gab Lára ein Zeichen, dass er mit ihr alleine reden musste. »Sucht eure Bücher und Spiele zusammen und kommt dann. Mama und ich warten solange draußen im Gang.«

Die Mädchen schauten ihn verwundert an, sagten aber nichts.

Lára schlüpfte hastig in ihre Schuhe und warf sich eine Strickjacke über die Schultern.

»Ihr müsst euch nicht beeilen, wir warten auf euch«, sagte sie beunruhigt, und als die Tür hinter ihnen zugefallen war, platzte es aus ihr heraus: »Sag mir nicht, dass etwas Schreckliches passiert ist. Lass mich einfach in dem Glauben, dass alles okay ist und wir in ein paar Stunden zu Hause sind. Bitte!«

Sie sah ihn flehend an und zog die Jacke fester um sich, als wolle sie darin verschwinden.

Ægir hatte das Gefühl, die Worte würden ihm mit einem Stacheldraht aus dem Mund gezogen. Sie kratzten im Hals, so dass es brannte. Er hätte Lára gerne angelogen, ihr gesagt, dass er nur mit ihr allein sein wollte, dass sie sich, wenn sie sich beeilten, jetzt und hier in diesem weinroten Gang lieben könnten.

»Ich wünschte, ich könnte es«, sagte er stattdessen nur und erzählte ihr von Loftur, dass es jetzt darum ginge, auszuschließen, dass sich der Täter an Bord versteckt hielt, und sie solange alleine mit den Mädchen auf der Brücke bleiben müsse. Er ließ ihr einen Augenblick Zeit, das zu verdauen, und erzählte ihr dann von dem Revolver.

»Ein Revolver? Spinnst du?«

Sie schlug nach ihm. Nicht fest und nicht, um ihm wehzutun, aber es war das erste Mal in ihrer Beziehung.

»Lára.«

»Und wenn eure bescheuerte Suche keinen Erfolg hat? Was dann?«

Sie wartete nicht auf eine Antwort und stammelte:

»Und was soll ich tun, wenn du nicht zurückkommst, sondern Þráinn? Oder Halli? Soll ich sie dann erschießen?«

»Nein.«

Ægir zögerte und verfluchte sich selbst, dass er die Mädchen nicht gebeten hatte, sofort rauszukommen.

»Und wenn Halli rein will und behauptet, ihr hättet euch getrennt? Was dann? Soll ich ihn dann vor den Mädchen abknallen? Und neben seiner blutenden Leiche stehen, bis Þráinn und du zurückkommt? Seid ihr wahnsinnig?«

»Nein.«

Ægir konnte ihr nicht in die Augen schauen, die Situation überforderte ihn völlig. Er vermisste Þráinn, der so überzeugend war, und musste an sich halten, nicht die Kabinentür aufzustoßen und die Mädchen herauszuzerren. Sollte der Kapitän Lára doch zur Vernunft bringen! Doch dann riss er sich zusammen.

»Wenn das passiert, dann lässt du ihn nicht rein. Und wenn Þráinn und ich nicht sofort kommen, musst du eben selbst entscheiden. Und wenn Halli oder Þráinn oder der blinde Passagier versucht, die Tür aufzubrechen, bist du zumindest bewaffnet«, erklärte er aufatmend und zufrieden mit seiner Argumentation.

»Und wenn Þráinn dahintersteckt? Glaubst du wirklich, dass er mir dann eine geladene Waffe gibt? Erkennst du den Unterschied zwischen Platzpatronen und echten Kugeln?« Sie starrte in seine leeren Augen. »Dachte ich mir!«

Gott sei Dank erschienen die Mädchen mit den Armen voller Bücher und anderem Spielzeug, das Ægir und Lára mit in die Kabine genommen hatten, als sie sich dort eingeschlossen hatten. Die Mädchen merkten, dass etwas in der Luft lag, sagten aber nichts. Ægir faselte etwas davon, sie dürften keine Zeit verlieren, müssten schnell auf die Brücke, seien im Handumdrehen Kapitäne und dann ginge es richtig los. Niemand lächelte, und sie gingen schweigend zur Brücke, wo Þráinn und Halli warteten. Þráinn nahm Lára beiseite und sprach mit ihr, während Ægir den Mädchen die Steuerinstrumente zeigte. Er schaute immer wieder zu seiner Frau und dem Kapitän und schluckte, als er sah, wie Lára mit zitternden Händen ein Bündel entgegennahm: die in ein gräuliches Tuch gewickelte Pistole. Sie steckte sie ungelenk in ihren Hosenbund und zog dann mit unsicherem Blick ihr Shirt darüber. Ægir wandte sich sofort ab und sagte etwas Belangloses zu den Mädchen.

»Sinkt das Schiff, Papa?«, fragte Bylgja und legte den Kopf schief, was sie oft machte, wenn sie keine Brille trug. Sie hielt sie in der Hand, für den Fall, dass sie etwas lesen musste.

»Nein.« Ægirs Stimme klang schärfer als beabsichtigt, aber er war nicht wütend auf die Mädchen, sondern auf sich selbst. »Auf gar keinen Fall. Es ist alles in Ordnung, und alles wird gut.«

Die Worte, die Lára hören wollte.

»Sterben wir, wenn die Yacht untergeht?«

Er war wohl nicht überzeugend genug gewesen.

»Sie geht nicht unter, und selbst wenn, dann stirbt niemand. Erinnert ihr euch nicht an die Rettungsboote?«

Die Mädchen nickten skeptisch.

»Auf einem Schiff gibt es Rettungsboote, damit niemand stirbt, wenn es untergeht. Aber diese Yacht kann nicht sinken, ihr braucht euch überhaupt keine Sorgen zu machen.«

»Warum haben wir dann Rettungsboote dabei?«, warf Arna ohne jegliche Ironie ein. Eine ganz normale Frage, die nach einer Antwort verlangte.

»Weil das Pflicht ist, mein Schatz. Alle Boote und alle Schiffe müssen ein Rettungsboot dabeihaben. Das steht im Gesetz.«

»Wie blöd.«

Arna fuhr mit dem Zeigefinger über den Bildschirm des Radargeräts. Ægir war froh, dass er den Mädchen nicht erklärt hatte, was darauf zu sehen war. Wenn man den Bildschirm betrachtete, wurde ihre Einsamkeit so furchtbar präsent. Falls sie Hilfe bräuchten, war keine in Sicht.

»Man sagt, Vorsicht ist besser als Nachsicht, mein Schatz«, erklärte Ægir und sah, dass Þráinn ihm ein Zeichen gab, rüberzukommen. Lára stand etwas abseits und vermied es, ihm in die Augen zu schauen. An ihrer schlanken Taille zeichnete sich eine auffällige Beule ab.

»Vorsicht ist besser als Nachsicht.«

»Ich schwöre, dass ich Loftur nicht angefasst habe. Warum hätte ich euch denn fragen sollen, wo er ist, wenn ich ihn gerade umgebracht hätte?«, jammerte Halli. In seinem Kopf klang diese Frage zweifellos vernünftig, aber als er sie stellte, erschien sie völlig sinnlos. Ihre Suche blieb ohne Erfolg, und der junge Mann war plötzlich kurz vorm Durchdrehen. Sie standen zu dritt im Maschinenraum, nachdem sie die anderen Stockwerke durchkämmt hatten, ohne eine Spur von dem ungebetenen Gast zu entdecken. Auch Hallis Kabine, die hinter dem Maschinenraum lag, und die kleine Werkstatt daneben hatten sie durchsucht.

»Vielleicht hat der Kerl es geschafft, uns aus dem Weg zu gehen«, sagte Halli atemlos. »Ich hab Loftur nicht angerührt, ich schwöre es!«

»Das kann ja jeder sagen.«

Þráinn war die Anstrengung anzusehen, und seine Stimme klang müde. Er hockte sich auf eine Holzkiste und lehnte sich zurück, bis sein Kopf mit einem dumpfen Knall gegen die Stahlwand sank.

»Sucht hier und ruft mich, wenn ihr ihn findet. Ich warte einfach hier.«

Halli drehte sich zu Ægir. Er hatte offenbar jegliche Hoffnung aufgegeben, den Kapitän von seiner Unschuld zu überzeugen.

»Aber du glaubst mir doch, oder?«

»Ich weiß nicht, wem ich glauben soll. Ihr kommt mir beide gleich verrückt und gefährlich vor«, antwortete Ægir und ließ seinen Blick über die Maschinen schweifen. Er nahm an, dass sich dort neben dem eigentlichen Schiffsmotor noch zwei Generatoren, wahrscheinlich einer als Ersatz, und irgendwelche Pumpen befanden.

»Wo sollen wir anfangen?«, fragte er und entfernte sich zwei Schritte von Halli, der ihm unangenehm nahe gekommen war. »Du hast Heimvorteil, du kennst hier alles in- und auswendig. Es gibt ja nicht viele Stellen, an denen man sich verstecken kann.«

Er bemerkte am Ende des Raums hinter dem einen Generator einen Türpfosten.

»Was ist das?«

»Eine Abstellkammer. Lass uns da anfangen.«

Halli wirkte resigniert, als hätte er es aufgegeben, Ægir zu überzeugen, und wolle jetzt einfach das Notwendige durchziehen. Und das hatte eine überraschende Wirkung: Zum ersten Mal neigte Ægir dazu, zu glauben, dass Halli nichts mit der Sache zu tun hatte. Aber was bedeutete das? Dass Þráinn derjenige war, vor dem man auf der Hut sein musste? Als sie zu der Abstellkammer gingen, hielten sie einen lächerlich großen Abstand zwischen sich, als rechneten sie jeden Moment mit einem Messerstich. Plötzlich blieb Halli stehen, so dass Ægir ihn fast umrannte.

»Hier riecht es nach Parfüm«, sagte er.

Ægir schnupperte und roch den vertrauten, süßlich-schweren Duft, der am ersten Abend im Gang vor den Kabinen in der Luft gehangen hatte. Vielleicht gehörte das zum Belüftungssystem der Yacht und sollte sicherstellen, dass es an Bord gut roch. Aber im Maschinenraum? Vielleicht war der Flakon, den Lára überall gesucht hatte, hier gelandet und zerbrochen.

»Woher kommt das?«, fragte Ægir. Er atmete tief durch die

Nase ein und spürte, wie sein Geruchssinn nachließ und den Duft nicht mehr wahrnahm. Er war noch da, aber Ægir konnte nicht ausmachen, wo er herkam.

Halli drehte sich im Kreis und versuchte, dem Ursprung des Dufts auf den Grund zu gehen.

»Mist! Aber ich habe es deutlich gerochen«, sagte er.

»Vielleicht ist der blinde Passagier eine Frau«, bemerkte Þráinn, der die beiden von seinem Platz auf der Kiste beobachtet hatte. Schwer zu sagen, ob er scherzte oder es ernst meinte. Die Männer antworteten nicht.

Die Abstellkammer war größer, als Ægir erwartete hatte. Darin befanden sich Stapel von Klopapier, Putzmittel und gefaltetes Bettzeug. An der Wand standen eine Kühltruhe und ein Weinkühler, und Ægir schauerte bei der Vorstellung, die Truhe aufzumachen. Halli schritt sofort zur Tat und klopfte die Wand hinter den Regalen ab, um zu überprüfen, ob es dahinter einen Hohlraum gab. Ægir schob völlig willkürlich ein paar Pappkartons zur Seite, die viel zu klein waren, um sich darin zu verstecken. Er hatte einfach das Gefühl, etwas tun zu müssen.

»Hier ist niemand«, sagte er, fasste sich ein Herz und öffnete die Kühltruhe. Doch es schlug ihm keine Kälte entgegen, sondern ein ekelhafter Gestank, der sich auf widerliche Weise mit dem Parfümgeruch vermischte. Ægir hielt sich die Nase zu und blickte in die Kühltruhe. Sie war vollgestopft mit verpacktem Fleisch und Gemüse, das bestimmt nicht mehr genießbar war.

»Mach das zu!«, rief Halli und vergrub seine Nase in der Armbeuge. »Wir haben dieses Ungetüm abgeschaltet, um Strom zu sparen. Mach zu oder ich kotze!«

Ægir ließ den Deckel fallen. Dann beeilte er sich, aus der Kammer zu kommen, und fragte Þráinn:

»Was jetzt? Wir haben die ganze Yacht durchsucht. Hier ist niemand.«

»Wir müssen noch nach unten zu den Tanks.« Þráinn hatte rote Augen vor Müdigkeit und sah aus wie ein Vampir in einem

Horrorfilm. »Da sollten wir auch noch nachschauen, sonst war die ganze Sucherei sinnlos.«

»Na, dann bringen wir es hinter uns«, sagte Ægir. Er war müde, obwohl er keineswegs schon so lange wach war wie Þráinn. Doch es war anstrengend, ständig auf der Hut sein zu müssen. »Ich will zu Lára und den Mädchen.«

»Denen passiert schon nichts. Das, wovor sie am ehesten Angst haben müssten, ist hier unten bei uns. Einer von uns, sozusagen.« Þráinn schloss kurz die Augen, klopfte sich dann auf die Oberschenkel und stand auf. »Am besten bringen wir diesen verdammten Quatsch hinter uns.«

Ægir drehte sich um und wollte nach Halli rufen, wurde jedoch von einem seltsamen, durchdringenden Geräusch, das zwischen den Stahlwänden hallte, davon abgehalten.

»Was war das?«

Als er aufschaute, rannte Þráinn schon Richtung Ausgang. Ohne sich umzudrehen, rief er:

»Ein Schuss! Wahrscheinlich von der Brücke!«

Der unnatürliche, süßliche Parfümgeruch wurde stärker, und Ægir meinte zu ersticken. Dann rannte er Þráinn hinterher, als sei ihm der Teufel auf den Fersen.

24. KAPITEL

Die Kopien aus dem Logbuch lagen wie Treibgut auf Dóras Schreibtisch verstreut. Die Polizei hatte ihr die Seiten ausgehändigt, aber sie schienen willkürlich zusammengestellt worden zu sein, so dass sie sie selbst chronologisch ordnen musste. Die Einträge waren zwar mit Datum versehen, aber es wurde schwierig, wenn sich ein Tag über mehrere Seiten zog. Und die fehlenden Doppelseiten machten es nicht leichter – wahrscheinlich waren die am wichtigsten gewesen. Seltsam, dass das Buch nicht komplett über Bord geworfen worden war.

Der handschriftliche Text überraschte Dóra trotzdem, denn es war unheimlich, die Schrift eines Mannes zu entziffern, der verschwunden und höchstwahrscheinlich tot war. Sie las seine Anmerkungen vom Anfang der Fahrt über den Zustand der Geräte und der Yacht selbst – seiner Meinung nach war sie gut in Schuss –, über die Wetteraussichten und die Anzahl der Leute an Bord, die davon ausgegangen waren, fünf angenehme Tage vor sich zu haben. Nichts an diesem ersten Eintrag wies darauf hin, dass ihr Schicksal besiegelt war, im Gegenteil, alles schien bestens zu sein. Der Kapitän erwähnte zwar, dass das Siegel an der Tür der Yacht aufgebrochen gewesen sei, schien sich aber nicht viel daraus zu machen, es habe keine Anzeichen eines Einbruchs und keine Beschädigungen gegeben. Er schien sich auch keine Gedanken darüber zu machen, ob die Person, die das Siegel aufgebrochen hatte, einen Schlüssel besaß. Warum sollte man einbrechen, wenn man die Tür aufschließen konnte? Es reichte ja, das Siegel durchzuschneiden und den Schlüssel ins Schloss zu stecken.

Darauf folgte eine kurze Erklärung, warum Passagiere mit an Bord seien, sowie einige besorgte Worte, dass man die Sicherheit der beiden Mädchen gewährleisten müsse. Auch wenn der Kapitän sich nicht dazu hinreißen ließ, Snævar wegen seines Unfalls Vorwürfe zu machen, konnte man zwischen den Zeilen lesen, dass er sauer auf ihn war. Es missfiel ihm, Ægir als Vertretung mitzunehmen, aber er musste es tun, um die Anforderungen bezüglich der Mannschaftsgröße erfüllen und den Fahrplan einhalten zu können. Der gesamte Anfangstext war sehr positiv für Dóras Fall. Dort stand klar und deutlich, dass es absoluter Zufall war, dass Ægir auf Initiative des Kapitäns angeheuert worden war. Es war schwer vorstellbar, wie Ægir einen Versicherungsbetrug hätte planen sollen, dessen wichtigste Voraussetzung es war, dass ein gänzlich Fremder ihm vorschlug, mit der *Lady K* zu fahren.

Der letzte Eintrag im Logbuch wies auch nicht darauf hin, dass Unvorhergesehenes in der Luft lag, obwohl es kurz darauf geschehen sein musste, denn alle folgenden Seiten waren entfernt worden. Der Kapitän schrieb jedoch, dass die Kommunikationsgeräte nicht in Ordnung seien und man versuche, sie zu reparieren. Zu dem Zeitpunkt hatte die Yacht noch Funkkontakt, doch bis auf das schlechtverständliche Gespräch des Kapitäns mit dem britischen Trawler am nächsten Tag hatte niemand etwas von der Yacht gehört. Warum hatte niemand versucht, einen Hilferuf abzusetzen oder das Problem zu melden? Die Vorstellung, dass womöglich nur noch ein Mann übrig geblieben war, der die Yacht zur Küste von Grótta und von dort mit einem seltsamen Schlenker durch die Faxaflói-Bucht in den Hafen von Reykjavík gelenkt hatte, war unheimlich. Vielleicht konnte derjenige, der am Steuer saß, nicht mit dem Autopiloten und dem

GPS umgehen. Und das war gar nicht positiv für Dóras Fall: Die Einzigen, die kaum Ahnung von der Seefahrt hatten, waren Ægir und Lára und natürlich die Zwillinge. Aber die zählten ja wohl nicht.

Dóras Augen brannten, nachdem sie die Logbucheinträge angestiert hatte, um etwas zu finden, das die ganze Sache begreiflicher machte. Als sie die Blätter einsammelte, ärgerte sie sich wieder über die fehlenden Seiten. Sie hätte alles dafür gegeben, zu erfahren, was daraufgestanden hatte. Wenn sie doch nur in der schwer entzifferbaren, altmodischen Schrift des Kapitäns Antworten auf ihre vielen Fragen finden könnte, eine Erklärung für den Leichenfund, den er über das defekte Funkgerät gemeldet hatte, und eine Beschreibung der Ereignisse, die zum Verschwinden der Leute geführt hatten. Warum waren die Seiten herausgerissen worden? Um sie für etwas anderes zu verwenden, um ein Loch zu stopfen oder einfach nur als Zeichenpapier? Es führte zu nichts, sich den Kopf darüber zu zerbrechen – die fehlenden Blätter schwammen irgendwo im Wasser oder lagen auf dem Meeresgrund, wo die Fische versuchten, aus der Schrift schlau zu werden. Das, was vom Logbuch übrig war, das Seefähigkeitsattest und die anderen Bescheinigungen mussten für Dóras Bericht reichen. Ob das die Versicherung überzeugte, würde sich noch herausstellen.

Nachdem Dóra ihren Bericht unter Berücksichtigung der neuen Informationen geändert hatte, las sie ihn zum hundertsten Mal durch und druckte ihn dann ernüchtert aus. Sie hatte sich so intensiv mit dem Thema beschäftigt, dass sie nicht beurteilen konnte, ob er gelungen war, und beschloss, bei einer Tasse Kaffee auf andere Gedanken zu kommen.

»Verdammte Scheißkälte«, knurrte Bella im Flur.

Geschmolzener Schnee tropfte von den Schultern ihres Anoraks, und ihr Haar, in dem Schneeflocken hafteten, schimmerte feucht. Dóra wich zurück, als sie sich wie ein Hund schüttelte.

»Wo warst du?«, fragte sie.

»Ich musste für Bragi ein paar Sachen ins Bezirksgericht bringen.«

Bella stampfte mit den Füßen auf, um den Schneematsch von den Schuhen zu bekommen. Auf dem hellen Parkett bildeten sich zwei schwarze Fußabtritte, die auf dem warmen Boden sofort ihre Form verloren.

»Ich musste am Arsch der Welt parken und bin auf dem Rückweg am Hafen vorbeigefahren. Die Polizei turnt auf deiner Yacht herum.«

»Ach ja?«

Dóra wusste nicht genau, warum sie sich darüber wunderte. Wahrscheinlich hatten die Ermittlungen etwas Neues ans Licht gebracht, oder die Polizei musste neue Proben nehmen.

»Hast du gesehen, was sie gemacht haben?«

»Nee, da standen nur zwei Streifenwagen neben der Yacht, und ein Polizist hat an Deck rumgeschnüffelt. Vielleicht heizen sie ja den Whirlpool auf.«

Dóra verkniff sich einen Kommentar und beschloss, an die frische Luft zu gehen.

Der Kaffee beim Auflösungsausschuss war besser als der in der Kanzlei, und Dóras Enttäuschung, Ægirs Eltern nicht zu Hause angetroffen zu haben, schwand. Sie musste den Bericht in den Briefkasten quetschen, aus dem Zeitungen und Briefe quollen und wie ein missglückter Blumenstrauß in alle Richtungen ragten. Wobei Dóra durchaus Verständnis dafür hatte – was sollte ein Briefkasten in dieser Situation schon Wichtiges enthalten? Am Ende musste sie ihn doch leeren, fischte Werbeprospekte und andere unwichtige Sendungen heraus und legte sie auf den Boden. Um sicherzugehen, dass Ægirs Eltern den Bericht bekamen, wollte sie sie anrufen. Schließlich sollte der Umschlag nicht zwischen vergilbten Zeitungen verschüttgehen. Sie musste sowieso mit den beiden sprechen, da sie vom Auflösungsausschuss eine Bestätigung bekommen hatte, dass Ægirs Gehalt wie üblich bezahlt würde, und auch ihr Gespräch mit dem Jugendamt über das Umgangsrecht positiv verlaufen war. Es war schön, zur Abwechslung mal gute Nachrichten überbringen zu können.

»Na, wie läuft's? Wir drehen hier fast durch, weil wir keine Infos bekommen. Die Polizei lässt uns einfach links liegen«, beklagte sich Fannar.

Er saß Dóra in einem kleinen Besprechungsraum gegenüber, wie immer gut angezogen, und erinnerte an die jungen Banker, denen vor der Krise die Straßen und Bars der Stadt gehört hatten.

»Klärt sich der Fall langsam?«

Dóra nippte an ihrem Kaffee und schüttelte den Kopf. Sie war auch nicht besser als Bella, denn von ihren feuchten Haaren flogen ein paar Tropfen durch die Luft. Einige landeten auf dem glänzenden Verhandlungstisch, und sie stellte ihre Tasse ab, um sie wegzuwischen.

»Nein, leider nicht. Außer dass ziemlich klar ist, dass Ægir und seine Familie tot sind. Niemand hat noch Hoffnung, sie lebend zu finden.«

»Hat das denn wirklich jemand für möglich gehalten?«, fragte Fannar herablassend.

Dóra zuckte vorsichtig mit den Achseln, um nicht schon wieder einen Regenguss auszulösen, und antwortete:

»Man geht eben so lange wie möglich vom Besten aus. Aber jetzt wurden zwei der sieben Personen, die an Bord waren, tot aufgefunden, was die Hoffnung auf Rettung stark verringert. Außerdem liegt die Überfahrt jetzt schon so lange zurück.«

Sie erwähnte nicht, dass jemand das Schiff verlassen haben könnte, denn sie wollte Fannar auf keinen Fall Infos geben, die nicht öffentlich bekannt waren. Die Kunst war nur, ihn das nicht merken zu lassen.

»Aber bitte behalten Sie das für sich.«

»Selbstverständlich. Keine Frage.« Fannars Augen glänzten,

und er fügte hinzu: »Das, was wir hier besprechen, bleibt unter uns. Deshalb habe ich diesen Raum ausgewählt. Hier sind natürlich alle furchtbar neugierig, immerhin war Ægir einer von uns.«

Der Mann musste sie für völlig naiv halten. Bevor sie im Auto säße, hätte er die Neuigkeit bestimmt schon ein, zwei Kollegen mitgeteilt. Und sobald sie zurück im Skólavörðustígur wäre, hätten diese beiden die Geschichte weitergetratscht.

»Bei den Unterlagen, die ich von Ihnen bekommen habe, war ein Blatt mit Karítas' Namen und Telefonnummer. Wissen Sie, warum? Ich wollte Sie das schon die ganze Zeit fragen, habe es aber immer vergessen.«

Dóra hielt ihm eine Kopie des Zettels hin.

Fannar wirkte erstaunt, setzte aber schnell wieder sein gewohntes Lächeln auf.

»Ach, das.« Er lehnte sich vor und steckte sich ein Stück Würfelzucker in den Mund. »Das war bei den Unterlagen in Ægirs Mappe. Keine Ahnung, woher er die Nummer hatte und was er damit wollte.«

»Kannte er Karítas?«

Fannar hörte auf, an dem Zuckerwürfel zu lutschen.

»Nein, ganz bestimmt nicht.«

»Musste er sie aus beruflichen Gründen kontaktieren? Brauchte er ihre Unterschrift, oder musste er sie über die Beschlagnahme informieren?«

»Eher nicht. Der Kredit und die Yacht liefen auf den Namen ihres Mannes. Es hätte keinen Sinn gehabt, ihr irgendwas zu schicken. Vielleicht wollte er ja nur wissen, wo sich ihr Mann aufhielt.«

Dóra trank einen Schluck Kaffee und überlegte, was das bedeutete. Die Unterlagen über die Yacht, die sie in Ægirs Nachttisch gefunden hatte, ließen darauf schließen, dass er seinen Job sehr ernst nahm oder sogar davon besessen war.

»Arbeiten Sie und Ihre Kollegen eigentlich auch von zu Hause aus? Nehmen Sie schon mal Unterlagen mit nach Hause, wenn viel zu tun ist?«, fragte sie.

»Nein, nie. Wir haben natürlich Laptops, aber es wird nicht gerne gesehen, wenn man Unterlagen aus dem Büro mit nach Hause nimmt. Warum fragen Sie?«

»Ich habe nur überlegt, ob Ægir Papiere über die Yacht zu Hause haben könnte. Ob es sich lohnt, mal nachzusehen.«

»Das glaube ich nicht. Es würde mich zumindest sehr wundern. Ægir war überaus korrekt und hätte nicht heimlich Unterlagen mit nach Hause genommen. Alles Wichtige muss hier sein, und wir haben Ihnen und der Polizei alles kopiert, was nicht unter das Bankgeheimnis fällt. Die Finanzsituation der Vorbesitzer ist für Ihren Fall wohl kaum von Belang. Kann ich mir jedenfalls nicht vorstellen.«

Dóra lächelte ihn freundlich an und leerte ihre Kaffeetasse.

»Können Sie herausfinden, ob Ægir bei Karítas' Nummer angerufen hat? Das müsste er ja von hier aus gemacht haben, wenn es beruflich war.«

»Tja, ich weiß nicht. Normalerweise führen wir keine Listen über die Telefonate, aber die Telefonrechnungen sind aufgeteilt, und manchmal werden lange, teure Gespräche den Projekten zugeordnet. Ich kann das überprüfen lassen, wenn Sie wollen. Es hängt aber ein bisschen davon ab, wie beschäftigt unsere Sekretärinnen sind. Ich weiß nicht, ob wir das heute noch schaffen.« Er nahm das Blatt in die Hand. »Darf ich das behalten? Dann muss ich das Original nicht extra raussuchen.«

»Selbstverständlich«, entgegnete Dóra. Sie hoffte, dass kein solches Telefonat stattgefunden hatte. Alles andere würde den Fall nur verkomplizieren, und sie würden wahrscheinlich nie herausfinden, worüber die beiden gesprochen hatten.

»Also dann.« Fannar warf einen kurzen Blick auf die protzige Uhr unter seiner Manschette, die mit einem glänzenden Knopf zusammengehalten wurde. »Ach ja, noch eine Frage. Wurde eine der beiden Personen, die man gefunden hat, erschossen?«

»Erschossen?« Dóra dachte, sie hätte sich verhört. »Das kann ich mir wirklich nicht vorstellen. Warum fragen Sie?«

»Ich habe der Polizei eben neue Unterlagen geschickt, die wir gestern erhalten haben. Sie haben sofort ganz aufgeregt angerufen und gefragt, ob wir wüssten, dass es an Bord eine Waffe gegeben hätte, oder ob wir die vor der Abfahrt entfernt hätten. Ich hatte keine Ahnung, von einer Waffe habe ich nie was gehört.«

Dóra auch nicht. Misstrauisch fragte sie:

»Und die Polizei hat nicht gesagt, warum sie das wissen wollte?«

»Nein, sie haben das Gespräch sofort beendet.« Fannar schluckte die Reste des Zuckerwürfels herunter. »Aber es muss mit den Unterlagen zu tun haben, die ich ihnen geschickt habe.«

»Was waren das für Unterlagen?«, fragte Dóra und spürte eine kindische Eifersucht, nicht dieselben Infos erhalten zu haben.

»Ein Gutachten, das wir zur Wertermittlung der Yacht anfertigen lassen haben. Darin steht, dass es auf der Brücke eine Pistole gab. Ich habe mich erkundigt, und es ist offenbar so, dass der Kapitän eine Waffe dabeihaben muss, um sich gegen Piraten verteidigen zu können. Piraten! Stellen Sie sich das mal vor!«

»Ja, die gibt es wohl noch.« Dóra überlegte, ob Piraten das Schiff überfallen und die Leute umgebracht und … und dann? Alles bereut hatten und ins Meer gesprungen waren?

»In der Inventarliste, die ich bekommen habe, stand nichts von einer Pistole. Ist das eine andere Liste?«, fragte sie.

»Ja, die Liste, die Sie haben, stammt aus der Zeit, als die Bank den Kredit für die Yacht gewährt hat. Die war für die Wertermittlung nicht zu gebrauchen. Wir haben die neue Liste erst gestern bekommen. Die Yacht wurde ein paar Tage vor der Abfahrt in Lissabon von einem ausländischen Partner begutachtet, und der hat ziemlich lange gebraucht, um seine Ergebnisse zusammenzufassen.«

Fannar seufzte.

»Nicht, dass uns das noch viel nützen würde. Die Yacht ist

beschädigt, nicht nur das Schiff, sondern auch sein Ruf. Es sei denn, Sie stellen ihn wieder her«, sagte er lächelnd.

Dóra lächelte gedankenversunken zurück.

»Könnte ich diese neue Inventarliste bekommen?«

»Kein Problem. Ich habe sie schon für die Polizei kopieren lassen. Ich hatte sie erst eingescannt und zur Wache gemailt, aber die Qualität war nicht gut genug, und sie wollten eine Papierkopie. Ich lasse noch eine für Sie machen.«

Während Dóra am Empfang auf die Liste wartete, erschien ein Polizist, der dasselbe Dokument abholen wollte. Es war der Mann mit den grünen Augen, und falls er es seltsam fand, ihr hier zu begegnen, ließ er sich nichts anmerken. Dóra sprach ihn an, zu ungeduldig, um höflich zu sein, und fragte direkt nach der Pistole. Erst wollte er nichts dazu sagen, änderte dann aber seine Meinung. Die Pistole, die auf der neuen Inventarliste stand, war nicht an Bord gefunden worden. Bei der ersten Durchsuchung der Yacht hatte man zwar ein kleines Kästchen mit Munition auf der Brücke entdeckt, dem aber keine weitere Beachtung geschenkt, da es an Bord keine Waffe geben sollte. Die neue Inventarliste änderte das schlagartig, obwohl man an Bord keine Schussspuren gefunden hatte. In dem Kästchen fehlten sechs Kugeln. Die Pistole musste benutzt worden sein, nachdem der Gutachter auf der Yacht gewesen war, denn laut seinem Bericht war das Kästchen voll und die Pistole nicht geladen gewesen.

Dóra bekam ihre Kopie und steckte sie in die Tasche. Bevor sie sich verabschiedete, bat sie der Polizist, am Nachmittag auf der Wache vorbeizuschauen. Er müsse wegen ihrer Mandantin Lára mit ihr sprechen. Auch wenn er nichts weiter dazu sagte, konnte Dóra an seinem Gesicht ablesen, dass es keine guten Neuigkeiten waren.

Das Telefonat hatte sich bisher ausschließlich darum gedreht, wie furchtbar das alles war und wie sehr Lára von ihren Kollegen vermisst würde. Dóra hatte mehrmals vergeblich versucht, das Gespräch auf ihr eigentliches Anliegen zu lenken, aber die Frau war einfach zu erschüttert. Im Gegensatz zu Ægir, dessen Kollegen unmittelbar von seinem Verschwinden und den Ermittlungen betroffen waren, waren Láras Kollegen überhaupt nicht in den Fall involviert und wussten nur aus den Medien davon. Dennoch löcherte die Frau sie nicht, sondern erkundigte sich nur nach der Zukunft von Láras kleiner Tochter und der großen Trauer, mit der die Familie zu kämpfen hatte. Nach längerem Hin und Her kam Dóra endlich zum Zug:

»Der Grund, warum ich anrufe, ist, dass ich vielleicht eine Kollegin von Lára bitten muss, über sie auszusagen. Jemand, der ihr zugetan ist und sämtliche Vermutungen, sie wollte sich absetzen, ausräumen kann.«

»Absetzen?«

Die Stimme der Frau sagte alles, was es über diese Theorie zu sagen gab.

»Das ist reine Formsache. Niemand ist ernsthaft dieser Meinung. Wären Sie dazu bereit? Sie scheinen sie gut gekannt zu haben.«

»Ja, allerdings. Wir haben uns ein Büro geteilt und hatten viel Kontakt zueinander. Wobei wir hier in der Buchhaltung nur zu fünft sind.«

Lára arbeitete bei einer großen Softwarefirma, und Dóra war froh, eine so enge Kollegin an der Strippe zu haben.

»Ich weiß wirklich nicht, was ich dazu sagen soll. Jetzt, wo endlich alles so gut aussah, Ægir war wieder zufrieden mit seinem Job ...«

»War er denn vorher unzufrieden?«, fiel ihr Dóra ins Wort.

»Ja, doch, doch, schon. Er war vorher bei der Bank, die pleitegegangen ist, um die sich der Auflösungsausschuss kümmert. Er war da nicht allzu glücklich, viele seiner Studienkollegen sind schneller aufgestiegen als er und hatten mehr Verantwortung. Lára hat mir erzählt, er hätte wegen der Zwillinge zurückstecken müssen, die Mädchen waren oft krank, als sie klein waren, und Lára und Ægir mussten die Krankheitstage untereinander aufteilen. Das wurde in dieser Bank nicht gerne gesehen, anders als bei uns. Hier ist das selbstverständlich. Was sollen Banken machen, wenn keine Kinder mehr geboren werden? Kredite an Tote vergeben? Was würden sie da wohl für Zinssätze erzielen?«

Dóra ging nicht auf das Thema ein und fragte:

»Aber zuletzt war er zufrieden, sagen Sie?«

»Ja, das hat Lára jedenfalls erzählt. Der Job beim Auflösungsausschuss war ganz anders. Er musste sich nicht stundenlang anhören, wie sich seine Kollegen gegenseitig mit Geschichten vom Luxusleben übertrumpfen. Ich habe ihn ein bisschen kennengelernt, bei Betriebsfeiern und so, er war wirklich ein netter Kerl. Nicht der Typ, der unbedingt zur High Society gehören wollte. Aber es war gut, dass er nicht länger da arbeiten musste. Man weiß ja nie, was so was auf die Dauer mit einem macht. Man wird automatisch immer gieriger.«

»Er hat also gerade noch die Kurve gekriegt?«, fragte Dóra und hoffte inständig, dass die Frau ihr zustimmen würde. Zweifel an Ægirs Ehrbarkeit konnte sie überhaupt nicht gebrauchen.

»Ja, ich denke schon. Zum Glück. Sie waren immer sehr vorsichtig und haben nie über ihre Verhältnisse gelebt, was viele an seiner Stelle gemacht hätten. Das einzig Übertriebene, wovon Lára mir erzählt hat, war diese Lebensversicherung.«

»Darüber hat sie gesprochen?«, fragte Dóra und setzte sich auf ihrem Stuhl zurecht.

»Ja, vor ein paar Jahren. Da hat er noch bei der Bank gearbeitet, und in seinem Freundeskreis haben sie mit der Höhe ihrer Lebensversicherungen geprahlt. Können Sie sich so was vorstellen?«

Dóra konnte es nicht. Sie sah sich im Geiste absolut nicht mit Bragi über so etwas wetteifern. Oder mit Bella. Aber das waren gute Neuigkeiten.

»Er hat diese hohe Lebensversicherung also abgeschlossen, um nicht schlechter dazustehen als die anderen?«

»Ja, und er konnte es sich leisten. Ein Vermögen nach dem eigenen Tod.«

25. KAPITEL

Lára wirkte in der schwarzen Pfütze auf dem kalten Stahldeck winzigklein. Von der Brücke zog sich eine Blutspur zu ihrem gekrümmten Körper. Nachdem Ægir sie erblickt und bis er gemerkt hatte, dass sie unregelmäßig atmete, war es, als sei die Welt ausgeknipst worden. Alle Geräusche verschwanden, wie unter Wasser, und obwohl er Þráinn und Halli rufen sah, verstand er nicht, was sie schrien, und fand es auch nicht wichtig. Er dachte nur darüber nach, wie er das Blut zurück in Láras Körper bekommen konnte, kniete auf allen vieren und versuchte, es zusammenzuwischen, nur um sehen zu müssen, wie es bei dem starken Wellengang wieder von ihm wegfloss.

»Gib ihm eine Ohrfeige!« Die Worte waren so weit weg, als kämen sie aus dem Jenseits, und Ægir hatte keine Ahnung, wer sie sagte. »Nun mach schon!«

Er ließ sich nicht davon stören und fing das Blut weiter mit den Händen auf. Ihn ging das nichts an, er musste sein Werk vollbringen. Als er an der Schulter gepackt und brutal auf die Knie gerissen wurde, kam er zu sich, und es war, als würden die Geräusche wieder eingeschaltet. Zumindest laut genug, um zu hören, wie eine flache Hand mit voller Wucht gegen seine Wange schlug.

»Weg hier, du bist im Weg! Reiß dich zusammen oder hau ab!«, schrie Halli ihn an und stieß ihn heftig zur Seite. Ægir fiel hin, stützte sich mit dem Ellbogen ab und blieb dann verwirrt mit ausgestreckten Beinen auf dem Deck sitzen. Hallis Gesicht kam so nah an ihn heran, dass es vor seinen Augen verschwamm. Doch er sah genug, um zu merken, wie wütend er war. Halli packte ihn an den Schultern und schüttelte ihn:

»Reiß dich zusammen, hab ich gesagt!«

»Das reicht, hilf mir!« Þráinns Stimme klang nicht nur müde, sondern resigniert, was Ægir endlich zurück in die Wirklichkeit katapultierte. »Lass ihn in Ruhe und pack mit an.«

Ægir atmete tief durch und setzte sich so, dass er sehen konnte, was die Männer machten. Einen Moment lang hätte er sie fast angebrüllt, nicht durch das Blut zu laufen, weil Lára es brauche. Doch der Moment ging vorüber, und stattdessen konzentrierte er sich darauf, zu atmen, was eher den Anschein erweckte, als trinke er in großen, gierigen Zügen Wasser. Er starrte erst auf die schwarzgefärbten Knie der Jeanshosen der Männer, dann auf sich selbst und sah, dass seine Kleidung blutgetränkt war.

»Oh Gott, oh mein Gott.«

»Sei still!«

Als Halli sich von Lára abwandte, um ihn anzuherrschen, sah Ægir, was die beiden machten. Sie hatten Lára auf den Rücken gedreht, und der Kapitän presste beide Hände auf ihren Bauch, anscheinend mit seinem vollen Gewicht. Seine Hände waren dunkel, und durch seine gespreizten Finger floss noch mehr Blut. Ægir schwindelte, doch diesmal überfiel ihn nicht dieselbe Panik wie vorher. Er musste einen klaren Kopf bekommen. Halli drehte sich sofort wieder zu Lára und Þráinn, so dass Ægir nicht sehen konnte, was weiter geschah. Er wollte es auch nicht wirklich sehen, denn es war so furchtbar, dass es brannte. Es war, als würde er in Stücke gerissen – das Verlangen, mitzuverfolgen, was passierte, war genauso stark wie das Verlangen, die Augen zu schließen und so zu tun, als sei nichts geschehen. Da wandte Þráinn seinen Blick von Lára ab, drehte sich um und schaute Ægir in die Augen.

»Bist du in Ordnung?«

Ægir wollte bejahen, doch aus seiner Kehle kam nur ein unverständliches Röcheln.

»Reiß dich zusammen, Mann«, sagte Þráinn wütend, und Ægir wurde von Scham gepackt. Er ließ seine schwerverletzte Frau im Stich. »Geh zu den Mädchen! Halli und ich können das nicht. Hoffentlich sind sie noch auf der Brücke.«

Ægir stolperte auf die Füße, rutschte auf dem dicken Blut aus und wäre fast auf die Männer gefallen, die sich seiner Frau annahmen. Obwohl er wusste, dass er sich sofort um die Mädchen kümmern musste, hielt er einen Moment inne. Er beugte sich wankend über die Männer, um Láras Gesicht sehen zu können. Es war ihm zugewandt, doch ihre halbgeschlossenen Augen blickten ihn nicht an. Ihr Gesicht war gräulich, und auf ihren Lippen bildete sich bei jedem flachen Atemzug eine Blase aus Blut, die sich mit Luft füllte und platzte, mit Luft füllte und platzte. Ægir kämpfte mit den Tränen, doch eine tropfte auf Láras Gesicht, floss an ihrer runden Wange hinab und vereinigte sich mit der Blutlache. Sie schloss die Augen ganz, und er raffte sich auf, bevor er endgültig zusammenbrach. Das konnte er sich wegen der Mädchen nicht erlauben. Zwei Schritte, und Lára war aus seinem Blickfeld verschwunden.

Ægirs Füße waren schwer wie Blei, und seine Schritte wurden immer schleppender, je näher er der Tür zur Brücke kam. Sein Gehirn produzierte alle möglichen Horrorbilder von Arna und Bylgja, die in glänzenden Blutlachen auf dem Boden lagen. Auf diesen Bildern waren die beiden Blutlachen genau gleich, seine Töchter Zwillinge bis zum letzten Moment. Übelkeit vermischte sich mit einem Schmerz in seiner Brust, der ein Anzeichen eines bevorstehenden Herzinfarkts hätte sein können. Wenn den Mädchen auch etwas zugestoßen war, wäre er froh, sterben zu dürfen.

Doch so war es nicht, und das Ziehen in seiner Brust ließ nach, und er wurde von so unbändiger Freude erfüllt, dass ihm schwindelte.

Arna und Bylgja standen zusammen ganz hinten auf der Brücke, Verständnislosigkeit und panische Angst in den großen, starrenden Augen. Sie liefen nicht in seine Arme, wie er erwartet und gehofft hatte. Ægir hatte das brennende Verlangen, sie fest zu umarmen und sein Gesicht in ihren weichen Haaren zu vergraben, wenn auch nur für den Bruchteil einer Sekunde. Sich vor dem zu verstecken, was geschah und was er nicht länger bewältigen konnte. Langsam schloss er die Tür hinter sich und versuchte krampfhaft, Ruhe zu bewahren.

»Seid ihr verletzt, Mädchen?«

Seine Stimme klang auf absurde Weise normal, als hätten sie gerade auf einer Wiese miteinander gespielt. Die Augen der Mädchen wurden noch größer, und er merkte, wie seine Erscheinung auf sie wirken musste.

»Þráinn und Halli kümmern sich um Mama. Es wird alles gut.« Er hatte seine Töchter noch nie so angelogen. »Seid ihr verletzt?«

Die Mädchen schüttelten gleichzeitig den Kopf und entspannten sich ein wenig.

»Wo ist Mama? Warum ist sie nicht bei dir?«, fragte Arna schluchzend.

»Mama hat sich verletzt, und Halli und Þráinn helfen ihr.«

Ægir sah eine schreckliche Zukunft vor sich. Eine Zukunft ohne Lára. Irrwitzige Fragen schossen ihm durch den Kopf: Wer würde den Mädchen die Haare kämmen? Wer würde ihnen helfen, Kleider für einen Geburtstag auszusuchen? Es überstieg seine Kräfte, normal und überzeugend zu wirken.

»Aber es wird alles gut. Wenn ihr unverletzt seid, wird alles gut.«

Er ging zu ihnen und merkte, dass sie ihm immer noch nicht ins Gesicht schauten, ihre Augen hingen an seinen blutdurchtränkten Klamotten.

»Warum hatte Mama eine Pistole, Papa?«, fragte Bylgja und weinte geräuschlos. Ihre Tränen waren nicht von Schluchzen begleitet, sie strömten einfach nur über ihre Wangen, bis sie einen Strom aus Trauer und Angst bildeten.

»Für den Fall, dass jemand Böses kommt, mein Schatz. Die Pistole war zur Verteidigung. Um euch und Mama zu schützen.«

Er war bei den Mädchen angelangt und beugte sich zu ihnen hinunter, damit er sie anblicken konnte. Auch wenn er am liebsten über ihre Köpfe hingweggeschaut hätte, um die Verwirrung in ihren Augen nicht sehen zu müssen, hatten sie es verdient, dass er sie nicht enttäuschte.

»Was ist als Erstes passiert? Habt ihr es gesehen?«

Die Mädchen redeten aufgeregt durcheinander, und Ægir konnte unmöglich verstehen, was sie sagten. Ihre Worte waren atemlos, von Hicksen und Schluchzen unterbrochen.

»Da ist was gegen die Tür geschlagen, Mama hat eine Pistole aus der Hose gezogen, hat auf die Tür gezielt, aber es war nur irgendein Teil, sie hat uns angelächelt, hat gesagt, sie wäre nervös, wir haben nichts gesagt, haben nur die Pistole angeguckt, Mama war ganz komisch, wollte sie wieder einstecken, als … peng, Mamas Augen sind so groß geworden, da war nur noch Weißes drin, wie zwei Riesenkaugummikugeln, dann hat sie gehustet, hat sich an den Bauch gefasst, hat gesagt, wir sollen hier warten. Sie ist rausgelaufen, und alles war voller Blut.«

Die Mädchen zeigten auf eine Blutspur, die sich von der Stelle, an der sich der Schuss gelöst hatte, bis zur Tür zog. Die Tropfen waren unter Ægirs Schuhen kleben geblieben, als er zu seinen Töchtern gegangen war – er hatte so viel Blut gesehen, dass er das bisschen gar nicht mehr bemerkt hatte.

»Mama hat sich am Bauch verletzt, Mädchen«, sagte Ægir.

Er spürte, wie seine Mundhöhle austrocknete und sein Kopf heiß wurde. Fast wäre er wieder zusammengebrochen, er schwieg, während er das letzte bisschen Energie sammelte, das er noch hatte.

»Mama hat sich verletzt.«

Ægir zog die Mädchen an sich. Er konnte das Weinen nicht

länger unterdrücken und wollte nicht, dass sie sahen, wie schlecht es ihm ging. Die Tränen tropften in ihre Haare, die nach dem Erdbeershampoo rochen, das die Mädchen sich in Lissabon im Supermarkt ausgesucht hatten. Wenn sie doch nur dorthin zurückkämen, wenn er das alles ungeschehen machen könnte. Er schniefte und versuchte so gut es ging, sich zusammenzunehmen. Er hatte nicht mehr geweint, seit er ein kleiner Junge war.

»Hat die Pistole in Mama reingeschossen?«, fragte Arna, während die schmächtigen Arme der Schwestern ihn fest umfassten und drückten. Es war, als wollten sie die richtige Antwort aus ihm herauspressen. Aber die richtige Antwort war falsch.

»Nur ein bisschen, mein Schatz. Sie hat nur ein bisschen in sie reingeschossen. Aber nicht viel, und Þráinn und Halli bringen das in Ordnung.«

Was hatte Þráinn sich nur dabei gedacht, Lára einen Revolver zu geben? Und warum hatte er nicht eingegriffen? Er hätte wissen müssen, dass das nicht gutgehen würde, an Bord dieser schwimmenden Hölle würde nichts gut ausgehen.

Die Tür hinter ihm öffnete sich, und Arna und Bylgja klammerten sich noch fester an ihn.

»Kann ich kurz mit dir reden, Ægir? Unter vier Augen«, fragte Halli völlig emotionslos, was alles noch schlimmer machte.

»Wartet hier, Mädchen, ich bin gleich zurück, ich gehe nicht weit. Alles wird gut.«

Ægir löste sich aus ihrem Griff und ließ die Zwillinge mit verzweifelten Gesichtern zurück.

»Bitte, sag mir, dass ihr die Blutungen gestoppt habt!«, flehte Ægir und hätte sich am liebsten vor Halli auf die Knie geworfen, als könne das etwas bewirken. »Bitte!«

Halli sah ihm nicht in die Augen, sondern starrte auf seine Zehen.

»Wir haben sie ins Wohnzimmer gebracht. Am besten gehst du zu ihr. Ich warte so lange bei den Mädchen.«

»Nein.«

Ægir straffte seinen Rücken und merkte, wie sich seine Fäuste ballten. Er hätte Halli am liebsten ins Gesicht geschlagen, bis es unkenntlich war und ihm nicht mehr sagen konnte, was er nicht hören wollte.

»Du bleibst nicht bei den Mädchen!« Seine Gedanken spielten verrückt. Lára, die Mädchen. Er musste auf sie aufpassen. Nicht Halli. »Ich lasse die Mädchen nicht aus den Augen. Sie müssen mitkommen.«

»Ich weiß nicht, ob das eine gute Idee ist.« Halli starrte immer noch auf den Boden, als hätte er ein dringendes Anliegen mit seinen Schuhen, anstatt mit Ægir. »Kommt nicht in Frage.«

Ægir öffnete den Mund, wollte etwas sagen, schreien, doch in der kalten Luft wurde er plötzlich ganz matt. Es war sinnlos, zu schreien oder um sich zu treten, es änderte nichts.

»Wenn ihnen etwas zustößt, steche ich dir die Augen aus, Halli«, sagte er ohne Wut, beschrieb einfach nur die Tatsachen.

»Ich passe auf sie auf. Eher krepiere ich, als dass ihnen jemand was antut«, entgegnete Halli, sich dessen bewusst, dass der Mann, der vor ihm stand, kurz davor war, zusammenzubrechen. Er klopfte Ægir verlegen auf die Schulter, ging auf die Brücke und ließ ihn stehen.

Ægir hätte noch einmal den Kopf durch die Tür stecken und den Mädchen sagen sollen, dass sie mit Halli warten sollten, während ihr Papa mit ihrer Mama redete, aber er brachte es nicht über sich. Er konnte nur noch an eine Sache denken, und das war Lára, die entweder tot oder sterbend im Wohnzimmer an Bord einer Yacht mitten auf dem Atlantik lag, unendlich weit von ärztlicher Hilfe entfernt, die ihr womöglich das Leben retten könnte. Ein tiefer Seufzer entfuhr ihm, als er ins Wohnzimmer kam und Lára dort liegen sah.

Er eilte zu ihr und stieß sich so heftig das Schienbein am Sofatisch, den Þráinn und Halli verschoben hatten, dass er fast gestürzt wäre. Die Malbücher der Mädchen schlitterten über den

Tisch, und ein paar Stifte rollten auf den Fußboden. Der Kapitän packte Ægir im letzten Moment am Arm und hinderte ihn am Hinfallen.

»Danke.«

Diese Höflichkeitsfloskel war so lächerlich angesichts der Situation, dass Ægir fast aufgelacht hätte. Die Prägung durch seine Mutter in seiner Kindheit saß offenbar so tief, dass sie stärker war als der schlimmste Schock.

»Sie döst.« Þráinn hielt immer noch Ægirs Arm fest und zwang ihn, ihm ins Gesicht zu schauen. »Ich weiß nicht, was als Nächstes passiert. Ich habe die Wunde so gut es ging verbunden, und die Blutungen sind stark zurückgegangen, aber das muss nichts mit den Verbänden zu tun haben. Vielleicht hat sie nur noch so wenig Blut.«

Er drehte Ægirs Kopf zu sich, als dieser seinem Blick ausweichen wollte.

»Ich bin kein Arzt, aber ich weiß, dass es nicht gut aussieht. Setz dich hin und rede mit ihr, wenn sie zu sich kommt. Sag ihr das, was sie hören will, und denk daran, dass es das letzte Mal sein könnte.« Er ließ Ægirs Kopf wieder los, und der wandte sich sofort von ihm ab und trat zu Lára. »Ich hoffe es nicht, aber es könnte sein. Ich bin draußen im Gang.«

Ægir war es vollkommen gleichgültig, ob Þráinn dablieb oder ging. Er fiel neben seiner Frau auf die Knie und umfasste die bunte Decke, in der man sie hineingetragen hatte, traute sich jedoch nicht, nach ihrer Hand zu greifen, aus Angst, sie zu zerdrücken, aus Angst, dass ihn Wut über diese Ungerechtigkeit überkäme. Dann ließ er die Decke los und nahm ihre weiße Hand. Sie war warm und feucht, und er war erleichtert, denn er hatte mit kalten Fingern gerechnet. In die Decke gehüllt, erinnerte sie ihn zu sehr an eine Verstorbene, die in bunte Leichenkleider gehüllt war, und er zog die Decke weg. Da sah er nackte Haut und hellrote Verbände, die zweifellos weiß gewesen waren, als Þráinn sie angebracht hatte. Lára musste sich selbst in den Bauch geschossen haben, direkt neben die linke Hüfte. Ægir wusste nicht, ob das eine gute oder schlechte Stelle war, falls man das überhaupt sagen konnte.

Er presste die Augen zusammen, und Tränen quollen hervor. Er streichelte mit geschlossenen Augen ihre Hand, doch dann zwang er sich dazu, etwas zu sagen, nach Worten zu suchen, mit denen er später zufrieden wäre. Er küsste sie auf die Stirn und auf die Schläfen und strich ihr mattes Haar aus ihrer schweißnassen Stirn. Die feinen Fältchen, über die sie sich immer so geärgert hatte, schienen verschwunden, und ihre Stirn war unnatürlich glatt. Da ihm nichts anderes einfiel, flüsterte er ihr das ins Ohr.

Sie schlug die Augen auf und röchelte leise, vielleicht ein Wort, das er nicht verstand. Alles, was er sagen wollte, strömte ihm jetzt über die Lippen, und er beeilte sich, für den Fall, dass sie seine Worte noch verstand, obwohl das Leben sie bereits verlassen hatte. Doch sie starrte ihn nur an mit glänzenden Augen, die sich nicht schließen wollten und seine Bitte um Vergebung nicht aufzunehmen schienen.

26. KAPITEL

»Das Blut ist von Lára«, sagte der Polizist und schielte zu seinem Kollegen, der in einem Papierstapel blätterte und seinem
Chef dann ein Blatt reichte. Diesmal roch er nicht nach Zigaretten, kaute aber auch nicht Kaugummi. Dóra hoffte, dass das
keinen Einfluss auf seine Laune hatte, aber angesichts dessen,
wie eilfertig sein jüngerer Kollege war, musste man wohl mit
allem rechnen. »Hier ist der Bericht, der fast alle Zweifel darüber ausräumt. Ich nehme an, dass das für Ihren Fall positiv
ist.«

»Allerdings.« Dóra nahm das Blatt entgegen und überflog es,
obwohl sie kaum mehr als die abschließende Zusammenfassung
verstand. »Woher haben Sie Láras Blut- und DNA-Proben als
Vergleich?«

»Wir haben eine Blutprobe von ihrer jüngsten Tochter und
Haare aus der Bürste in ihrem Kulturbeutel. Die Ergebnisse sind
nicht hundertprozentig sicher, aber das sind sie fast nie. Für mich
und für jeden Richter werden sie jedenfalls reichen.«

Der Polizist war betont ernst und hatte Dóra lediglich ein Glas
Wasser angeboten, das sie dankend abgelehnt hatte. Eigentlich
war sie froh darüber, denn die abgestandene Brühe auf der Wache hätte die Erinnerung an den Kaffee beim Auflösungsausschuss verdrängt.

»Sie müssen wissen, dass diese Laborproben bevorzugt behan-

delt wurden, weil unsere Ermittlungen viel zu langsam in Gang
gekommen waren«, erklärte er und legte auf dem Tisch die Hände übereinander. »Was natürlich darauf zurückzuführen ist, dass
wir erst von einem Seeunglück ausgegangen sind. Da konnten
wir keine teuren, umfangreichen Untersuchungen in Auftrag geben.«

»Und Sie sagen, dieses Blut wurde auf dem Sofa entdeckt?«
Dóra hatte keine Lust, über Dinge zu diskutieren, die sich
nicht mehr ändern ließen. Es war unerheblich, was gewesen wäre, wenn die Yacht direkt als Mordschauplatz untersucht worden
wäre. Jedes Mal, wenn etwas Neues ans Licht kam, wuchs ihre
Irritation. Sie war sich noch nicht mal sicher, ob überhaupt ein
Mord begangen worden war – und der Polizei ging es anscheinend genauso.

»Ich kann mich nicht erinnern, Blut daran gesehen zu haben.
Eigentlich habe ich nirgendwo auch nur einen Blutfleck gesehen«, sagte sie.

»Es war nicht viel Blut, aber genug, um es untersuchen zu
können. Wir haben es erst gesehen, als wir die Yacht mit UV-
Licht gescannt haben. Da haben wir an zwei von vier Kissen
Blutspuren entdeckt. Alles von derselben Person. Lára.«

»Klingt nicht nach lebensbedrohlichem Blutverlust.«

»Schwer zu sagen. Es gab auch Reste einer Blutspur vom Deck
bis ins Wohnzimmer, die weggewischt wurde. Wir wissen nicht,
ob es sich dabei um einen kleinen Unfall oder etwas Schlimmeres
handelte. Ansonsten gab es keine Spuren von größeren Blutmen-
gen auf der Yacht. Wir wissen nicht, ob es überhaupt ein Unfall
war. Vielleicht wurde sie auch geschlagen oder mit einem Messer
verletzt.« Der Polizist ließ sich von seinem Kollegen die Unterlagen geben. »Oder jemand hat auf sie geschossen. Die jüngsten
Informationen lassen die Ereignisse in einem völlig neuen Licht
erscheinen.«

»Sie meinen das mit der Pistole?«, fragte Dóra, obwohl die
Antwort offensichtlich war.

Der jüngere Polizist trat nervös von einem Fuß auf den anderen.

»Haben Sie die inzwischen gefunden?«

»Nein, wir haben alles abgesucht, aber vielleicht haben wir sie übersehen. Ich habe zur Sicherheit eine erneute Suche angeordnet, die gerade stattfindet.«

Die Yacht war zwar groß, dennoch war der Platz begrenzt. Und wenn die Pistole im Meer gelandet war, sah die Sache schlecht aus.

»Gibt es auch Ergebnisse über die Untersuchung des Bluts, das zwischen den Tanks gefunden wurde?«

»Ja, es ist von Halldór. Der Vergleich war einfacher, weil wir seine Leiche haben.«

Dóra sprach schnell weiter, damit die Bilder von der Leiche nicht wieder vor ihren Augen abliefen:

»Sie wissen also sicher, dass Halldór und Loftur tot sind und Lára wahrscheinlich etwas Schlimmes zugestoßen ist, aber das Schicksal von Þráinn, Ægir und den Zwillingen ist noch unklar?«

»Ja, so sieht es aus.«

Der junge Polizist nickte, wie um die Antwort seines Vorgesetzten zu unterstreichen.

»Und falls etwas Illegales im Spiel ist, kommen nicht viele in Frage?«

»Nein«, sagte der Polizist und sah sie scharf an, »und einer davon ist Ægir.«

Der Gesichtsausdruck des jüngeren Mannes verhärtete sich ebenfalls, als sei er da, um das Gespräch pantomimisch zu begleiten. Dóra lächelte ihm zu und überlegte, ob sich Bella für eine solche Rolle trainieren ließe. Sie könnte bestimmt wesentlich effektvollere Mienen aufsetzen als der junge Polizist.

»Ich weiß nicht, ob Sie das wissen, aber wir haben schon ganz am Anfang jeden Winkel der Yacht von einem Drogenspürhund absuchen lassen, ohne etwas zu finden. Wir dachten nämlich, es sei Schmuggel im Spiel, aber das scheint nicht der Fall zu sein. Die Drogenpolizei in Portugal hat auch keine Hinweise darauf. Daher haben wir diese Möglichkeit ausgeschlossen. Wobei es durchaus sein kann, dass der Stoff auf der Yacht so gut verpackt war, dass der Spürhund ihn später nicht mehr lokalisieren konnte. Aber wer hätte ihn von Bord schaffen sollen? Falls es so war, ist jedenfalls klar, wo das Zeug runtergeschafft wurde. An der Küste von Grótta. Und da waren wahrscheinlich Komplizen, die den Stoff und den Schmuggler in Empfang genommen haben.«

»Haben Sie untersucht, ob ein blinder Passagier an Bord gewesen sein könnte?«

Dóra kam die Frage fast kindisch vor, aber sie musste sie trotzdem stellen. Die Wahrscheinlichkeit, dass Ægir oder Lára in Verdacht gerieten, erhöhte sich mit jedem neuen Opfer, und falls der Kapitän auch noch an Land gespült wurde, sah es finster aus.

»Wir haben ziemlich viele Fingerabdrücke genommen, ohne dass etwas Besonderes dabei herausgekommen wäre. Da haben sich über Jahre hinweg Fingerabdrücke angesammelt, jedenfalls an den Stellen, wo nicht regelmäßig geputzt wurde. In den Aufenthaltsräumen, im Wohnzimmer, in der Küche und sogar auf der Brücke waren überraschend wenige Fingerabdrücke. Gut möglich, dass jemand sie sorgfältig weggewischt hat. Oder dort wurde so gut geputzt«, antwortete der Polizist und rieb sich konzentriert das Kinn. »Das, was wir gefunden haben, ist, wie ich schon sagte, verwirrend. Außerdem wissen wir nicht, ob wir von Ægir, Lára und den Zwillingen die richtigen Fingerabdrücke haben. Sie sind nie mit dem Gesetz in Konflikt geraten und nicht polizeilich registriert. Wir müssen uns ihre Fingerabdrücke noch in ihrem Haus beschaffen. Lofturs und Halldórs Fingerabdrücke haben wir ja schon von den Leichen. Sie waren zwar schlimm zugerichtet, aber die Techniker haben es irgendwie geschafft.«

»Was ist mit dem Kapitän? Haben Sie dessen Abdrücke?«

»Ja, er wurde vor gut zehn Jahren bei einer Schlägerei festgenommen. Nichts Dramatisches, aber genug, um ihn festzunehmen.«

»Und sonst ist Ihnen nichts Besonderes aufgefallen?«, fragte Dóra.

»Nicht direkt. Wir haben an sehr vielen Stellen zwei Paar Fingerabdrücke gefunden, die wir nicht identifizieren konnten. Sie stammen wahrscheinlich von Frauen, aber das heißt nichts. Sie können durchaus aus der Zeit stammen, bevor die Yacht versiegelt wurde.«

»Könnten die nicht von Karítas oder ihrer Assistentin Aldís sein?«

»Schwer zu sagen. Karítas' und Aldís' Fingerabdrücke sind nicht registriert, aber wir wissen, dass sie ungefähr zur selben Zeit in Lissabon waren. Vielleicht versuchen wir, uns ihre Fingerabdrücke bei ihnen zu Hause als Vergleich zu beschaffen, aber zum jetzigen Zeitpunkt möchten wir ihre Familien nicht unnötig beunruhigen. Nichts weist darauf hin, dass die beiden Frauen etwas mit dem Fall zu tun haben. Oder sind Sie da anderer Meinung?«

»Nein«, sagte Dóra und schüttelte den Kopf. »Haben Sie denn überprüft, ob Karítas und ihre Assistentin Lissabon verlassen haben? Haben Sie die Flüge gecheckt?«

Der Polizist schaute sie mit seinen merkwürdigen grünen Augen an und sog Speichel zwischen den Schneidezähnen ein. Der jüngere Mann machte nur eine tiefgründige Miene, als dächte er darüber nach, ob es richtig sei, die Fragen dieser Anwältin zu beantworten.

»Ja, haben wir. Um auszuschließen, dass eine von ihnen die Tote ist, die der Kapitän gemeldet hat.«

»Und?«

»Aldís ist am selben Tag, als die Yacht abgelegt hat, nach Frankfurt geflogen, aber Karítas scheint die Stadt nicht verlassen zu haben, zumindest nicht mit dem Flugzeug«, sagte er und schnalzte. »Das schließt natürlich andere Transportmittel nicht aus. Sie könnte mit dem Zug oder dem Auto gefahren sein. Oder sogar mit einem Schiff. Oder unter einem anderen Namen geflogen sein, sie befand sich ja im Bereich des Schengener Abkommens. Ich weiß nicht, wie Leute wie Karítas leben, vielleicht hatte sie verschiedene Pässe. Aber wo auch immer sie ist und wie sie dahin gekommen ist, sie ist jedenfalls nicht in Lissabon. Ihre Mutter sagt, sie stünde mit ihr in Kontakt, wenn auch nur sporadisch, und behauptet, sie sei in Brasilien. Ich weiß nicht, was ich davon halten soll. Letzten Monat ist niemand mit ihrem Namen nach Brasilien geflogen, das haben wir überprüft. Und um dahin zu kommen, braucht man einen Pass. Ihre Mutter meint, sie hätte keine ausländische Staatsbürgerschaft und besäße nur einen isländischen Pass. Aber wie gesagt, solange ihre Mutter behauptet, Karítas sei am Leben, können wir nicht viel machen.«

Dóra lehnte sich auf ihrem Stuhl zurück. Jetzt war sie endgültig davon überzeugt, dass die Tote an Bord Karítas war. Im Grunde war sie erleichtert, doch andererseits brachte das neue Fragen auf: Wer hatte sie getötet und warum? Hatte Ægir etwas damit zu tun?

»Ist das dieselbe Schrift?«, fragte Dóra und drehte die beiden Blätter in Matthias' Richtung.

»Ich würde sagen, nein, aber das eine ist nur eine Unterschrift und das andere ein kurzer Text. Seinen Namen schreibt man anders als andere Texte«, sagte Matthias und musterte die Blätter genauer. »Aber das ist so unterschiedlich, dass es kaum dieselbe Handschrift sein kann. Wenn ich raten sollte, würde ich sagen, das ist von einer Frau und das von einem Mann.«

Er schob die Blätter zu ihr herüber. Genau das wollte Dóra hören. Das eine war die letzte Seite des Versicherungsvertrags mit Ægirs Unterschrift und das andere der Zettel mit Karítas' Namen und Telefonnummer.

»Sehe ich auch so. Aber welche Frau hat das für Ægir aufgeschrieben? Vielleicht Karítas selbst?«

»Muss nicht sein«, antwortete Matthias gähnend. Er hatte
früh aufgehört zu arbeiten und war auf gut Glück bei Dóra in
der Kanzlei vorbeigekommen. Anstatt es ihm gleichzutun, hatte
sie ihn in ihr Büro geschleift, um seine Meinung über diverse
Unklarheiten zu hören.

»Das könnte doch wer weiß wer geschrieben haben.«

»Wer denn?« Dóra betrachtete den Zettel, als erwarte sie, dass
ihr die Schreiberin darauf erscheinen würde. »Man bekommt die
Telefonnummern von Prominenten nicht von wer weiß wem. Karítas lebt im Ausland, steht nicht im Telefonbuch und hat, laut
Bella, in Island nicht viele Freunde.«

Matthias zuckte teilnahmslos mit den Schultern.

»Keine Ahnung. Vielleicht war es ihre Mutter. Hast du nicht
gesagt, dass die hier wohnt?«

»Nein, das kann nicht sein. Die Idee hatte ich auch und habe
sie eben angerufen. Sie sagt, sie hätte weder Ægir noch sonst
jemandem Karítas' Nummer gegeben. Da war sie sich hundertprozentig sicher.«

»Warum ist das denn so wichtig?«, fragte Matthias gelangweilt. »Was bringt es dir, wenn du weißt, wer das geschrieben
hat?«

»Ich weiß auch nicht, mir wäre es am liebsten, wenn Karítas
und Ægir sich nicht gekannt und nie miteinander geredet hätten.
Alles andere könnte verdächtig sein.«

»Warum denn? Er hatte doch beruflich mit der Yacht zu tun,
oder? Wäre doch ganz normal, wenn er mit den Vorbesitzern
geredet hätte. Vielleicht ist dieser Zettel aus der Zeit, als der
Auflösungsausschuss aktiv wurde, und er wollte ihr die Möglichkeit geben, ihre Schulden zu begleichen.«

»Sie besaß keine Anteile an der Yacht. Es wäre sehr ungewöhnlich, wenn er sich deswegen an sie gewandt hätte.«

»Du meinst, sie hat ihn kontaktiert? Um ihn zu beeinflussen?«

»Ich weiß es nicht«, antwortete Dóra und versuchte zu ignorieren, dass Matthias so schnell wie möglich rauswollte. »Vielleicht hat Fannar was rausgekriegt. Ich habe ihn gebeten, es abzuchecken, und er wollte mir Bescheid geben. Würdest du fünf Minuten warten, während ich ihn kurz anrufe? Danach habe ich frei.«

Matthias wollte erst protestieren, gab ihr dann aber fünf Minuten. Keine sechs, keine zehn, sondern fünf. Er stand auf und sagte, er werde im Flur auf sie warten.

Dóra war froh, dass sie Fannar an den Apparat bekam. Zum Glück wusste er direkt, worum es ging, und sagte, er hätte sie auch schon anrufen wollen. Es sei nämlich so, dass die Sekretärin die Nummer aufgeschrieben und Ægir gegeben hätte, nachdem Karítas angerufen und sich erkundigt hätte, wer bei ihnen für die Yacht zuständig sei. Als die Sekretärin ihr das zuerst nicht sagen wollte, fing Karítas an zu jammern und sagte, sie müsse unbedingt noch mal an Bord, um ein paar Dinge zu holen, die sie versehentlich zurückgelassen hätte. Da Ægir nicht im Haus war, sagte die Frau, sie würde es ausrichten, nannte Karítas aber nicht seinen Namen. Ægir war überrascht, als sie ihm den Zettel später gab, und die Sekretärin war sich sicher, dass die beiden miteinander telefoniert hatten. Eine Woche später rief Karítas nämlich wieder an und fragte nach Ægir. Als die Sekretärin ihn später darauf ansprach, lief er rot an, behauptete aber, keinen Kontakt mit Karítas gehabt zu haben. Danach war Ægir noch zwei- oder dreimal aus dem Ausland angerufen worden, aber die Gespräche waren immer bei ihr gelandet, weil er nicht rangegangen war. Sie sollte keine Nachricht hinterlassen, daher wusste sie nicht, worum es ging. Sie erinnerte sich aber noch genau, dass Ægir jedes Mal seltsam reagiert hatte, wenn sie ihn von diesen Telefonanrufen unterrichtete.

Nach dem Gespräch mit Fannar stand Dóra endlich auf, froh, früh nach Hause zu kommen, und gleichzeitig enttäuscht, nicht weitermachen zu können. Das war schon wieder eine schlechte

Neuigkeit, zumal sie davon überzeugt war, dass es sich bei der geheimnisvollen Leiche an Bord um Karítas handelte und sie in Lissabon gestorben war – zur selben Zeit, als Ægir und seine Familie dort herumspaziert waren.

Aber sie war erleichtert, die fünf Minuten, die Matthias ihr gewährt hatte, nicht überschritten zu haben.

27. KAPITEL

Der Himmel verwischte den weißen Streifen, den das Flugzeug hinterlassen hatte. Obwohl es in großer Höhe flog, konnte man seine Flügel und groben Umrisse erkennen, oder vielleicht füllte die Phantasie auch nur die Lücken aus. An Bord des Flugzeugs waren gewiss jede Menge Leute mit unterschiedlichen Anliegen, privater oder beruflicher Art. Ægir beneidete jeden einzelnen Passagier. Diese Leute befanden sich im Vergleich zu der Hölle auf der Yacht im Paradies. Ægir schirmte die Augen vor der Sonne ab, als die Maschine über sie hinwegflog und in der Ferne verschwand. Es war furchtbar, zu sehen, wie sie sich entfernte, und zu spüren, wie die lächerliche Hoffnung auf Rettung nach und nach schwand. Zurück blieben merkwürdige Gedanken über die Flugpassagiere, wer sich wohl in der Maschine befand und ob die Leute womöglich etwas ähnlich Schreckliches erlebten wie Ægir auf der Yacht. Wohl kaum. Er ließ die Hand sinken und wandte seinen Blick vom Himmelsgewölbe ab.

»Papa!«

Bylgja zupfte immer wieder am Ärmel seines Pullovers. Ægir wusste nicht, wie lange sie das schon machte, aber angesichts ihrer Ungeduld wohl schon eine ganze Weile. Er schaute sie an, und seine trockenen Augen brannten bei der Bewegung. Noch nie in seinem ganzen Leben war er körperlich und seelisch so erschöpft gewesen.

»Papa, du hast Blut an den Lippen!«

Ægir leckte sich über die aufgerissenen Lippen und spürte einen starken Eisengeschmack. Er hatte lange nichts mehr getrunken, kein Wunder, dass er so trockene Lippen hatte. Aber das lag nicht an fehlenden Getränken, im Gegenteil, er hatte einen Vorrat an Softdrinks und Wasser mit in die Kabine genommen, als er mit den Mädchen nach unten gegangen und hinter ihnen abgeschlossen hatte. Er war einfach nicht durstig oder hungrig. Für solche Bedürfnisse blieb kein Platz, wenn sich das Herz in einem bis zum Anschlag angezogenen Schraubstock befand. Und dann auch noch diese Müdigkeit. Wie lange war er eigentlich schon wach? Er wusste es nicht. Es spielte keine Rolle. Wenn die Mädchen nicht gewesen wären, hätte er sich von Bord fallen lassen und wäre eins geworden mit dem Meer. Doch wegen ihnen konnte er sich das nicht erlauben. Er musste wach bleiben. Er musste dafür sorgen, dass sie heil nach Hause kamen. Und er würde wach bleiben. Deshalb standen sie an Deck und badeten sich in den letzten Sonnenstrahlen des Tages.

Bei der abgestandenen Luft in der Kabine war Ægir so schläfrig geworden, dass er kurz an Deck frische Luft schnappen wollte. Er sog die Meeresluft tief ein und schloss die Augen. Nebel kroch in seinen Kopf, und es war, als würde ein Vorhang zugezogen vor all die schrecklichen, drängenden Gedanken, die ihn nicht in Ruhe ließen.

»Papa, Papa, du darfst nicht schlafen.«

Ægir konnte nicht sagen, ob es Bylgjas oder Arnas Stimme war.

»Papa!«

Er zuckte zusammen und riss die Augen auf. Die frische Luft hätte genau den gegenteiligen Einfluss haben sollen: ihn wach zu machen und zu erfrischen.

»Ich bin wach«, sagte er.

So ging das nicht. Er musste einen Weg finden, um sich gegen den verführerischen Schlaf zu wappnen. Wenn er Halli oder Þráinn trauen könnte, hätte er nachgeschaut, ob es im Medikamentenschrank etwas Aufputschendes für Notfälle gab. So wie jetzt. Doch das waren nur seine wirren Gedanken – wenn er einem der beiden trauen könnte, müsste er die Mädchen nicht bewachen, und sie könnten abwechselnd schlafen.

»Gehen wir rein, das reicht«, sagte er.

»Müssen wir wieder runter?«, fragte Arna mit einer unbeschreiblichen Furcht im Gesicht. »Und was ist, wenn das Schiff sinkt?«

»Es sinkt nicht.« Ægir war zu müde, um sanft oder verständnisvoll zu sein. Es tat ihm unendlich leid, denn er wusste, dass sie ihn als Vater und nicht nur als Leibwächter brauchten. Aber er konnte nicht beide Aufgaben erfüllen. Eher traute er sich zu, ewig wach zu bleiben, als seinen Gefühlen freien Lauf zu lassen.

»Gehen wir. Wir können uns einen Film anschauen.«

»Wir haben schon alle Filme gesehen, die nicht verboten sind«, sagte Bylgja mit einem Schluchzen in der Kehle, und Ægir wusste, dass ihre Verzweiflung nichts mit der begrenzten Filmauswahl zu tun hatte. Aber es war noch nicht an der Zeit, mit den Mädchen über den Verlust ihrer Mutter zu sprechen, er musste eine gute Gelegenheit abpassen, die richtigen Worte wählen und sie zu Sätzen zusammenfügen, die ihre Trauer lindern konnten. Noch überstieg das seine Kräfte. Er hatte ihnen erklärt, dass ihre Mutter an dem Schuss gestorben sei und dass sie ganz tapfer sein müssten. Er hatte ihnen klargemacht, dass sie ausharren mussten, bis sie an Land wären, und dann würden sie gemeinsam die Trauer und die Zukunft meistern, ohne Mama. Mehr konnte er im Moment nicht tun. Tränen waren über die zierlichen Wangen der Mädchen geströmt, aber dennoch hatten sie unglaubliche Haltung bewiesen, mehr, als in ihrem Alter eigentlich möglich war. Zweifellos spürten sie, wie viel auf dem Spiel stand.

»Ich will keine verbotenen Filme sehen«, sagte Bylgja und unterdrückte einen Schluchzer.

»Dann gucken wir eben noch mal die schönsten Filme, die wir dabei haben.«

Ægir schaute sich um und hatte plötzlich Angst, nach unten zu gehen. Er hatte Þráinn und Halli auf dem Weg nach oben nicht gesehen, auch nicht während der kurzen Zeit, die sie auf dem unteren Deck standen, in einer Ecke, damit niemand sie von hinten überraschen konnte. Die Yacht fuhr mit voller Fahrt, trotzdem war unklar, ob sich jemand auf der Brücke befand. Die beiden Männer konnten überall sein, und wenn sie ihnen etwas antun wollten, wären sie auf dem Weg nach unten leichte Beute. Ægir bereute es zutiefst, dass er so dumm gewesen war, die Kabine zu verlassen. Seine Müdigkeit hatte sogar noch zugenommen.

»Können wir nicht was anderes machen? Wenn ich einen Film zum zweiten Mal angucke, fange ich an zu denken. Ich will nicht denken«, erwiderte Bylgja und blickte ihren Vater an. Er konnte es ihr nicht verdenken. Ihm ging es genauso.

»Wollt ihr malen?«, fragte er. Wenn sie das nicht wollten, wusste er nicht, was er noch vorschlagen sollte. Seine Lider sanken schon wieder nach unten.

»Ja, ja«, sagte Bylgja, schob ihre Hand in seine und drückte sie. »Nicht schlafen, Papa.«

»Die Malbücher sind nicht in der Kabine«, sagte Arna und nahm Ægirs andere Hand. Er drückte sie, in der Hoffnung, dass die Mädchen alles spürten, was er ihnen sagen wollte. Oder auch nur merkten, dass er so viel mehr sagen wollte, als er konnte.

»Wo sind sie denn?«, fragte er.

»Im Wohnzimmer.« Arna verstummte und starrte ihren Vater an. »Da, wo Mama ist.« Ihre Finger zitterten in seiner Hand. »Ich möchte sie sehen. Ihr einen Abschiedskuss geben. Bylgja auch.«

Die Mädchen schauten ihn mit traurigen Gesichtern an, und Ægir meinte, Angst darin zu erkennen. Was unter diesen Umständen nichts Ungewöhnliches war, aber es beunruhigte ihn, dass sie anscheinend vor ihm Angst hatten. Er musste wie ein Irrer aussehen.

»Wir können da nicht rein«, sagte er, ohne darüber nachzudenken. »Das geht nicht. Und Mama ist nicht mehr da.«

»Wo ist sie denn?«

Bylgja sah ihn an, und die Tränen kehrten zurück, groß und schwer. Ægir öffnete den Mund, konnte aber nichts sagen. Er wusste nicht, wohin die Männer die Leiche gebracht hatten, falls sie nicht mehr an der Stelle war, wo Lára gestorben war. Er wusste noch nicht einmal, was sie mit Lofturs Leiche gemacht hatten. Ihm schwindelte bei der Vorstellung, dass sie irgendwo nebeneinander lagen, Lára und Loftur.

»Wird sie ins Meer geworfen, Papa? Wie die Frau, die wir fallen gesehen haben?«

»Nein.«

Er fühlte sich, als seien seine Eingeweide eingetrocknet und bildeten Risse. Bald würde er innerlich zerfallen und zu Nichts werden. Er freute sich darauf.

»Wenn sie vom Schiff geworfen werden soll, wollen wir ihr einen Kuss geben, Papa. Sonst können wir sie nie wieder küssen«, sagte Bylgja. Die Tränen rannen lautlos über ihre Wangen, und ihr ganzes Gesicht glänzte.

»Gehen wir.«

Es war, als hätten ihre Worte, dass Lára über Bord geworfen würde, Ægir aufgerüttelt, und plötzlich war seine Müdigkeit wie weggeblasen. Was hatte er nur gedacht? Wo war eigentlich die Pistole? Wollte er diesen Verrückten etwa die Leiche seiner Frau überlassen? Nein!

»Und wenn die Männer kommen, Papa?« Arna zögerte, aber Ægir achtete nicht darauf und zog sie mit sich. »Du hast gesagt, wir sollen uns vor ihnen verstecken.«

Auch sie hatte angefangen zu weinen, aber nicht so leise wie ihre Schwester. In ihrem Inneren kämpften die Angst um das eigene Leben und das Verlangen, die Mutter noch ein letztes Mal zu sehen.

»Es wird alles gut, das verspreche ich euch.«

Ægir musste ihre Hände loslassen, als er die Tür zum Deck öffnete. Er schob die Mädchen hinein und schloss die Tür leise hinter sich. Dann legte er den Zeigefinger auf seine Lippen. Die Angst in ihren Gesichtern war so erschütternd, dass er am liebsten losgerannt, Halli und Þráinn gesucht und mit bloßen Händen erdrosselt hätte. Scheißegal, ob einer von ihnen unschuldig war. Oder beide. Sie hatten es nicht mehr geschafft, den untersten Teil der Yacht zu durchsuchen, so dass durchaus ein blinder Passagier an Bord sein konnte. Vorsichtig stiegen sie die beiden Stockwerke zum Wohnzimmer hinauf. An der Tür zögerte Ægir, denn er wollte nicht hineinplatzen, ohne zu wissen, welcher Anblick sich ihm bieten würde. Der einzige Weg, das herauszufinden, war, an Deck zu gehen und durch die Fenster ins Wohnzimmer zu spähen. Doch draußen war es noch hell, so dass sie leicht von drinnen zu sehen wären. Ægir schob die Mädchen hinter sich und löste den Riegel an der Tür. Dann öffnete er sie langsam, ohne ein Wort zu sagen, und steckte den Kopf durch die Öffnung. Er rechnete mit allem.

Doch diese Sicherheitsvorkehrung entpuppte sich als unnötig. Im Wohnzimmer war kein Mensch, und das Sofa war leer. Lára war verschwunden, mitsamt der Decke, auf der sie gelegen hatte.

»Wo ist Mama?«, flüsterte Bylgja, doch in der Stille klang es wie ein Kreischen.

»Ich weiß es nicht, mein Schatz. Wir finden sie.«

Ægirs Augen brannten, und als er sie rieb, merkte er, dass sie vom langen Wachsein geschwollen waren. Seine harten Bartstoppeln kratzten, als er sich mit der Hand übers Gesicht strich. Er sah also genauso aus, wie er sich fühlte. Ohne die Mädchen anzuschauen, nahm er die Malbücher und Stifte vom Couchtisch und gab sie ihnen.

»Gehen wir.«

Im Wohnzimmer hing ein merkwürdiger, abartiger Geruch, und er wollte verhindern, dass er sich in seiner Nase festsetzte, denn er musste irgendwie mit Láras Tod zusammenhängen. Ægir wollte sich an ihren Geruch als lebendiger Mensch erinnern.

Sie schlichen nicht mehr so wie vorher, denn Ægir wäre den Männern jetzt gerne begegnet. Es widersprach seinen ursprünglichen Plänen, doch der Gedanke an Láras kalten, einsamen Leib raubte ihm das letzte bisschen Verstand, das er noch hatte. Aber was sollte er machen, wenn er erfuhr, wo sie war? Er wusste es nicht, wusste nur, dass er sie nicht in Þráinns und Hallis Gewalt lassen würde.

Als sie auf die Brücke zugingen, gab Ægir den Mädchen ein Zeichen, stehen zu bleiben. Dann trat er an die Tür und lauschte. Alles war still, vielleicht war die Tür so gut isoliert, vielleicht befand sich auch niemand im Raum. Er richtete sich wieder auf und bedeutete den Mädchen, die wie angewurzelt dastanden und sich an ihren Malbüchern festklammerten, zu ihm zu kommen. Dann schob er sie wie eben hinter sich.

Auf der Brücke saßen Halli und Þráinn einander gegenüber und starrten sich schweigend in die Augen.

»Wo ist Lára?«

Die Männer unterbrachen ihren Augenkontakt, und Ægir erschrak, als er Þráinns Gesicht sah. Mit den weißen Bartstoppeln sah er aus wie um Jahrzehnte gealtert, und um die blutunterlaufenen Augen mit den dunklen Ringen hätte ihn jeder Zombie beneidet. Halli sah auch nicht viel besser aus. Sein gefärbtes Haar klebte an seinem Kopf, und sein Gesicht war aufgedunsen.

»Was?«, krächzte Halli. Seine heisere Stimme ließ darauf schließen, dass er lange nicht mehr gesprochen hatte.

»Wo ist Lára? Wo ist die Pistole?«

»Findest du es schlau, sie an dich zu nehmen? Sie hat schon genug Schaden angerichtet«, sagte Þráinn mit Reibeisenstimme. Es waren keine Gläser zu sehen, und die Männer hatten wahrscheinlich eine Ewigkeit mit trockenen Kehlen dagesessen. Keiner traute dem anderen genug, um ihn aufstehen und Wasser holen zu lassen.

»Mach dir darüber mal keine Gedanken. Für schlaue Sprüche

ist es jetzt zu spät. Es ist deine Schuld, dass Lára die Pistole hatte«, entgegnete Ægir.

Der Kapitän reagierte nicht auf seinen Vorwurf.

»Aber wenn du es wissen willst, ich werfe die Pistole ins Meer. Ich will sie nicht haben, und ich will auch nicht, dass ihr sie habt.«

Als Ægir das gesagt hatte, merkte er, dass es ein Fehler gewesen war. Er hätte die Männer besser in dem Glauben gelassen, er trage die Waffe bei sich. Vor Müdigkeit konnte er nicht mehr logisch denken, konnte im Grunde keinen einzigen Gedanken fassen und wusste nicht, wie er seine Worte auf überzeugende Weise zurücknehmen sollte.

»Sie ist in der obersten Schublade.« Þráinn zeigte auf den Tisch mit den Messinstrumenten und Steuergeräten vor der Frontscheibe. »Von mir aus kannst du sie über Bord werfen.«

»Warum?«, rief Halli. Er wollte aufstehen und zu der Schublade gehen, war aber so steif, dass er nicht richtig vom Stuhl hochkam. »Ich sage euch, hier ist noch jemand an Bord. Und dann ist es ein Vorteil, eine Waffe zu haben. Seid ihr völlig wahnsinnig?«

Ægir ging zu der Schublade und zog sie auf. Er ging nicht auf Halli ein, und Þráinn machte auch keine Anstalten, etwas zu sagen. Ganz oben in der Schublade lag ein Gegenstand, der in ein Küchenhandtuch eingewickelt war. Während Ægir es aufschlug, sagte Halli:

»Und was ist mit der Polizei? Die wollen die Pistole bestimmt haben, wenn wir an Land sind.«

Seine Stimme wurde bei jedem Wort schriller.

»Falls wir jemals an Land kommen«, sagte Þráinn. Er hustete und strich sich über die Stirn. Wenn er sich so ähnlich fühlte wie Ægir, musste er unerträgliche Kopfschmerzen haben.

Ægir wickelte die Pistole wieder in das Küchenhandtuch und nahm sie aus der Schublade.

»Wo ist meine Frau?«, fragte er.

»Unten im Maschinenraum«, antwortete Þráinn und warf einen Blick auf die Mädchen. Ægir hatte den Eindruck, dass sein Gesicht weicher wurde. Die Mädchen umkrallten immer noch ihre Malbücher und verfolgten mit großen Augen und verschreckten Gesichtern das Gespräch. Bylgjas Brille war auf ihre Nasenspitze gerutscht, aber sie ließ ihr Malbuch nicht los, um sie wieder hochzuschieben.

»Ich bin mir nicht sicher, ob ihr dahingehen solltet. Wenn alles gutgeht, sind wir in vierundzwanzig Stunden in Island, dann habt ihr noch genug Zeit dafür«, fügte Þráinn hinzu.

»Du gehst da nicht runter«, krächzte Halli immer noch erregt. »Was willst du machen, wenn du dem Kerl begegnest? Was dann? Und du willst die Mädchen ja wohl nicht mitnehmen.«

Arna und Bylgja sahen noch verschreckter aus, und Ægir musste eingreifen, bevor Halli sie zu Tode ängstigte. Es reichte.

»Das geht dich überhaupt nichts an«, sagte er, ging zu seinen Töchtern und verstellte ihnen die Sicht, merkte aber, wie sie die Hälse reckten, um etwas sehen zu können. »Ich gehe jetzt, und wir sehen uns hoffentlich erst in Reykjavík wieder. Oder besser nie mehr.«

»Sollten wir nicht wenigstens versuchen, miteinander zu reden?«, sagte Þráinn und rieb sich immer noch die Stirn. Seine Augen hatten sich zu Schlitzen verengt. »Wenn wir so weitermachen, steuern wir alle auf eine Katastrophe zu. Können wir uns nicht abwechselnd hinlegen? Zwei bleiben wach und behalten sich gegenseitig im Auge. Sonst passiert etwas noch Furchtbareres.«

»Nein.« Ægir schob die Mädchen zur Tür. Er musste raus, bevor er auf diesen Vorschlag hereinfiel, der in seinen müden Ohren so verlockend klang. »Ich kümmere mich nur um meine Töchter. Ihr könnt sehen, was ihr macht.«

»Aber das ist der einzig Weg, Ægir.« Þráinn streckte die Hand aus, als wolle er Ægir festhalten und zwingen, dazubleiben. »Der einzige Weg.«

»Hör ihn dir doch an!« Halli war endlich vom Stuhl aufgestanden und stand wankend da, obwohl kein Wellengang war.

»Das ist keiner von uns, das versuche ich dir doch schon die ganze Zeit zu sagen.«

»Dann könnt ihr ja gut zu zweit hierbleiben. Schlaft einfach abwechselnd, ihr braucht mich eh nicht.« Ægir öffnete die Tür und schob die Mädchen hinaus. »Ich traue euch nicht, keinem von euch.«

»Ægir.«

Þráinn rief nicht und erhob noch nicht einmal die Stimme, obwohl er wusste, dass er vermutlich keine weitere Gelegenheit mehr bekäme, mit ihm zu reden. Er klang resigniert und hoffnungslos. Und dieser Ton berührte etwas in Ægir, so dass er, schon halb durch die Tür, stehenblieb.

»Ich habe den Notknopf gedrückt, aber es ist nichts passiert. Die Verbindung wurde gekappt, und ich kann sie nicht reparieren. Die Rettungsboje ist auch kaputt, aber das große Funkgerät ist auf Notkanal eingestellt. Du kannst versuchen durchzukommen. Ich habe es nicht geschafft.« Der Kapitän verstummte, um seine heisere Stimme zu schonen. Dann räusperte er sich und brachte noch einen Satz heraus:

»Pass auf die Mädchen auf.«

Ægir ließ die Tür ins Schloss fallen, und dann gingen sie hintereinander her, ohne sich um den Riegel zu scheren. Auf dem Weg schleuderte er die Pistole und das Küchenhandtuch ohne jegliches Bedauern ins Wasser. Er dachte noch nicht einmal darüber nach, ob das die richtige Entscheidung war.

»Sind Halli und der Kapitän böse?«, fragte Arna und löste eine Hand von ihrem Malbuch, um sich auf der Treppe am Geländer festhalten zu können.

»Ja, ich glaube schon.«

»Ich glaube nicht«, erwiderte Arna und blieb auf der zweituntersten Stufe stehen, »und wenn noch jemand an Bord ist, wie Halli gesagt hat?«

»Halli redet nur dummes Zeug, Arna. Denk nicht daran. Wir schließen uns ein, und alles wird gut.«

»Ich will Mama lieber später sehen. Ich will nicht in den Maschinenraum, wenn da jemand ist.«

»Ich auch nicht«, sagte Bylgja, die ihre Schwester eingeholt hatte und neben ihr stehen geblieben war.

»In Ordnung«, sagte Ægir. Er musste sich eingestehen, dass er erleichtert war. Er hatte Angst, in den engen Maschinenraum hinunterzugehen, solange noch die Möglichkeit bestand, dass sich ein vierter Mann an Bord versteckte. Oder eine Frau. »Wir gehen in die Kabine und ruhen uns ein bisschen aus, essen vielleicht etwas, und dann sehen wir weiter. Wie klingt das?«

Nachdem er sorgfältig hinter ihnen abgeschlossen und jedem Mädchen eine Scheibe Brot und einen Joghurt gegeben hatte, den sie nicht anrührten, setzte sich Ægir und ließ seine Gedanken schweifen. Ein leises Lachen entfuhr ihm, als ihm klarwurde, dass sie schon fast an Land gewesen wären, wenn der Container sich nicht an der Yacht verhakt hätte. Die Mädchen schauten ihn irritiert an, und er verstummte sofort. Er durfte nicht durchdrehen. Ihretwillen. Wenn er sich nur für zehn Minuten hinlegen könnte. Oder für fünf. Mehr brauchte er nicht, um die schlimmste Müdigkeit zu überwinden und für den Rest der Fahrt wach zu bleiben. Er schloss die Augen, und alle Sorgen fielen von ihm ab, der Schlaf nahm ihn sanft auf, traumlos und belebend.

Ægir zuckte zusammen. Er hatte keine Ahnung, wie lange er gedöst hatte. Die Mädchen schliefen angekleidet im Doppelbett, die aufgeschlagenen Malbücher neben sich und überall Malstifte zwischen dem zerknüddelten Bettzeug. Draußen war es stockdunkel, aber das sagte ihm nichts, da es kurz vor Sonnenuntergang gewesen war, als sie nach unten gegangen waren.

Ægir stand auf und dankte Gott dafür, dass nichts passiert war, während er geschlafen hatte. Er war wütend auf sich selbst, weil er nicht aufgepasst hatte, aber dennoch froh, sich ausgeruht zu haben. Er war nicht wirklich ausgeschlafen, hätte sich am liebsten wieder auf den bequemen Sessel gesetzt und weiterge-schlafen. Aber das ging nicht. Er würde nicht immer solches Glück haben. Von oben hörte er Geräusche und überlegte, ob er davon aufgewacht war. Dieser Lärm, der von Deck zu kommen schien, war seltsam, als würde etwas über den Boden geschleift. Dann Stille. Plötzlich hörte er durch das Bullauge, das er geöffnet hatte, um frische Luft hereinzulassen, etwas ins Wasser plat-schen. Er hechtete zum Fenster.

Ægir hatte das Gefühl, als hätte ihm jemand in den Bauch getreten. Auf der beleuchteten Wasseroberfläche wurde ein Mann nach oben gespült, als wolle das Meer ihn zurückgeben. Es war so unwirklich, dass Ægir einen Moment brauchte, um klar zu sehen. Die Leiche schwamm auf dem Bauch, und kurz bevor sie in der Dunkelheit hinter der Yacht verschwand, wurde ihm bewusst, dass er den Oberkörper und das graudurchwirkte Haar kannte. Jetzt war die Yacht ohne Kapitän.

Das Einzige, was Ægir und seine Töchter von dem Mann trennte, der für diese Grausamkeit verantwortlich war, war eine lächerliche Tür aus Holz. Ægirs Herz überschlug sich, denn er wusste jetzt, das Halli hinter dieser Tür wartete.

28. KAPITEL

»Hab ich's nicht gesagt?«

Bella erinnerte Dóra an ihre Mutter, wenn sie als Jugendliche Mist gebaut hatte, weil sie sich nicht an ihren guten Rat gehalten hatte.

»Du hättest auf mich hören sollen! Ich hab das sofort geschnallt.« Die Sekretärin verschränkte die Arme vor ihrem ausladenden Busen. »Ich bin nämlich verdammt gemieft.«

»Gewieft.«

Dóra widerstand der Versuchung, die Augen zu verdrehen. Sie hörte sich Bellas Prahlerei nun schon seit ein paar Minuten an und hatte die Nase voll. Dummerweise hatte sie ihr erzählt, dass Karítas Lissabon wahrscheinlich nicht verlassen hatte, und Bellas fixe Idee über das Schicksal ihrer ehemaligen Schulkameradin war wieder aufgeblüht. Und das Schlimmste war, dass Dóra ihr eigentlich zustimmen musste.

»Das Wort heißt gewieft, nicht gemieft«, sagte sie.

»Ist doch scheißegal.« Bella ließ sich von der Sprachkorrektur überhaupt nicht beeindrucken. »Sie ist tot, hundertprozentig, wie ich gesagt habe. Oder was meinst du? Ist sie etwa auf High Heels über die portugiesische Grenze gestöckelt? No way. Und ich bezweifle, dass sie einen Führerschein hat.«

Dóras Handy klingelte, und sie ging ran, ohne aufs Display zu schauen. Kein Telefonat konnte schlimmer sein als dieses Gelaber. Bella machte einfach weiter, obwohl Dóra ihr überhaupt nicht mehr zuhörte, und redete immer lauter, um den Wettkampf zu gewinnen. Als Dóra das Telefonat beendete, grinste sie breit.

»Was hast du noch mal gesagt, Bella?«

Die Sekretärin warf ihr einen vernichtenden Blick zu und pampte:

»Willst du mich verarschen?«

»Nein, keineswegs. Hast du nicht gesagt, du seist so gewieft und hättest immer gesagt, dass Karítas tot ist? Das stimmt doch, oder?«

»Ja.« Bella ahnte, dass etwas nicht so war, wie es sein sollte. »Warum machst du so ein Gesicht?«

»Das war Karítas' Mutter. Ihre Tochter ist nach Hause gekommen.« Dóra grinste noch breiter. »Aber zurück zu dem, was du gesagt hast. Du hast eine verdammt gute Menschenkenntnis. Mach unbedingt weiter so!«

Bella ließ ihre Arme fallen.

»Soll das ein Witz sein?«

Dóra schüttelte den Kopf.

»Wie ist das denn möglich?«, fragte Bella und zog eine Flappe wie eine Bulldoge.

Dóra hatte selten jemanden gesehen, der über eine gute Neuigkeit so enttäuscht war.

»Das kriege ich schon noch raus. Ich habe ihr gesagt, ich würde mal vorbeikommen. Aber erst muss ich die Polizei informieren, die wollen bestimmt mit Karítas sprechen, und ich bin denen noch was schuldig. Es gibt da ein kleines Informationsdefizit meinerseits«, erklärte sie.

»Und Karítas will sich mit dir treffen?«, fragte Bella perplex. Informationsdefizite gegenüber der Polizei waren ihr offenbar vollkommen egal. »Komisch, wo sie noch nicht mal mit dir auf Facebook befreundet sein wollte. Und dabei hat sie Hunderte von Freunden.«

Darüber hatte sich Dóra auch schon gewundert.

»Ihre Mutter sagt, sie hätte selbst vorgeschlagen, Kontakt mit mir aufzunehmen. Ich weiß auch nicht, warum. Vielleicht braucht sie juristischen Beistand. Dann müsste ich sie enttäuschen, ich kann nicht für sie arbeiten, solange Ægirs Eltern meine Mandanten sind.«

»Ich komme mit! Mit solchen Schlampen kommst du nicht klar.«

»Eine Schlampe ist sie bestimmt nicht«, entgegnete Dóra. Auf sämtlichen Glamourfotos hatte Karítas ziemlich elegant ausgesehen, ein bisschen künstlich, aber bestimmt nicht wie eine Schlampe.

»Das ist deine Meinung. Ich komme mit«, sagte Bella und stürmte in den Flur, um ihren Anorak zu holen.

»Echt? Ich kann mich gar nicht an dich erinnern.«

Karítas musterte Bella und riss dabei ihre großen, blauen Augen auf. Das passte überhaupt nicht zu ihr, und sie sah eher ein bisschen beschränkt aus als wie ein süßes, kleines Mädchen. Sie hatte sich im Wohnzimmer auf dem Sofa drapiert, und da sie es mit ihren langen Beinen komplett ausfüllte, mussten Dóra, Bella und ihre Mutter sich mit Stühlen begnügen.

»Aber du warst nicht mit mir in einer Klasse, oder?«, fragte sie.

»Nee.«

Bella saß kerzengerade auf ihrem Stuhl und versuchte, keineswegs auszusehen wie ein kleines Mädchen. Im Gegenteil. Als Karítas' Mutter sie als alte Schulkameradin vorgestellt hatte, hatte es der Sekretärin tatsächlich die Sprache verschlagen. Es gefiel ihr überhaupt nicht, dass dieses Geheimnis so schnell gelüftet wurde. Doch als Karítas sich nicht an Bella erinnerte, war sie beleidigt.

»Wow!« Karítas lächelte Bella verschwörerisch zu und schien ihre Feindseligkeit nicht zu bemerken. »Voll krass. Warst du denn damals schlank? Nicht so ... du weißt schon?«

Dóra beeilte sich, eine Frage einzuwerfen, damit es nicht zu Handgreiflichkeiten kam: »Wann sind Sie nach Island gekommen?«

»Vor kurzem.«

Da mischte sich Karítas' Mutter ein. Ihre roten Augen waren geschwollen, und ihre Fröhlichkeit übertrieben und schlecht gespielt.

»Ich verstehe gar nicht, wie du so gut aussehen kannst, Schatz, nach der vielen Reiserei. Den ganzen Weg von Brasilien! Wir würden nach einer so langen Reise nicht so gut aussehen, nicht wahr?«, fragte sie Bella, die noch starrer wurde.

»Sind Sie über die USA gekommen?«, fragte Dóra. Sie hatte den Eindruck, dass Karítas merkwürdig auf die Worte ihrer Mutter reagierte, als hätte sie ihr am liebsten die Kristallvase, die auf dem Tisch stand, an den Kopf geworfen.

»Nein.« Sie drehte ihre Finger umeinander, bis sie ein Geflecht aus grellrosa Nagellacktupfern bildeten, die schon ein bisschen angekratzt waren. »Aber ich habe Sie nicht herbestellt, um mit Ihnen über so langweilige Dinge wie Flugreisen zu reden.«

Sie spreizte ihre Finger und legte ihre Hände damenhaft auf das Sofa. Die rosa Farbe biss sich mit der weinroten Polsterung.

»Sie haben doch beruflich mit der Yacht zu tun, oder?«

»Nicht direkt.«

Karítas' Mutter machte ein verdattertes Gesicht, da sie ihrer Tochter das offenbar erzählt hatte.

»Ich arbeite für die Eltern eines Mannes, der von Bord verschwunden ist. Ich habe nur indirekt mit der Yacht zu tun«, sagte Dóra.

»Waren Sie mal an Bord?« Karítas setzte sich auf und zog ihre Beine heran, als Dóra nickte. »Wahnsinn, oder?«

»Mein Anliegen war nicht unbedingt vergnüglich, ich habe mir keine großen Gedanken über die Ausstattung der Yacht gemacht.«

Ein Schatten zog sich über Karítas' Gesicht, und Dóra fühlte sich gezwungen, der guten Stimmung halber die Yacht zu loben.

»Aber sie ist natürlich Wahnsinn«, schwärmte sie. »Total.«

»Ja«, sagte Karítas, die Dóras gespielte Begeisterung zu durchschauen schien. »Sie waren wahrscheinlich vorher noch nie an Bord einer Yacht. Aber glauben Sie mir, die *Lady K* ist wahnsinnig schick.«

Falls Karítas merkte, wie überheblich sie klang, schien es ihr egal zu sein.

»Ich wollte Sie nämlich wegen der Yacht treffen. Die Sache ist die, dass ich mal kurz an Bord müsste. Könnten Sie das für mich arrangieren? Ich möchte die Polizei nicht damit belästigen.«

»Die Polizei könnte ihnen da auch nicht weiterhelfen. Die Untersuchungen an Bord sind beendet, und ich weiß noch nicht mal, ob die Polizei noch die Schlüssel hat. Der Auflösungsausschuss kümmert sich um die Yacht. Sie sollten besser mit denen reden.«

»Das ist viel zu kompliziert.« Tiefrote Flecken bildeten sich auf Karítas' Wangen. »Es wäre am allereinfachsten, wenn Sie mich an Bord lassen könnten. Ich will ja nichts Verbotenes tun oder etwas kaputt machen.«

»Darf ich fragen, warum Sie an Bord wollen?«

»Da sind noch jede Menge persönliche Dinge, die ich zurückhaben will. Kleider und so. Ich hab das nicht mehr geschafft, bevor die Yacht Europa verlassen hat, aber es ist mein gutes Recht. Ich hatte einfach keine Zeit.«

Dóra unterließ es, sie darauf hinzuweisen, dass Island zu Europa gehörte, und sagte:

»Ich dachte, Sie wären nach Portugal gefahren, um genau das zu tun. Ihre persönlichen Dinge von Bord zu holen. Oder ist das ein Missverständnis?«

»Ja, ich meine, nein. Ich wollte es, habe es aber nicht geschafft.«

»Haben Sie es nicht geschafft, die Sachen zu holen, oder nicht geschafft, nach Lissabon zu fahren?«

»Wissen Sie, ich weiß es einfach nicht mehr. Ich reise ja so viel.« Karítas wich Dóras Blick aus. Niemand sagte etwas, und die Worte hingen in der Luft. Die Lüge wurde peinlich deutlich, und am Ende fügte Karítas hinzu: »Wobei, doch, ich war da. Ich bin zur Yacht gegangen, aber sie war schon weg, glaube ich. Ich war jedenfalls nicht an Bord.«

»Nein?« Dóra hatte das Gefühl, sich in einem Erdbebengebiet zu befinden. Wenn sie etwas Unvorsichtiges sagte, liefen sie Gefahr, aus dem Haus geworfen zu werden. »Dann habe ich das wohl missverstanden. Ich habe nämlich die Kleiderschränke durchgesehen und meine, ein Kleid sei herausgenommen worden. Jedenfalls gab es einen leeren Bügel. Ich bin einfach davon ausgegangen, Sie wären dagewesen und hätten es mitgenommen. Ich dachte, die anderen wären Ihnen nicht so wichtig, weil sie aus der Mode sind.«

»Solche Kleider bleiben immer in Mode. Das ist Haute Couture.«

Karítas' Aussprache ließ vermuten, dass der Ausdruck eher aus Akureyri stammte als aus Frankreich.

»Aber ich habe nichts geholt, deshalb wollte ich Sie treffen. Damit Sie mir helfen, an Bord zu kommen. Ich bleibe nicht lange«, sagte sie, als gäbe es nichts Selbstverständlicheres.

»Kann es sein, dass Ihre Assistentin Aldís an Bord war, entweder auf Ihre Anweisung hin oder auf eigene Initiative? Als die Yacht nach Island überführt werden sollte, war das Siegel an der Tür aufgebrochen. Wer das gemacht hat, hatte wahrscheinlich einen Schlüssel, denn es gab keine Anzeichen eines Einbruchs. Und normale Einbrecher hätten ja auch etwas gestohlen. Es gab genug teure Dinge auf der Yacht.«

»Ich weiß nicht, was Aldís gemacht hat. Sie arbeitet nicht mehr für mich.«

»Hast du ihr gekündigt oder konntest du ihr Gehalt nicht

mehr zahlen?«, mischte sich Bella auf einmal in das Gespräch ein, und Dóra war fast ein bisschen erleichtert. Bella war zwar alles zuzutrauen, aber Dóra war froh, sich für einen Moment von diesem unterschwelligen Verhör zu erholen.

Karítas wandte sich zu Bella und sagte:

»Ich kann es mir durchaus leisten, Leute einzustellen.« Sie warf ihre Haare mit einer schnellen Kopfbewegung zurück. »Wenn ihr es unbedingt wissen wollt, ich habe sie gefeuert.«

»Warum?«

Man musste es Bella lassen: Sie kam immer direkt auf den Punkt.

»Warum?« Es war offensichtlich, dass Karítas Bellas Fragenbombardement überhaupt nicht gefiel. »Darum. Sie war faul und hat meine Sachen benutzt.« Sie verstummte und presste die Lippen aufeinander.

»Eine Frage, Karítas«, sagte Dóra freundlich lächelnd. »Kann es sein, dass ein Mann vom Auflösungsausschuss, sein Name ist Ægir, mit Ihnen gesprochen hat? Ihre Telefonnummer wurde in seinen Unterlagen gefunden. Haben Sie ihn vielleicht auch gebeten, Sie an Bord zu lassen?«

»Ægir?« Karítas war eine schlechte Schauspielerin, und allen war klar, dass sie keine Gedächtnislücken hatte. »Doch, der Name kommt mir bekannt vor.«

»Er war mit seiner Familie auf der Yacht. Ich arbeite für seine Eltern. Seine Frau und seine beiden kleinen Töchter sind auch verschollen. Es könnte wichtig sein, wenn Sie mit ihm gesprochen haben. Gut möglich, dass die Polizei Sie dazu befragen wird. Ich weiß, dass sie versucht, Sie zu erreichen.«

»Die Polizei?« Endlich richtete sich Karítas auf dem Sofa auf. »Warum wollen die mit mir reden? Ich habe nichts gemacht.«

»Vielleicht, weil eine tote Frau auf der Yacht war. Genauer gesagt, in der Kühltruhe. Man dachte erst, das wären Sie.«

»Wie kommen die denn darauf? Wovon sprechen Sie eigentlich? Eine Frau in einer Kühltruhe?«

»Da war keine Frau in der Kühltruhe, als ich da war«, warf Karítas' Mutter pikiert ein. »Was ist das denn für ein Unsinn?«

»Ich weiß auch nur, dass die Polizei ermittelt. Ich habe, wie gesagt, nur indirekt damit zu tun. Vielleicht war das auch ein Missverständnis. Aber was sagen Sie zu Ægir? Haben Sie mit ihm gesprochen? Ihn vielleicht in Portugal getroffen? Sie waren wahrscheinlich zur selben Zeit dort.«

Karítas kratzte sich am Hals und hinterließ rote Streifen.

»Nein, ich habe ihn nicht getroffen. Aber ich habe mit ihm telefoniert. Das ist ja wohl kein Verbrechen. Er hat mich sogar angerufen.«

»Ach ja?«, fragte Dóra möglichst freundlich. »War er da schon in Portugal?«

»Nein, hier in Island. Ich habe bei diesem verdammten Auflösungsausschuss angerufen und von der Frau am Empfang erfahren, dass er für die Yacht zuständig ist. Er war nicht da, und ich habe darum gebeten, dass er mich zurückruft, und ihr meine Nummer gegeben. Das hat er gemacht, na und?«

»Und was wollten Sie von ihm?«

»Ich wollte an Bord. Genau wie jetzt. Er hatte die Schlüssel und konnte mich reinlassen.«

»Und was dann? Wollte er Ihnen helfen?«

»Na ja, erst wollte er nichts für mich tun.« Sie warf Dóra einen eingeschnappten Blick zu. »So wie Sie. Aber dann habe ich ihn überredet, und er wollte sich darum kümmern.«

»Was hast du ihm denn im Gegenzug versprochen?«, fragte Bella und schien noch mehr sagen zu wollen – etwas, das bestimmt nicht angemessen wäre. Aber dazu kam es nicht mehr.

»Ich wollte ihm einen Gefallen tun«, sagte Karítas und lief rot an, als sie Bellas Grinsen sah. »Nicht das, was du denkst. Ich wollte ihn dafür bezahlen, gut bezahlen.«

»Nur, um die Kleider zurückzubekommen?«, fragte Dóra. Sie besaß kein einziges Kleidungsstück, das so unverzichtbar war, dass sie jemandem einen Finderlohn dafür bezahlen würde.

»Unter anderem. Ich muss auch noch ein paar andere Dinge holen.« Karítas presste wieder die Lippen zusammen, so fest, dass sie fast verschwanden.

»Und was geschah dann?«

»Er wollte mich vor der Abfahrt in Lissabon treffen. Aber daraus wurde nichts.«

»Warum nicht?« Dóra versuchte schon gar nicht mehr, höflich zu sein.

»Ich bin einfach nicht hingegangen. Es war etwas passiert, und ich brauchte ihn nicht mehr. Dachte ich jedenfalls.« Karítas entblößte ihre Zähne, aber es misslang ihr, es wie ein Lächeln aussehen zu lassen. »Und jetzt hoffe ich, wie gesagt, dass Sie retten können, was noch zu retten ist, und mich an Bord lassen. Besser spät als nie.«

Dóra betrachtete diese schöne Frau, die aussah wie ein Engel, eine glänzende Verpackung um einen miesen Charakter. Die verschwundenen Leute waren ihr gleichgültig und langweilten sie im Grunde nur, selbst die Tatsache, dass auch zwei kleine Mädchen vermisst wurden.

»Ich überlege es mir, wenn ich weiß, was Sie holen wollen. Die Polizei hat die Yacht sowieso schon mit der Lupe durchsucht. Mir ist nicht ganz klar, was dort außer den Kleidern noch so Wichtiges sein sollte«, sagte Dóra.

»Machen Sie sich darüber mal keine Gedanken. Wenn Sie so zögerlich sind, bezahle ich Sie eben dafür, was halten Sie davon?«

»Nichts.« Dóra sah aus dem Augenwinkel, dass Karítas' Mutter über die Antwort erleichtert war. Sie wandte sich ihr zu und fragte:

»Stimmt was nicht?«

Die Frau zuckte zusammen.

»Nein, nein, ich mache mir nur Sorgen wegen des Geldes. Da gibt es ein kleines Problem, verstehen Sie? Zeitlich begrenzt natürlich.« Sie schaute zu ihrer Tochter. »Es ist doch viel besser,

Informationen auszutauschen, als für kleine Gefälligkeiten zu bezahlen. Und sie will ja auch gar keine Bezahlung.«

Sie sah ihre Tochter bittend an und strich sich eine Haarsträhne aus der Stirn. Dabei konnte man sehen, dass der graue Haaransatz seit Dóras und Bellas letztem Besuch weitergediehen war. Karítas war ihrer Mutter keineswegs dankbar für diese Bemerkung und schaute sie feindselig an.

»Ich werde das Haus verkaufen, Mama. Das ist beschlossene Sache. Du musst dir was suchen, bis alles wieder in Ordnung kommt«, sagte sie und wandte sich dann wieder an Dóra. »Kümmern sich Anwälte nicht um Überschreibungen und so was?«

Ihre Mutter sackte auf dem verzierten Stuhl zusammen, der zu einem Lebensstil gehörte, der bald Geschichte sein würde.

»Ich bin keine Immobilienmaklerin«, entgegnete Dóra und sah, wie sich ein Grinsen über Bellas Gesicht zog. Zum ersten Mal seit Menschengedenken schien sie mit ihrer Arbeitgeberin zufrieden zu sein. »Aber ich würde gerne wissen, warum aus dem Treffen mit Ægir nichts geworden ist, wenn Ihnen das so wichtig war.«

»Das habe ich Ihnen doch schon gesagt. Die Umstände hatten sich geändert. Ich brauchte ihn nicht mehr und wollte ihn nicht für etwas bezahlen, das jemand anders für weniger Geld gemacht hat.«

»Jemand anders?«

»Ja, ich kam in Kontakt mit einem Mann aus der Besatzung, den ich flüchtig kannte, und der war wesentlich hilfsbereiter als dieser Ægir. Ich habe die Sache mit ihm besprochen, und er war sofort bereit, mir zu helfen. Aber daraus wurde nichts, weil er einem Kollegen zur Seite stehen musste, der einen dummen Unfall hatte. Deshalb konnte er mich nicht wie verabredet treffen. Aber er hat angerufen und gesagt, er würde sich darum kümmern, sobald sie in Reykjavík wären. Und was sollte ich tun? Es war zu spät, mich mit Ægir zu treffen, weil der Kapitän bereits an Bord übernachtete. Ich war sauer, musste aber so lange warten, bis die *Lady K* in Reykjavík war.« Sie schloss die Augen. »Und jetzt sind alle verschwunden, und ich sitze mit leeren Händen da.«

»Wie hieß dieser Mann?«

Karítas schwieg. Dann fixierte sie Dóra durch ihre stark getuschten Wimpern.

»Ich glaube, er hieß Halli. Er hat früher mal auf der *Lady K* gearbeitet. Ja, er hieß ganz sicher Halli.«

29. KAPITEL

Das Schlimmste für Ægir war, keine Ahnung zu haben, wie weit es noch bis zum Hafen war. Er wusste nicht, wie lange er geschlafen hatte, und erinnerte sich nicht daran, was Þráinn darüber gesagt hatte. Entweder vierundzwanzig Stunden oder ein Tag. Aber was meinte er, wenn er »ein Tag« sagte? Zwölf Stunden? War es denkbar, dass sie nur noch ein paar Stunden vor sich hatten? Ægir verfluchte sich selbst, dass er nicht auf die Uhr geschaut und Þráinn nicht genauer gefragt hatte. Dann hätte er sich ausrechnen können, wie weit die Yacht gefahren war, während er geschlafen hatte, die nächsten Schritte planen und überlegen können, ob es sich lohnte, einfach mit den Mädchen in ein Rettungsboot zu springen. Wahrscheinlich waren die Boote mit Notsendern ausgerüstet, die sich einschalteten, wenn sie zu Wasser gelassen wurden, aber Ægir wusste nicht, wie weit die Signale reichten. Deshalb war das nur sinnvoll, wenn sie nicht mehr weit von Island entfernt waren. Das Meer um sie herum war so endlos, dass es unwahrscheinlich war, dass ihnen Schiffe begegneten, wenn sie noch eine Tagesetappe oder mehr von der Küste entfernt waren.

Doch jetzt war es zu spät, sich den Kopf darüber zu zerbrechen. Þráinn würde keine Antworten mehr geben, und Ægir würde gewiss nicht Halli fragen – das wäre zweifellos seine letzte Frage in diesem Leben. Er lehnte sich zurück und starrte an die Decke. Dann kniff er die Augen zu und ließ die weißen Flecken vor seinen Lidern tanzen. Noch nie hatte er so dringend wissen müssen, was er tun sollte. Und noch nie war er so ratlos gewesen – und allein.

»Papa? Wie viel Uhr ist es?«

Ægir hob den Kopf und schaute zu Arna, die sich die Augen rieb. Sie hatte auf einem Malstift geschlafen, und jetzt klebte Farbe an ihrem Pulli.

»Ich weiß es nicht.« Ægir setzte sich zu ihr auf den Bettrand und nahm den Malstift. Er war blutrot, und ihm wurde übel, als er die Farbe an der Stelle ihres Herzens sah. »Ich glaube, es ist Nacht.«

»Wann sind wir zu Hause? Mir ist schlecht.«

»Hoffentlich bald.« Ægir strich ihr übers Haar, aber die zerzausten Strähnen stellten sich immer wieder auf. »Vielleicht fahren wir mit einem Rettungsboot nach Hause. Was hältst du davon?«

»Ist mir egal. Ich will nur nach Hause«, erwiderte sie und schob seine Hand weg. »Dann müssen wir nicht länger tapfer sein.«

»Das stimmt.«

Ægir verstummte, denn er wusste nicht, was er noch sagen sollte. Es wäre am einfachsten, sie anzulügen und ihr zu sagen, dass sie nichts zu befürchten hätten, dass sie bald wieder in ihrem Haus wären, wo niemand mehr tapfer sein müsste. Aber das stimmte nicht, es war unklar, wann sie in Reykjavík ankämen, und keineswegs sicher, dass die Heimkehr schön wäre, jetzt, da Lára tot war.

»Ihr habt ganz toll durchgehalten, Arna. Viel besser, als ich je gedacht hätte. Aber das ist hoffentlich bald vorbei.«

»Hm.« Arna legte sich wieder hin und starrte auf ihre schlafende Schwester. »Was Sigga Dögg wohl macht?«

»Die schläft bestimmt gerade«, sagte Ægir leise. Es war so schmerzhaft, an seine jüngste Tochter zu denken. Sie würde jetzt ohne Mutter aufwachsen, und Ægir war sich nicht sicher, ob er in der Lage wäre, Láras Rolle zu übernehmen. Er konnte nicht gut trösten, nicht die Haare frisieren, Kleidung oder Geschenke auswählen oder bei den Hausaufgaben helfen. Und er war ein unmöglicher Koch. Er arbeitete zu viel, was sich nicht ändern ließ – wenn er sich weniger engagierte, wäre er bald arbeitslos. Wobei Geld nicht das Problem war. Vielleicht wäre es sogar die beste Lösung, zu kündigen und sich um die Kindererziehung zu kümmern, seinen Töchtern ein guter Vater zu sein. Aber wie lange würde es dauern, bis sich die Leute fragten, wie er sich und seine Familie finanzierte? Ein Jahr? Zwei Jahre? Zehn Jahre? Im Grunde spielte es keine Rolle, aber es würde dazu kommen. Und dann hätte er keine Antwort. Da fiel ihm Láras Lebensversicherung ein, und sein Mund wurde schal. Die würde das Problem lösen. Aber wie würde es sich anfühlen, eine solch riesige Summe auf dem Bankkonto zu sehen? Ægir hatte lange von so viel Geld geträumt, wäre aber nie auf die Idee gekommen, es auf diese Weise zu bekommen. Opfergeld.

»Sigga Dögg weiß nicht, dass Mama tot ist«, sagte Arna und schloss die Augen. »Die hat's gut.«

»Sie wird es erfahren, mein Schatz, sobald wir sie wiedersehen. Aber ich weiß nicht, ob sie es versteht. Sie ist noch so klein.«

»Sie hat's trotzdem gut. Ich wünschte, ich wüsste es nicht.«

»Ich auch.«

Am liebsten hätte er mit dieser Selbsttäuschung gelebt, wenn auch nur für ein paar Tage oder bis sie den Hafen erreichten. Es war unerträglich schwer, sowohl mit der Trauer als auch mit der Ungewissheit klarzukommen. Ægir hatte das Gefühl, dass die Chancen auf einen glücklichen Ausgang viel größer wären, wenn er nur mit der Ungewissheit zu kämpfen hätte. Doch tief im Inneren wusste er, dass das nicht stimmte.

»Können wir an Deck gehen und schauen, ob wir Island sehen?«, fragte Arna.

»Nein«, antwortete er barsch. Er wollte nicht, dass sie mitbekam, dass noch mehr schlimme Dinge passiert waren. »Es ist zu dunkel, man kann nichts sehen.«

»Doch, vielleicht die Lichter. Man sieht die Lichter aus dem Weltraum.«

»Nur bei Großstädten. Reykjavík sieht man ganz bestimmt nicht vom Weltraum aus und auch nicht vom Meer.« Er hatte nicht die Energie, ihr den Einfluss der Krümmung der Erde auf die Sichtweite zu erklären. »Du würdest nur endloses schwarzes Wasser sehen.«

»Vielleicht hat der Kapitän ein Fernglas, das im Dunkeln funktioniert. Wir können zu ihm gehen. Ich glaube, er ist nett.«

»Ja, das ist er bestimmt, aber er hat kein solches Fernglas, das haben nur Soldaten und Militär. Die sind furchtbar teuer, und Seeleute brauchen im Dunkeln nichts zu sehen, sie haben Radar und alle möglichen Geräte, die für sie sehen«, erklärte Ægir. Es war angenehmer, über Ferngläser als über den toten Kapitän zu sprechen. Der Gedanke daran, wie seine Leiche fortgetrieben war, war widerwärtig, und irgendwo in seinem Kopf flüsterte ihm eine Stimme zu, dass er noch gar nicht tot gewesen war, als man ihn über Bord geworfen hatte. Die Stimme wurde immer lauter, obwohl Ægir das eigentlich für ausgeschlossen hielt, denn dann hätte Þráinn doch versucht, das Gesicht nach oben zu drehen. Und selbst, wenn er in unmittelbarer Nähe des Schiffes ertrunken war, na und? Þráinn hatte Lára die Pistole gegeben, und das würde Ægir ihm nie verzeihen. Es hatte zu seinem Entschluss beigetragen, nichts zu unternehmen, als Þráinn in der Dunkelheit verschwunden war. Der Kapitän war schuld an Láras Tod. Auge um Auge, Zahn um Zahn.

»Hast du keinen Durst?«, fragte Ægir.

Arna schüttelte den Kopf und drehte sich auf den Rücken. Sie stierte auf dieselbe Deckenplatte, die Ægir angestarrt hatte – vielleicht fand sie es genauso angenehm wie er, nichts als eine weiße Fläche vor Augen zu haben. Die weckte keine Erinnerungen. Am liebsten hätte er sich neben sie gelegt und es ihr nachgetan. Doch jetzt musste er erst mal über wichtige Dinge nachdenken, zum Beispiel, wie sie sich in der momentanen Situation am besten verhalten sollten. Als er Geräusche von oben hörte, zuckte er zusammen und schaute instinktiv an die Decke. Sie schienen vom selben Deck zu kommen, über das Þráinn geschleift worden war. Unter normalen Umständen hätte dieser harmlose Lärm ihn nicht beunruhigt, doch nun erinnerte er ihn daran, dass Halli noch da war und vermutlich die nächsten Schritte vorbereitete. Und die würden sich gegen ihn und die Mädchen richten.

»Was ist los, Papa?«, fragte Arna. Sie hatte sich zu ihm gedreht, und der Schreck in seinem Gesicht spiegelte sich in ihrem wider.

»Nichts, mein Schatz. Ich bin nur müde.«

»Glaubst du, dass das der böse Mann ist? Der, von dem Halli gesagt hat, dass er an Bord wäre?«

»Nein, es ist kein Fremder an Bord. Das ist bestimmt Halli«, antwortete Ægir. Er musste aufpassen, dass Arna und Bylgja nicht merkten, was mit Þráinn geschehen war. Wenn sie in Panik gerieten, würde alles noch viel, viel schwieriger. Und es war schon schwierig genug.

»Oder Þráinn«, fügte er hinzu.

Auf einmal bereute er es, die Pistole über Bord geworfen zu haben. Sonst hätte er Halli suchen und erschießen können. Die Vorstellung weckte keine Abscheu in ihm, im Gegenteil. Sie war so verlockend, dass er den Ablauf in Gedanken durchspielte, und als er die imaginären Kugeln in Hallis Rücken feuerte, schlich sich ein Lächeln auf seine Lippen. Doch es verschwand schnell wieder, und Ægir zwang sich, die Tagträume zu unterdrücken. Er musste sich konzentrieren.

Bylgja bewegte sich und schlug die Augen auf. Sie wirkte noch schläfrig und blickte auf das aufgeschlagene Malbuch. Arna hielt ihrer Schwester die Brille hin. Daraufhin richtete sie sich auf, gähnte und setzte die Brille auf.

»Ich hab von Mama geträumt«, sagte sie.

»Ich nicht«, sagte Arna gekränkt, als hätte ihre Mutter dadurch ihre Schwester bevorzugt. »Ich hab gar nichts geträumt.«

Ægir versuchte, das Geplapper seiner Töchter zu ignorieren und sich auf die Geräusche von draußen zu konzentrieren. Halli musste sich irgendwann hinlegen, er hatte sich genauso wenig ausgeruht wie Ægir. Vielleicht hatte er geschlafen, als Ægir eingenickt war, aber ein kurzes Nickerchen reichte keineswegs, um die Müdigkeit zu überwinden. Wenn er wüsste, wann Halli vom Schlaf übermannt würde, könnte er aktiv werden und seine Töchter in Sicherheit bringen. Doch dafür bräuchte er eine Idee. Bisher war ihm nur das Rettungsboot eingefallen. Und vielleicht reichte das sogar. Schließlich hatte er keine Zeit, sich alle möglichen Szenarien auszumalen, sie zu analysieren und sich dann für das Richtige zu entscheiden. Abgesehen davon, dass es nicht eine einzig richtige Entscheidung gab.

In diesem Moment wurde die Tür zum Kabinentrakt geöffnet und fiel wieder ins Schloss. Ægir schnappte nach Luft und spürte, wie sein Herzschlag aussetzte. Gab es eine zweite Waffe an Bord, die Halli gefunden hatte? Dann wäre es sinnlos, die Flucht zu planen oder sich eine Verteidigungsstrategie zurechtzulegen.

»Wer ist das, Papa?«, flüsterte Arna ängstlich.

Sie schien zu merken, dass ihr Vater sich von der Person vor der Tür bedroht fühlte. Ægir legte den Zeigefinger auf seine Lippen. Die Augen der Mädchen weiteten sich, und Bylgja presste die Hand auf den Mund, um keinen Schrei auszustoßen. Ægir hätte es ihr fast gleichgetan, denn als er das Ohr an die Tür legte, hörte er, wie die Schritte zu jeder einzelnen Tür gingen und die Klinken heruntergedrückt wurden. Für den Bruchteil einer Sekunde schoss Adrenalin durch seine Adern, als er befürchtete, die Tür nicht abgeschlossen zu haben. Doch als neben ihm die Klinke nach unten schnellte, ging die Tür nicht auf. Sie starrten auf die Türklinke, die einen Moment stillstand und dann erneut, diesmal energischer heruntergedrückt wurde. Keiner sagte etwas oder rührte sich. Es war, als seien sie Schauspieler in einem Film, der auf Pause stand. Erst, als sie hörten, wie sich die Schritte entfernten und die Tür am Ende des Ganges aufgemacht und dann wieder geschlossen wurde, schnappten sie nach Luft.

»Wer war das?«, fragte Arna und starrte auf die Tür, als rechne sie damit, dass sie jeden Moment aufgebrochen würde. Ægir ging es genauso. Obwohl der Gang jetzt leer sein musste, war das vielleicht nur ein weiteres Versteckspiel. Und wer war das gewesen? Halli wusste genau, in welcher Kabine Ægir und Lára und in welcher die Mädchen geschlafen hatten. Warum hatte er alle Türen der Reihe nach probiert? War es vielleicht doch nicht Halli? Je länger Ægir über diese Möglichkeit nachdachte, desto größer wurden seine Zweifel. Halli musste doch wissen, dass es einen Generalschlüssel gab und wo der aufbewahrt wurde. Oder gab es an Bord keinen? Vielleicht war es doch nur Halli, der nun ging, um die Axt auf der Brücke zu holen und die Tür einzureißen. Oder jemand ganz anderes.

»Wer war das, Papa? Der böse Mann, von dem Halli geredet hat?« Arna wollte ihrem Vater die Antwort nicht ersparen.

»Das war bestimmt nur Halli. Er ist genauso müde wie ich und hat vergessen, in welcher Kabine er schläft.«

Eigentlich wollte Ægir den Mädchen gar nicht das sagen, was sie hören wollten, sondern das, was sie wissen mussten. Wenn sie die Sache durchstehen wollten, mussten sie sich der Gefahr an Bord bewusst sein. Undenkbar, dass sie zu Halli liefen, wenn sie ihn sahen. Wenn er eines der Mädchen in seine Gewalt bekäme, würde Ægir zusammenbrechen, und das wäre ihr Ende.

»Das war nicht Halli«, sagte Bylgja. Sie hatte die Arme um ihren schmalen Oberkörper geschlungen, wie um sich warm zu halten, obwohl es nicht kalt in der Kabine war. »Das war ganz bestimmt nicht Halli.«

»Woher weißt du das?«, fragte Arna, unentschlossen, ob sie wollte, dass ihre Schwester recht hätte.

»Er war es einfach nicht.« Bylgja rutschte zum Bettkopf. »Warum gehen wir nicht einfach rauf und reden mit ihnen, Papa? Vielleicht können uns Halli und Þráinn helfen, den Bösen zu fangen.«

»Nicht jetzt. Wir gehen später raus.«

Dabei blieb es, obwohl die Zwillinge enttäuscht waren. Ægir war es im Grunde auch, doch was sollte er tun? Solange er nicht wusste, wer durch das Schiff geisterte und ob dieser Jemand noch herumlief, konnte er nicht viel tun. Noch traute er sich nicht, dieser Tatsache ins Auge zu schauen oder etwas zu unternehmen. Da blieb er lieber sitzen und hoffte das Beste. Manchmal reichte das. Aber ihm fielen einfach keine Beispiele dafür ein.

Wieder hatte Ægir die Müdigkeit übermannt. Er schreckte von einem traumlosen Schlaf hoch und war froh, nicht vom Stuhl gefallen zu sein. Etwas hatte sich verändert, und in seiner Panik, wieder eingenickt zu sein, dachte er zuerst, jemand wäre hereingekommen. Doch so war es nicht. Die langersehnte Stille hatte ihn geweckt. Bisher war immer alles von Motorenlärm unterlegt gewesen, doch nun war er verstummt. Die Yacht fuhr nicht mehr.

»Wann haben wir angehalten? Wie lange ist das her?«, fragte Ægir die Mädchen und versuchte, nicht verzweifelt zu klingen.

»Eben erst.« Arna, die auf dem Bauch gelegen hatte, drehte sich um und klappte das Malbuch zu. »Wir wollten dich nicht wecken, weil du so müde warst.«

»Wie lange habe ich geschlafen? Haben wir angehalten, kurz nachdem ich eingeschlafen bin oder gerade erst?«

Die Mädchen tauschten einen ratlosen Blick. Draußen war es immer noch stockdunkel. Falls Ægir nicht vierundzwanzig Stunden geschlafen hatte, war es immer noch dieselbe Nacht.

»Hat noch mal jemand versucht reinzukommen?«

»Nein, niemand«, antwortete Bylgja und legte ebenfalls ihr Malbuch beiseite.

Ægir stand auf und ging zur Tür. Im Gang war alles still. Vielleicht war das die Gelegenheit, auf die er gewartet hatte. Es war zwar eigentlich unnötig, die Fahrt zu stoppen, wenn man sich hinlegte, aber vielleicht wies das darauf hin, dass Halli – oder wer auch immer – sich jetzt ausruhte. Gut möglich, dass er an der Tür gelauscht hatte, so wie Ægir jetzt, und gehört hatte, dass Ægir schlief. Es für ungefährlich gehalten hatte, sich solange hinzulegen.

»Habe ich geschnarcht, Mädchen?«

Sie nickten, und Ægir zögerte und dachte nach. Wenn er es auf die Brücke schaffte, um eine Signalrakete und die Axt zu holen oder einfach nur herauszufinden, wo sie sich befanden, sähe ihre Lage wesentlich besser aus. Er könnte die Rakete abfeuern, wenn er andere Schiffe hörte oder sah.

»Okay, ich muss euch jetzt bitten, noch ein einziges Mal ganz tapfer zu sein. Ich gehe raus und sehe nach, was los ist. Ihr müsst so lange hier auf mich warten. Ihr dürft nicht rauskommen, egal, was passiert. Meint ihr, ihr schafft das?«

»Wir wollen nicht alleine hier sein«, sagte Bylgja und schaute zu ihrer Schwester in der Hoffnung auf Unterstützung. »Was sollen wir tun, wenn jemand reinkommt, während du weg bist?«

»Es kommt niemand rein. Ihr schließt hinter mir ab.«

»Und wenn jemand so tut, als wäre er du?«

»Niemand kann so tun, als wäre er ich. Ihr kennt doch meine Stimme.«

Widerstrebend ließen sich die Mädchen darauf ein, obwohl man ihnen ansah, dass sie es nicht wollten. Sie brauchten ihn. Ihren Vater. Aber daran ließ sich jetzt nichts ändern, er konnte sie nicht mit rausnehmen, wo niemand wusste, was ihn erwartete.

»Vielleicht versteckt ihr euch zur Sicherheit im Schrank. Wenn jemand in die Kabine schaut, denkt er, ihr wärt mit mir rausgegangen, und macht einfach wieder die Tür zu.«

»Aber dann hören wir nicht, wenn du klopfst.«

»Ich klopfe ganz laut.« Ægir legte wieder das Ohr an die Tür und lauschte. Kein Geräusch. »Und ich beeile mich.«

Er wollte gerade nach der Türklinke greifen und losgehen, als ihn der Mut verließ und er das starke Verlangen spürte, seine Töchter zum Abschied zu küssen. Ihre Wangen waren weich und warm, und der Duft der Kinderhaut war das Beste, was er je gerochen hatte. Wie war er nur auf die Idee gekommen, dass sie mehr Geld bräuchten, um ihr Leben zu verbessern? Es war nicht möglich, etwas zu verbessern, das schon perfekt war. Es konnte nur schlechter werden. Ægir schielte zu der Aktentasche, die immer noch an derselben Stelle an der Wand stand, und hätte am liebsten so lange geschrien, bis seine Stimmbänder versagten. Stattdessen schaute er seine Töchter, die verängstigt und zerbrechlich in der Ungewissheit zurückblieben, nur traurig an.

»Versteckt euch im Schrank und wartet, bis ich klopfe. Ich sage euch, dass ich es bin, damit ihr mich nicht verwechselt.«

Er drückte jedem Mädchen einen Kuss auf die Stirn und ließ seine Lippen für einen Moment dort ruhen.

Der Gang war leer, und auch auf dem Weg zur Brücke begegnete Ægir niemandem. Jeder Muskel, jede Sehne und jeder Nerv waren angespannt, bereit, dem Mörder entgegenzutreten. Ægir hoffte zwar, dass es nicht dazu kommen würde, doch ein Teil von ihm sehnte sich danach, dem Mann entgegenzutreten und ihn totzuschlagen. Obwohl Ægir so gut wie keine Erfahrung mit Schlägereien hatte, war er sich ziemlich sicher, dass es ihm gelingen würde. Er hatte den Hass auf seiner Seite. Als er sah, wie sich sein Gesicht im Fenster der Brücke spiegelte, von Wut entstellt, erschrak er und hoffte inständig, dass er beim Abschied von den Mädchen nicht so ausgesehen hatte. Falls ihm etwas zustieß, wollte er nicht, dass sie ihn so in Erinnerung behielten.

Auf der Brücke war niemand zu sehen, das Licht war ausgeschaltet, aber die Steuerinstrumente leuchteten so hell, dass es unmöglich war, sich dort zu verstecken. Dennoch öffnete Ægir vorsichtig die Tür und trat leise ein. Dann ging er geradewegs zum GPS-Gerät. Demnach war die Yacht immer noch sehr weit vom Land entfernt. Der Motor war ausgeschaltet, und es erschienen keine Kursangaben mehr unten auf dem Bildschirm. Man konnte nicht sehen, wie lange es noch dauerte, bis sie am Ziel wären. Vielleicht hatten sie noch zehn Stunden vor sich, doch jede Stunde, die verging, ohne dass die Yacht weiterfuhr, bedeutete eine Fahrstunde mehr. Sollte er den Motor wieder anlassen? Sie würden in dieser Gegend bestimmt nicht das Schiff verlassen, und Ægir hatte die böse Ahnung, dass sie nicht den Rest der Fahrt in Ruhe in ihrer Kabine verbringen konnten. Doch wenn er den Motor anließ, würde dieser Schuft es bemerken und einschreiten. Vielleicht ließ sich das nicht vermeiden, aber Ægir hatte Angst, dass er direkt zu den Mädchen stürzen und vor ihm bei ihnen sein würde. Und das wäre unverzeihlich.

Er trat vom Steuerpult zurück und suchte die Signalraketen. Falls er die Yacht wirklich wieder in Gang setzen würde, würde er das als Letztes machen und anschließend sofort runter zu den Mädchen rennen. Schnell fand er in einer Schublade ein paar Raketen in einem weißen Pappkarton und hoffte, dass sie noch in Ordnung wären. Die Axt war jedoch nicht mehr an ihrem Platz an der Wand, was ihn in Angst und Schrecken versetzte, bis er sich zusammenriss, zurück zu den Schubladen ging und nach etwas suchte, das man als Waffe benutzen konnte. Dort fand er zum Glück einen wuchtigen Schraubenschlüssel, den er mitnahm, obwohl er es damit kaum gegen eine Axt aufnehmen konnte. Doch das schwere Metallwerkzeug lag gut in der Hand, und Ægir freute sich geradezu darauf, es benutzen zu können. Er umschloss den Schraubenschlüssel fest und wollte noch einmal an Deck gehen, um sich zu vergewissern, dass die Rettungsboote noch da waren. Wenn die Luft rein war, würde er sich anschauen, wie man sie losmachte. Falls sie in einem Rettungsboot fliehen mussten, durften sie keine Zeit verlieren. Anschließend würde er zurück auf die Brücke gehen und versuchen, die Yacht wieder auf Kurs zu bringen. Und dann so schnell wie möglich runter zu den Mädchen.

Als er aufs Deck hinaustrat, traf ihn ein Windstoß von frischer

Meeresluft. Doch sie roch nicht nach Salz, sondern nach Parfüm, und Ægir schnupperte und versuchte auszumachen, woher der Geruch kam. Der Wind kam von vorne, und er spähte vorsichtig um die Ecke des Steuerhauses zum Bug. Die Außenlampen waren ausgeschaltet, dennoch konnte er sehen, dass niemand draußen war. Der Geruch kam eindeutig von dort. Sein Gefühl sagte ihm, er solle die Sache nicht weiter beachten, doch seine Neugier war stärker. Es handelte sich um ein Frauenparfüm, kein Mann würde sich mit so einem schweren, klebrigsüßen Blumenduft einsprühen. Und wenn dort eine Frau war, bestätigten sich zwei Dinge: Es gab eine blinde Passagierin an Bord, und Ægir hätte bei einem Kampf mit ihr bessere Chancen. Wenn er sie fände und überwältigte, könnten sie gefahrlos zum Hafen fahren, ohne ihr Leben in einem Rettungsboot, das wie ein Flaschenkorken auf dem weiten Meer schaukelte, aufs Spiel zu setzen.

Ægir trat vorsichtig vor das Steuerhaus und versuchte, dem Duft zu folgen. Nach ein paar Schritten fiel sein Blick auf etwas, das sein Herz zum Stocken brachte. Unter der weißen Bank ganz vorne im Bug ragten zwei Beine hervor. Er erkannte sofort Hallis Schuhe, die er die ganze Fahrt über angehabt hatte. Und er lag bestimmt nicht dort und schlief. Seine Beine waren so verdreht, dass sein Körper unmöglich unversehrt sein konnte. Ægir vergaß alle Vorsicht, lief zu der Bank und bückte sich. Dort war der Parfümgeruch noch stärker, und Ægir war sich sicher, dass er ihn nie wieder riechen könnte, ohne zu würgen. Vor allem, als er das eiskalte Bein berührte und merkte, dass es vom Rumpf abgetrennt war. Und der war nirgends zu sehen. Entsetzt zog er seine Hand zurück und stolperte auf die Füße. Er war in Gefahr, ob der Unbekannte nun eine Frau oder ein Mann war. Diesem Verrückten war alles zuzutrauen.

Ægirs Vorsätze, die Yacht wieder in Gang zu bringen, waren wie weggeblasen, und er rannte zum Treppenhaus, das ihn zu den Zwillingen führen würde. Am liebsten hätte er ihre Namen gebrüllt, ihnen zugerufen, vorsichtig zu sein, er wäre gleich bei ihnen. Doch er schwieg und sparte die Luft in seinen Lungen zum Laufen. Als er die Tür öffnete, wurde ihm klar, dass es zu spät war. Er würde nie mehr zu seinen Töchtern gelangen. Das schmerzte ihn mehr als die Axt, die in seinen Bauch schlug. Dann wurde sie herausgezogen und wieder hineingetrieben, diesmal in sein Brustbein. Als seine Muskeln vor Schmerz nicht mehr gehorchten, ließ er die Signalraketen und den Schraubenschlüssel scheppernd auf das Stahldeck fallen. Sein letzter logischer Gedanke drehte sich weder um den Schmerz noch um seine Töchter, die jetzt auf sich alleine gestellt waren, sondern darum, wie das alles möglich sein konnte. Vielleicht gab es ja doch Wiedergänger.

30. KAPITEL

»Sie wussten also nichts davon? Ihr Freund Halldór hat mit keinem Wort erwähnt, dass er Karítas in Lissabon getroffen hat?«, sagte Dóra mit lauter Stimme, um die Musik zu übertönen, die aus dem Lautsprecher hinter ihr dröhnte. Sie kannte die Band nicht und hatte auch kein Interesse daran, sie kennenzulernen. Die Bässe waren so laut, dass ihr Körper automatisch mitwippte und sie Angst hatte, ihr Herz würde anfangen, im Takt mit den schnellen Trommeltakten zu schlagen.

Nachdem Bella und sie das Haus von Karítas' Mutter verlassen hatten, hatte Dóra sofort bei Snævar angerufen und um ein Treffen gebeten. Sie hatte nichts über ihr eigentliches Anliegen verlauten lassen, sondern nur gesagt, sie hätte noch ein paar Detailfragen. Daraufhin hatte er sie gebeten, zu ihm zu kommen, er hätte starke Schmerzen im Bein und könne nicht aus dem Haus gehen. Wenn sie ihn in der Kanzlei treffen wolle, müsse sie bis zum nächsten Tag warten. Dóra wollte die Sache nicht aufschieben und fuhr mit Bella direkt von Arnarnes nach Grafarvogur, wo Snævar in einem langen Block wohnte, der einen neuen Anstrich nötig gehabt hätte.

Die Wohnung sah auch nicht viel besser aus. Dóra hoffte für ihn, dass die Unordnung auf seinen Beinbruch zurückzuführen war – er konnte froh sein, nicht über den Krempel auf dem Boden gestolpert zu sein und sich auch noch das andere Bein gebrochen zu haben. Snævar entschuldigte sich höflichkeitshalber für den Zustand der Wohnung. Er wirkte froh über die Gesellschaft und musste wirklich einsam sein, wenn er bei diesem Chaos und Lärm überhaupt Gäste empfing. Doch seine Freude bekam einen Dämpfer, als Dóra ihm vorwarf, ihr etwas verheimlicht zu haben.

»Ich bin mir sicher, dass die Polizei sich auch dafür interessieren wird«, schob sie hinterher.

Snævar saß einfach nur da und starrte in seinen leeren Kaffeebecher mit eingetrocknetem Schaum.

»Ich wollte es nicht erzählen. Ich hatte solche Angst, dass Halli in Verdacht gerät. Es kannte ihn ja niemand, und man hätte bestimmt alles geglaubt, was über ihn erzählt wird. Er hat nichts gemacht, auch wenn er mit Karítas geredet hat. Das glaube ich einfach nicht.«

»Sie haben ja keine sehr hohe Meinung von der Polizei«, erwiderte Dóra und schob mit dem Fuß einen Staubsaugerroboter beiseite, um mehr Platz für ihre Beine zu haben. Anscheinend war der Akku des kleinen Helfers leer, und er hatte es wegen der Hindernisse auf dem Fußboden nicht mehr bis zum Ladegerät geschafft.

»Man kann denen durchaus zutrauen, die Wahrheit herauszufinden.«

»Das ist nicht ganz so einfach, wenn es keine Zeugen mehr gibt.« Snævar stopfte sich ein besticktes Kissen in den Rücken, das bestimmt von seiner Großmutter stammte. »Außerdem ist ja gar nichts passiert. Ich hatte diesen Unfall, und Halli war vollauf damit beschäftigt, mir zu helfen und die Yacht für die Abfahrt vorzubereiten. Er hatte einfach keine Zeit mehr, Karítas einen Gefallen zu tun, deshalb dachte ich, es wäre nicht wichtig.«

»Es ist nicht an Ihnen, zu entscheiden, was wichtig ist und was nicht. Zumindest nicht gegenüber der Polizei. Meine Fragen müssen Sie nicht beantworten, wenn Sie nicht wollen.«

»Ich will sie ja beantworten«, sagte Snævar zerknirscht, und sein Blick flackerte verständnissuchend zwischen Dóra und Bella hin und her. »Tut mir furchtbar leid, dass ich das nicht früher erzählt habe.«

»Sie haben es immer noch nicht erzählt«, warf Bella ein. Sie ließ sich von dem Krempel, mit dem sie sich den Stuhl teilte, nicht stören, und schaffte es auf bewundernswerte Weise, sich bequem hinzusetzen. »Sie hätten doch weitergeschwiegen, wenn Karítas uns nichts davon gesagt hätte.«

»Das müssen Sie verstehen. Wenn man einmal anfängt, etwas zu verschweigen, ist es unglaublich schwierig, es wieder rückgängig zu machen. Außerdem sehe ich nicht, dass das tatsächlich etwas ändern würde.«

»Wollen Sie uns nicht einfach erzählen, was passiert ist?«, fragte Dóra. Sie konnte die Entschuldigungen und Bitten um Verständnis nicht mehr hören. »Das heißt, falls Sie grundsätzlich dazu bereit sind. Ich weiß, dass die Polizei gerade mit Karítas spricht, und es ist nicht unwahrscheinlich, dass sie danach zu Ihnen kommt. Dann müssen Sie sowieso mit der Wahrheit rausrücken.«

Snævar wurde blass, und die dunklen Ringe unter seinen Augen kamen noch besser zur Geltung.

»Natürlich rede ich mit denen, da kann ich es Ihnen ja auch erzählen. Es ist sogar besser, wenn ich das mache, bevor ich die Polizei treffe.«

»Sie wollen Ihre Version also an mir üben?«, fragte Dóra.

»Nein, so meinte ich das nicht«, entgegnete er gekränkt, sprach aber dennoch weiter: »Karítas war in Lissabon, und Halli wusste garantiert vorher nichts davon. Sie ist auch nicht wegen ihm hingefahren. Er hat sie rein zufällig getroffen.«

»Waren Sie dabei?«

»Ja.« Seine Wangen bekamen wieder etwas Farbe. »Es war an unserem ersten Abend, als wir durch die Bars gezogen sind. Sie saß in einem dieser schicken, teuren Läden. Wir wären wahrscheinlich wieder rausgegangen, wenn Halli sie nicht zufällig gesehen hätte und mit ihr reden wollte. Ich fand das okay, es lief nicht so gut mit den Frauen, und ich dachte, wir würden besser rüberkommen, wenn alle sehen, dass wir mit so einem Superweib quatschen. Und sie war ganz freundlich. Sehr freundlich sogar, schien sich total zu freuen, Halli wiederzusehen, konnte sich noch genau an ihn erinnern.«

»Wusste sie, was Sie in Lissabon gemacht haben?«

»Ja, Halli hat es ihr erzählt, bevor wir uns zu ihr gesetzt haben. Ich weiß das noch, weil ich dachte, sie würde sauer reagieren, wenn sie an die Pleite ihres Mannes erinnert wird, aber so war es nicht. Es schien ihr völlig egal zu sein. Sie meinte, das sei ja ein lustiger Zufall.«

»Und wann hat sie Ihnen ihr Anliegen unterbreitet, und was hat sie gesagt?«

»Ich glaube, wir hatten gerade unsere Drinks bekommen, es war also ziemlich bald. Sie fragte, ob Halli ihr einen kleinen Gefallen tun könnte, und er fand das in Ordnung.« Snævar überlegte kurz und fuhr dann fort: »Sie meinte, sie müsste auf der Yacht was holen, und wollte sich die Schlüssel leihen.«

»Und Sie haben sie ihr geliehen?«

»Ja, ich glaube schon.«

»Was?«, rutschte es Bella heraus, wofür sie von Dóra einen bösen Blick erntete. Sie wollte unbedingt vermeiden, dass Snævar jetzt schon erfuhr, dass seine Version von Karítas' Version der Geschichte abwich.

»Ich glaube ja. Aber vielleicht stimmt das auch nicht.« Er schaute Bella forschend an. »Hat sie nicht gesagt, dass sie sie bekommen hat?«

»Nein, das hat sie nicht«, beeilte sich Dóra zu sagen. »Darüber haben wir nicht so genau gesprochen. Gehen wir einfach davon aus, dass Sie sich richtig erinnern.«

Irritiert sprach Snævar weiter:

»Ja, wir saßen also noch ein bisschen zusammen, und dann sind wir gegangen. Wir haben ihr unsere Handynummern gegeben, und sie wollte sich am nächsten Tag melden. Halli hat ihr erklärt, dass sie an Bord gehen müsste, bevor der Kapitän und das vierte Mannschaftsmitglied, dieser Loftur, da wären.«

Er wartete vergeblich auf eine Reaktion und sagte dann:

»Am nächsten Tag hat sie Halli angerufen. Ich weiß nicht, worüber sie gesprochen haben, er meinte nur, sie hätten sich für den nächsten Tag verabredet. Am Abend hatte ich dann den Unfall, und ich glaube, aus diesem Treffen ist nichts geworden. Halli hat mir die ganze Zeit geholfen und die Yacht vorbereitet. Das musste er ja dann alleine machen. Er hatte überhaupt keine Zeit für Karítas. Da bin ich mir ganz sicher.«

»Hat sie gesagt, was sie von der Yacht holen wollte?«

Snævar schüttelte den Kopf.

»Nein, nicht im Detail. Irgendwelche Sachen. Klamotten und so.«

»Ganz schön viel Theater um ein paar Klamotten, finden Sie nicht?«

»Fragen Sie mich bloß nicht, wie Frauen ticken. Vielleicht waren es ihre Lieblingsklamotten.«

»Vielleicht.« Mitten im Wort hörte die Musik auf, und es klang so, als hätte Dóra laut gerufen. Die CD schien zum Glück zu Ende zu sein, und Dóra senkte ihre Stimme, rechnete damit, dass jeden Moment wieder Musik aus den Lautsprechern dröhnen würde.

»Falls sie das wollte, hat sie ziemlich viel dafür in Kauf genommen. Aber eine andere Frage. War Karítas' Assistentin dabei? Eine junge Frau namens Aldís?«

Snævar wirkte ziemlich überrascht und rutschte auf dem Sofa herum.

»Das weiß ich nicht«, sagte er.

»Sie war also nicht in der Bar, und niemand hat von ihr gesprochen? Haben Sie Karítas nicht gefragt, ob sie alleine unterwegs ist? Das ist doch eine normale Frage, wenn man im Ausland jemanden trifft, den man kennt.«

»Vielleicht haben wir das, oder Halli vielmehr. Aber ich erinnere mich nicht mehr daran, auch nicht, ob sie diese Frau erwähnt hat. Warum fragen Sie?«

»Wir können sie nicht erreichen«, sagte Dóra und beobachtete, wie Snævars Adamsapfel auf- und abging. »Ziemlich seltsam. Sie war nämlich in Lissabon. Die Polizei hat die Reisen der Frauen überprüft, und sie sind beide nach Lissabon geflogen, aber nur eine von ihnen zurück nach Hause.«

Sie hatte nicht vor, ihm zu erzählen, dass Aldís von Portugal wieder weggeflogen war, Karítas jedoch nicht. Was höchst merkwürdig war, da Karítas wieder aufgetaucht war, wie auch immer sie Lissabon verlassen hatte. Dóra vermutete, dass sich bei der Überprüfung der Sicherheitskameras herausstellen würde, dass Karítas unter dem Namen ihrer Assistentin geflogen war.

»Wie kann die Polizei das denn wissen?«, fragte Snævar nervös. »Die können doch nicht alle Flughäfen weltweit überprüft haben.«

»Ich weiß es nicht, aber so wurde es mir gesagt«, entgegnete Dóra und warf Bella einen Blick zu. »Ich glaube, wir sollten jetzt mal los. Ich bin gespannt zu hören, was die Polizei zu der ganzen Geschichte sagt.«

Dann wandte sie sich wieder an Snævar:

»Wissen Sie, was ich glaube?« Sie wartete nicht auf eine Antwort. »Ich glaube, dass Karítas an Bord Geld oder andere Wertsachen holen wollte. Ihr Mann hat die Kohle auf der Yacht in Sicherheit gebracht. Vielleicht hat er es nicht mehr geschafft, sie zu holen, bevor er die Schlüssel abgeben musste. Entweder hat er Karítas darum gebeten, oder es war ihre eigene Idee. Aber sie musste irgendwie an Bord kommen, und da sind Halli und Sie ihr besoffen in die Arme gelaufen. Ich bin mir ziemlich sicher, dass Ihr Freund Halli, als er wieder nüchtern war, geahnt hat, dass sie auf etwas anderes als Klamotten aus war, und sich das Geld selbst unter den Nagel reißen wollte. Sie waren nicht mehr einsatzbereit, und er hatte sich vorgenommen, danach zu suchen. Dann ist etwas passiert, woran Karítas' Assistentin schuld war, vielleicht, weil sie dieselbe Idee hatte. Wahrscheinlich hat Karítas etwas mit ihrem Verbleib zu tun und ist mit ihrem Ticket geflogen, aber das wird sich noch herausstellen. Vielleicht hat sie ihr Ticket ja auch nur verloren oder die Tickets verwechselt, wer weiß.«

»Keine Ahnung.« Snævar rutschte auf dem Sofa nach vorne, als mache er sich bereit zur Flucht. »Halli hätte sich niemals an einer Frau vergriffen. Das ist jedenfalls sonnenklar.«

»Sie haben mir schon so viel erzählt. Und das meiste davon lässt sich nicht beweisen. Deshalb spinne ich die Geschichte einfach mal weiter. Diese fixe Idee von Ihrem Freund Halldór und Karítas haben meine Mandanten nämlich wahrscheinlich das Leben gekostet. Und ihre Töchter auch.«

Dóra hätte jetzt gerne ein Foto von den Zwillingen dabeigehabt und ihm unter die Nase gehalten.

»Vermutlich hat Aldís' Mörder ihre Leiche auf der Yacht in die Kühltruhe gelegt, um sie später ins Meer zu befördern. Vielleicht haben das Ehepaar oder die Kinder die Leiche oder das Geld gefunden oder sonst wie gemerkt, dass etwas nicht stimmte. Und deshalb musste man sie loswerden.«

»Halli hätte so was nie gemacht, niemals!«

»Vielleicht nicht. Aber wissen wir, ob nicht noch jemand mit ihm an Bord war? Oder auf eigene Initiative an Bord war? Nach der Abfahrt hat niemand mehr etwas Vernünftiges von der Yacht gehört, es kann also gut sein, dass noch weitere Personen an Bord waren, ob heimlich oder nicht. Das ist ein großes Schiff.«

»Wer denn?«, fragte Snævar und kniff die Augen zusammen. »Man kann sich nicht verstecken, ohne dass die Mannschaft es merkt. Das habe ich Ihnen doch schon gesagt. Man müsste die Yacht in- und auswendig kennen und großes Glück haben. Das ist eine schwachsinnige Theorie, völlig schwachsinnig.«

Er blickte zu Bella und fragte:

»Glauben Sie diesen Unsinn etwa auch? Erinnern Sie sich nicht, wie es an Bord aussah? Würden Sie sich zutrauen, sich da zu verstecken?«

»Nein, vielleicht nicht, aber das ist auch nicht unser Job. Es gibt bestimmt jede Menge Leute, die das könnten«, entgegnete Bella und zuckte mit den Achseln.

Dóra lehnte sich so weit wie möglich zurück, ohne das nasse Handtuch zu berühren, das über dem Stuhlrücken hing, und sagte:

»Ich gehe davon aus, dass die Polizei das untersuchen wird. Und wenn der Betreffende gefunden wird und die Wahrheit erzählt hat, ist es wesentlich einfacher für das Gericht, meine Mandanten für tot zu erklären. Dann kann ich mich endlich anderen Dingen zuwenden, im Gegensatz zu den Angehörigen, die ihr ganzes Leben damit kämpfen werden.«

Snævar rutschte schnell wieder auf dem Sofa nach hinten.

»An Bord hätte sich kein Fremder verstecken können. Das kaufe ich Ihnen nicht ab.«

»Vielleicht nicht, aber hätte Karítas es gekonnt?«

»Jetzt hören Sie aber auf!«, protestierte Snævar. Vielleicht hielt er Frauen generell nicht für fähig, sich zu verstecken. Oder einen Mord zu begehen.

»Oder jemand ganz anders«, sagte Bella grinsend.

»Wer denn?«

»Sie zum Beispiel.«

Im selben Moment, als Bella das gesagt hatte, wurde Dóra auf unangenehme Weise bewusst, wie klein das Wohnzimmer war und wie leicht man sie hätte angreifen können. Bella hatte zweifellos einen Witz machen oder den Mann auf den Arm nehmen wollen, der jetzt vor ihnen saß und nach einer guten Entgegnung suchte. Doch den Geschwätzigen rutschte oft die Wahrheit heraus, und plötzlich wurde Dóra klar, wie sich alles zugetragen haben konnte. Sie wusste nicht, ob Snævars Heimflug überprüft worden war. Er hätte trotz seines Beinbruchs auf der Yacht gewesen sein können. Ihre Augen wanderten zu der Kunststoffstütze, die aus seinem Hosenbein ragte und den Gips verdeckte. Soweit sie sehen konnte, trug er darunter eine Socke, und auf einmal verstand sie sein Zögern, ein ärztliches Attest zu beschaffen. Kein Arzt mit einem Funken Selbstachtung würde einem gesunden Mann ein Attest über einen Beinbruch ausstellen.

Noch nie hatte Dóra es so eilig gehabt, an die frische Luft zu kommen.

31. KAPITEL

Dóra hatte sich am Morgen schick angezogen, um Ægirs Eltern Respekt zu zollen. Als sie nun in der kleinen Küche am Esstisch saß, merkte sie, dass es egal war, welche Klamotten sie trug. Äußerlichkeiten waren unwichtig, wenn es schlechte Neuigkeiten gab, und ihr hilfloser Versuch deprimierte sie. Das Ehepaar saß ihr gegenüber, und von ihren gequälten Gesichtern konnte man ablesen, dass sie sich nichts sehnlicher wünschten, als dass Dóra den Mund hielt und der unschöne Bericht ein Ende nähme. Sie sagten wenig, hörten aufmerksam zu und starrten konzentriert auf das Muster der Tischdecke. Ein paar Mal schoben sie einen Teelöffel auf einer Untertasse hin und her oder strichen eine Falte in der Tischdecke glatt. Vielleicht war Dóras Geschichte so unwirklich, dass sie sich an etwas festhalten mussten, um sich selbst davon zu überzeugen, nicht mitten in einem Albtraum zu stecken.

»Es geht also in erster Linie um Geld. Das ist vielleicht nicht überraschend«, erklärte Dóra und versuchte, Augenkontakt herzustellen, aber die beiden wichen ihrem Blick immer wieder aus. »An Bord befanden sich mehrere Millionen Dollar, die der Vorbesitzer der Yacht im Safe deponiert hatte. Heißt es zumindest. Es wurde kein Geld gefunden, und sowohl Karítas als auch Snævar behaupten, es nicht genommen zu haben, da sie, obwohl sie den Code kannten, den Safe nicht öffnen konnten. Vielleicht sagen sie die Wahrheit, vielleicht auch nicht. Ich bezweifle, dass das irgendwann herauskommt. Aber die Tatsache, dass sie die Yacht nicht nach Norden ins Eismeer haben fahren lassen, wo sie einfach verschwunden wäre, lässt darauf schließen, dass sie dachten, das Geld sei noch an Bord. Sie sind in die Yacht eingebrochen, als sie in Reykjavík im Hafen lag, und haben noch einmal versucht, den Safe zu öffnen. Aber sie mussten mit leeren Händen wieder abziehen, wobei Karítas der Versuchung nicht widerstehen konnte und ein paar Kleidungsstücke und ein Kästchen mit persönlichen Dingen mitgenommen hat. Später hat sie versucht, mich zu überreden, sie noch mal an Bord zu lassen, um einen letzten Versuch zu starten.«

Dóra senkte automatisch die Stimme, bevor sie weitersprach:

»Ægir hat sich offenbar im Namen des Auflösungsausschusses mit dem amerikanischen Produzenten des Safes in Verbindung gesetzt, ihn vom Besitzerwechsel der Yacht überzeugt und von ihm den Code erhalten, mit dem man das Schloss zurücksetzen kann. Diese Infos hat er für sich behalten und konnte daher als Einziger an den Safe. Falls wirklich etwas drin war.«

»Ægir?«, fragte Margeir mit ausdruckslosem Gesicht und senkte den Kopf. Er vermied es, seine Frau anzusehen, die Dóras Worte nicht richtig verstanden zu haben schien.

»Ja, aber wir wissen, wie gesagt, nicht genau, ob etwas im Safe war. Der Code wurde definitiv mehrmals eingegeben. Wir werden das womöglich nie erfahren, und vielleicht ist es am besten, davon auszugehen, dass er leer war, als Ægir ihn aufgemacht hat. Zumindest bis etwas anderes ans Licht kommt. Es gibt noch so viele Rätsel.«

Die Fragen über die Ereignisse an Bord waren noch lange nicht alle beantwortet, aber die groben Abläufe hatten sich geklärt. Die Polizei ermittelte immer noch. Snævar und Karítas machten widersprüchliche Aussagen, aus denen die Polizei den möglichen Ablauf der Ereignisse zusammenpuzzeln musste.

»Man weiß, dass Karítas in Lissabon zufällig zwei Mannschaftsmitglieder getroffen und überredet hat, ihr zu helfen, an Bord zu gelangen und das Geld zu holen. Sie hat ihnen allerdings nicht erzählt, worauf sie tatsächlich aus war, nur, dass sie etwas holen wollte. Die beiden haben ihr den Schlüssel gegeben, und sie hat ihre Assistentin Aldís am selben Abend zur Yacht geschickt, um Kleider einzupacken. Sie selbst wollte am nächsten Morgen hin, um den Safe auszuräumen.«

Dóra machte eine kleine Pause, damit das Ehepaar ihr folgen konnte, und sprach dann weiter:

»Über den weiteren Ablauf sind sich Snævar und Karítas uneinig. Sie sagt, sie sei an dem Abend zufällig bei der Yacht vorbeigekommen, hätte den Schlüssel im Schloss stecken sehen, aber ihre Assistentin sei weg gewesen, hätte wahrscheinlich den Safe leergeräumt und das Zahlenschloss verstellt. Snævar behauptet hingegen, Karítas hätte Aldís dabei überrascht, wie sie die Kleider anprobiert hätte, die sie eigentlich einpacken sollte. Als es ihr dann zu allem Überfluss nicht gelang, den Safe zu öffnen, hätte sie das Mädchen aus Wut gestoßen – wahrscheinlich unabsichtlich –, und Aldís sei mit dem Kopf gegen die scharfe Marmorplatte im Bad geknallt.«

»Und wer sagt Ihrer Meinung nach die Wahrheit?«, warf Ægirs Vater ungerührt ein.

»Ich glaube, Snævar sagt die Wahrheit. Die Polizei wartet noch auf die Ergebnisse der Untersuchung der Marmorplatte. Bis dahin müssen wir uns mit den Aussagen der beiden begnügen, und Snævars Version passt zu der Meldung des Kapitäns über eine tote Frau an Bord. Karítas' Version ist hingegen ziemlich löchrig, sie kann beispielsweise nicht erklären, weshalb sie unter Aldís' Namen aus Lissabon weggeflogen ist. Die Polizei glaubt, sie wollte es so aussehen lassen, als hätte das Mädchen die Stadt verlassen, um dadurch die Geschichte, Aldís hätte den Safe leergeräumt, zu bekräftigen.«

Vor dem Fenster kam die Postbotin heranspaziert. Sie zog eine halbleere, rote Tasche hinter sich her, hielt ein paar Briefe in der

Hand, warf einen schnellen Blick darauf und ging dann weiter, am Haus von Ægirs Eltern vorbei. Vielleicht hatte sie den Briefkasten gesehen, der immer noch genauso vollgestopft war wie bei Dóras letztem Besuch.

»Nach Snævars Version ist Karítas durchgedreht und hat seinen Kumpel Halldór um Hilfe gebeten. Sie hätte ihm eine gute Bezahlung versprochen, wenn er die Leiche über Bord werfen würde, sobald die Yacht auf dem offenen Meer wäre.«

Die Gesichter der Eheleute zeugten von Ekel und Ungläubigkeit, und auf Margeirs Stirn bildeten sich so viele Falten, dass sie wie gestreift aussah. Seine Augen sahen Dóra flehend an, als sei es sein größter Wunsch, dass sie aufhörte zu reden. Dóra versuchte, sich davon nicht beeinflussen zu lassen, und fuhr fort:

»Halldór hat sich geweigert mitzumachen, wollte die Sache aber auch nicht der Polizei melden. Er hat geglaubt, dass es ein Unfall war, und sich von ihrer Aussage verunsichern lassen, er sei auf gewisse Weise mitschuldig, weil er ihr die Schlüssel gegeben hätte. Aber das hat noch nicht gereicht, um ihn zum Mitmachen zu überreden, und wahrscheinlich wäre alles anders gelaufen, wenn er die Sache für sich behalten hätte. Aber das hat er nicht gemacht. Als er am selben Abend mit seinem Kumpel Snævar in der Kneipe saß, erzählte er ihm von Karítas' Vorschlag.«

Dóra musste eine kleine Pause machen. Die Eheleute wirkten mit jedem Wort verwirrter, und sie war sich nicht sicher, ob sie ihr folgen konnten.

»Bitte sagen Sie mir, wenn Sie etwas nicht verstehen, dann versuche ich, es genauer zu erklären.«

»Ich verstehe das, was Sie sagen«, sagte Sigríður und zog ihre Strickjacke fester zu, als sei ihr kalt. Die Jacke war abgetragen und an den Nähten ausgefranst, und Dóra wünschte sich, sie hätte sich nicht angezogen wie im Gerichtssaal. »Ich verstehe nur diese Leute nicht. Was sind das eigentlich für Menschen?«

»Sehr kranke, jeder auf seine Weise«, sagte Dóra und leckte sich über die trockenen Lippen. Sie hätte ein Glas Wasser gebraucht, wollte ihren Gastgebern aber nicht noch mehr Umstände bereiten. Sie hatten schon genug mit sich selbst zu tun.

»Jedenfalls war Snævar ganz aufgeregt und hat versucht, Halldór zu überreden. Der Betrag, den Karítas als Belohnung in Aussicht gestellt hatte, war hoch, und Snævar wollte, dass sie ihn zwischen sich aufteilten. Karítas hatte Halldór allerdings nicht erzählt, dass das Geld noch in einem Safe eingeschlossen war, der nicht aufging, und es daher unklar war, ob sie überhaupt etwas bezahlen könnte. Snævar glaubte jedenfalls, man könne ihr trauen, und es endete damit, dass er Halldór sagte, dann würde er es eben alleine machen und das ganze Geld nehmen. Halldór reagierte abweisend, verbot Snævar, Karítas anzurufen, und drohte damit, zur Polizei zu gehen. Snævar sagt, sie seien schon ziemlich betrunken gewesen, und es sei zu einer Rangelei gekommen, die damit endete, dass Halldór vor ein Auto stürzte und sich das Bein brach. Er war so betrunken, dass er im Krankenhaus nicht genau erzählen konnte, was passiert war, was allerdings nicht allein auf seinen Zustand zurückzuführen war. Snævar hatte ihm nämlich seine internationale Krankenversicherungskarte geliehen, weil Halldór sich vor der Abreise keine besorgt hatte. Da die beiden gleich alt waren und auf der Karte kein Foto ist, zweifelte in der Notaufnahme niemand daran, dass Halldór Snævar wäre. Halldór konnte den genauen Unfallhergang nicht erzählen, weil er solche Schmerzen hatte und es in dem Moment erst mal wichtiger war, in ärztliche Behandlung zu kommen und Schmerzmittel zu kriegen.«

Dóra holte tief Luft, bevor sie weitersprach.

»Und nun weichen Karítas' und Snævars Versionen voneinander ab. Sie sagt, Snævar hätte Halldór umgebracht, und er behauptet, sie sei es gewesen. Ich bezweifle, dass das jemals vollständig ans Licht kommen wird, so wie vieles andere in diesem Fall. Klar ist, dass Snævar Halldór, als sein Bein eingegipst war, zurück ins Hotel begleitet hat, wo Halldór bis in den nächsten Tag hinein schlief. Währenddessen rief Snævar Karítas vom Handy seines Freundes aus an, und die beiden verabredeten sich bei der Yacht. Dort verfrachtete Snævar Aldís' Leiche in eine Plastik-tüte und legte sie ganz unten in die große Kühltruhe. Sie verein-barten, dass er die Leiche für das angebliche Geld, das es gar nicht gab, auf offener See ins Meer werfen würde. Die Polizei glaubt, dass Halldór, nachdem er mit seinem Gipsbein aufge-wacht war, zum Hafen ging und entdeckte, was los war. Er droh-te, Karítas und Snævar auffliegen zu lassen, wurde anschließend von einem der beiden oder von beiden gemeinsam getötet. Ir-gendwie ertränkt. Vielleicht ist er beim Streit ins Wasser gefallen und konnte sich mit dem Gipsbein nicht retten. Sie haben ihn erst rausgeholt, als es zu spät war.«

»Wer von beiden könnte es denn am ehesten gewesen sein?«

»Ich würde sagen Karítas. Sie hatte viel mehr zu verlieren. Aber es könnte auch Snævar gewesen sein. Halldórs Leiche lan-dete also an Bord, genauso wie die Leiche der Assistentin.«

»Um Himmels willen.« Sigríður schob ihre Brille hoch und rieb sich die Augenwinkel. »Ich wusste nicht, dass es solche Menschen gibt.«

»Doch, die gibt es leider.« Dóra erwähnte bewusst nicht, dass Ægir sich auch von Karítas' Geld hatte verlocken lassen, als er mit seiner Familie in Lissabon gewesen war. Sie war sich ziemlich sicher, dass er das Geld aus dem Safe genommen hatte, was auch immer er anschließend damit gemacht hatte. Vielleicht wollte er deshalb mit dem Schiff nach Hause fahren. Es war einfacher, auf dem Seeweg Geld ins Land zu schmuggeln als mit dem Flugzeug. Aber das musste sie seinen Eltern ja nicht sagen. Sie hatten es schon schwer genug.

»Das Nächste ist wohl dem Schock zuzuschreiben, in dem sich Karítas und Snævar befanden. Sie vereinbarten, dass Snævar als Halldór an Bord gehen und die Leichen unterwegs ins Meer wer-fen sollte. Karítas färbte ihm die Haare blond, damit er seinem Freund ähnlicher sah. Von der Mannschaft hatte ja sonst noch keiner die beiden gesehen.«

»Wie konnten sie denn glauben, dass sie damit durchkommen?«

»Soweit ich weiß, war die ursprüngliche Idee, dass Snævar kurz vor der Ankunft in Island das Schiff verlassen und es so aussehen lassen sollte, als sei Halldór über Bord gegangen und ertrunken. Solche Dinge passieren ja und hätten wahrscheinlich keinen Verdacht geweckt. Snævar wollte dann so tun, als sei er von Lissabon mit gebrochenem Bein nach Hause geflogen. Und das hat ja funktioniert, niemand ist auf die Idee gekommen, zu überprüfen, ob er wirklich geflogen ist, er hat einen Beinbruch vorgetäuscht und besaß Papiere von der Notaufnahme in Lissabon, weil Halldór dort seine Versicherungskarte vorgezeigt hat. Alles sah so aus, als hätte er überhaupt nichts mit der ganzen Geschichte zu tun.« Dóra zögerte kurz. »Und das wäre bestimmt aufgegangen, wenn Halldór der Einzige geblieben wäre, der verschwand.«

»Ich will gar nichts mehr davon hören«, sagte Margeir brüsk. »Diese Leute sind doch krank.«

»Ich kann es auch dabei belassen, wenn Sie wollen. Aber wenn der Fall vor Gericht kommt, werden Sie es nicht vermeiden können, in den Nachrichten davon zu hören. Sie können es nicht ignorieren«, erwiderte Dóra.

Sie hatte bereits beschlossen, diverse Details auszulassen, zum Beispiel, dass Snævar Halldórs Beine abgetrennt hatte, weil er die Leiche an Land treiben lassen wollte und niemand daran zweifeln sollte, dass er über Bord gegangen und ertrunken war. Da bei angespülten Leichen oft Gliedmaßen fehlten und er verhindern wollte, dass man das gebrochene Bein entdeckte, hielt er das für am wenigsten verdächtig. Er allein wusste, warum er beide Beine abgetrennt hatte und nicht nur eins. Vielleicht hielt er das für realistischer. Mit der Kunststoffstütze und dem Gips präparierte er dann sein eigenes Bein.

Dóra erzählte auch nicht, wie Snævar zunächst versucht hatte, Halldórs Leiche in seiner Kabine zu verstecken. Als sie immer stärker roch, versuchte er, den Gestank mit Parfüm zu überdecken, das er aus Láras und Ægirs Kabine klaute. Als das nicht mehr reichte, um den Gestank zu vertreiben, musste er einen neuen Platz finden. Am Ende stopfte er die Leiche in eine Kühltruhe in einer Abstellkammer hinter dem Maschinenraum. Dort lag sie, bis er sie in eine Plane wickelte und außen ans Schiff hängte, damit sie ertrunken und nicht erfroren aussah, wenn er sie später ins Meer werfen würde. Vorher trennte er die Beine mit einer Axt aus dem Steuerhaus ab und steckte seine eigenen Schuhe darauf, falls sie in einem Fischernetz landen oder ebenfalls an Land gespült würden. Dann würden die Überlebenden der Reise sie als Halldórs Beine identifizieren. Snævar musste den Hauptmotor ausschalten, um die Leiche an die Yacht zu hängen, weil sich die Luke nicht öffnen ließ, wenn der Motor in Gang war. Das bestätigte der Fahrtenschreiber. Zu diesem Zeitpunkt war die Yacht nur noch eine Tagesetappe von Reykjavík entfernt.

Gegen Ende machte Snævar jedoch einen fatalen Fehler. Nachdem er Halldórs Leiche durch die Luke an die Yacht gehängt hatte, schloss er die Kammer ab, weil er dachte, Ægir könne versuchen, mit den Mädchen auf einem Aqua-Scooter zu fliehen. Als er wieder raufging, um Hallis Beine zu entsorgen, stieß er auf Ægir, tötete ihn und verlor dabei den Schlüssel. Als er es merkte, war er schon so nah an der Küste, dass er keine Zeit mehr hatte, ihn zu suchen. Deshalb wurde er Hallis Leiche nicht los.

Später wurde er wegen der Berichterstattung über die Untersuchung von DNA-Spuren immer nervöser. Er wollte die Leiche entsorgen, als er mit Karítas auf das Schiff ging, aber sie wurden von einem Hafenwächter gestört und mussten fliehen. Als er die Möglichkeit bekam, mit Dóra noch einmal an Bord zu gehen, tat er so, als stieße er zufällig auf Halldórs Leiche, und hoffte, dadurch erklären zu können, warum man seine DNA-Spuren daran finden würde. Aufgrund des Zustands der Leiche musste er noch nicht mal das Erbrechen erzwingen – es kam von selbst. Und zuerst hatte ja auch alles funktioniert.

»Ich will den Rest hören«, sagte Sigríður. Sie reckte tapfer das Kinn, aber ihre feuchten Augen sagten etwas anderes. »Sprechen Sie weiter.«

»Wie es weiterging, ist leider ziemlich unklar. Snævar behauptet steif und fest, dass er mit den anderen Todesfällen nichts zu tun hat, während Karítas versichert, er hätte ihr die ganze Geschichte nach seiner Heimkehr bei einem langen Telefonat erzählt. Der Telefonanbieter bestätigt dieses Gespräch. Karítas sagt, Snævar hätte Loftur getötet, als der ihn verdächtigte, Aldís' Leiche aus der Kühltruhe über Bord geworfen zu haben. Loftur sei direkt klar gewesen, dass nur zwei Leute in Frage kämen, er selbst und Snævar, beziehungsweise Halli, für den er sich ausgab. Loftur hätte ihm das an den Kopf geknallt, woraufhin Snævar ihn im Whirlpool ertränkt hätte. Anschließend hätte er versucht, eine Geschichte über einen geheimnisvollen blinden Passagier in Umlauf zu bringen, aber die Situation sei eskaliert, und als er immer mehr in die Ecke gedrängt wurde, hätte er auch die anderen getötet. Þráinn, den Kapitän, hätte er im Schlaf überwältigt.«

»Wie hat er …?« Margeir musste den Satz nicht beenden. Dóra wusste genau, worauf er hinauswollte.

»Laut Karítas starb Lára an einem unabsichtlich ausgelösten Schuss. Wir wissen nicht, ob das eine weitere Lüge ist, denn die Pistole, die an Bord war, ist verschwunden. Snævar hat Karítas erzählt, Ægir hätte die Waffe ins Wasser geworfen, aber das bezweifle ich. Die Polizei glaubt, dass Snævar Lára und alle anderen an Bord umgebracht hat.«

»Was ist mit Ægir?«

»Den soll er zuletzt getötet haben. Laut Karítas wollte er es nicht tun und hoffte, dass Ægir und die Mädchen in der Kabine blieben. Später an Land sollte Ægir den verschwundenen Halldór für den Schuldigen halten, und es sollte nie herauskommen, dass Snævar sich an Bord für ihn ausgegeben hatte. Aber ich halte es für unwahrscheinlich, dass er ein solches Risiko eingegangen wäre. Ich denke, er hat Ægir umgebracht, um seine eigene Haut zu retten. Da alle von Bord verschwunden waren, nahm man an, es handele sich um ein Seeunglück, und niemand verdächtigte einen Mann mit einem gebrochenen Bein, der überhaupt nicht bei der Überfahrt dabei war. Snævar durchsuchte das ganze Schiff und warf alle Handys und Fotoapparate ins Meer, für den Fall, dass ihn jemand fotografiert hatte. Außerdem berührte er an Bord möglichst wenig und wischte heimlich seine Fingerabdrücke weg. Das meiste war so gut durchdacht, dass er nicht einfach nur ein harmloser Gehilfe von Karítas gewesen sein kann.«

»Wie ist er an Land gekommen? Er hat doch mit uns am Kai auf die Yacht gewartet«, sagte Sigríður empört, als ärgere sie sich darüber, den Mann nicht sofort durchschaut zu haben.

»Snævar hat den Autopiloten so eingestellt, dass die Yacht nah genug an der Küste entlangfuhr, um ins Meer springen und an Land schwimmen zu können. Er trug einen Taucheranzug und kam unversehrt und unbemerkt an Land. In einer wasserdichten Tüte hatte er Kleidung, die Stütze, den Gips und die Krücken dabei, die sich Halldór in Portugal ausgeliehen hatte. Die Yacht fuhr dann wie einprogrammiert weiter, machte in der Faxaflói-Bucht einen großen Bogen, damit er Zeit genug hatte, zum Hafen zu kommen. Das machte er ebenfalls, damit der Verdacht nicht auf ihn fallen würde. Er trug eine Mütze, um seinen frisch rasierten Schädel zu verbergen, vielleicht erinnern Sie sich daran.«

»Ja.« Die beiden nickten, aber Sigríður wirkte nicht ganz überzeugt und sagte: »Es ist zwar nicht weit von Grótta zum Hafen, aber zu Fuß? Mit einem Gips und auf Krücken? Er war überhaupt nicht außer Atem.«

»Den Gips hat er erst im letzten Moment angelegt, und was den Weg von Grótta zum Hafen betrifft: Karítas hatte ihre Mutter instruiert, ihren Wagen zwei Tage vor Ankunft der Yacht mit dem Schlüssel unterm Sitz in der Nähe abzustellen. Darauf hatten sich Snævar und Karítas ganz am Anfang geeinigt. Ihre Mutter hat das bestätigt, wobei sie in dem Glauben war, ein Freund ihrer Tochter, der in der Nähe eine Werkstatt hat, wolle den Wagen durchchecken. Snævar holte das Auto, zog sich um und befestigte den aufgesägten Gips mit Klebeband an seinem Bein. Dann fuhr er runter zum Hafen, als sei überhaupt nichts geschehen.«

»Ich wollte, wir hätten ihn nicht getroffen und die Yacht nicht in Empfang genommen. Es wäre besser gewesen, wenn wir den Mann nie gesehen hätten«, sagte Margeir und massierte seine Stirn, wie um die Erinnerung auszulöschen. »Aber wir waren so gespannt, und ich hatte meinen Cousin beim Küstenschutz gebeten, uns Bescheid zu geben, wenn die Yacht auf dem Monitor erscheint, egal, zu welcher Tages- oder Nachtzeit. Natürlich waren wir auch besorgt, weil wir nichts mehr von meinem Sohn und seiner Familie gehört hatten. Wir waren so erleichtert, als mein Cousin anrief.«

»Snævar hat die Kommunikationsgeräte und den Notknopf lahmgelegt. Er hat die Antennen gekappt, deshalb hat der Funk kaum noch funktioniert. Wir wissen, dass mindestens ein Schiff versucht hat, mit der *Lady K* Kontakt aufzunehmen, um sie vor einem Container zu warnen, der in der Nähe von einem Frachter gefallen war.«

Dóra merkte, dass es genug war. Die armen Leute brauchten endlich eine gute Nachricht, auch wenn ihre wichtigste Frage noch nicht beantwortet war.

»Ich habe der Versicherung das Gerichtsurteil geschickt, das Ægir und Lára für tot erklärt. Und eine Mitteilung der Polizei, dass sich die Ermittlungen dem Ende zuneigen und alles darauf hinweist, dass sie ermordet wurden. Falls die Versicherung Ihnen noch mal schreibt und versucht, sich rauszureden, antworte ich für Sie. So, wie die Sache aussieht, sollte die Versicherungssumme in den nächsten Monaten bezahlt werden.«

Die beiden murmelten nur etwas Unverständliches. Geld hatte im Vergleich zu dem, was sie verloren hatten, keinen großen Wert. Zum Glück hatte Dóra noch mehr gute Neuigkeiten.

»Anscheinend schneiden Sie auch bei der Beurteilung des Jugendamts hervorragend ab. Mir wurde inoffiziell mitgeteilt, dass Sie ein großzügiges Umgangsrecht für Sigga Dögg bekommen. Die zukünftigen Stiefeltern werden vollstes Verständnis für diese Tragödie aufbringen. Sie können also weiterhin als Großeltern für die Kleine da sein. Daran wird sich nichts ändern.«

»Nichts ändern …« Sigríður schüttelte sich und zog die Strickjacke noch fester um sich. »Alles ändert sich.«

Dóra richtete sich auf ihrem Stuhl auf und schwieg. Die Frau hatte vollkommen recht, natürlich änderte sich alles. Ihr Mann räusperte sich und drehte seinen Kopf zum Fenster.

»Was ist mit den Mädchen geschehen? Sie haben es vermieden, über sie zu sprechen, aber ich muss es wissen. Ich will es nicht hören, aber ich muss es wissen.«

Dóra betrachtete die Tischplatte.

»Das ist unklar. Snævar bestreitet vehement, ihnen etwas angetan zu haben, und behauptet, sie seien einfach verschwunden. Er hätte sie vergeblich gesucht. Zurzeit weiß niemand, ob er lügt, aber die Yacht ist im Kreis gefahren, als würde im Wasser jemand gesucht, und das passt zu seiner Aussage.«

»Und was sagt Karítas? Hat er ihr nichts davon erzählt? Wie von den anderen Morden?«, fragte Margeir. Er schaute immer noch konzentriert aus dem Fenster. Die Straße war menschenleer, und es waren keine Autos unterwegs. Als hätten die Nachbarn aus Rücksicht ihr Leben angehalten.

»Karítas sagt dasselbe. Snævar hätte erzählt, die Mädchen seien einfach verschwunden.«

»Glauben Sie das?«

»Nein, das tue ich nicht, aber mich fragt niemand.«

»Gott wird fragen.« Sigríður tastete unter ihre Jacke, und als ihre Hand wieder zum Vorschein kam, hielt sie ein kleines silbernes Kreuz in der Hand. »Und dann kann keiner mehr lügen.«

Dóra verabschiedete sich bald darauf und versprach, Ende der Woche anzurufen, oder früher, falls sich etwas Neues ergab. Auf dem Weg nach draußen ging sie an der Tür zum Wohnzimmer vorbei, wo Sigga Dögg einen Zeichentrickfilm anschaute. Tom und Jerry machten eine wilde Verfolgungsjagd auf einem Schiff, das hin- und herschaukelte und es der Katze schwerer machte als der Maus. Die Folge war fast zu Ende, und während Dóra den Hinterkopf der Kleinen auf dem Fußboden vor dem kleinen Röhrenfernseher betrachtete, fielen sowohl Tom als auch Jerry von Bord. Sie tauchten unter, die offenen Mäuler voll Wasser, und rangelten immer noch. Kurz darauf trugen sie weiße Gewänder, hatten Flügel und Heiligenscheine und stiegen von der Wasseroberfläche zum Himmel auf. Die Maus breit grinsend und die Katze stinksauer. Vielleicht war das die Erklärung für die Aussage der Kleinen über ihre Schwestern und ihre Eltern. Sigga Dögg wusste, dass sie mit einem Schiff gefahren waren, und als sie nicht zurück nach Hause kamen, hatte sie gedacht, es sei ihnen so ergangen wie Tom und Jerry.

»Das war die Lieblingsserie der Zwillinge. Wir haben sie auf CD, und ich fürchte, sie gibt langsam ihren Geist auf«, sagte Sigríður und lächelte dumpf. »Aber meine armen kleinen Mädchen werden sie wohl nicht mehr vermissen.«

Sigga Dögg schaute auf, als sie die Stimme ihrer Oma hörte. Sie blickte die beiden Frauen seelenruhig an und drehte sich dann wieder zum Fernseher. Der nächste Film begann, das Leben ging weiter, auch wenn nicht mehr alle dabei waren.

Auf dem Weg nach Hause musste Dóra ununterbrochen an die zerstörte Familie und das Schicksal der beiden Mädchen denken, das womöglich nie aufgeklärt würde. Obwohl sie nicht gläubig war, sandte sie ein Gebet an die höheren Mächte und dankte für ihr Glück und das ihrer Familie. Gylfis zukünftiges Abenteuer in Norwegen machte ihr zwar zu schaffen und beunruhigte sie, erinnerte sie aber auch daran, dass nichts im Leben selbstverständlich war. Die Zukunft ließ sich nie voraussehen. Dóra wendete den Wagen und fuhr doch nicht ins Büro, wo Bella vor ihrem Computer mit der schnellen Internetverbindung klebte, sondern machte sich stattdessen auf den Weg zu Orris Kindergarten. Sie würde ihn früh abholen und mit ihm gemeinsam den Tag genießen. Die Sonne brach durch die Wolken, und im Wagen wurde es hell.

32. KAPITEL

»Er kommt nicht.«

Bylgja hatte längst aufgehört zu weinen. Ihre Wangen waren trocken, weil sich die kühlen, weichen Rocksäume der dichtgedrängten Kleider im Schrank an ihr Gesicht geschmiegt und ihre Tränen aufgesaugt hatten. Sie hatte fast das Gefühl, als hätte sie gar nicht geweint, und fühlte sich noch schlechter. Als hätte sie ihren Vater enttäuscht, als sei er ihr vollkommen egal.

»Was sollen wir machen, wenn er nicht kommt?«, fragte sie.

Arna bewegte sich zwischen den Stoffen, und die Kleider raschelten, als würden sie auch etwas flüstern.

»Ich weiß nicht«, wisperte sie.

»Sollen wir hierbleiben, bis der böse Mann uns findet?«, fragte Bylgja. Sie rutschte ebenfalls etwas herum, weil Arnas Ellbogen in ihren Bauch piekste. Aber es war egal, dass es so unbequem war – lieber wollten die Mädchen zusammen in einem Schrank hocken als jede für sich alleine.

»Ich weiß nicht. Vielleicht findet er uns nicht.«

»Wenn er uns sucht, findet er uns.«

»Vielleicht sucht er uns nicht«, meinte Arna, und es klang, als würde sie immer noch weinen.

»Vielleicht.«

Bylgja hätte am liebsten die Augen zugemacht und an etwas

ganz anderes gedacht. An das Sommerhaus, das sich ihre Mutter so gewünscht hatte, und an die Anzeigen, die sie manchmal gemeinsam angeschaut hatten, um ein Haus auszusuchen, das sie kaufen würden, wenn sie ganz viel Geld hätten. Wenn sie die Augen fest zudrückte und sich die Ohren zuhielt, konnte sie sich vorstellen, wie sie daheim in der Küche saßen, die Zeitung durchblätterten und das schönste Haus auswählten. Ein Haus mit einer Veranda und kleinen Bäumchen, die groß wären, wenn Arna und sie erwachsen wären. Doch obwohl Bylgja alles, was sie in dem dunklen Schrank sah und hörte, aussperrte, spürte sie immer noch das Schaukeln der Yacht, und das machte alles zunichte.

»Denkst du an Mama?«, fragte sie.

»Ja«, antwortete Arna und tastete wieder umher.

»Glaubst du, dass der böse Mann sie ins Meer geworfen hat?« Arna antwortete nicht. »Du musst antworten, ich will dich sprechen hören.«

»Ich kann nicht über Mama im Meer sprechen.« Arna schniefte. Das Kleid, das ihr am nächsten hing, war bestimmt schon voller Flecken. »Lass uns über was anderes reden.«

»Ich will aus dem Schrank«, sagte Bylgja und tastete nach ihrer Brille, die sie auf den Boden gelegt hatte. »Es tut so weh, ich will Papa suchen.«

»Und was ist mit dem bösen Mann?«

»Vielleicht gibt's keinen bösen Mann. Vielleicht haben wir was falsch verstanden, und Papa hat uns vergessen und quatscht mit Þráinn und Halli. Weißt du noch, wie müde er war? Vielleicht ist er auch nur eingeschlafen. Ich will nicht mehr flüstern. Vielleicht haben wir schon die ganze Luft im Schrank aufgebraucht und müssen ersticken.«

Plötzlich wurde es hell, und Bylgja schlug die Augen auf. Arna hatte den Schrank geöffnet. Sie krochen heraus, und nach einer Weile blendete das Licht nicht mehr.

»Was sollen wir tun?«, flüsterte Arna. Sie schaute sich um,

und ihre Augen blieben an den Sachen ihres Vaters hängen. Ein Hemd auf einem Stuhl beim Kosmetiktisch, die Aktentasche auf dem Fußboden und das Buch, das er am Anfang der Fahrt gelesen hatte, aufgeschlagen auf dem Nachttisch. Sie wollte nicht darüber nachdenken, ob er es jemals zu Ende lesen würde. Sogar die Coladose, aus der er getrunken hatte, verursachte ein schreckliches Gefühl in ihrem Bauch, ein schmerzhaftes Stechen, das sich nach oben zog, als ziele es aufs Herz.

»Lass uns gehen. Lass uns an Deck gehen«, sagte sie.

»Meinst du, das ist okay?« Bylgja bereute es plötzlich, dafür verantwortlich zu sein, dass sie den engen Schrank verlassen hatten. Dort waren sie sicher gewesen. Zumindest vorübergehend.

»Ja, ich glaube schon. Weißt du noch, als wir mit Papa an Deck waren, als er so müde war? Da war alles okay. Ich glaube, er würde es uns nicht verbieten.«

»Bist du sicher?«

»Ganz sicher, wir kommen einfach hierher zurück, wenn wir wollen«, sagte Arna. Sie ging zum Nachttisch ihres Vaters, nahm das Taschenbuch, knickte eine Seite ein und klappte es zu. »Ich will Papa sein Buch geben.«

»Wenn wir ihn treffen«, entgegnete Bylgja und kniff die Augen zusammen. Sie wollte noch einmal nach ihrer Brille suchen, ließ es dann aber bleiben. Es war egal. Sie wollte auf diesem bösen Schiff nichts sehen, da trug sie lieber keine Brille. Bylgja war neidisch auf Arna, die das Buch an sich genommen hatte, und suchte nach etwas, das sie mitnehmen konnte.

»Ich nehme die Aktentasche. Papa wird froh sein, sie wiederzukriegen.«

Die Mädchen gähnten und lächelten sich an.

»Gehen wir.«

Als sie im Gang waren, versuchten sie zu schleichen, aber ihre Bemühungen, sich gegenseitig zum Stillsein anzuhalten, verursachten mehr Lärm als ihre Schritte durch den Flur und die Treppe hinauf oder das Öffnen und Schließen der Tür. Sie waren überhaupt nicht auf den Wind vorbereitet, der sie an Deck traf. Arna verlor das Buch, und es wirbelte in einer Sturmböe übers Deck, bis es an der Reling hängenblieb. Arna sprang hinterher, doch das Buch flog in die Luft und verschwand in der Dunkelheit. Dann hörten sie ein leises Platschen.

Arna rannte zur Reling und spähte ins Wasser. Als Bylgja zu ihr lief, merkte sie, dass die Yacht ganz ruhig war. Sie schaukelte noch, fuhr aber nicht mehr. Während sie darüber nachdachte, ging sie langsamer, und erreichte das Geländer nach ihrer Schwester.

»Siehst du das Buch?«, fragte sie Arna. Sie kniff die Augen zusammen und spähte in die Dunkelheit, sah aber nichts. Die Scheinwerfer des Schiffes reichten nicht weit genug. Doch Arna antwortete nicht. Sie stand starr da und zeigte auf etwas, das Bylgja nicht richtig erkennen konnte.

»Was? Was ist da?«

»Papa!«, schrie Arna voller Verzweiflung, doch der Wind fegte ihren Schrei hinaus aufs Meer.

Bylgja sah einen langen, schwarzen Schatten, der dicht neben der Schiffswand trieb. Sie war froh, keine Brille aufzuhaben, und wich von der Reling zurück.

»Ich will ihn nicht sehen«, sagte sie und drehte sich weg. Arna tat es ihr nach, und die Mädchen standen nebeneinander, dem Grauen, das unter ihnen im Wasser schwamm, den Rücken zugewandt. Die Welt war eingestürzt, und alles war dahin. Niemand würde das Buch vermissen, und niemand würde sich um sie kümmern. Jetzt hatten sie keinen Vater und keine Mutter mehr, und nichts würde wieder gut werden. Sie wussten nicht, wie lange sie dagestanden und über ihr entsetzliches Schicksal nachgedacht hatten. Sie froren nicht mehr, und der Wind, der an ihren Haaren zerrte, störte sie nicht.

Als Arna endlich das Wort ergriff, hätte Bylgja am liebsten ihre Ruhe gehabt und zusammen mit ihrer Schwester dagestanden, bis sie erfroren wären.

»Bylgja, erinnerst du dich an Tom und Jerry?«, fragte Arna ausdruckslos, obwohl ihr Tränen über die Wangen liefen.

»Ja.«

Bylgja konnte sich nicht bewegen, nicht weinen, nicht schreien oder sonst etwas tun, nur automatisch antworten. Es war, als sei sie nicht mehr sie selbst.

»Sie sind ins Meer gesprungen und in den Himmel gekommen. Vielleicht sollten wir das auch tun. Wir werden Engel in weißen Gewändern und mit Flügeln und treffen Mama und Papa wieder.«

»Ist mir ganz egal.«

»Ich will nicht, dass der böse Mann uns umbringt, Bylgja. Wenn wir springen, entkommen wir ihm und sind bei ihnen. Mama ist da bestimmt auch irgendwo.«

»Ja«, sagte Bylgja. Sie spürte, wie Arna ihre Hand nahm und sie zur Reling führte. Sie hielt immer noch die Aktentasche ihres Vaters in der Hand, hob sie hoch und schleuderte sie von Bord. Die Tasche öffnete sich, und eine Unmenge grüner Papierschnipsel wirbelte über ihnen durch die Luft wie ein Vogelschwarm.

Dann kletterten sie auf die Reling und blieben dort einen Moment sitzen.

»Ist dir kalt?«, fragte Arna und nahm die Hand ihrer Schwester.

»Nein, und dir?«

»Nein, ich bin nur müde. Ich will zu Mama und Papa.«

»Ich auch, ich will nicht mehr hier sein.«

Sie schauten sich an. Und lächelten.

Yrsa Sigurðardóttir
Geisterfjord
Island-Thriller
Übersetzt von Tina Flecken
Band 19273

Ein Psychologe auf den Spuren der Toten, ein gottverlassener Landstrich und zu viele rätselhafte Unglücksfälle: Top-Spannung aus Island!

Drei junge Leute aus Reyjkavík planen, ein heruntergekommenes Haus in einem verlassenen Dorf in den kargen Westfjorden Islands wieder aufzubauen; sie ahnen nicht, welch gewaltige Ereignisse sie damit in Gang setzen. In einer Kleinstadt am anderen Ende des Fjords ermittelt zur selben Zeit Polizistin Dagný gemeinsam mit Freyr, einem Psychologen, in einer Reihe von unnatürlichen Todesfällen. Welche Geheimnisse bergen die staubigen Polizeiakten aus dem vorigen Jahrhundert? Und warum hat Freyr auf einmal das Gefühl, dass sein verschollener Sohn noch am Leben sein könnte? Erst als die Verbindung zwischen diesen rätselhaften Geschehnissen sichtbar wird, enthüllt sich die grausige Wahrheit. Dieser unheimliche und furchteinflößende Roman der internationalen Bestseller-Autorin Yrsa Sigurðardóttir ist, neben diversen Kinderbüchern, ihr sechstes Buch für Erwachsene und beruht zum Teil auf Tatsachen.

»Sigurðardóttir gehört in die erste Riege
nordischer Krimi-Autoren.«
The Times

Fischer Taschenbuch Verlag

Arno Strobel
Der Sarg
Psychothriller
Band 19102

Alles nur ein schlimmer Traum?

Sie wacht auf. Es ist dunkel. Zu dunkel. Sie kann nichts erkennen. Kein Lichtschein durch die Jalousien, keine Leucht-
ziffern auf dem Wecker. Nichts. Sie will sich aufrichten. Es
gelingt ihr nicht. Ihr Kopf schlägt dumpf gegen Holz. Sie ist
gefangen. Sie liegt in einem Sarg. Und niemand hört sie
schreien.

>>Meisterhaft spielt Arno Strobel mit den Nerven
seiner Leser. Hochspannung pur!<<
Nele Neuhaus

Fischer Taschenbuch Verlag